TEXAS

Ronald JOSEPH

TEXAS

*

LES PIONNIERS

roman
Traduit de l'américain
par
France-Marie Watkins et Daniel Lemoine

au Canada (U.S.A.) par France-Marie Watkins et Daniel Lemoine ... Olivier

Olivier Orban

© 1977, 1978 by Ronald S. Joseph.
© 1978, 1979 Olivier Orban pour la traduction française
ISBN.2.85565.214.6

Ce roman a été publié en deux volumes aux USA sous les titres *The Kingdom* et *The Power* aux éditions Warner Books et en France sous les titres *La Dynastie du Lantana* (1978) et *Les Héritiers du Lantana* (1979), aux éditions Olivier Orban.

PREMIÈRE PARTIE

1860-1867

1860

1

Ils étaient partis le jour du douzième anniversaire d'Anne. La veille au soir elle avait prié pour demander un orage, une roue de chariot brisée, des nouvelles de *bandidos* ou d'un raid d'Indiens, n'importe quoi pour reporter le voyage... parce que plus que tout au monde elle voulait une vraie fête d'anniversaire.

Mais son père la réveilla avant l'aube et comme elle était encore tout ensommeillée, il la porta au chariot qui attendait dehors, tout chargé et prêt à prendre la route. Aussi, quand le soleil se leva une heure plus tard et qu'elle se réveilla tout à fait, les maisons de San Antonio étaient-elles très loin derrière, et devant eux ne s'étendaient que des kilomètres de collines désolées sous un ciel sans nuages.

Ils s'arrêtèrent à midi sous un chêne vert et fêtèrent son anniversaire. Il y avait des gâteaux que sa mère Martha avait achetés la veille chez le boulanger; c'étaient de petits gâteaux aux raisins secs avec un peu de zeste de citron et recouverts de sucre glace. Mais ce n'était pas un vrai gâteau d'anniversaire, et ce n'était pas la même chose de les manger avec ses parents au lieu de petites amies de son âge. Cependant Anne les savoura jusqu'à la dernière miette. Elle avait une poupée aussi, une poupée de chiffons toute raide bourrée de feuilles de maïs séchées qu'elle adora immédiatement. Elle rêvait toujours d'une poupée de porcelaine mais elle savait qu'elle ne pouvait pas avoir tout ce qu'elle voulait.

Enfin Joël, son père, examina le ciel et dit qu'il valait mieux repartir. Des nuages s'amoncelaient à l'ouest et il prévoyait un orage.

On leur avait assuré que, à part la chaleur accablante, le voyage serait facile.

« Quatre jours, leur avait-on dit, peut-être cinq, au plus. Pas d'Indiens, pas de *bandidos* et pour ainsi dire pas de rivières à part la Nueces, et elle n'est pas bien méchante. »

On n'avait pas révélé que chaque arbre rabougri, chaque buisson se hérissait d'épines. Ni que toutes les créatures qu'ils verraient, depuis le bétail sauvage et nerveux au loin dans la brousse jusqu'à la grosse mouche irritante, étaient armées de cornes, de crocs ou de dards venimeux. Personne n'avait mentionné les terrifiants orages, les pluies torrentielles de juillet qui aplatissaient l'herbe au sol et cinglaient leur figure comme des milliers de petits fouets. Ni le tonnerre et les éclairs fulgurants qui les laissaient assourdis et aveuglés. Ni la boue, qui semblait résolue à tout aspirer dans les entrailles de la terre, dans laquelle ils pataugeaient et où leur chariot s'enfonçait jusqu'aux essieux. Et puis il y avait encore les ravins généralement secs qui devenaient des torrents furieux, les ruisseaux paresseux transformés en rivières turbulentes. Et la paisible Nueces qui s'étalait en un fleuve marron coupé de rapides qui leur avaient coûté une journée de voyage.

De tout cela, personne ne les avait avertis.

Et maintenant, alors que selon les calculs de Joël ils étaient à moins d'une demi-journée de leur destination, un nouvel orage menaçait. A voir le ciel, il promettait d'être plus violent encore que ceux qu'ils avaient déjà subis.

— Celui-là va nous donner du fil à retordre, cria Joël à Martha, assise dans le chariot avec Anne.

Elle ne répondit pas. Elle n'avait pratiquement pas ouvert la bouche de la journée. En la regardant de plus près, Joël vit combien elle était fatiguée. Sa figure trop amaigrie était pâle, pincée. Sous son bonnet ses cheveux étaient plaqués, humides, collaient à son cou nu. La sueur formait des taches sombres sur sa robe de cretonne bleue maculée de boue. Elle avait retroussé ses manches et Joël voyait ses muscles crispés tandis qu'elle tirait sur les rênes pour maîtriser les six petites mules rétives qui traînaient le chariot.

Il savait qu'elle tiendrait. Partout où il vagabondait, Martha avait toujours voyagé à son côté, surmontant les difficultés, sans jamais rien regretter. Elle lui avait sauvé la vie plus d'une fois.

Un sourd grondement de tonnerre interrompit ces réflexions troublées. Il examina l'horizon et aperçut au loin un petit bosquet d'acacias.

— Allons vers ces arbres là-bas, cria-t-il. L'orage va nous faire passer encore une nuit dehors.

Les nuages crevèrent juste au moment où ils atteignaient les mesquites.

— Attache la bâche sur le chariot ! hurla-t-il dans le vent et le tonnerre. Je vais m'occuper des bêtes.

Les éclairs dansaient sur la plaine, de grandes stries de foudre blanc-bleu accompagnées de puissants coups de canon, et la pluie tombait dru. Pendant un moment les gouttes se transformèrent en grêlons gros comme des noisettes, effrayant les bêtes au point que Joël dut rester avec elles pour les calmer.

Quand il put enfin se glisser dans le petit chariot il était complètement trempé. Il s'enroula dans une couverture de laine et se coucha à côté de sa femme, avec Anne entre eux.

— C'est le pire que nous ayons eu, cria-t-il dans les hurlements du vent.

Ponctuant ces mots, la foudre tomba des nuages dans un

craquement assourdissant et fendit un des jeunes acacias. Une gerbe de feu jaillit aussitôt de l'arbre gracile, comme si un démon prisonnier avait été libéré, et la fumée âcre du bois vert leur irrita les narines.

Anne s'était jetée dans les bras de sa mère en plaquant ses mains sur ses oreilles. Quand le tonnerre se tut, la petite fille se redressa et tâta le front de Martha.

— Maman... Tu trembles tellement !

— As-tu froid ? demanda Joël.

— Elle est brûlante, dit l'enfant.

— Je n'ai rien. Un peu peur, c'est tout, assura Martha, mais sa voix était faible et chevrotante.

A son tour, Joël posa sa main sur le front de sa femme.

— Mais tu brûles de fièvre ! Pourquoi ne me l'as-tu pas dit ?

— Je savais que tu t'arrêterais et je ne voulais pas. Je voulais que nous arrivions aujourd'hui.

Joël fouilla le plancher du chariot, cherchant la trousse de médicaments.

— Le flacon est là, dit Martha en tirant de sa poche la petite bouteille. J'en ai pris toute la journée, mais ça ne m'a pas du tout soulagée.

Joël prit le flacon et le déboucha.

— Tiens, bois le reste. Et puis essaye de dormir. Dès que l'orage sera calmé, je te ferai un lit sec sous les arbres. Il y fera frais.

L'orage dura presque tout l'après-midi. Sous les yeux attentifs de Joël et d'Anne, Martha se tourna et se retourna. Parfois des cauchemars la tourmentaient et elle criait des noms de son enfance. De temps en temps, quand elle retrouvait sa lucidité, elle croisait les bras sur son ventre et la douleur la pliait en deux.

Joël avait peur, et il s'efforçait de paraître calme pour ne pas effrayer Martha... ni Anne.

Quand, enfin, l'orage se calma, Martha se réveilla une fois de plus. Elle ne semblait pas souffrir pour le moment. Ses yeux sombres cherchèrent ceux de son mari et elle murmura :

— C'est le choléra, Joël.

— Ne dis pas ça, Martha ! Ce n'est pas possible !

— Je l'ai déjà vu. Je sais que c'est le choléra.

Joël aussi le savait mais il ne voulait pas entendre Martha le dire, comme si en se taisant la maladie disparaîtrait. Il posa un doigt sur les lèvres de sa femme.

— Ça va aller mieux. Tu as simplement besoin de dormir. Ne t'inquiète pas.

Mais au fond de son cœur, il était incapable de suivre son propre conseil.

Martha tenta de sourire, mais la terrible douleur la terrassa de nouveau et elle remonta ses genoux contre sa poitrine.

Joël se pencha sur elle, voulut l'embrasser, mais Martha se détourna vivement.

— Non ! Fais attention ! Tu pourrais l'attraper. Pense à Anne !

Quand l'orage se fut éloigné et que la nuit tomba, Anne prit des couvertures dans le chariot et confectionna pour sa mère une couche de fortune sous les arbres. Puis avec le bois sec qu'ils transportaient, elle prépara un feu et mit de l'eau à bouillir pour le café.

Joël porta Martha, la coucha et la couvrit de plusieurs couvertures. Elle ne se plaignait toujours pas, mais il voyait que ses douleurs empiraient; horrifié, il comprit que sans secours elle allait bientôt mourir. Le médicament, pour le peu de bien qu'il avait fait, était fini. Martha avait bu le reste de l'amère potion pendant l'orage.

— Elle est terriblement malade, murmura Anne.

— Le pire est passé, maintenant, prétendit Joël. Au matin, elle ira mieux.

— Je ne crois pas, papa.

— Ne parle pas comme ça ! cria-t-il.

Les yeux d'Anne révélaient une gravité et une sagesse bien supérieures à ses douze ans et il comprit qu'il serait vain d'essayer de la tromper. Il regretta aussitôt la dureté de sa voix.

— Excuse-moi, mon chat. Mais moi aussi je suis fatigué. Nous devrions peut-être manger quelque chose.

— Je n'ai pas faim, papa.

Joël non plus et comme Anne ne faisait pas mine de préparer un repas, il ne protesta pas.

Le gris plombé du crépuscule devint noir. Martha ne criait plus dans son sommeil mais sa respiration était irrégulière et oppressée. Joël la veilla, essuyant son front en sueur avec un linge humide. Anne était assise, adossée au tronc, et regardait dans la nuit.

— Papa ! murmura-t-elle. Regarde, là-bas ! On dirait que les nuages sont en feu.

Joël se tourna vers le sud que désignait Anne. Au loin, le dessous des dernières nuées d'orage se teignait d'un rouge orangé menaçant.

— Qu'est-ce que c'est ? demanda l'enfant.

— Bizarre, marmonna Joël en se levant.

— La foudre a peut-être incendié l'herbe ?

Joël y avait pensé, mais il avait aussi une autre idée.

— Ça pourrait être un feu de joie. J'ai vu des feux de joie colorer les nuages de cette façon.

— Alors, il y aurait des gens là-bas ?

— Et peut-être des médicaments. Il faut que j'aille voir. Ils pourront peut-être secourir ta mère.

Il chercha sa selle dans le chariot. Anne courut vers lui.

— Tu vas nous laisser là toutes seules ?

— Il faut que j'y aille, mon petit chat. Tu as peur ?

Anne hésita un moment. Ses yeux fouillèrent les ténèbres environnantes. Les locustes crissaient, et elle crut percevoir un mouvement dans un buisson. Mais alors elle vit à la lueur du feu de camp le visage pâle de sa mère et elle répondit :

— Non, papa. Je n'ai pas peur.

Il l'embrassa sur le front.

— Veille bien sur ta maman. Qu'elle ne prenne pas froid.

— Oui, papa.

— Je vais revenir bientôt, je te le promets, assura Joël en sautant en selle. Ce feu n'a pas l'air très éloigné.

2

Joël s'était trompé. Il lui fallut plus d'une heure au galop pour atteindre le feu de joie et quand il arriva, son cheval tenait à peine debout.

En approchant d'une grande hacienda il put voir, même de loin, qu'on y dansait le fandango. Deux grands brasiers crépitaient et grondaient côte à côte et toutes les fenêtres de la vaste demeure étaient illuminées. La musique des guitares entraînantes qui parvenait jusqu'à lui se mêlait de rires et de chants.

Quand il galopa plus près, deux cavaliers vêtus en vaqueros l'interceptèrent, fusil au poing, et lui ordonnèrent de s'arrêter.

— *Quién es ?* cria l'un d'eux.

— *Amigo*, répondit Joël qui connaissait un peu d'espagnol. J'ai besoin de secours. *Ayuda*.

Les deux vaqueros lui barrèrent la route.

— *Qué quiere ?*

L'homme était noiraud, avec une grosse moustache brune et une longue cicatrice allant de la tempe gauche au menton.

— Ma femme. *Mi esposa*, répondit Joël en cherchant ses mots. *Enferma*.

L'autre cavalier, plus âgé, avait un ventre énorme et un nez busqué; il marmonna quelques mots brefs puis il fit signe à Joël en lui disant :

— *Venga !*

Ils l'encadrèrent et l'escortèrent jusqu'au perron de l'hacienda. Là, « Balafré » s'adressa durement à une jeune servante qui se précipita dans la maison. Par les fenêtres, Joël aperçut des danseurs. Les femmes brunes aux yeux sombres étaient ravissantes, en robes à volants qui tourbillonnaient tandis qu'elles levaient leurs bras gracieux au-dessus de leur tête et arquaient leur taille en cadence. Les hommes portaient la tenue *charro*, l'habit très cintré brodé d'or et d'argent. Il vit des serviteurs passer parmi les invités, offrant du vin dans des gobelets de cristal et des monceaux d'*empanadas* et de *dulces* sur de lourds plateaux d'argent mexicains.

La vue d'un tel luxe dans ce pays désolé ramena les pensées de Joël vers Martha et Anne, campant dans les broussailles à une heure de cheval.

— J'ai besoin de secours, vite, dit-il. *Pronto*. Ma femme se meurt.

« Nez-Busqué » leva une main pour imposer silence. Joël pensa au trajet de retour et se rappela son cheval.

— *Caballo*, dit-il. *Agua, por favor.*

Les hommes considérèrent l'animal fourbu. Cela, ils le comprenaient, ils compatissaient. Ils firent signe à Joël de mettre pied à terre puis, tandis que « Balafré » le surveillait, son fusil braqué, l'autre vaquero conduisit le cheval vers l'abreuvoir.

Dans l'hacienda, la servante allait à la recherche de doña Natalia, la sœur de don Enrique de León, le propriétaire du ranch.

Pour le moment, doña Natalia était dans la chapelle, au fond d'un couloir du rez-de-chaussée, mais elle ne priait pas. Assise sur un des bancs d'acajou, l'imposante vieille fille s'efforçait de consoler sa nièce en larmes.

— Sofia, voyons. Tu dois cesser ces sottises et t'essuyer les yeux.

Mais la jeune fille continua de sangloter. Doña Natalia lui écarta les mains de la figure et lui releva le menton à la lueur des cierges.

Même dans la pénombre de la chapelle, la beauté de Sofia coupait le souffle. Elle avait le teint olivâtre mais assez clair pour révéler le sang bleu d'ancêtres espagnols de haut rang. Ses cheveux noirs lustrés étaient nattés et enroulés sur chaque oreille. Elle avait un nez droit et fier et des lèvres à la moue séductrice naturellement roses. Mais ce qu'elle avait de plus ravissant, c'étaient ses yeux qui, même rougis par les larmes, brillaient comme des escarboucles. On disait chez les jeunes hidalgos, de la Nueces au Saltillo, qu'un seul regard des yeux de braise de Sofia ferait fondre un cœur de pierre.

Tirant de sa manche un grand mouchoir bordé de dentelle, doña Natalia essuya les joues de la jeune fille.

— Sofia, mon enfant, tu dois te calmer immédiatement. Tes yeux sont déjà rouges. Bientôt ils seront bouffis et tu ne pourras pas le cacher aux invités de ton père.

Sofia secoua la tête d'un air de défi en repoussant le mouchoir de sa tante.

— Au diable les invités de mon père ! D'ailleurs, ils ne me verront pas. Je n'irai pas à la fête.

— Quelle sottise ! s'exclama doña Natalia. Bien sûr que tu iras à la fête. Il le faut. Qui a jamais vu une *novia* qui n'assisterait pas à son propre bal de fiançailles ?

Ces mots provoquèrent un nouveau torrent de larmes et Sofia se jeta au cou de sa tante en enfouissant sa figure contre la vaste poitrine.

— Là, là, *niñita*, murmura doña Natalia en caressant la tête brune. Les larmes n'arrangeront rien. Et puis, ce n'est pas la fin du monde.

— *Sí, sí, Tíacita !* gémit Sofia. La fin de mon monde ! Comment papa peut-il me faire épouser Luis ? Il est gras et vieux et je le déteste !

Doña Natalia soupira. Elle ne pouvait reprocher à sa nièce de mépriser don Luis de Vargas. Ce n'était certes pas le mari dont rêvent les jeunes filles... pas loin de cinquante ans, chauve et obèse, avec des yeux d'agate presque perdus dans des replis de graisse. Il avait la bouche dure et brutale, ce qui semblait confirmer les nombreuses rumeurs de cruauté qui circulaient. Les domestiques, qui savent toujours tout, racontaient qu'il avait torturé sa première femme qui, comme par un acte de volonté (puisque les médecins n'avaient pu détecter aucune maladie), s'était étiolée et lui avait échappé dans la mort.

Doña Natalia elle-même avait supplié le père de Sofia de renoncer à ce mariage.

— Il n'est pas fait pour elle, avait-elle dit. Elle est jeune et innocente. Il fera de sa vie un enfer.

— Silence ! Je sais ce que je fais, répliqua don Enrique en passant la main sur une carte étalée parmi le désordre de son bureau. Regarde ses terres ! Elles s'étendent de San Blas à l'Arroyo Verde. L'Ebonal est bien plus vaste que mon propre Lantana. Et Luis de Vargas n'a pas d'héritiers. Examine-le bien, la prochaine fois qu'il viendra. Son teint est mauvais, jaune comme du sable. Ses mains tremblent et il respire mal. Il n'en a plus pour longtemps.

Les yeux noirs de doña Natalia fulgurèrent.

— Ainsi, tu sacrifies ta fille unique à un peu plus d'hectares de désert aride !

Don Enrique refusa de croiser son regard. Il posa sa main sur la carte et les doigts écartés recouvrirent tout le territoire qui un jour serait à lui...

On gratta à la lourde porte de la chapelle et doña Natalia, essuyant en hâte les larmes sur les joues de Sofia, cria d'entrer.

La petite servante se glissa dans la chapelle et fit une révérence rapide.

— Doña Natalia, il y a un homme dehors. Un gringo.

— N'emploie pas ce mot. Tu sais que je n'aime pas l'entendre.

— Si, senõra, murmura la fille en se demandant comment elle pourrait décrire autrement l'étranger.

— Que veut-il ?

— Je ne sais pas. Le garde m'a dit d'avertir don Enrique.

— Alors pourquoi viens-tu me déranger ? Va le lui dire toi-même ! s'exclama avec irritation doña Natalia qui trouvait qu'elle avait déjà assez de soucis; mais en voyant la terreur de la petite à l'idée d'aborder son patron, elle se radoucit : C'est bon, j'irai lui parler.

La servante poussa un soupir de soulagement et sortit vivement de la chapelle.

— Maintenant, Sofia, reprit doña Natalia, tu vas monter dans ta chambre. Baigne tes yeux à l'eau froide et mets-moi un peu de couleur sur ces joues. Tu es pâle comme la lune.

Elle embrassa sa nièce sur le front et dans un grand bruissement de ses jupons de soie noire, elle sortit à son tour.

Restée seule, Sofia se leva et s'approcha de la statue de Notre-Dame de Guadalupe. Un cierge vacillait aux pieds de la Vierge. Elle en prit un autre, l'alluma à la flamme mourante et le planta dans la cire molle du premier. Sa lueur dorée illumina le visage de la patronne du Mexique.

— Sainte Vierge, je vous en conjure, pria tout bas Sofia, sauvez-moi de don Luis !

Ses yeux sombres guettèrent un signe. Un sanglot secoua les épaules de Sofia. Il n'y aurait pas de miracle. Elle le savait. Comme il était inutile de continuer à espérer, elle sécha ses pleurs et baissa la tête avec résignation. Puis elle souffla le cierge et monta dans sa chambre.

Doña Natalia trouva son frère en conversation animée dans la cour, près de la fontaine.

— Mais naturellement, les Américains vont faire la guerre. Ils diront que jamais les États du Sud ne reconnaîtront Lincoln comme président. Ils se sépareront de l'Union et le Texas la quittera avec eux.

— Qu'est-ce que ça peut nous faire ? répliqua Carlos Delgado, un *hacendado* du Sud. Cela ne nous regarde pas. Nous devons notre loyauté au Mexique, c'est tout.

— Précisément, mon ami, dit don Enrique avec un sourire. Ainsi leur guerre fera notre jeu. Nous n'aurons pas de meilleure occasion pour arracher aux gringos les terres au sud de la Nueces et les rendre au Mexique.

— Excuse-moi, Enrique, intervint doña Natalia.

Les manières pontifiantes de son frère l'agaçaient et elle était ravie de cette occasion de l'interrompre.

— Qu'est-ce que c'est ? grommela-t-il, irrité, car il était sur le point de se lancer dans un discours.

Cependant, quand elle lui fit signe de venir à l'écart avec elle, il s'excusa auprès de ses amis et la rejoignit dans un coin de la cour au pied d'un bougainvillée cramoisi.

— C'est Sofia ? demanda-t-il. As-tu réussi à lui mettre un peu de plomb dans la tête ou dois-je aller lui parler moi-même ?

— Non, elle va bien. Elle va bientôt descendre.

— Je l'espère bien ! Les gens commencent à s'étonner et je ne veux pas qu'elle ridiculise Luis. Tu connais son orgueil.

— Je sais, mais il ne s'agit pas de cela.

— Alors de quoi ? Parle vite, mes invités m'attendent.

— Ils attendront encore un peu. Un caballero est là dehors et demande à te parler. Il semble avoir des ennuis.

Don Enrique fronça les sourcils.

— D'abord Sofia et ses caprices d'enfant, et maintenant quelqu'un qui vient me raconter ses soucis !

— Il attend.

— Bon, bon, j'y vais.

Comme ils rentraient dans la maison et traversaient le grand vestibule frais, Luis de Vargas surgit de l'ombre.

— Doña Natalia, murmura-t-il en s'inclinant. Enrique... Une soirée magnifique. Tout est d'un goût parfait. Quels vins et quels mets délicieux ! Vous avez sûrement fait venir un chef de la capitale.

— Merci, Luis, répondit nerveusement Enrique, en remarquant la colère rentrée de son hôte. Mais vous êtes vraiment trop indulgent. J'aurais beaucoup aimé faire venir un chef de Mexico. Malheureusement, nous avons dû nous contenter de nos propres cuisiniers sans talent pour fournir le maigre repas que vous avez eu sous les yeux.

— Et l'orchestre ! reprit Luis. Sûrement les artistes les plus doués au nord de Monterrey.

— Des vaqueros aux doigts malhabiles et des guitares désaccordées, répondit don Enrique, suivant la coutume polie qui exigeait qu'il dépréciât ses considérables efforts.

— Vous êtes trop modeste, Enrique. C'est une soirée charmante. Elle ne pourrait l'être davantage que grâce à la présence de votre ravissante fille.

Enfin, c'était dit. Luis était furieux et il le faisait savoir à Enrique, mais avec la délicatesse qu'imposait le protocole.

— Sofia prend grand soin de sa toilette, expliqua vivement doña Natalia. Vous savez ce que représente pour une jeune fille son bal de fiançailles. Tout doit être absolument parfait.

— Certes, certes, reconnut Luis à qui l'étiquette interdisait d'insister. Je vais attendre son arrivée. Je sais que le retard ne sera pas vain.

Il s'inclina avec une courtoisie exagérée et se dirigea vers la salle de bal.

— Il est ivre, souffla Natalia.

— Un peu gris, seulement. Mais as-tu remarqué son teint ? Et ses mains, comme elles tremblent ?

— Ce n'est que le champagne.

— Au contraire. Il tremble bien plus quand il n'a pas bu.

Natalia referma son éventail avec un claquement sec pour mettre fin à cette conversation et rappela à son frère :

— Ce caballero t'attend toujours à la porte.

— J'y vais. Va parler à Luis. Tiens-lui compagnie jusqu'à ce que Sofia descende.

Joël avait l'impression d'attendre depuis des heures.

— Vaquero, dit-il, dites-leur de se dépêcher. J'ai besoin de secours tout de suite. *Pronto !*

— *Silencio !* gronda « Balafré » en relevant le canon de son fusil.

Soudain les gonds de la lourde porte d'entrée grincèrent, de la lumière se déversa dans la cour et la resplendissante silhouette de don Enrique apparut. Son costume brodé d'or flamboyait à la lueur dansante des feux de joie et ses bottes brillaient comme de l'ébène verni. Il portait la tête haute, ses yeux étincelaient; ses cheveux étaient blancs comme des nuages d'été.

Il s'avança sur le perron et toisa Joël qui se tenait au bas des marches.

— A quoi dois-je cet honneur ?

Don Enrique parlait en espagnol et Joël ne comprit pas.

— *Señor*, dit-il, je suis venu vous demander du secours. Ma femme est malade...

Don Enrique ne se donna pas la peine d'écouter la suite. Il pensait : « Natalia me dit qu'un caballero m'attend. Un caballero ! Ce n'est qu'un gringo. Cette vermine qui infeste nos terres. Regardez-moi ça ! Dégoûtant. Et ils ont l'audace de se croire supérieurs. Je les déteste tous, ces hommes aux yeux bleus qui envahissent... »

— *Señor*, reprit Joël, pensant que le hacendado n'avait pas compris. *Mi esposa... enferma, muy enferma.*

Don Enrique regardait avec plaisir le gringo chercher maladroitement ses mots.

— *Ayuda, por favor... Medicina*, supplia Joël.

Don Enrique ne répondit pas...

Mais d'en haut, quelqu'un observait cette scène. Sofia, entendant des voix, était sortie sur son balcon. Celle du gringo, forte et grave, bien qu'il suppliât, l'avait surtout attirée. Et en l'examinant à la lumière des brasiers, elle vit que sous la crasse et la sueur, malgré la fatigue qui tirait ses traits, il était singulièrement beau. Elle admira sa mâchoire volontaire, ses épaules carrées, son maintien droit en dépit de la fatigue. Et elle vit qu'il avait les yeux gris. « Gris mortel », disaient les siens quand ils parlaient des Anglo-Texans, mais elle imagina que ces yeux gris pouvaient être chaleureux et tendres quand ils contemplaient une femme. Il n'avait pas l'air d'un tueur ni d'un démon, comme son père disait qu'étaient tous les gringos.

Dans l'ombre du balcon, appuyée des deux mains à la balustrade de fer forgé, elle regretta qu'il ne fasse pas jour pour qu'elle puisse voir plus nettement l'étranger.

— Je suis Joël Trevor, disait-il. J'ai acheté le ranch Narvaez, pas loin d'ici...

« Ainsi c'est toi, pensa don Enrique, le gringo dont on m'a parlé. Eh bien, que ta femme meure. Au moins elle ne fera plus de petits gringos ! »

Il cria en espagnol à ses gardes :

— Qu'on amène le cheval de l'étranger. Qu'on le renvoie.

Joël comprit les gestes.

— *Señor, por favor ! Medicina !*

Sofia fut horrifiée par la dureté de son père. Don Enrique avait tourné les talons et rentrait dans la maison quand Joël lança encore un appel au secours. Le hacendado se retourna et lui déclara dans un anglais parfait :

— Nous n'avons pas de médicaments pour vous ici. Nous n'avons rien pour les gringos.

— Attendez ! Attendez ! Vous devez m'aider !

Joël s'élança sur le perron mais, avant qu'il atteigne la porte, « Balafré » saisit son fouet à bœufs.

Il le fit claquer et quatre mèches de cuir tressé sifflèrent comme des serpents et s'enroulèrent autour de la taille de Joël, lui clouant les bras au corps. Il chancela sur la plus haute marche, sans trop comprendre ce qui lui arrivait. Alors le vaquero tira sur le fouet et fit tomber Joël au bas du perron. Il tomba lourdement, heurtant le rebord aigu de chaque marche sans pouvoir se protéger la tête. Du sang jaillit d'une entaille au-dessus de l'œil droit et d'une autre à la lèvre. Il vint rouler dans la poussière aux pieds du garde.

Sofia poussa un cri mais le son de sa voix fut couvert par le rire gras des vaqueros qui regardaient Joël se relever péniblement. Il parvint à se mettre debout mais à ce moment un vertige le saisit et il retomba face contre terre.

Le deuxième garde se pencha et lui lia rapidement les mains derrière le dos. Puis brutalement, il le poussa de sa botte jusqu'à ce qu'il se relève de nouveau. Le fouet se relâcha et retomba.

Comme Joël avait les mains prisonnières, « Nez-Busqué » le hissa en selle. Il vacilla, à demi aveuglé par le sang et la terre, sentant sa lèvre douloureuse enfler.

— Allez, gringo, gronda « Balafré ». File ! File comme le vent !

Une fois encore le fouet claqua comme un coup de pistolet. Les mèches s'abattirent sur la croupe du cheval, cuisantes comme un fer à marquer. Le hongre s'élança avec un hennissement de douleur et faillit désarçonner Joël qui dut serrer frénétiquement les genoux pour garder son assiette.

Sofia, une main à la gorge, vit Joël basculer en arrière, puis en avant, la figure frôlant la crinière du cheval. Elle fut certaine qu'il allait tomber.

Les sabots du hongre martelèrent les pavés dans un bruit de tonnerre. Il galopa entre les deux feux de joie dans la nuit noire.

Sous la fenêtre de la jeune fille, les gardes s'esclaffaient. L'homme au fouet le fit claquer encore une fois avant de l'enrouler presque tendrement et de le raccrocher à sa selle.

Le cœur battant follement, Sofia rentra dans sa chambre. Elle n'avait pas besoin d'artifices pour donner à ses joues la couleur que voulait sa tante. Elle les sentait brûler. Incapable de tenir en place, elle arpenta sa chambre et les talons de ses fins souliers du soir sonnèrent impatiemment sur le parquet.

La brutalité des vaqueros l'horrifiait mais elle était encore plus écœurée par la cruauté de son père.

Elle se jeta sur son lit, le cœur soulevé, la respiration sifflante, ses petits seins palpitant sous le corsage de dentelle, mais elle était bien trop furieuse, trop choquée, pour pleurer.

La tête enfouie dans ses oreillers, elle mit un moment à comprendre que le bruit répété qu'elle entendait n'était pas celui de son cœur battant, mais quelqu'un qui frappait à sa porte.

— *Momento*, cria-t-elle d'une voix brisée.

Elle se redressa, passa ses mains tremblantes sur son visage comme si elle pouvait en effacer l'horreur et le dégoût, puis, enfin, elle cria d'entrer.

Une petite servante de douze ans à peine se glissa timidement dans la chambre. Les yeux baissés, elle tortillait nerveusement son tablier.

— Señorita, murmura-t-elle. Doña Natalia vous demande.

— Va dire à ma tante que je descends.

La petite fit une révérence et s'éclipsa.

Sofia se leva et alla se regarder dans la glace. Elle voulut examiner son visage mais son reflet était couvert par le souvenir de Joël gisant au pied des marches, son sang se mêlant à la terre. Pour chasser cette vision elle se pencha pour regarder au fond de ses yeux; mais la figure de l'étranger s'interposa, avec cette expression d'incrédulité qu'il avait eue quand le fouet s'était enroulé autour de sa taille. Cependant, le pire était le souvenir de son cri angoissé quand il avait supplié une dernière fois don Enrique : « Attendez ! Attendez ! Vous devez m'aider ! »

Sofia se détourna vivement du miroir, ôta ses petits souliers d'un coup de pied et ouvrit la porte de son armoire. Prenant ses hautes bottes de cuir fauve, elle les tira sur ses bas. Sur l'étagère, elle attrapa un grand châle bleu de nuit qu'elle drapa sur sa tête, rejetant un des pans à longues franges sur une épaule.

Dans le couloir désert, elle marcha sur la pointe des pieds pour que ses talons ne résonnent pas sur le carrelage d'azulejos. Devant elle se déployait le grand escalier descendant vers le vestibule. La musique et les voix joyeuses montaient vers elle.

Avançant à pas de loup, elle s'arrêta un moment au sommet de l'escalier pour s'assurer qu'il n'y avait personne au bas des marches puis, rapidement, elle traversa le palier et s'engagea dans un autre corridor où une porte donnait sur un escalier de service. Jetant un coup d'œil derrière elle, elle ouvrit vivement la porte.

Dans le noir, elle s'arrêta un instant pour reprendre haleine et surmonter la brève panique qui s'emparait d'elle, au sommet de l'étroit escalier en colimaçon. Enfin, cramponnée à la rampe, elle descendit prudemment. Elle ne s'arrêta que lorsque sa main tâtonnante rencontra la porte du rez-de-chaussée. Elle donnait dans l'office qui aboutissait aux cuisines. Mais au lieu de la pousser, Sofia fit glisser ses pieds sur les dalles de pierre jusqu'à ce que le bout de sa botte heurte un lourd anneau de fer.

Elle s'agenouilla, accrocha ses doigts à l'anneau, se renversa en arrière et tira. Dix fois elle recommença, jusqu'à avoir mal aux doigts, jusqu'à ce que les muscles de ses bras menacent de faire éclater les coutures de ses manches. De la sueur perla à son front et à sa lèvre supérieure.

Enfin, juste au moment où elle allait renoncer, elle sentit la pierre bouger. Le léger mouvement décupla ses forces. Elle tira encore une fois et la pierre se souleva un peu.

Elle s'assit sur ses talons et s'épongea le front avec les franges de son châle. Quand elle eut repris son souffle, elle saisit de nouveau l'anneau. La pierre se souleva en grinçant contre le rebord. Elle était lourde, presque trop pour Sofia. La jeune fille redoubla d'efforts et enfin elle put dégager la dalle énorme et la faire glisser d'un côté. Elle se pencha sur le trou noir béant.

Alors que Sofia scrutait le sombre tunnel, une odeur de moisi et d'eau fétide lui monta aux narines. L'obscurité était totale. Elle frissonna, faillit perdre courage mais, faisant un signe de croix, elle aspira une dernière bouffée d'air frais et se glissa dans le souterrain.

Le fond était glissant et elle écarta instinctivement les bras pour ne pas perdre l'équilibre. Aussitôt elle ramena ses mains avec dégoût. Les parois étaient visqueuses, couvertes de petites racines semblables à des toiles d'araignée. Frémissante, elle resserra son châle autour d'elle.

Elle ne pouvait se tenir debout et dut avancer tant bien que mal, pliée en deux, fouillant du regard les ténèbres opaques. Son pied glissa et elle dut surmonter son horreur et se retenir aux parois répugnantes.

Le passage secret paraissait interminable. Bientôt Sofia eut mal au dos; la puanteur de l'eau stagnante et de la végétation pourrie lui soulevait le cœur. Mais elle remonta le châle sur son nez et continua de marcher. Il lui arrivait de trébucher sur des racines, de tomber sur les genoux, maculant de boue sa robe de bal. Deux fois elle se figea, croyant entendre courir des bêtes immondes. Elle avait une peur panique des rats. Mais quand elle s'arrêtait et retenait sa respiration, elle n'entendait plus que les battements de son cœur.

Enfin elle sentit qu'elle approchait du bout du tunnel. Ce n'était pas une clarté qu'elle distinguait, mais plutôt une opacité moins impénétrable. Encouragée à la pensée de respirer bientôt l'air frais de la nuit, elle se mit à courir ou plutôt à clopiner comme une bossue sous le plafond bas du souterrain. Elle entendait maintenant le vent agitant les branches sèches des buissons de l'arroyo. Elle pressa le pas tant qu'elle le put, sentant à peine les répugnantes racines velues et la vase gluante tapissant les parois. Respirant par la bouche, elle regardait droit devant elle. Elle aperçut enfin un coin de ciel étoilé.

Soudain, elle buta contre une racine et s'étala de tout son long. Elle jeta ses mains en avant pour amortir sa chute. L'instinct seul fit courir un frisson de peur dans tout son corps, car elle ne pouvait certainement rien voir et il lui faudrait plusieurs secondes pour comprendre ce que ses doigts avaient touché. Mais elle savait déjà que c'était un serpent, dur et sinueux comme un muscle, aussi épais que son bras, qui déroulait rapidement ses anneaux.

Elle hurla; les échos de son cri se répercutèrent au fond du tunnel comme la plainte d'un démon enchaîné et l'assourdirent. Elle voulut reculer, fuir, mais elle se rua en avant en poussant un nouveau cri d'horreur, elle piétina le serpent, sans se douter un instant qu'elle échappait de bien peu aux crochets venimeux qui se refermaient sur les franges de son châle.

Elle se hissa hors du tunnel, plongea frénétiquement dans le fourré épineux et se traîna vaille que vaille dans le fond de l'arroyo. Comme le dernier écho de son cri montait du souterrain et se dissipait dans la nuit, elle se jeta à terre en sanglotant, prise d'une affreuse nausée.

Enfin, au bout d'une minute qui lui parut interminable, elle se releva lentement, péniblement, et avança dans l'arroyo. Sa robe était en lambeaux, ses mains et sa figure en sang.

Portés par la brise légère, les doux accents de *La Paloma* lui parvenaient de l'hacienda, six guitares accompagnant la voix plaintive du ténor.

Elle se hâta dans le lit desséché du ruisseau et peu à peu la musique s'estompa dans le lointain. Elle se retourna. Les feux de joie étaient à peine visibles; elle était plus loin de la maison qu'elle ne l'avait pensé et, à l'est, elle distinguait les sombres masses du *ranchito*, le village de cabanes où vivaient les peones.

Une meute de chiens efflanqués annonça son arrivée par des hurlements. Une lanterne s'alluma dans une des cases et une vieille femme sortit prudemment sur le seuil.

— *Quién es ?*

Sofia rasa les murs, restant dans l'ombre pour que la vieille ne pût voir sa robe maculée de boue et déchirée, ni les égratignures de sa figure et de ses mains.

— *Quién es ?*

Sofia se nomma et ordonna :

— Va faire dire au *curandero* de venir tout de suite.

— La señorita veut-elle attendre dans ma maison ?

— Non, va, dépêche-toi !

La vieille s'adressa aux six ou sept enfants qui grouillaient autour d'elle. Un petit garçon au ventre gonflé, vêtu d'une simple petite chemise de coton, se détacha du groupe et partit en courant entre les masures. Au bout d'une minute, Sofia vit apparaître une autre lanterne qui s'approchait en se balançant.

— *Buenas noches, señorita,* murmura le guérisseur.

Sofia le regarda à la faible lueur de la lanterne. Elle le connaissait depuis toujours et il ne semblait pas avoir changé. Il avait toujours été vieux, la barbe et les cheveux blancs, la figure ridée comme une vieille pomme oubliée au soleil. Il avait du sang indien et l'on racontait qu'il pouvait marcher sans laisser d'empreintes de pas. Enfant, elle avait eu peur de lui, de ses étranges prières, de ses herbes amères, de ses potions miraculeuses, car comme tous les *curanderos* il avait des manières mystérieuses. Sorcier, rebouteux, herboriste, il guérissait les malades, pansait les blessures, adoucissait les affres de la mort. A treize ans, Sofia avait été terrassée par une fièvre maligne et

Casimiro était venu pratiquer sur elle sa magie. En quelques jours, elle fut guérie. Il cessa de l'effrayer et bientôt elle en vint à le considérer avec respect et admiration.

— *Buenas noches*, Casimiro, dit-elle. On a besoin de toi.

— Qui est malade ?

— Une femme. Loin d'ici. Peux-tu faire une longue route à cheval ?

— Oui, je suis fort, assura-t-il.

— Nous avons besoin de deux chevaux.

— Je vais les envoyer chercher.

Une autre vieille d'une cabane voisine apporta à la jeune fille un mélange sucré et brûlant de chocolat et de café. La lune se leva et la femme put voir la robe déchirée et les égratignures de Sofia mais elle baissa discrètement les yeux et ne posa aucune question.

Alors que les chevaux arrivaient, Casimiro revint avec une sacoche de cuir contenant ses herbes et ses potions.

— Vous saurez nous conduire ? demanda-t-il tandis qu'on l'aidait à se mettre en selle.

— Oui, répondit Sofia.

Elle savait simplement que l'étranger était reparti vers le nord, mais elle rassembla ses rênes et poussa son cheval au petit galop. Casimiro suivit et tous deux se hâtèrent dans la nuit.

3

— *Anda !* cria-t-elle à Casimiro et elle éperonna son cheval.

La lueur des feux de joie disparaissait derrière eux quand le chuchotement rauque de Casimiro avertit Sofia; elle tira sur ses rênes. Sans un mot, il attira son attention sur une silhouette sombre dans un bosquet d'acacias. Le clair de lune filtrant à travers le léger feuillage traçait le contour d'un homme vacillant sur un cheval.

« C'est lui ! » pensa Sofia en frissonnant car elle sentait sa peur malgré la distance qui les séparait. Casimiro était tourné vers elle, attendant un ordre. Elle aspira profondément et cria :

— Señor ! Nous ne vous voulons pas de mal.

Sous les arbres, Joël observait; depuis un moment il se doutait qu'il était suivi.

Prudent, il continua de garder le silence.

— Je vous en prie, señor ! cria Sofia. Nous sommes venus pour vous secourir. Ayez confiance en moi.

— Qui êtes-vous ?

— Sofia de León, du Lantana. J'ai amené Casimoro, le curandero. Il a de la médecine pour guérir votre femme.

— Restez où vous êtes ! ordonna Joël.

Sofia perçut un mouvement dans l'ombre des arbres, puis Joël avança au clair de lune et elle vit scintiller un pistolet.

— Vous n'avez pas besoin de cela, dit-elle. Nous ne sommes pas armés. Nous venons simplement pour vous porter secours.

En s'approchant, Joël put voir combien elle était jeune, et aussi que l'homme à côté d'elle était vieux, voûté et n'avait entre les mains que les rênes.

— Vous n'avez amené personne d'autre ? demanda-t-il.

— Nous sommes seuls. Je vous le jure sur la Sainte Vierge et sur l'âme de ma mère, assura-t-elle en faisant un signe de croix.

Joël hésita encore un instant puis il avoua :

— J'ai besoin de secours. Ma femme est mourante.

— Je vous en supplie, murmura Sofia, rengainez votre pistolet. Vous n'en avez pas besoin et j'en ai peur.

Joël rengaina son colt et se rapprocha encore. Sofia poussa un cri en voyant ses blessures. Du sang coulait encore de son front. Sa lèvre était enflée et le sang de cette entaille s'était coagulé dans sa barbe et sur le foulard noué à son cou.

Casimiro se pencha vers sa maîtresse et murmura quelques mots en espagnol.

— Casimiro va arrêter ce saignement, traduisit Sofia.

— Pas le temps. Nous devons aller auprès de ma femme.

Mais il oscilla sur son cheval et la jeune fille comprit qu'il n'en pouvait plus.

— Vous n'y arriverez jamais. Vous perdez trop de sang.

Joël savait qu'elle avait raison. Déjà il sentait l'inconscience le gagner. Il vacilla encore et se retint au pommeau de sa selle. Aussitôt Sofia sauta à terre et courut vers lui. Il en fut bizarrement rassuré. La volonté farouche qui l'avait maintenu éveillé et en selle lui manqua soudain et il s'abandonna complètement aux mains de Sofia, comme si elle pouvait tout arranger. Il glissa de la selle dans ses bras et manqua l'écraser sous son poids.

— Casimiro ! cria-t-elle.

Le vieil homme était déjà là. Avec une force surprenante pour son âge, il saisit Joël sous les aisselles et l'allongea sur le sol. Puis, plongeant dans la sacoche de cuir, il en retira un bidon d'eau et nettoya les blessures. Il y avait une croûte sur la lèvre mais le front saignait toujours abondamment. Rapidement, le curandero fit un emplâtre avec de la mousse desséchée et des toiles d'araignée et l'appliqua sur la coupure. Sofia le maintint en place pendant que Casimiro entourait d'une bande propre la tête de Joël.

Fouillant de nouveau dans sa sacoche, le guérisseur en retira un flacon de grès qu'il déboucha et présenta aux lèvres du blessé.

— Buvez, supplia Sofia. Ça vous donnera des forces.

L'épais liquide vaguement salé souleva le cœur de Joël et il voulut le recracher. De deux doigts experts, Casimiro lui pressa la gorge et la potion fut avalée. Mais Joël avait perdu trop de sang et il perdit connaissance.

24

— Il meurt ! s'écria Sofia.

Elle prit la tête de Joël sur ses genoux et passa une main dans ses épais cheveux bruns. Des larmes lui vinrent quand elle examina ce visage singulièrement séduisant, si beau malgré la pâleur et les blessures. Jamais elle n'avait connu d'homme comme celui-ci et elle comprenait mal l'émotion qui l'attirait vers lui.

— Ah ! Casimiro ! gémit-elle en sentant son cœur battre à grands coups. Je crois qu'il est mort.

Casimiro secoua la tête.

— Ce n'est qu'une faiblesse, señorita. Il va revenir à lui dans un moment.

Il mouilla une compresse d'une solution ammoniaquée et la passa sous le nez de Joël qui sursauta, toussa et ouvrit les yeux. Aussitôt, il songea à Martha.

— Aidez-moi à me relever... Nous devons aller auprès de ma femme.

Le curandero secoua la tête.

— Non, dit Sofia. Vous n'en avez pas encore la force. Tenez, buvez. Cela vous fera du bien.

Joël avala le liquide immonde et fit un effort pour ne pas le rejeter.

— Encore, supplia Sofia, mais il gémit et détourna la tête.

— Il le faut, insista-t-elle en pressant le flacon contre ses lèvres.

— Qu'est-ce que c'est ? souffla-t-il.

— Du sang de bœuf, répondit-elle, et cette fois il ne put se retenir de vomir.

Casimiro prit un linge et lui nettoya la figure.

— Restez tranquille un moment, conseilla la jeune fille. Vous vous sentirez mieux bientôt.

De minute en minute Joël sentait revenir ses forces. Enfin, soutenu par Sofia, il put se tenir debout.

— Pourquoi avez-vous fait cela ? lui demanda-t-il en regardant au fond des grands yeux noirs qui semblaient ne pouvoir quitter son visage. Pourquoi êtes-vous venue à mon secours ?

— J'ai eu pitié de vous.

Casimiro fit soudain un geste pour imposer silence.

— Qu'est-ce qu'il y a ? souffla-t-elle.

De nouveau le vieillard la fit taire et il porta une main à son oreille.

A ce moment, Joël et Sofia entendirent aussi le galop de chevaux, dans le lointain, qui se rapprochaient. Joël vit de la terreur dans les yeux de Sofia.

— Mon père, dit-elle. Vite, Casimiro, va-t-'en ! S'il te trouve ici, il te punira.

— Venez avec moi...

— Non. Je saurai lui parler. Mais il ne doit pas te trouver. Pars Vite !

Le vieux guérisseur ramassa sa sacoche et se hissa en selle.

— Fuis, Casimiro, murmura Sofia. *Vaya con Dios !*

Elle claqua la croupe de la jument et monture et cavalier disparurent dans la nuit comme des fantômes.

— Ne dites rien, conseilla-t-elle à Joël. Je m'occuperai de mon père.

Les silhouettes d'Enrique et de Luis apparurent à l'horizon. Quelques instants plus tard ils arrivèrent.

Don Enrique tira sauvagement sur les rênes. Son cheval hennit et se cabra. L'hacendado poussa un cri de fureur en voyant devant lui Sofia enlaçant le gringo.

— Écarte-toi, Sofia !

Mais elle lui tint tête, et continua de soutenir Joël.

— *Por Dios*, je vous abattrai tous les deux si tu n'obéis pas ! Écarte-toi !

— Père, écoute-moi...

— Obéissez, murmura Joël.

Il détacha de sa taille le bras de la jeune fille et ce fut lui qui s'écarta.

— Ainsi voilà la fiancée que tu me réserves, Enrique ! gronda Luis dont le cheval moins rapide venait à peine de les rattraper. Une fille qui s'enfuit de la maison de son père dans les bras d'un gringo !

— Non !

Enrique réfléchissait à toute vitesse. Le mariage qu'il avait si bien arrangé, en manœuvrant si habilement, ne serait pas rompu par la stupidité de Sofia !

— Non. Regardez la pauvre petite ! Sa robe est en loques. Voyez sa figure et ses bras égratignés. Il est évident que le gringo l'a enlevée par la force !

Une monstrueuse colère bouillonna en Luis.

— *Cabrón !* hurla-t-il en dégainant son pistolet.

— Non ! cria Sofia.

Le coup de feu claqua.

Joël poussa un cri de douleur, vacilla et tomba à la renverse.

Sofia voulut se précipiter vers lui mais Enrique éperonna son cheval et s'interposa. Il se pencha, la saisit par la taille et la hissa sur sa selle. Elle se débattit, frappa son père mais il la maintint d'une poigne solide.

— Lâche-moi ! Laisse-moi descendre ! glapit-elle.

— Tais-toi, petite imbécile ! Tais-toi, tu entends ?

D'un revers de main il la gifla si violemment qu'elle vit papilloter des lumières devant ses yeux.

Luis regardait encore le gringo inerte à côté d'un bouquet de cactus. Il visa avec soin et pressa la détente de son pistolet.

Le cri de désespoir de Sofia le fit sursauter et la balle trancha un cactus à quelques centimètres de la tête de Joël.

— *Anda !* glapit don Enrique. A l'hacienda !

Son cheval s'élança au grand galop. Luis fit faire demi-tour à son hongre et le suivit. Sofia, prisonnière des bras de son père, tourna la tête pour regarder une dernière fois la forme sans vie de Joël au clair de lune.

— Assassins ! Je vous hais!

— C'est possible, ma petite fille; mais ce sera la dernière insolence que j'aurai à supporter de toi. Le mariage aura lieu demain et désormais tu seras le problème de Luis.

— Je n'épouserai pas un assassin, sanglota-t-elle.

— J'ai élevé une idiote, gronda Enrique, les lèvres contre l'oreille de sa fille, sa voix à peine audible dans le bruit de la galopade. Tu n'as pas l'air de comprendre. Jusqu'à demain matin, tu feras exactement ce que je te dirai. Tu n'as pas le choix. Et après le mariage, Luis sera ton maître.

— Jamais !

— Tu crois ça ? riposta-t-il avec un rire qui la glaça. Attends un peu. Luis te dressera. Tu verras.

La cloche de la cour sonnant à toute volée réveilla invités et domestiques. Une vague d'agitation et d'émoi déferla sur la maison. Les joyeux convives de la veille, qui avaient dansé jusqu'à trois heures du matin et qui avaient encore la tête lourde de tout le vin qu'ils avaient bu, apprirent avec consternation que le mariage allait être célébré immédiatement et qu'on les attendait dans la chapelle avant le petit déjeuner, avant qu'ils aient les yeux bien ouverts.

Sofia dut être arrachée à son lit.

— Je ne veux pas ! Je ne veux pas ! criait-elle.

Elle arracha la robe de mariée aux servantes, avec une telle rage qu'elles eurent peur, et la jeta dans le coin près de l'armoire.

— Ramassez la robe, ordonna Natalia aux bonnes, puis elle courut vers sa nièce et la prit dans ses bras.

— Jamais ! hurla Sofia. Jamais je n'épouserai Luis !

Natalia la berça doucement, comme un bébé.

— Là, là, murmura-t-elle. Là, là, mon cœur.

Elle répétait inlassablement les mêmes mots, incapable de trouver d'autres paroles de réconfort.

Vaincue enfin, Sofia se laissa conduire comme une somnambule. Les bonnes la dépouillèrent de sa chemise de nuit et prirent dans l'armoire le premier des nombreux jupons que Sofia devait porter sous sa robe de mariée. Finalement, elles firent passer la robe par-dessus sa tête et boutonnèrent dans le dos tous les minuscules boutons. Pâle et raide au milieu de la chambre, la jeune fille les laissait faire.

Joël arriva enfin au bord d'un arroyo. Il se laissa rouler le long de la berge en pente dans la fraîche mousse de son lit. Pressant sa bouche sur le filet d'eau boueuse, il humecta sa langue enflée; puis il recueillit entre ses mains un peu d'eau fraîche et se bassina le front. Il resta là jusqu'à ce qu'il ait étanché sa soif atroce.

Avec son couteau, il déchira sa chemise et la décolla de la blessure à l'épaule causée par la balle. Puis, se servant des lambeaux d'étoffe, il serra son bras contre sa poitrine, aussi fort qu'il le put, dans l'espoir que l'immobilité apaiserait un peu la douleur lancinante qui le torturait du bout des doigts jusque dans le milieu du dos.

Il ne sut jamais combien de temps il lui fallut pour atteindre le campement. La sueur l'aveuglait, la douleur devenait si intense qu'il était en état de choc et ne la sentait presque plus.

Le soleil se couchait presque quand il entendit Anne qui l'appelait. Il passa une main lourde devant ses yeux et la vit accourir vers lui.

— Papa ! Papa !

Il trébucha, trop affaibli pour faire un pas de plus, et tomba à genoux. Anne fut aussitôt à son côté, atterrée par ses blessures.

— Papa ! Que s'est-il passé ?

Il baissa la tête et pleura, de joie et de douleur à la fois. Lentement Anne l'aida à se relever, elle le soutint, le conduisit jusqu'au chariot. Il remua les lèvres et parvint à articuler la question qui le torturait :

— Martha ?

Anne se détourna.

— De l'eau, dit-elle. Je vais te chercher à boire.

Elle voulut s'éloigner mais il saisit son poignet maigre et, avec ses dernières forces, la retint.

— Ta mère ? Comment va-t-elle ?

Anne voulut répondre mais les larmes l'étouffèrent.

Joël remarqua alors qu'elle serrait quelque chose dans la main qu'il tenait. Il lui retourna le poing et lui déplia les doigts. C'était une fine chaîne d'or à pendentif de rubis. Elle avait appartenu à la mère de Martha qui l'avait donnée à sa fille le jour de son mariage. A part l'alliance que Joël avait glissée à son doigt cè jour-là, c'était le seul bijou que Martha eût jamais possédé.

Dans le soleil couchant, la pierre brillait comme une goutte de sang. Anne referma les doigts dessus.

— Maman me l'a donnée, murmura-t-elle, et maintenant ses larmes coulèrent. Elle me l'a donnée... en souvenir d'elle.

— Quand ? demanda Joël d'une voix sourde, l'esprit engourdi par le choc.

— Ce matin. Juste avant le jour.

Un terrible sanglot déchira la poitrine de Joël; il se laissa tomber à genoux et pleura. Agenouillée contre lui, Anne l'enlaça et ils tentèrent tous deux de se consoler dans leur immense chagrin.

La tombe était peu profonde mais Anne n'avait pas assez de forces pour creuser davantage dans la terre desséchée. Ils enveloppèrent le corps de Martha dans une couverture et le recouvrirent de terre et de pierres. Puis Joël ouvrit la vieille Bible et lut : « Oui, le moineau a trouvé une maison, et l'hirondelle un nid pour elle où elle pourra avoir ses petits. O Seigneur Dieu des armées, mon Roi, mon Dieu, bénis soient ceux qui vivent dans ta maison; ils chanteront tes louanges. »

— Amen, murmura Anne.

Ils campèrent là le reste de la journée et le lendemain. Anne baigna et pansa la plaie de son père, mais la douleur empira; et le surlendemain au matin, quand elle changea le pansement, Joël sentit la puanteur de la putréfaction.

— Il faut extraire la balle, dit-il, et il dégaina son couteau qu'il posa sur les braises. Il va falloir que tu le fasses.

— Non, papa ! Je ne peux pas !

— Il le faut. Je suis trop faible pour le faire moi-même.

— Je ne pourrai pas ! Je ne pourrai pas ! cria-t-elle.

— Il le faut ! répéta Joël avec colère, puis il vit l'horreur dans les yeux de la petite fille et il baissa la voix. Excuse-moi, mon chaton. S'il y avait quelqu'un d'autre, je ne te le demanderais pas. Mais si la balle n'est pas extraite, je vais perdre mon bras.

« Et je mourrai sans doute », pensa-t-il. Il vit, à l'expression d'Anne, qu'elle avait la même pensée.

— Sois courageuse. Je t'expliquerai ce que tu dois faire.

Il l'envoya chercher une bouteille de whisky dans le chariot.

Débouchant la bouteille avec ses dents, il but une gorgée.

— Maintenant, je vais me soûler à mort, déclara-t-il. J'en laisserai un peu au fond pour que tu le verses sur la plaie quand tu auras extrait la balle. Et pour l'amour du Ciel, quoi que je dise, même si je te supplie, ne t'arrête pas tant que tu n'auras pas extrait la balle. Tu as compris ?

— Oui, papa.

Anne regardait fixement le couteau dont la lame commençait à rougir.

Joël but encore longuement au goulot. Le whisky lui brûla les entrailles et détendit les muscles noués de son dos et de ses bras. Il leva encore la bouteille, et encore. Et tout en buvant, il expliquait à Anne ce qu'elle devrait faire.

Quand il fut ivre au point que la terre sembla basculer sous lui, il s'allongea sur le sol et marmonna à Anne de commencer.

Saisissant le couteau stérilisé par le feu, elle le leva dans le vent jusqu'à ce qu'il refroidisse. Elle s'agenouilla contre l'épaule de Joël et posa la pointe sur les chairs enflées.

— Je ne peux pas ! cria-t-elle.

— Fais-le, grogna Joël d'une voix pâteuse. Fais-le ou je vais mourir.

La petite fille serra les dents et trancha la chair putride. Joël laissa échapper un gémissement et de grosses gouttes de sueur perlèrent à son front.

— Vas-y, grinça-t-il.

Quand ce fut terminé, Anne lança le couteau aussi loin qu'elle put. Puis elle tomba à genoux et vomit.

Plus tard, alors que Joël cuvait les vapeurs du whisky, Anne prit la bouteille et la porta à ses lèvres. Elle avait nettoyé la blessure avec l'alcool et il en restait bien peu, à peine une petite gorgée, mais elle la but d'un coup, en clignant des paupières pour retenir les larmes qui lui montaient aux yeux. Elle aurait voulu s'enivrer; elle aurait voulu oublier. Mais le whisky ne lui fit rien.

4

Avant même que Joël en parle, Anne comprit qu'il lui faudrait retourner à San Antonio.

— Ce n'est pas un endroit pour une fille seule, dit-il.

Il restait encore une heure de soleil et ils étaient assis devant une cabane délabrée qu'ils avaient découverte sur leurs nouvelles terres.

— Où est-ce que j'habiterai ? demanda Anne avec indifférence.

— Les sœurs du couvent t'accueilleront. Elles te traiteront bien et elles t'enseigneront tout ce que ta mère t'aurait appris si elle avait vécu.

— Et combien de temps faudra-t-il que je reste ?

— Jusqu'à ce que tu sois grande.

— Tu ne trouves pas que je suis déjà assez grande ? demanda-t-elle, en espérant de tout son cœur qu'il changerait d'idée.

Joël considéra sa fille et se força à sourire.

— Pas tout à fait... mais bientôt.

Anne se leva et alla au feu de camp. Prenant de la viande séchée, elle la pila comme elle avait vu sa mère le faire et la fit dorer dans un four de campagne sur les braises. Puis elle ajouta de la farine et de l'eau et tourna le mélange pour faire une sauce à la viande qu'ils verseraient sur les biscuits de mer.

— Je ne veux pas y aller, dit-elle soudain en posant la cuillère de bois.

— Je sais. Mais ce ne sera pas pour longtemps.

Anne ne dit rien mais elle ne le croyait pas.

Ils dînèrent en silence, sans appétit, entretenant les mêmes pensées mais peu désireux de les partager.

Plus tard, avant de s'endormir, Anne demanda :

— Quand dois-je partir ?

— D'ici une semaine je devrais être suffisamment guéri. Nous partirons alors.

La petite fille soupira tristement et ferma les yeux.

Joël la contempla longuement, rêvant de pouvoir la garder avec lui. Il comprenait que son départ le priverait de tout ce qu'il lui restait de Martha. D'un geste tendre, il caressa ses cheveux dorés. Elle se retourna dans son sommeil. Il vit sur ses joues la trace des larmes séchées et comprit qu'elle s'était endormie en pleurant sans faire de bruit...

— Ah, Annie, souffla-t-il. Je suis désolé. Mais il n'y a pas d'autre moyen.

Le petit bois d'acacias ne fut pas difficile à trouver dans cette plaine presque dénudée. Ni Joël ni Anne ne rompirent leur silence soucieux, mais quand ils se rapprochèrent ils reconnurent immédiatement l'endroit. Joël tira sur les rênes et les petites mules s'arrêtèrent. Ils descendirent du chariot pour marcher vers la tombe de Martha, sous les arbres. Joël vit avec soulagement que rien ne l'avait dérangée. Tête basse, ils restèrent un moment devant le petit monticule de pierres et de terre où déjà apparaissaient des pousses d'herbe verte.

— Nous devrions la marquer, dit enfin Joël.

— Jamais je n'oublierai cet endroit, répliqua Anne. Il sera toujours facile à trouver, ici, au pied de l'arbre foudroyé.

Anne laissa son père près de la tombe et s'éloigna dans la prairie. Quand elle revint, elle tenait le couteau qu'elle avait lancé dans la nuit, dix jours plus tôt.

— Il est rouillé, dit-elle en le tendant à Joël.

Il le prit, le retourna, passa ses doigts le long de la lame.

— On pourra le nettoyer.

Avec le couteau il commença à graver sur une plaque de bois qu'il avait prise dans le chariot. Quand il eut fini, il la planta dans le sol. On pouvait lire :

MARTHA TREVOR
ÉPOUSE ET MÈRE
1829-1860

— Je me sens mieux, murmura-t-il, maintenant que la tombe est marquée. Il n'aurait pas été bien de la laisser dormir ainsi, sans nom.

Dénouant le ruban de ses cheveux, Anne lia un petit bouquet de lantanas roux et dorés qu'elle avait cueillis sur un buisson fleuri. Elle le déposa sur le monticule de terre et remonta avec son père dans le chariot.

Ils avaient couvert près de quatre kilomètres quand Joël tira soudain sur les rênes et dit :

— Regarde là-bas, Anne. Tu as meilleure vue que moi. Qu'est-ce que tu vois ?

Anne cligna des yeux dans le soleil éblouissant.

— C'est un chariot et un cheval, et un homme debout à côté... et il y a aussi quelque chose par terre.

A ce moment le long cri de douleur d'une femme leur parvint. Il se tut brièvement et reprit, plus angoissé encore. Anne pâlit.

— Il doit être en train de la tuer !

31

Joël n'en était pas sûr mais il ne tenait pas à prendre de risques.

— Cache-toi dans le chariot ! ordonna-t-il. Ne te montre pas avant que je te le dise.

Tandis qu'Anne enjambait le dossier du siège et se glissait sous la bâche dans le chariot étouffant, Joël dégaina son colt et le posa à côté de lui par précaution. Puis il claqua les rênes et poussa les mules au trot.

Agenouillée à l'arrière, le cœur battant, Anne serrait les deux pans de la bâche, ne laissant qu'une mince ouverture par laquelle elle observait les silhouettes à l'horizon. Elle vit que le chariot était une vieille carriole attelée à une rosse fourbue et que l'homme debout devant la femme prostrée avait l'air d'un fermier, grand, solide, vêtu de gris et coiffé d'un chapeau de paille à larges bords. La femme était couchée en plein soleil sur une couverture de cheval. On n'entendait plus ses cris, couverts par l'arrivée bruyante des Trevor, le martèlement des mules, les grincements du chariot, mais Anne et Joël purent bientôt voir qu'elle se tordait de douleur, roulant de côté et d'autre de la couverture.

L'homme perçut soudain du tumulte derrière lui et se mit à agiter frénétiquement les bras en criant à Joël de s'arrêter comme s'il craignait de le voir passer au galop.

Joël arrêta les mules à distance prudente et cria :

— Qu'est-ce qui se passe ?

L'homme tendit les mains dans un geste implorant qui assura à Joël qu'il n'avait rien à craindre de lui.

— Dieu soit loué ! cria l'homme. J'ai besoin de votre aide. Ma femme est en train d'accoucher !

Le bébé se présentait mal, et bien avant que ce fût fini la femme glapit qu'elle préférerait mourir que de subir de telles douleurs. Elle n'avait jamais pensé qu'il était possible de tant souffrir et de rester en vie. Son mari était terrifié et à chacun de ses cris il pâlissait un peu plus. Joël s'aperçut que ce garçon était sur le point de s'évanouir et qu'il ne serait d'aucun secours.

Alors il se tourna vers Anne et lui expliqua comment elle pourrait l'aider. Juste avant la nuit, alors que les derniers rayons du soleil fardaient de rouge les nuages, le premier cri furieux du bébé résonna dans la prairie. Anne regarda, tremblante d'excitation, pendant que Joël coupait le cordon, nettoyait la petite créature ridée et déposait le bébé enveloppé dans une couverture de coton entre les bras affaiblis de la jeune mère. C'était un garçon.

Pendant un moment, Joël et Anne furent oubliés; l'homme et sa femme contemplaient avec émerveillement leur nouveau-né. Enfin la mère, épuisée, ferma les yeux. L'homme se tourna vers Joël et lui tendit la main. Il allait tout à fait bien, maintenant. Ses joues avaient repris des couleurs et sa poignée de main fut solide.

— *Danke schön !* Vous êtes un bon Samaritain. Je ne crois pas que j'aurais pu...

Joël refusa le compliment.

— Vous vous seriez très bien tiré d'affaire. Je suis simplement heureux d'avoir pu vous aider. Au fait, je m'appelle Joël Trevor et voici ma fille Anne.

— Et moi Rudy Stark. Ma femme Emma.

— Et le bébé ? demanda Anne.

Elle n'avait pas quitté le côté d'Emma, retenue par le minuscule poing du bébé serré sur son doigt.

Rudy regarda sa femme qui tenait l'enfant contre elle. Ses yeux mi-clos brillaient sereinement dans la lueur du feu de camp. Elle les tourna vers Anne et lui sourit.

— Tu as été si courageuse et tu as si bien aidé, ma petite Anne. Je crois que tu devrais être sa marraine, alors donne-lui un nom.

— Ah !... Oh non ! Je ne pourrais pas.

— Je t'en prie.

— Papa ? s'écria la petite fille, incapable de dissimuler sa joie. Je peux ?

— Bien sûr.

Anne se tourna vers Rudy, pour quêter une confirmation, et il lui demanda :

— Alors quel nom, petite marraine ? Comment allons-nous appeler notre fils ?

Anne réfléchit à toute vitesse. La responsabilité l'impressionnait. Soudain, elle songea à son livre préféré.

— Je crois, dit-elle gravement, qu'on devrait l'appeler David Copperfield.

— Copperfield ? répéta Rudy, pris de court.

— C'est un beau nom, murmura Emma.

— C'est un beau bébé, affirma Anne. Et nous pourrons l'appeler simplement Davey.

— Davey, souffla Emma en succombant enfin au sommeil, le bébé serré contre son sein.

Joël et Rudy restèrent assis devant le feu jusque tard dans la nuit. Ils avaient fait du café et maintenant ils se repassaient une bouteille d'alcool de pêche pour fêter la naissance de Davey. Emma et le nouveau-né dormaient profondément, Anne aussi, couchée à côté d'eux comme pour les protéger.

— Vous êtes allemand, si j'en juge à votre accent, dit Joël.

— *Ya*. Nous venons de New Braundels. Nous étions fermiers là-bas.

— Qu'est-ce qui vous amène par ici ?

Rudy but longuement au goulot et savoura l'alcool de feu qui lui brûlait la gorge. La brève hésitation, presque imperceptible, avertit Joël qu'il n'allait pas entendre toute la vérité.

— Il y a eu un désaccord dans la famille. Emma et moi, nous avons pensé qu'il valait mieux partir et nous arranger seuls.

« Un sacré désaccord, pensa Joël, pour qu'ils quittent leur foyer juste au moment où Emma était sur le point d'accoucher. » Mais il ne dit rien et se contenta de tendre la main pour accepter la bouteille qui se vidait rapidement.

— Vous avez des projets ? demanda-t-il enfin.

— Trouver du travail quelque part, répondit Rudy.

— Pas d'agriculture par ici. La terre a l'air assez bonne, mais on me dit qu'il y a de sacrées périodes de sécheresse.

Rudy hocha la tête d'un air peu buté...

— Je trouverai quelque chose. J'apprends vite et je suis fort. Je peux faire le travail de deux hommes.

Joël l'examina. Il avait l'air assez solide pour terrasser un bœuf. Ses avant-bras étaient presque aussi épais que ses biceps, et à en juger par ses mains calleuses, il ne se vantait pas.

Une idée soudaine traversa l'esprit de Joël. Il regarda au-delà du feu de camp et contempla Emma, dormant paisiblement avec son bébé dans les bras, puis Anne dont la respiration régulière se faisait entendre dans le silence. Joël songea à Martha, à leur vie errante, à tous les bébés qu'ils avaient ensevelis dans des tombes trop lointaines pour être jamais visitées. Il s'attarda un long moment en compagnie de ses souvenirs, en éprouvant de la reconnaissance pour Rudy et pour son silence discret.

— Que savez-vous de l'élevage ? demanda enfin Joël.

— Rien, répliqua Rudy.

Joël apprécia cette franchise.

— Vous connaissez les vaches, tout de même ?

— Les vaches de ferme n'ont rien à voir avec le bétail de la Nueces.

— Ouais... Ces bestiaux sauvages ne sont pas bons à grand-chose, mais on peut tirer du bel argent de leurs peaux. Et puis il y a le suif. Et de temps en temps, on peut même vendre la viande sur pied si on arrive à conduire un troupeau à St. Mary's. Vous connaissez St. Mary's, hein ?

— J'en ai entendu parler.

— C'est un port. En plein essor, à ce qu'on dit. Des tas de capitaines de partout, qui achètent des produits et les expédient par bateau dans l'Est. J'ai l'intention de leur fournir des peaux... et j'ai dans l'idée que j'aurai besoin d'aide.

— C'est du travail que vous me proposez ?

— Peut-être. Mais écoutez le reste...

Joël parla alors à Rudy de Martha, de la décision qu'il avait prise de placer Anne au couvent de San Antonio parce qu'il n'y aurait personne pour s'occuper d'elle au ranch.

— ... En les voyant là tous les trois, il m'est venu une idée, poursuivit-il. J'ai pensé que peut-être Emma pourrait se charger d'Anne, aider à l'élever. Elle lui apprendrait toutes les choses qu'une femme doit savoir et en échange Anne l'aiderait, pour le bébé... et pour tous les autres qui vont sûrement venir, je pense.

Rudy porta la bouteille à ses lèvres, puis il s'essuya la bouche d'un revers de main.

— Et moi ? demanda-t-il. Qu'est-ce qu'il y aurait pour moi ?

— Je vais avoir besoin d'un homme de confiance. Je peux embaucher le nombre de peones que je veux, mais il me faudra un gars intelligent comme régisseur.

Rudy voulut répondre, mais Joël leva la main et continua de parler :

— Je ne peux rien vous payer tout de suite. Tout ce que j'ai, c'est la terre. Mais dès l'automne je pourrai vous donner un bon salaire avec des arriérés qui partiraient tout de suite. Disons vingt dollars par mois. En attendant, vous aurez à manger tant que vous voudrez, et un toit pour votre femme et votre bébé. La cabane dans laquelle nous sommes installés n'est même pas faite pour des bêtes, mais à nous deux nous devrions pouvoir construire une bonne maison...

Il s'interrompit et but à son tour au goulot.

L'Allemand prit son temps avant de répondre. Avec un bâton, il attisa les braises sous la cafetière. Sa décision était déjà prise, mais il savait qu'il valait mieux faire attendre un peu Joël.

Il versa une tasse de café, l'offrit à Joël qui refusa et la but lui-même. Enfin il répondit :

— C'est une offre intéressante. Mais je pense qu'elle le serait un peu plus si nous disions vingt-cinq dollars. Je vais avoir de la famille.

— D'accord. Disons vingt-cinq.

Encouragé, Rudy insista :

— Et vous dites que nous allons construire une maison à nous deux. Mais elle serait à vous.

Joël vit où Rudy voulait en venir. Il le regarda posément et répliqua :

— C'est ma terre, ne l'oubliez pas.

Rudy comprit. Il aurait voulu plus, mais il était satisfait de ce qu'il avait obtenu, cinq dollars de plus alors qu'il n'était même pas en mesure de marchander. Il se dit qu'il travaillerait dur et qu'il verrait venir, au moins pendant l'hiver, mais après...

Il sourit soudain et tendit la main à Joël.

— Marché conclu. Vingt-cinq dollars par mois et un abri.

5

Quand vint novembre, Joël et Rudy avaient déjà fait deux voyages à St. Mary's avec un chargement de peaux et rapporté des provisions et de l'argent. Travaillant tard les nuits plus longues, ils bâtirent une maison de trois pièces, et la recouvrirent d'un toit de chaume. Ils la terminèrent juste avant que le premier grand vent du nord, humide et froid, balaye la prairie. Puis ils démolirent la vieille cabane, avec une rage révélant bien la haine qu'ils avaient tous fini par éprouver pour ce sordide refuge. Avec une partie du bois, ils firent une clôture pour le corral et mirent le reste de côté pour se chauffer pendant l'hiver.

Joël surmonta le portail d'une planche sur laquelle il avait gravé RANCH TREVOR.

Emma et Anne faisaient la cuisine, cousaient, s'occupaient d'un jardin d'automne semé de graines que les hommes avaient rapportées de la côte. Ils avaient acheté des étoffes et des livres qu'Emma et Anne lisaient à haute voix à la veillée, à tour de rôle sous la chaude lumière de la lampe à pétrole. Ils firent ainsi connaissance avec Poe et Hawthorne, Melville et Thackeray, Byron et Longfellow. Et quand Joël régla à Rudy ses arriérés, soixante-quinze dollars en or, Rudy acheta à sa femme une belle édition de *David Copperfield*.

Emma poussa des cris de joie en défaisant le paquet.

— Regardez, regardez ! Le livre de Davey ! Son livre à lui !

Et, de sa plus belle écriture, elle calligraphia sur la page de garde :

An mein Sohn, David Copperfield Stark,
von deiner liebenden Mutter, Emma

30 Oktober 1860

Le bébé, en pleine santé, grandissait et grossissait. Anne abandonna sa poupée de chiffons pour jouer avec Davey, le câliner, brosser le duvet doré indocile qui lui couvrait la tête, l'endormir en lui chantant des berceuses allemandes qu'Emma lui avait apprises.

Vers la mi-novembre, les frimas poussèrent de plus en plus de bétail sauvage vers le sud, sur les terres de Joël. Rudy et lui travaillèrent de l'aube au coucher du soleil pour préparer un chargement de peaux en vue d'un nouveau voyage à St. Mary's.

— Vous allez être longtemps absents, cette fois ? demanda Emma à Rudy. Je t'en supplie, ne reste pas longtemps. J'ai si peur quand tu n'es pas là !

— Joël parle de dix jours.

— Tant que ça ?

— Nous avons beaucoup à faire. Il faut nous approvisionner pour tout l'hiver.

Le menton d'Emma frémissait et il vit qu'elle était au bord des larmes. Détournant les yeux, il hissa le dernier ballot de peaux sur ses puissantes épaules et le porta dans le chariot. Pour lui changer les idées, il tira de sa poche une feuille de papier et la lui tendit.

— Relis ta liste. Vois si tu n'as rien oublié.

Emma jeta à peine un coup d'œil à la feuille.

— Mais oui, tout y est.

Joël apparut, conduisant les mules, et Rudy cria presque joyeusement :

— Tout est prêt !

Il resserra une dernière fois la corde qui maintenait les peaux.

— Alors attelons et partons, dit Joël, en mesurant la longueur de son ombre sur le sol. Il est encore tôt. Nous devrions arriver à Palo Pinto avant le coucher du soleil.

— Au revoir, papa ! cria Anne, sortant en courant de la maison pour embrasser son père.

— Qu'est-ce que tu veux que je t'apporte, ma chérie ?

— Une surprise !

Joël la souleva et l'embrassa sur le front.

— Revenez vite, gémit Emma. Je laisserai une lampe à la fenêtre.

Elle se jeta au cou de son mari et se serra contre lui. Joël montait déjà dans le chariot. Rudy embrassa rapidement sa femme, un peu honteux qu'elle s'accroche ainsi à lui devant les autres, et il se dégagea assez brutalement.

Des larmes brûlantes montèrent aux yeux d'Emma. Voyant comment il s'écartait d'elle, elle fut prise de colère, tourna les talons et rentra dans la maison alors que le chariot s'ébranlait.

Davey pleurait. Elle le prit dans son berceau, déboutonna son corsage et offrit son sein à sa petite bouche affamée.

Joël aimait beaucoup St. Mary's.

— Rends-toi compte ! dit-il à Rudy alors qu'ils roulaient dans Centre Street, la rue principale pavée de coquilles d'huîtres pilées ramenées de la baie. A peine trois ans, et c'est déjà un des ports les plus animés de toute la côte du golfe du Mexique.

C'était exaltant de contempler la forêt de mâts dansant sur les eaux vertes de la baie de Copani, sachant qu'au-delà des îles les séparant du golfe se trouvaient La Nouvelle-Orélans, Mobile et Pensacola, et au-delà de la pointe de la Floride la longue route maritime vers les grands ports de l'Est. D'immenses troupeaux de bétail du Texas meuglaient dans les enclos de la falaise, attendant d'être embarqués. Plus bas, au bout de la rue, négociants, colporteurs et matelots se pressaient et se bousculaient sur les quais, sur la jetée et autour des vastes entrepôts du port. Joël remarqua que depuis leur dernière visite, il y avait un mois et demi, un nouveau môle avait été ajouté.

— Du diable si on ne la voit pas grandir à vue d'œil ! s'exclama-t-il.

Ils passèrent devant les chantiers de bois, les écuries de louage, la boutique d'apothicaire du Dr Simpson et l'hôtel de bois à un étage appelé Jasper House, où ils descendaient quand ils étaient en ville. Joël fit claquer son fouet au-dessus des mules.

— Continuons, dit-il. Allons d'abord vendre ces peaux et ensuite nous pourrons passer au saloon pour nous débarrasser le gosier de cette poussière que nous avalons depuis quatre jours.

Quelques heures plus tard, baignés, rasés et les poches plaisamment alourdies par les pièces d'or, Joël et Rudy sortirent de l'hôtel et traversèrent la rue, attirés par les accents joyeux d'un piano venant d'un établissement appelé le Barrelhouse, à la fois épicerie et saloon.

Joël et Rudy trouvèrent de la place au bar.

— Qu'est-ce que ce sera, les gars ? demanda le gros barman rougeaud à moustache en guidon de vélo.

— Whisky, dit Joël, et Rudy commanda de la bière.

Un pied sur la barre de cuivre, les coudes posés sur l'acajou brillant, ils burent un moment en silence. Rudy demanda une autre bière.

— Eh, Joël, murmura-t-il. Il y a une dame là-bas qui te fait de l'œil.

Joël l'avait remarquée dès son arrivée.

La femme, en pleine maturité épanouie, était sûre d'elle et fière de sa beauté. Elle portait une robe de velours vert fort échancrée sur ses seins poudrés. Des anglaises brunes encadraient son visage ovale et ses joues comme ses lèvres étaient les plus rouges que Joël eût jamais vues.

Captant le regard de Joël, elle lui adressa un sourire qui le désarma par sa franchise, comme s'ils étaient de bons amis qui se rencontraient tous les deux jours.

Elle était assise à une table près du piano en compagnie de Homer Post, le patron, et faisait tourner entre ses doigts gantés le pied d'une flûte de champagne en cristal. Soudain intimidé, Joël baissa les yeux sur son whisky. Rudy se mit à rire.

— Tu vas décevoir une jolie dame comme celle-là ?

— Va donc lui parler, si tu es tellement intéressé, bougonna Joël.

— C'est toi qu'elle veut, mon vieux. Je ne serais pas étonné si elle venait par ici.

Le rire de Rudy irrita Joël.

— Cesse donc de la regarder. Tu sais qu'il n'y a que quatre mois que je suis veuf.

— Y a rien qui dit qu'un veuf n'a pas le droit d'être aimable avec une jolie dame. Moi, si j'étais à ta place, je serais déjà auprès d'elle.

Joël ne répondit pas mais il éprouva soudain un désir avide, pour la première fois depuis la mort de Martha. Ce n'est pas concevable, se dit-il, et il regretta d'avoir abandonné son brassard noir au bout d'un mois à peine, en pensant que ce rappel constant de leur deuil était mauvais pour Anne.

— C'est bien ce que je pensais, chuchota Rudy. La voilà qui vient.

Joël jura tout bas.

— Tu dois lui faire des avances.

— Jamais ! c'est toi qui lui plais. Elle ne m'a même pas regardé.

Un instant plus tard, la femme était à côté de Joël. Elle était parfumée et cette senteur fleurie lui rappela sa jeunesse dans les bois du Tennessee. Posant devant elle son verre vide, elle dit :

— Je vous ai déjà vu ici. Il y a un mois ou deux, si je me souviens bien.

Elle avait une voix un peu voilée, à l'accent doux de la Louisiane.

— Je buvais du champagne, ajouta-t-elle, mais je ne déteste pas le whisky.

— Barman ! appela Joël sans la regarder en face. La dame veut du champagne.

— Merci, chéri, roucoula-t-elle.

Il leva enfin les yeux et vit son sourire, les dents blanches régulières et ces lèvres rouges déconcertantes.

Son désir s'accrut et il oublia la présence de Rudy.

— Laissez donc la bouteille et apportez-moi un autre verre, dit-il au barman. Je n'ai jamais bu de champagne; alors autant essayer.

La femme changea de position et il put plonger le regard dans son décolleté parfumé. Elle s'était dit que ce ne serait pas compliqué; cet homme avait l'air d'une proie facile. Mais à présent, pour une raison qu'elle ne s'expliquait pas, un voile retombait sur ses yeux et il semblait s'écarter.

Joël faillit la prier de s'en aller. Il ouvrit la bouche pour dire qu'il préférait être seul. Mais elle se tourna encore, pour prendre son verre, et malgré lui il contempla avidement la peau crémeuse de son cou, la souplesse de son dos. Il rêvait de caresser cette nuque, de laisser courir ses doigts dans les boucles soyeuses tombant sur ses épaules.

— A votre santé, dit-elle, et elle sourit encore en trinquant avec lui.

La délicate flûte de cristal semblait singulière dans sa main calleuse et le goût du champagne le surprit. Un goût léger et fruité. Il se demanda comment un tel vin pouvait enivrer.

— Je m'appelle Lenore, dit-elle. Et vous ?

Elle le regarda et il vit que ses yeux bleus étaient mouchetés d'or et de vert, assortis à sa robe. Il respira son parfum et sentit contre sa main la tiédeur d'un bras nu. Son cœur se mit à battre plus vite.

— Joël...

— Un joli nom. Tiré de la Bible ?

Joël voulut répondre mais sa gorge se noua.

— Allons donc nous asseoir, voulez-vous ? reprit-elle. Ce vieux Homer a laissé la table libre.

Joël la suivit sans un mot.

— Jorge, dit-elle au pianiste mexicain, joue-nous de la musique douce, tu veux ? *Una canción dulce, por favor.*

Le musicien hocha la tête, plaqua quelques accords et entama une ballade.

Ils burent un autre verre de champagne et Joël lui demanda si elle était de La Nouvelle-Orléans.

— Oui.

— Qu'est-ce qui vous a amenée à St. Mary's ?

— Ma foi... Je voulais voyager, voir le monde. Je ne suis jamais allée plus loin qu'ici. On pourrait dire que mon bateau est parti sans moi.

Elle sourit encore, avec une insouciance qui séduisit Joël.

— Oh ! la la ! s'exclama-t-elle soudain. Voici que nous n'avons plus de champagne !

— Je vais en commander, murmura-t-il, mais elle posa une main sur son bras.

— J'ai une bouteille là-haut dans ma chambre. Glacée. Un vin délicieux, bien meilleur que celui que Homer nous sert. Pourquoi n'irions-nous pas la partager ?

Le champagne avait pris Joël en traître. Il sentait sa chaleur se répandre en lui, détendre ses muscles, lui faire monter le sang à la tête. Lenore haussa un sourcil. Il se décida :

— Allons-y !

Ils se levèrent, mais elle le retint un instant.

— Il y a un petit détail, monsieur. J'espère que vous comprenez...

— Ne vous inquiétez pas. J'ai de l'argent

Lenore sourit derechef.

— Venez. C'est au premier.

Rudy les vit disparaître par la porte au fond de la salle. Marmonnant un juron en allemand, il vida sa chope.

— Barman ! Vous avez du cognac ?

— Rhum ou whisky.

— Rhum, grogna-t-il.

Il poussa une pièce sur le bar et vida rapidement trois petits verres. En chancelant un peu, il sortit du Barrelhouse. La nuit était tombée et un vent du nord glacé sifflait dans la rue. Baissant la tête, il se dirigea vers la périphérie où il se rappelait avoir vu une cantina mexicaine, en se disant que ce qui était assez bon pour le patron l'était aussi pour lui. Il se perdit sur le port mais se guida bientôt sur la musique d'une guitare.

Il aperçut enfin les fenêtres éclairées de la cantina et frappa à la porte.

— Señor ? murmura une voix.

Rudy se retourna en clignant des yeux dans la pénombre. Une fille de quinze ans à peine, enveloppée dans un *rebozo*, se tenait contre le mur.

— Vous voulez une femme ? demanda-t-elle.

— Ouais. Viens, entrons.

— Non. Ils ne m'aiment pas, là-dedans. Allons chez moi.

Comprenant que l'homme était ivre et qu'elle devait le guider, elle s'approcha de Rudy et lui enlaça la taille. Ils suivirent la plage jusqu'à ce qu'ils arrivent près d'une cabane en rondins au toit de chaume.

— Attendez là, murmura la fille.

— Il fait froid !

— Un instant, rien qu'un instant.

Le laissant là, elle s'engouffra dans la cabane.

Rudy entendit des voix, des bruits confus et bientôt la porte se rouvrit. Un homme et une femme portant trois petits enfants emmitouflés dans des couvertures se glissèrent dehors, en détournant la tête pour ne pas le regarder. Puis la fille reparut.

— Maintenant, dit-elle. Vous pouvez entrer.

— Qui sont-ils ? demanda Rudy en regardant disparaître le petit groupe sous les arbres.

— Vous pouvez entrer, répéta la fille.

Elle laissa tomber son *rebozo*, prit la main de Rudy et la posa contre son petit sein tiède. Il regardait toujours derrière lui. L'homme et la femme couchaient les enfants sous les arbres et se blottissaient à côté d'eux.

— C'est tes parents ? demanda-t-il, horrifié.

— Ils attendront là dehors.

Elle se serra contre lui et commença à lui dégrafer sa ceinture.

— Viens, souffla-t-elle. Ferme la porte.

— Non ! protesta Rudy. Non, pas comme ça !

Il voulut se dégager mais elle glissa la main dans son pantalon et le caressa.

— Ferme la porte, chuchota-t-elle.

Rudy vacilla et entra. Elle l'entraîna vers une paillasse dans le fond de l'unique pièce.

Le vent glacé réveilla Rudy et il sentit le sable mouillé entre sa chemise et sa peau. Il voulut se lever mais une douleur fulgurante sous son crâne le fit retomber. Quand il ouvrit de nouveau les yeux, le jour se levait à l'horizon, au-dessus de la mer. Il n'eut pas besoin de fouiller ses poches. Il savait déjà que son argent avait disparu.

Il trébucha jusqu'au bord de l'eau et laissa les embruns salés lui rincer la figure. Il était désorienté et ne savait plus de quel côté était la ville. Alors il escalada la petite falaise, regarda autour de lui et aperçut de la fumée s'élevant de quelques cheminées, au sud.

Tandis qu'il se traînait péniblement, il se sentait de plus en plus furieux d'avoir été volé, il maugréait et jurait tout bas. Il aperçut enfin la cantina aux volets fermés. Redescendant sur la plage il la suivit pour chercher la cabane où la fille l'avait conduit.

Quand il la vit au fond d'une crique, les rideaux tirés et la porte fermée contre le vent du nord, il s'y rua comme un taureau furieux. Attaquant la masure des poings et des pieds, il brisa les carreaux, les gonds rouillés, en hurlant :

— Sortez de là, sales Mexicains ! Je m'en vais vous tuer tous !

Donnant un nouveau coup d'épaule dans la porte il la sentit céder sous son poids. Il s'acharna jusqu'à ce que les planches volent en éclats.

— Mon or ! glapit-il. Rendez-moi mon or !

Une dernière ruée et il enfonça la porte, tomba à l'intérieur et se releva aussitôt, sur la défensive. Les parents de la fille se serraient contre le mur en essayant de protéger les trois jeunes enfants qui hurlaient. Quant à la fille, elle était à genoux sur sa paillasse, en longue chemise de flanelle, les mains cachées.

— Allez-vous-en ! cria-t-elle.

— Je veux mon argent !

— Quel argent ?

Ses yeux noirs fulguraient et ses longs cheveux tombaient en désordre sur ses épaules. Rudy serra les poings.

— L'argent que tu as volé, putain ! Tu vas me le rendre !

Elle l'observa avec méfiance. Elle voyait une veine se gonfler à son cou, elle le sentait prêt à l'attaquer.

— Papa, dit-elle, rends-lui l'argent.

— Ah ! Tu n'es pas trop bête, on dirait ! gronda Rudy.

L'homme laissa les enfants auprès de sa femme et traversa prudemment la pièce pour aller se pencher sur un coffre de bois. Rudy tourna la tête pour l'observer, oubliant de surveiller la fille.

Il ne l'entendit même pas bouger. Il ne sentit que l'acier froid du couteau qu'elle tenait dissimulé sous sa chemise quand elle le lui plongea entre les épaules.

La douleur l'aveugla et il entendit son propre cri étranglé. Il sortir en courant de la cabane, les mains agrippées à son dos pour tenter d'arracher le couteau de la plaie. Au bord de l'eau il tomba à genoux et ne put se relever. A quatre pattes, il commença à se traîner vers la ville.

Rudy ne sut jamais comment il avait réussi à atteindre Centre Street, mais ce fut là qu'on le trouva sans connaissance, blême d'avoir perdu son sang. Dans la foule de curieux, un garçon d'écurie le reconnut et courut chercher Joël.

— C'est mon régisseur, dit-il en arrivant. Est-ce qu'on peut le sauver ?

— Probable, dit un homme maigre et voûté aux lunettes cerclées d'or. Je suis le docteur Simpson. Si vous me donnez un coup de main, nous allons le porter à ma boutique d'apothicaire où je pourrai le soigner.

— Qui a fait ça ? demanda Joël.

— Une petite *puta* qui habite par là-bas, répondit le médecin avec résignation. Voilà ce qui arrive quand un Blanc va fricoter avec une Mexicaine, le foutu crétin aurait dû se méfier.

Joël resta un jour de plus, pour s'assurer que Rudy allait se remettre.

— J'ai acheté un cheval pour Anne, dit-il, une jument alezane. Tu la trouveras à l'écurie McGruder. Dès que tu seras guéri, tu la monteras pour rentrer au ranch.

— *Nein, nein !* protesta Rudy en tentant de se lever. Je veux partir tout de suite.

— Tu as déjà suffisamment fait l'imbécile. Obéis au docteur et reste là encore deux ou trois jours. Le ranch ne va pas s'écrouler sans toi, tu sais.

Rudy se laissa tomber sur ses oreillers.

— Emma sera folle de rage.

— Tu lui diras que c'était une bagarre dans un bar.

— C'est pas ça. Pas la blessure. C'est l'argent. Elle m'a donné une longue liste de provisions à rapporter.

— Allez, donne-la-moi, grogna Joël sans pouvoir masquer son dégoût. J'achèterai ce qu'il lui faut.

— Merci...

— Garde tes remerciements. Rentre dès que tu pourras, c'est tout. Et tâche d'être un peu moins idiot à l'avenir.

Ce soir-là, Joël retourna chez Lenore. Il l'avait trouvée généreuse, douce, compatissante. Il avait découvert dans ses bras un amour bien différent de celui qu'il avait partagé avec Martha, mais qui n'en était pas moins satisfaisant. Et il était heureux de cette occasion de la revoir.

— Entrez ! cria-t-elle quand il frappa, portant une bouteille de porto qui, le barman l'avait assuré, était ce que Lenore préférait.

— Ah ! tu es un amour ! Merci, chéri ! s'exclama-t-elle.

Elle portait une robe indigo et lavande, avec un jabot de dentelle blanche. Il remarqua que ses yeux étaient de ceux qui reflétaient les couleurs qu'elle portait, car les paillettes vert et or avaient disparu et maintenant ses iris bleus se teintaient de violet.

Elle prit deux verres sur sa coiffeuse et les posa sur la table de chevet.

— J'ai entendu dire que ton régisseur s'était fait poignarder et j'espérais que tu resterais une nuit de plus. Il est grièvement blessé ?

— Il s'en tirera. Il est fort comme un ours.

— Tant mieux. Ah, ce porto est délicieux ! C'est mon vice, tu sais.

Joël sourit, heureux et détendu dans le grand fauteuil capitonné à côté du lit. Lenore y était étendue. La musique du piano montait du rez-de-chaussée.

Après le second verre, elle se redressa et attira Joël vers elle pour l'embrasser.

— Je suis si heureuse que tu sois revenu, murmura-t-elle.

Puis elle se leva et se déshabilla lentement devant lui, en voyant le désir s'accroître dans ses yeux. Enfin, quand elle n'eut plus sur elle que sa légère camisole de dentelle, elle lui tendit les bras. Il trouvait son parfum plus enivrant que le champagne. Leurs lèvres se joignirent et Joël se sentit frémir de désir. A tâtons, il dénoua les rubans de satin de la camisole. La lingerie vaporeuse tomba et Lenore l'entraîna vers le lit.

Il tomba sur elle, l'embrassant brutalement, laissant courir ses mains sur les rondeurs satinées du corps pulpeux. Lenore le repoussa avec douceur et commença à le déboutonner en souriant.

— Ne sois pas si pressé, mon chéri. Nous avons toute la nuit.

Il tendit la main vers la lampe à pétrole sur la table de chevet et baissa la mèche.

Plus tard, dans la pénombre, alors que sous les draps ils

écoutaient le bruit soyeux du ressac, elle passa une main dans les épais cheveux bruns de Joël et murmura :

— Tu es ce qui m'est arrivé de meilleur depuis que je suis ici. Quel dommage que tu partes demain...

— Je reviendrai dans un mois ou deux, répondit-il en regrettant que ce ne soit pas plus tôt.

Lenore soupira, se retourna et lui caressa la poitrine.

— Mais je ne serai plus là, mon chéri.

— Tu t'en vas ?

— Oui... J'ai causé avec les capitaines, en ville. Je connais presque tous ceux qui viennent mouiller à Copano. Ils me disent que la guerre va éclater et qu'alors le Nord va bloquer tous les ports du Sud, y compris St. Mary's. Je veux retourner à La Nouvelle-Orléans avant qu'il soit trop tard.

— Un blocus ?

Lenore hocha la tête.

— C'est ce qu'ils disent. Les canonnières des Yankees ne laisseront entrer ni sortir personne. Et tu comprends bien que je n'ai nulle envie de rester prisonnière ici. Qui sait, la guerre pourrait durer un an... peut-être plus.

— Un blocus me ruinerait, marmonna sombrement Joël.

— J'en ai bien peur. On ne pourra vendre les peaux nulle part.

— Pas à moins de trouver un moyen de forcer les blocus... un moyen sûr et sans risques.

Lenore soupira et ferma les yeux.

— Si tu trouves ce moyen, mon chéri, tu deviendras l'homme le plus riche du Texas.

6

Emma était nerveuse et irritable. Espérant contre tout espoir que pour une raison ou une autre les hommes abrégeraient leur séjour et reviendraient plus tôt, elle prit l'habitude de guetter l'horizon au-delà des vagues d'herbe dorée. Et tandis que les jours s'écoulaient lentement, elle passa son appréhension et sa solitude sur Anne, la grondant pour un rien. Quand Davey se réveillait en criant, elle reprochait à la petite fille d'être trop bruyante, elle l'accusait de paresse quand elle abandonnait un instant ses travaux pour jouer avec le chien, elle lui faisait d'aigres reproches pour une maille tombée ou une couture de travers.

Anne s'efforçait d'éviter Emma et de se taire mais alors la figure de la jeune femme s'assombrissait et ses yeux luisaient comme de la pierre polie. « Je t'interdis de bouder ! » tempêtait-elle et Anne n'osait même plus soupirer avec résignation de crainte de l'irriter davantage. Elle attendait, avec plus d'impatience encore, le retour des hommes.

— Il est arrivé un malheur, marmonna-t-elle. Jamais Rudy ne serait en retard. Il sait que je m'inquiète tant.

Anne voulut la rassurer.

— La pluie a peut-être...

— Qu'est-ce que tu en sais ? Et qu'est-ce que ça peut te faire ? Tu as dormi comme un bébé toute la nuit ! Tu ne m'es d'aucun secours !

Anne ne voyait pas très bien comment elle pourrait être plus utile si elle se passait de dormir mais se garda bien de discuter.

Comme la veille, Emma s'assit sur le perron et reprit son guet.

Vers la fin de l'après-midi, un vent frais se leva, soulevant de la poussière et sifflant dans les hautes herbes. Anne apporta un châle à Emma mais la jeune femme ne parut pas remarquer le changement de temps.

— Il fait de nouveau froid, dit Anne. Tu devrais couvrir Davey.

Sans un mot, Emma accepta le châle et l'enroula autour du bébé. Jamais un instant ses yeux ne quittèrent l'horizon.

Enfin, dans le lointain, au milieu de l'herbe aplatie par le vent, le chien se mit à aboyer.

— Les voilà ! cria Emma en se levant d'un bond. Anne ! Vite ! Tu les vois ?

Anne cligna des yeux, regarda intensément mais vit bien que l'horizon était vide. Cependant, le chien continuait d'aboyer sur une note aiguë, en s'interrompant parfois pour gronder ou japper plaintivement. Anne fut aussitôt sur ses gardes et sentit un frisson de crainte la parcourir.

Ignorant le comportement insolite du chien, Emma descendit du perron et s'élança dans la cour.

— Emma ! Non ! Emma, reviens !

Mais la jeune femme continua de courir. Anne cria :

— Emma ! Reviens ! C'est peut-être quelqu'un d'autre !

Emma l'entendit enfin et se retourna, soudain effrayée. Anne la vit ouvrir de grands yeux et pâlir. Emma regardait au-delà de la maison, vers l'ouest.

— Emma ! Qu'est-ce que tu vois ?

L'autre semblait avoir perdu la voix. Elle serra Davey contre son cœur et, tournant le dos à Anne, elle s'enfuit en courant de la maison dans l'herbe haute.

— Emma ! glapit Anne, affolée. Reviens ! Ne me laisse pas toute seule !

Emma n'écoutait rien. Folle de peur, la petite fille la vit disparaître dans la prairie. Le cœur battant, elle entendit alors un bruit de galop dans le lointain.

Courant à la fenêtre du fond, elle colla sa figure au carreau. Deux hommes coiffés de larges sombreros et montant d'énormes étalons noirs surgissaient à l'ouest. Ils avaient déjà atteint le corral. Elle put voir que c'étaient des Mexicains en veste et jambières de cuir, portant chacun un fusil.

Horrifiée, elle comprit qu'Emma l'avait abandonnée.

Comme les hommes arrivaient au corral, elle courut vers la porte, la claqua et, avec peine, poussa la lourde barre de bois en travers. La barre se coinça dans les étriers de fer mais Anne aspira profondément, serra les dents et poussa de plus belle. La porte barrée, elle regarda autour d'elle comme une folle et ses yeux se posèrent enfin sur un des pistolets de Joël, accroché dans son étui à côté de la cheminée.

Elle entendit au-dehors un bruit de bois cassé et comprit que les hommes brisaient la clôture du corral. Arrachant le pistolet du mur, elle retourna en hâte dans la pièce du fond. A genoux sur le lit d'Emma, elle dégaina l'arme dont le poids l'ahurit. Elle espéra qu'elle pourrait la soulever et tirer.

Un coup de fusil claqua; elle sursauta puis elle entendit le bétail affolé qui se ruait hors du corral. Elle retira six balles de la cartouchière et, d'une main tremblante, les poussa dans le chargeur.

« Du calme », se dit-elle, mais son cœur battait si fort qu'elle était sûre que ces hommes allaient l'entendre.

Elle avait glissé quatre balles en place quand les hommes tentèrent d'ouvrir la porte. Ils jurèrent en espagnol, en la trouvant barrée. Puis ce fut un bruit de verre brisé.

« La fenêtre ! pensa-t-elle avec horreur. J'ai oublié de fermer les volets ! »

Elle imagina la scène dans l'autre pièce : les hommes tendant le bras par la fenêtre cassée, faisant glisser la barre de bois dans ses étriers. Elle l'entendit tomber lourdement. Puis ce fut le grincement du loquet et de la porte. Des talons résonnèrent sur le sol de pierre; une voix dit quelque chose en espagnol; une autre répondit.

Le pistolet devenait lourd. Anne le braquait sur la porte de la chambre en le tenant à deux mains, le chien levé, mais elle craignait de devoir bientôt baisser les bras. Déjà le long canon commençait à vaciller.

Les hommes allaient et venaient, fouillaient partout et Anne savait qu'ils allaient bientôt la découvrir.

« Tire bien droit sans hésiter, se dit-elle. Si tu manques ton coup, ils te tueront. »

A ce moment, elle le vit ! Un grand Mexicain à l'énorme moustache noire, aux yeux sombres luisant férocement dans l'ombre du sombrero. Son sourire salace, en découvrant qu'elle n'était qu'une toute jeune fille, disparut quand il vit le pistolet entre ses mains.

— Allez-vous-en ! cria soudain Anne. Allez-vous-en ou je tire !

Mais le Mexicain restait figé sur le seuil. Son compagnon apparut derrière lui et, apercevant le pistolet, il marmonna :

— *Cuidado !*

Le son de sa voix alarma Anne. Elle pressa la détente et le premier homme pivota en hurlant de douleur. Elle tira encore; la balle le frappa dans le dos et le jeta à terre dans la pièce de devant. Le recul du pistolet surprit Anne et l'arme lui échappa. Elle n'entendit pas l'autre homme bondir hors de la maison et s'enfuir au galop de son étalon noir; mais quand elle se remit de son choc, elle s'aperçut qu'il était parti.

Elle se laissa tomber par terre et ramassa le pistolet, puis elle attendit un long moment, ramassée sur elle-même, tremblant trop violemment pour faire un mouvement. Finalement, elle s'aperçut qu'une mare de sang s'étalait sous le corps du Mexicain mort.

— Emma ! cria-t-elle et, ne recevant aucune réponse, elle cria encore.

Anne se surprit elle-même en se relevant et en étant capable de se tenir debout. Elle fut plus ahurie encore de pouvoir regarder l'homme qu'elle avait tué, mais elle le contemplait avec un certain détachement. Elle ne s'était pas doutée qu'une balle pouvait causer autant de dégâts. Il était couché face contre terre, un trou béant dans le dos, et le sang s'étalait comme de l'huile noire. Elle dut marcher dedans pour contourner le cadavre.

Sur le perron, elle se tourna vers l'herbe agitée par le vent et appela encore Emma. Cette fois elle reçut une réponse et bientôt elle aperçut la jeune femme, avec Davey dans les bras, qui traversait la cour.

Emma criait mais dans sa terreur elle parlait allemand.

Elle atteignit la maison et vit le tableau derrière Anne.

— Tu l'as tué !

— Il le fallait bien, répondit Anne et elle regarda de nouveau le cadavre. Emma, nous devons le sortir d'ici.

— Non ! Je ne veux pas y toucher !

— Tu dois m'aider.

— Laisse-le là ! Rudy et Joël l'emporteront. Nous pouvons attendre dehors jusqu'à ce qu'ils reviennent.

— Non, cria Anne d'une voix furieuse. Je ne veux pas de ça dans la maison.

Elle prit Davey des bras d'Emma et le coucha dans son berceau.

— Et s'il n'est pas mort ? protesta Emma.

— Bien sûr qu'il est mort !

La voix d'Anne était dure et elle en eut soudain assez de discuter avec la jeune femme.

— Attrape un de ses bras. Je prendrai l'autre. Nous allons le traîner près du corral.

— Je ne peux pas le regarder.

— Eh bien, ferme les yeux ! Je passerai devant.

A elles deux, elles tirèrent le cadavre par la porte et dans la cour, et le cachèrent dans les hautes herbes, près du corral détruit.

— Nous devrions l'enterrer, murmura Anne en s'appuyant contre un des montants de bois. Mais je suis trop fatiguée.

— Tant mieux. Rudy et Joël s'en occuperont.

— Ah ! pourquoi ne rentrent-ils pas ? cria soudain Anne, enfin brisée.

Elle voulait avoir Joël près d'elle, qu'il arrange tout, qu'il la décharge de tout souci. Sa faiblesse inopinée parut rendre des forces à Emma. Elle prit Anne par la main.

— Viens, rentrons dans la maison pour attendre. Ils seront bientôt là, j'en suis sûre.

La nuit ranima les craintes d'Emma. Elle devint plus agitée, terrifiée à l'idée que Joël et Rudy seraient absents un jour de plus. Quand elle voulait parler à Anne, elle n'obtenait aucune réponse. Elle donna le sein à Davey et boucha la fenêtre cassée avec une couverture clouée.

A la fin, de plus en plus nerveuse, elle s'en prit à Anne.

— Tu n'aurais jamais dû faire ça ! Tu aurais dû t'enfuir dans la prairie avec moi. Ils seraient partis en voyant qu'il n'y avait personne et rien à voler. Tout ce que tu as fait, c'est nous causer encore des ennuis. Tu crois que l'autre va rester tranquille ? Tu crois qu'il va simplement s'en aller et nous laisser tranquilles alors que tu as tué son ami ? Il reviendra. Avec d'autres. Et alors, qu'est-ce que nous deviendrons ?

Elle attendit une réponse et comme Anne ne disait toujours rien, sa colère redoubla.

— Tu as été idiote ! vociféra-t-elle. Et ce que tu as fait est mal ! C'est un assassinat ! Tu es une criminelle !

— Non, cria Anne. Ce n'était pas un assassinat ! Ils nous auraient tués !

— Tu n'en sais rien. Et tu ne le sauras jamais. Toute ta vie tu devras te souvenir que tu as commis un crime !

Joël franchit le lit du ruisseau desséché à une demi-lieue à l'est du ranch. Il distinguait la sombre masse de la maison à l'horizon violacé, mais l'absence de lumière l'emplit d'appréhension. Il fouetta les mules et les força au trot.

Anne et Emma entendirent le bruit des sabots et le grincement aigu des essieux du chariot.

— Ce sont eux ! s'écria Emma en courant vers la porte. Les voilà !

Elle se précipita dans la cour obscure, cherchant à voir le chariot dans la prairie.

— Rudy ! appela-t-elle. Rudy !

Joël aperçut le rectangle lumineux de la porte et la silhouette d'Emma sur le seuil.

— Emma ! cria-t-il. Anne ! Il est arrivé quelque chose ?

Emma courait maintenant vers lui et Anne venait d'apparaître à la porte. « Dieu soit loué, pensa-t-il, elles sont saines et sauves ! » Il tira sur les rênes. Emma, appelant toujours Rudy, courait vers Joël. Le chariot s'arrêta.

— Ah, Rudy ! Tu es là !

Mais quand elle approcha et vit que Joël était seul, elle poussa un cri et porta les deux mains à sa bouche.

— Tout va bien, Emma, dit vivement Joël. Il va très bien. Il rentrera un peu plus tard, c'est tout.

Il claqua légèrement les rênes et les mules se remirent en marche. Emma suivit, cramponnée au harnais, incapable de comprendre pourquoi Rudy n'était pas avec Joël.

— Qu'est-il arrivé ? demanda-t-elle. Pourquoi est-ce qu'il n'est pas avec toi ?

— Ne t'inquiète donc pas, Emma.

Joël avait décidé de ne rien dire, ne sachant trop quelle histoire Rudy imaginerait pour expliquer l'affaire à sa femme.

— Il est en danger ! gémit-elle. Il est malade ou blessé !

— Mais non, ne t'inquiète pas comme ça, voyons. Il sera là dans deux ou trois jours. Il ramène un cheval que j'ai acheté pour Anne.

Quand ils entrèrent dans la cour, Joël appela sa fille qui hésitait toujours sur le seuil.

— Annie, me voilà ! Viens donc embrasser ton papa !

Mais elle ne répondit pas. Comme elle ne faisait pas un geste pour venir l'accueillir, il comprit qu'il s'était passé quelque chose de grave. Il sauta du chariot.

— Qu'est-ce que tu as, ma chérie ?

Anne leva la tête vers lui et il vit ses joues maculées de larmes. Il se tourna vers Emma.

— Que s'est-il passé ?

— Elle ferait mieux de vous le dire elle-même !

— Anne ?

— Dis-lui, Anne, insista durement Emma. Raconte à ton papa ce que tu as fait !

Anne voulut parler mais ne put articuler le moindre mot.

— Anne ! Annie ! Qu'est-ce qu'il y a ?

— Viens avec moi, parvint-elle à murmurer.

Elle prit la lampe sur la table près de la porte et précéda Joël dans la cour. La plaque de lumière éclaira leurs pas jusqu'à ce qu'ils atteignent les hautes herbes autour du corral. Joël vit alors que la clôture était brisée et que le bétail s'était échappé.

— Voyons, Annie, quelques vaches sauvages... ça ne vaut pas la peine de pleurer !

Elle secoua la tête d'un air désespéré.

— Non, papa. C'est pire. Regarde...

Il suivit son regard et baissa les yeux.

— Mon Dieu ! souffla-t-il en voyant le cadavre vautré face contre terre.

— C'est moi, dit Anne. J'ai tiré et je l'ai tué.

Joël se pencha sur le corps, qui était froid et déjà rigide.

— Emma dit que je suis une criminelle, reprit Anne d'une voix sans timbre. Mais j'avais peur qu'il nous fasse du mal. J'avais peur qu'il nous tue.

Joël retourna le cadavre et contempla la figure du mort dans la lumière jaune de la lampe. Il sursauta.

— Tu as très bien agi, Anne, dit-il gravement. Cet homme vous

aurait tués. Tu as sauvé ta vie et *aussi* celles d'Emma et du bébé !
Ne laisse personne te dire le contraire !

« Ainsi nous nous retrouvons », pensait-il. Pendant un long
moment, il contempla le visage basané avec sa longue balafre
allant de la tempe gauche au menton.

7

Pour la première fois depuis leur mariage, Luis de Vargas
ramena Sofia au Lantana. Les quelques domestiques qui
assistèrent à leur arrivée dans la nuit furent choqués par ce qu'ils
virent.

— *Nombre de Dios !* s'exclama l'un d'eux. Il doit la battre !
Regarde ces yeux pochés !

— Ce ne sont pas des yeux pochés mais de grands cernes. Elle
doit être trop malheureuse pour dormir.

— Et comme elle a maigri !

— Ah, la pauvre *princesa !*

Mais si la nouvelle de l'arrivée de Sofia se répandit rapidement
à l'office, les serviteurs ne la virent plus. Elle se retrouva
pratiquement prisonnière dans la maison de son père, incarcérée
dans sa chambre de jeune fille, enfermée à clef et gardée à tout
instant par doña Matilda, une veuve ratatinée à l'œil aigu,
cousine de son mari. Sofia ne voyait presque personne d'autre,
pas même sa Natalia bien-aimée.

Elle recevait rarement la visite de son père mais tous les soirs
celle de Luis, qui arrivait en titubant, bouffi par son dîner,
empestant le vin et l'alcool. C'était le moment qu'elle redoutait le
plus, dont elle priait avec ferveur la Vierge de la délivrer, de
laisser la mort la libérer des caresses grossières de l'homme à qui
son père l'avait donnée.

Elle ne pouvait toujours pas accepter ni supporter ses
assiduités amoureuses et quand, inévitablement, elle s'évanouissait et restait inerte sous lui, Luis prenait cela pour de la passion;
il roulait sur le côté, haletant et repu, en se félicitant de si bien
savoir manier sa jeune femme.

Sofia était obligée de prendre ses repas seule. Ils lui étaient
apportés sur un plateau, déposé devant la porte fermée par des
servantes silencieuses et invisibles. Les plateaux repartaient,
presque intacts, vers les cuisines. Tandis que les jours sombres et
froids s'écoulaient lentement dans la triste compagnie de
doña Matilda, la seule distraction de Sofia était de regarder le
paysage derrière les barreaux de sa fenêtre, l'immense prairie,
l'horizon flou et le vaste dôme du ciel dont la couleur grise seyait
à sa propre humeur.

— Pourquoi ne puis-je voir ma tante ?

Doña Matilda leva à peine les yeux de sa couture.

— Vous savez que Natalia est malade. Elle ne doit voir personne.

— Je ne vous crois pas, riposta Sofia. J'ai entendu sa voix hier dans le couloir. Elle m'a paru très bien se porter.

Matilda serra les dents mais ne répondit pas.

— Je suis une femme, maintenant, une femme mariée, insista Sofia. Je n'ai pas besoin de duègne. Je vous ordonne d'ouvrir cette porte et de me laisser aller et venir librement dans la maison de mon père.

— Il faudra demander cela à Luis, dit posément Matilda en nouant son fil. Je n'ai pas voix au chapitre.

Sofia examina un moment la vieille femme, haïssant ses traits durs, ses cheveux gris clairsemés tirés en chignon sur son crâne, ses lèvres pâles perpétuellement pincées.

Elle essaya de s'y prendre autrement.

— Cela ne doit pas être agréable pour vous, doña Matilda, de rester enfermée toute la journée dans cette chambre avec pour toute distraction vos travaux d'aiguille et vos prières.

Matilda haussa ses maigres épaules et remonta son châle d'un geste frileux.

— Je suis veuve. Qu'y aurait-il d'autre pour moi ?

— Si c'est cela le sort d'une veuve, bien que je sois jeune, je préférerais le veuvage à mon mariage avec Luis.

Cela tourna enfin le regard de Matilda vers Sofia.

— Là, vous voyez bien. Voilà la réponse à la porte fermée.

Sofia se détourna.

— J'espère que je mourrai jeune !

— Blasphème ! Notre temps sur terre est à la discrétion de Dieu.

— Qu'il me prenne, alors ! Je suis prête.

Matilda se signa et marmotta une brève prière.

Sofia arpentait la pièce, en s'arrêtant de temps en temps pour jeter un coup d'œil par la fenêtre au paysage immuable.

— Comme j'aimerais voir arriver l'été ! Je préfère sa chaleur étouffante au triste ennui des mois d'hiver.

— A chaque temps sa saison...

— Ah ! taisez-vous, vieille femme ! Je ne veux plus entendre vos platitudes !

Sofia n'entendit pas la réponse indignée de Matilda car elle était distraite par la vue d'un cavalier qui venait d'apparaître dans l'herbe haute et se dirigeait vers l'hacienda. Elle se pencha à la fenêtre, les mains crispées sur le rebord.

« Non, pensa-t-elle, ce n'est pas possible ! Elle cligna des yeux. Non... impossible ! »

Mais l'homme était tout près, maintenant, et elle reconnaissait ses traits, le beau contour de sa mâchoire, le visage régulier, sa façon élégante de se tenir en selle.

— C'est lui ! cria-t-elle soudain et Matilda sursauta. Je croyais que Luis l'avait tué... mais il n'est pas mort !

— Qui ? demanda la duègne en se levant de son tabouret pour venir voir.

— *Gracias a Dios !* souffla Sofia en se signant. Il est vivant !

— Qui est cet homme ? Un *Norte Americano !* Comment le connaissez-vous ?

Sofia ne répondit pas. Muette, elle regarda Joël galoper jusqu'au perron de l'hacienda, arrêter son cheval, elle entendit la porte s'ouvrir et Joël crier :

— Allez chercher votre maître !

La jeune femme remarqua alors le corps attaché en travers de la croupe du cheval. Indifférente à l'air glacé sifflant par la grille ouvragée, Sofia ouvrit la fenêtre pour écouter. Don Enrique, réveillé de sa sieste, venait d'apparaître sur le seuil, en pantoufles. Il reconnut immédiatement Joël et sa figure s'assombrit.

— Señor, dit Joël, je sais que vous parlez anglais et je sais que vous le comprenez. Alors écoutez-moi, et écoutez bien. J'ai eu naguère un échantillon de votre genre d'hospitalité. En voici un de la mienne. Si jamais quelques autres de vos *bandidos* viennent marauder chez moi, ils seront servis de la même façon que celui-là.

Sur ce, desserrant la corde, il laissa le corps du vaquero glisser à terre au bas des marches.

Sofia poussa un petit cri en voyant la sombre blessure dans le dos du mort. Elle fut horrifiée, mais ne put réprimer un sentiment de satisfaction en reconnaissant l'homme qui avait fouetté Joël et l'avait traîné par terre.

— Assassin ! cria Enrique.

— Laissez-moi en paix, señor. C'est un avertissement !

Puis Joël tourna bride, piqua des deux et partit au galop.

Le cœur de Sofia bondissait dans sa poitrine. Elle s'appuya à la balustrade et se pencha dans le vent.

— *Adios señor !* cria-t-elle avant que Matilda puisse la tirer dans sa chambre. *Adios ! Vaya con Dios !*

Joël reconnut la voix. Faisant pivoter sa monture, il examina la façade jusqu'à ce qu'il aperçoive le visage pâle de Sofia derrière la grille de fer forgé. Il leva une main pour la saluer. Tout en sachant qu'il était dangereux pour lui de s'attarder, il attendit de la voir répondre par le même geste. Alors, éperonnant de nouveau son cheval, il galopa vers l'est.

Matilda serra ses bras maigres autour de la taille de Sofia et la traîna dans la chambre.

— Vous connaissez ce gringo ? s'écria-t-elle, scandalisée.

— Je ne l'ai vu qu'une fois, répondit Sofia d'une voix frémissante de joie. Mais je le croyais mort.

— Mort, il le sera bientôt, assura Matilda. Enrique et Luis ne vont pas supporter cela.

— Il les vaincra. Il l'a fait deux fois. Il recommencera s'il le faut.

— Silence ! tonna Matilda. Vous êtes une petite sotte impertinente. Je maudis le jour où Luis vous a prise pour femme.

— Moi aussi, Matilda, moi aussi.

Luis, ses joues flasques empourprées, fit irruption dans le vestibule.

— Nous devons le poursuivre, Enrique ! Finir ce que nous avons commencé !

— Calmez-vous, Luis, dit don Enrique en posant une main sur l'épaule de son vieux gendre. Nous n'avons pas besoin de nouvelles effusions de sang.

— Comment ! Vous avez l'intention de laisser partir ce gringo ? Il a tué un de vos hommes !

— Je sais ce qu'il a fait, Luis. Mais j'ai d'autres projets pour lui. Maintenant, rangez-moi ce fusil et venez boire un peu de xérès avec moi.

Luis fut ahuri par le sang-froid d'Enrique. Il le suivit au salon et accepta un verre de ce vin d'Espagne.

— Ce matin, dit Enrique en s'installant dans un fauteuil devant le grand feu de bois, j'ai reçu de bonnes nouvelles de San Antonio. Le télégraphe annonce que M. Lincoln a été élu.

Luis poussa un soupir exaspéré. Il n'avait aucune envie de parler politique, encore moins de politique de gringos.

— Les Sudistes ne le supporteront pas, reprit Enrique. Ils détestent ce Lincoln. Ils l'appellent le Singe de l'Illinois. Cela veut dire que c'est la guerre.

— Qu'est-ce que ça peut nous faire ? grommela Luis, un peu apaisé par l'excellent xérès doré. Tout cela est si loin. Ça ne nous touchera pas.

« Dieu, qu'il peut être bête ! pensa Enrique. Complètement stupide ! » Mais il prit un air affable et sourit.

— Les gringos se battront. Même ici au Texas, ils se battront. C'est leur devoir. Trevor ne pourra pas l'éviter. Quand il sera parti, je trouverai un moyen pour m'emparer de son ranch. Et, s'il n'est pas tué à la guerre, il s'apercevra à son retour qu'il est aussi pauvre qu'un *peón* !

1861

8

La figure fermée, rageant d'avoir à travailler davantage pour les nourrir, Emma s'accroupit devant le four et en retira deux nouveaux plateaux de pains de maïs.

— Nous pourrions au moins leur soutirer une heure de travail, marmonna-t-elle en allemand à Rudy. Ça me fait mal de les nourrir gratuitement. C'est la troisième bande de vagabonds de la semaine.

— Doucement, Emma, avertit Rudy. Ils ne savent peut-être pas ce que tu dis mais ils comprennent le ton.

— Je m'en moque, répliqua Emma, butée, mais elle servit le reste du repas en silence.

Les garçons dévoraient; c'était leur premier véritable repas depuis qu'ils avaient quitté Brownsville à cheval trois jours plus tôt. Joël les regardait avec des sentiments mitigés. A trente-huit ans, il était déjà trop vieux pour comprendre leur enthousiasme puéril pour la guerre; cependant, il reconnaissait qu'ils devaient être excités d'être lâchés dans la nature, sans tutelle pour la première fois de leur vie.

Joël redoutait la guerre. Sans avoir la moindre affection pour Abe Lincoln et ses « républicains noirs », il haïssait l'esclavage. Et il pensait que le Sud était trop faible et mal préparé pour vaincre le Nord industriel.

Rudy et lui n'avaient jamais eu tant de travail. En prévision d'un blocus, le commerce des peaux avait été acharné et Joël avait construit un baraquement et embauché une douzaine de vaqueros pour aider à chasser le bétail sauvage. Trois chariots par semaine au moins quittaient le ranch pour le port de St. Mary's. Pour la première fois de sa vie, Joël s'enrichissait mais il comprenait que cette nouvelle prospérité cesserait dès que les Yankees fermeraient les ports.

Il craignait aussi la conscription. Pour le moment, le Texas ne recrutait que des volontaires comme ces bandes de gamins dépenaillés qui passaient par son ranch en se hâtant d'aller s'inscrire à la garnison de San Antonio. Mais la mobilisation était inévitable et Rudy et lui seraient appelés.

— J'espère qu'on va pas arriver trop tard, dit un jeune rouquin. J'ai peur que le temps qu'on entre dans la danse, ces poltrons de Yankees aient détalé jusque sur le paillasson du vieil Abe.

— Paraît qu'ils sont sur le point de se rendre à Jeff Davis, déjà, reconnut un des jeunes gens.

— Probable que vous aurez bien le temps de voir un peu d'action, intervint Joël.

— Et bien le temps d'en avoir assez, renchérit Rudy.

— Pas moi, assura le rouquin. J'ai une telle envie de me battre que je peux presque en sentir le goût.

— Faudrait que la guerre soit drôlement sale pour que je veuille rentrer bientôt à Brownsville, dit un certain Jim. J'en ai surtout assez de travailler sur ces foutus vapeurs du haut en bas du fleuve.

— Vous voulez dire que là-bas il y a un fleuve assez grand pour des vapeurs ? s'exclama Anne, ahurie qu'il puisse exister tant d'eau dans ce pays aride.

— Le plus grand fleuve que t'as jamais vu, petite, affirma-t-il.

Joël interrompit ce badinage pour poser une question.

— Parlez-moi de ces bateaux. Que transportent-ils ?

— Oh ! de tout. Tout ce dont on peut avoir besoin. Des gens aussi, et du bétail. Ils vont et viennent, de Mier à Reynosa et à Bagdad. Vous avez entendu parler de Bagdad ? C'est un port mexicain, en plein sur le golfe. De temps en temps, un gros navire y arrive avec des marchandises d'un peu partout, de loin... des coins comme La Havane et Londres. S'il n'y avait pas eu la guerre, je me serais engagé sur un de ces schooners et je serais parti pour l'aventure. Je le ferai, sûr, mais probable que ça sera pas pour tout de suite, à présent.

Joël retomba dans son silence et il écouta le garçon parler des bateaux venant d'Europe et des Caraïbes, de leurs cargaisons de toiles et de cotonnades, d'argenterie, de porcelaine et de rhum. Et une idée commença à germer dans son esprit...

Plus tard, il proposa aux garçons de coucher dans le baraquement avec les vaqueros. Jim refusa pour eux tous en disant :

— Si ça ne vous fait rien, on couchera dans l'étable. On aime mieux dormir avec les bêtes qu'avec une bande de Mex. Comme ça, au moins, on n'aura pas à surveiller toute la nuit notre montre et notre paquetage.

Joël, qui ne voulait pas discuter avec eux, les laissa sacrifier leur confort à leurs préjugés et leur souhaita le bonsoir.

Dans le sombre silence de minuit, il sortit sous les étoiles, l'esprit bouillonnant du projet qu'il venait d'élaborer. Les risques étaient gros. S'il échouait, il pourrait perdre tout ce pour quoi il avait tant travaillé, mais avec la guerre qu'il prévoyait, il craignait de tout perdre quand même, donc il fallait courir le risque. Et il devait agir immédiatement, sinon ce serait trop tard.

Le lendemain à l'aube, il réveilla les garçons, déjeuna avec eux et les regarda partir. Puis il remplit ses sacoches de provisions pour quatre jours, les accrocha à sa selle et déclara à Rudy :

56

— Je vais à Mier. Occupe-toi de tout, ici. Je reviendrai dès que je pourrai.

Puis il sauta sur son cheval et prit la direction du sud. Rudy le suivit des yeux. Joël ne lui avait rien dit mais, en se rappelant la conversation de la veille avec Jim et en l'associant avec la destination de Joël, il devina ses intentions.

Avec un sourire admiratif, il pensa : « Je dois te tirer mon chapeau, patron. Tu as vraiment oublié d'être bête. »

Don Enrique de León se trouvait à Mier depuis déjà huit jours. La petite ville mexicaine au bord du Rio Grande était le marché le plus proche de son hacienda et il s'y rendait tous les deux mois pour acheter le nécessaire et le superflu dont le Lantana avait besoin. Sa caravane d'une demi-douzaine de carrioles à deux roues était déjà prête, le chargement terminé, et attendait sous bonne garde dans les écuries de la *fonda* où don Enrique occupait la plus belle chambre. Comme à son habitude, il avait terminé ses achats de bonne heure et passé le reste de son séjour à jouer dans la journée et à accueillir la nuit dans son lit une jeune et jolie paysanne fournie par le patron de l'auberge.

La beauté campagnarde s'était révélée bien exigeante pour un homme de son âge et il envisageait d'écourter son séjour afin de préserver sa santé. Mais un des gardes chargés de surveiller ses chariots vint le voir à la table de jeu pour lui annoncer que le gringo du ranch voisin avait pris une chambre à la même *fonda*.

Sa curiosité piquée, don Enrique abandonna la partie bien qu'il eût perdu cinq mille pesos.

— Je serai dans mes appartements, dit-il à son domestique. Tâche d'apprendre ce que manigance le gringo et viens me faire ton rapport ensuite.

Don Enrique dînait avec sa paysanne quand le serviteur revint pour dire à l'hacendado que Joël avait passé l'après-midi aux dock du Rio Grande puis qu'il s'était rendu au *Banco de Mier y Saltillo*. Enrique le congédia et termina tranquillement son repas. Puis il enfila son manteau et ajusta sa cravate devant la glace.

— Où vas-tu, *querido* ? demanda la fille.

— Je dois aller voir un ami, répondit-il.

— Ne t'en va pas, *corazón*, supplia-t-elle. Je vais être seule !

Don Enrique sourit, flatté. Il la consola d'un baiser sur le front et d'une caresse rapide.

— Ne te fais pas de souci, *mi linda*. Je ne serai pas long.

Coiffé de son sombrero, il sortit de l'auberge et se dirigea vers la rangée de fiacres à mules attendant devant la cathédrale.

— Chez don Felipe Rodriguez, dit-il au cocher en montant dans le premier.

— *Sí, señor.*

L'homme claqua les rênes et la voiture bringuebalante s'ébranla dans la rue poussiéreuse.

Comme il convenait à un banquier prospère, don Felipe

habitait une des plus belles maisons de la ville, une demeure blanche à un étage couverte de bougainvillées pourpres.

Don Felipe sortit dans la cour pour accueillir son hôte inattendu et le fit entrer.

— Don Enrique ! s'exclama-t-il. Voilà plusieurs jours que je ne vous vois pas. Je pensais que vous étiez déjà reparti.

— Pas encore, don Felipe, pas encore, comme vous le voyez. Il y a... euh... une autre petite affaire dont je dois m'occuper.

Felipe Rodriguez comprit fort bien de quoi parlait Enrique.

— Ah ! oui, mon ami, répondit-il avec un sourire complice. Il m'arrive moi-même d'être retenu par ce genre d'affaire quand je vais à Saltillo.

Il frappa dans ses mains. Un serviteur apparut, avec une bouteille de pulque et deux petits verres.

— Me ferez-vous l'honneur, señor ?

— Avec plaisir, répondit don Enrique en prenant un verre.

Les deux hommes trinquèrent et burent l'alcool d'un trait. Tout en remplissant de nouveau les verres, don Felipe dit :

— Je vois que vous avez une idée en tête, mon ami. Que puis-je pour vous ?

— Me donner quelques renseignements. Vous avez reçu aujourd'hui la visite d'un *Norte Americano* nommé Joël Trevor. C'est un de mes voisins, il m'a causé des ennuis considérables. Je pensais que vous pourriez peut-être me dire quelles affaires l'ont attiré à Mier.

— Certes. Il est venu ce soir à la banque avec une proposition très intéressante. Je vous le dis parce que nous sommes de vieux amis et qu'il n'est pour moi qu'un inconnu. De plus, c'est un étranger. Il veut acheter des bateaux fluviaux. Deux pour commencer et d'autres plus tard. Il m'a dit que la guerre aux États-Unis va forcer le gouvernement de Washington à organiser le blocus de tous les ports du Sud. Il a l'air de penser qu'en achetant ces bateaux et en les plaçant sous le pavillon mexicain, il pourra tromper les Yankees. Son projet est de transporter le coton des États confédérés par le Texas jusqu'au Mexique, puis le long du Rio Grande vers les navires européens qui mouillent à Bagdad.

Le banquier s'interrompit et attendit un commentaire de son hôte. Don Enrique haussa les sourcils.

— Cet homme est vraiment habile. Son idée me paraît prometteuse.

— Oui. Il assure que le drapeau mexicain protégera son entreprise. Il prétend que les Américains ne voudront pas endommager un bateau mexicain de crainte de créer des incidents à la frontière alors qu'ils répriment une insurrection chez eux.

— Une supposition tout à fait raisonnable, jugea Enrique. J'imagine que vous lui avez prêté l'argent ?

— Pas du tout, répliqua don Felipe. Et nous n'en avons pas la moindre intention.

Enrique s'étonna.

— Tiens donc ! Pourquoi ?

— Il y a un grave défaut dans sa proposition. Pour que son projet marche, et afin qu'il regagne la somme très importante nécessaire à sa mise en route, il faut que la marine américaine organise le blocus. Et si elle n'en fait rien ? Si les ports du golfe restent ouverts ? Sans blocus, il n'y aura aucune raison de détourner les expéditions de La Nouvelle-Orléans ou Galveston vers un port de commerce aussi mineur que Bagdad. *Dios mío*, y avez-vous jamais été ? Un trou pestilentiel perdu au milieu d'un marais. La malaria y fait rage et il n'y mouille pas six navires par an. Quant à la garantie, Trevor n'a rien, absolument rien que son *ranchito*. Alors, je vous demande un peu, que ferions-nous de quelques milliers d'hectares de terres américaines ?

Enrique fronçait les sourcils et regardait fixement son verre.

— Il était prêt à donner son ranch en garantie ?

— Oui, mais nous n'en avons que faire, déclara le banquier en soulevant la bouteille de pulque.

— Mais moi, ça ne me gênerait pas de l'avoir. Je suis opposé à ce que les gringos possèdent des terres au sud de la Nueces. Tant que la terre restera entre des mains mexicaines, nous pouvons espérer qu'un jour nous les rendrons à notre patrie.

— Eh bien, allez le voir. Il est descendu à la *fonda*. Je suis sûr qu'il serait heureux de conclure le même marché avec vous.

— Non, non. Je vous l'ai dit, il y a de l'animosité entre nous. Je ne veux pas qu'il sache que je suis mêlé à l'affaire, mais j'ai une idée. Si vous lui prêtez l'argent, je vous le garantirai en or. Ainsi, si l'entreprise échoue, vous serez entièrement remboursé et j'ajouterai sa terre au Lantana.

Felipe hocha la tête.

— Je vois. Ainsi nous ne courrons aucun risque.

— Pas le moindre. Je vous signerai tous les papiers nécessaires.

Le banquier fit un geste de protestation.

— Je n'ai pas besoin de votre signature, Enrique. Je traite avec vous depuis si longtemps que votre parole me suffit.

— Vous l'avez.

— Eh bien, marché conclu. Demain, quand l'étranger reviendra à la banque, je me laisserai convaincre et lui remettrai la somme qu'il désire... Je suis curieux d'une chose, mon ami. Il est évident que vous voulez que son projet échoue.

Enrique hocha la tête.

— Il est essentiel qu'il échoue.

— Alors, que se passera-t-il si les Américains organisent bien le blocus.

L'hacendado haussa les épaules et leva son verre.

— Si jamais cela arrivait, je trouverais un autre moyen de plumer le poulet.

En juillet, Joël accompagna de nouveau ses chariots à St. Mary's. Quand ils atteignirent la falaise, il leva la main et ordonna la halte. Les eaux vertes de la baie étaient presque désertes. Disparue, la forêt de mâts qu'il avait l'habitude de voir. Deux schooners seulement se balançaient à l'ancre dans la rade et seule une vieille barcasse était amarrée à l'un des môles.

Il comprit immédiatement.

— *Dónde están ?* demanda un de ses conducteurs mexicains.

— Partis, répondit Joël. Ils ont levé l'ancre. Les Yankees doivent être en route.

Attachant son cheval devant le Barrelhouse, Joël poussa les portes battantes et découvrit qu'à part quatre vieux penchés sur leurs dominos la salle était vide et sinistre. Un drap recouvrait le piano. Parmi les quatre joueurs, Joël reconnut le patron, Homer Post.

— Où est passé tout le monde ? demanda-t-il.

Homer nota ses points sur l'ardoise et marmonna, sans relever la tête.

— Allez savoir, Brownsville, La Havane... Les capitaines eux-mêmes ne savaient pas où ils allaient. Quand la nouvelle est arrivée que les Yankees bloquaient Galveston, ils ont tous détalé. On n'avait jamais vu ça. Comme de foutues régates, ils faisaient la course pour sortir de la baie. Le *Santa Cruz* et le *Zéphyr* se sont accrochés dans le goulet et n'ont même pas fait demi-tour pour réparer. Alors, qui peut savoir où ils sont allés ? Tenez, servez-vous. Il y a une bouteille sur le bar. Prenez ce que vous voulez, c'est ma tournée. Il n'y a plus de clients.

Joël accepta l'offre puis, traînant une chaise, il s'assit à la table des joueurs.

— Et Lenore ?

— Elle a filé il y a quinze jours.

— Pour La Nouvelle-Orléans ?

— Non, grommela Homer. C'était bien trop tard pour ça. Elle aurait crevé de faim si elle était restée à St. Mary's.

Il arrêta de retourner les dominos et leva soudain les yeux vers Joël.

— Dites, je vous connais, hein ?

— Je suis déjà venu, oui.

— Sûr. Vous vendez des peaux, pas vrai ?

— Oui.

Homer laissa fuser un rire bref, amer.

— Ma foi, bonne chance quand même.

— Vous voulez dire que les prix ont baissé ?

— Baissé ? Vous voulez rire ? Merde, si je ne peux pas vendre mon whisky, qui s'en va acheter ces peaux ?

— C'est si grave que ça ?

— Pourrait pas être pire.

Joël hocha la tête, tout songeur. Il se versa un autre verre qu'il but lentement.

— Allons, dit-il enfin, je suppose que c'est la fin du commerce des vaches.

Les hommes avaient repris leur partie et personne ne lui répondit.

Dans les semaines qui suivirent, Joël agit rapidement. Il parcourut seul tout l'est du Texas, dans les sombres forêts de pins et les marécages traversés par des bayous, visitant toutes les plantations pour proposer d'acheter leur coton à deux *cents* la livre. Quand les planteurs protestaient, inévitablement, il répliquait : « A qui d'autre allez-vous le vendre ? »

Il ne rentra au ranch que lorsqu'il ne posséda plus que de la menue monnaie.

— J'ai bien dû acheter toutes les balles d'ici à la Sabine, dit-il à Rudy. Maintenant, il faut que je trouve un moyen de tout transporter vers le Rio Grande.

— Les vaqueros m'ont parlé d'un type nommé Rivas. Ce n'est qu'un petit éleveur, à ce qu'ils disent, mais il s'occupe aussi de transport. Paraît qu'il a fait du transport par terre entre San Antonio et Laredo.

— Il a donc des chariots...

— Des carrioles chihuahua, ces voitures à deux roues que les Mexicains appellent des *carretas*. Les vaqueros affirment qu'elles roulent bien mieux sur ce terrain que les chariots à quatre roues que nous avons conduits à St. Mary's. Tu pourrais peut-être l'embaucher.

— Je n'ai plus un sou, répondit Joël. Il faudrait que nous puissions conclure un marché. Trouve-moi où habite ce Rivas et j'irai le voir.

Ramiro Rivas vivait à une journée de cheval. Accompagné de Santos, un des vaqueros, Joël arriva à destination une heure avant le coucher du soleil. La maison ne pouvait guère s'enorgueillir du nom d'hacienda, mais elle était beaucoup plus grande que celle de Joël, bâtie des mêmes blocs de pierre de caliche, avec un toit de chaume aussi. A côté, attestant de la semi-prospérité de Rivas, il y avait une étable pleine de bœufs et dans la cour une douzaine de carretas.

« Parfait, pensa Joël. Avec ses carrioles et mes chariots, nous devrions avoir près de vingt véhicules, ce qui formera un convoi assez important pour que l'aller-retour au Rio Grande soit lucratif. »

Averti par ses hommes de l'approche de Joël, Rivas vint à sa rencontre à cheval. C'était un petit homme basané aux cheveux noirs raides et aux yeux vifs. Joël lui donna une trentaine d'années.

— *Buenas tardes*, dit Rivas avec une certaine méfiance, puis il attendit que les visiteurs se présentent.

Joël leva une main ouverte en signe d'amitié.

— Je m'appelle Joël Trevor. Je possède l'ancien ranch Narvaez, à quelque distance d'ici.

— Ah ! oui, je sais qui vous êtes. Don Enrique de León m'a parlé de vous.

Les espoirs de Joël reçurent une douche froide.

— Ah ? Vous êtes son ami ?

Rivas hésita. Il fit une moue, haussa les épaules et finit par répondre :

— Je le connais très bien, mais... un ami ? Non, je ne dirai pas que nous sommes des amis.

« Dieu soit loué », pensa Joël et il reprit espoir. Rivas sourit, devinant ses pensées.

— A ce qu'on dit, vous n'êtes pas non plus de ses amis.

— Nous avons eu des différends.

— C'est ce qu'on raconte, dit Rivas, puis il sourit de nouveau. Soyez le bienvenu, señor. Ma maison est à vous. Venez. Ma femme vous fera à dîner.

Petra Rivas ne devait pas avoir plus de vingt-trois ou vingt-quatre ans, mais elle avait déjà six enfants et un septième en route. Elle prépara un solide repas de *carne asada* et de *frijoles*. Plus tard, tandis qu'elle fredonnait des berceuses aux bébés, Joël et Rivas s'assirent dehors à la fraîcheur du soir, et parlèrent affaires.

Le lendemain matin, quand Joël sella son cheval et repartit pour le ranch avec Santos, il avait la promesse de Rivas de lui fournir des carrioles et des conducteurs pour le convoi de coton, en échange d'un dixième des bénéfices.

Un mois plus tard, le premier chargement de coton arriva sur le Rio Grande. Joël et Rivas, debout sur la berge du fleuve, regardèrent les hommes d'équipage charger les balles dans les bateaux. A mesure que les carretas se vidaient, elles étaient amarrées sur des radeaux et ramenées vers la rive texane.

— La prochaine fois, déclara Joël, ces voitures rentreront pleines. Maintenant que le blocus a fermé le Sud, la Confédération va avoir besoin de beaucoup de choses. J'ai l'intention de faire pas mal de négoce quand j'arriverai à Bagdad.

Le premier des bateaux fluviaux, l'*Azucena*, émit un coup de sifflet strident et s'apprêta à appareiller. A l'arrière claquait la garantie de Joël contre les attaques de la flotte yankee : le pavillon rouge, blanc et vert de la république mexicaine.

Un second coup de sifflet retentit. Les hommes de pont se tenaient prêts à ramener la passerelle, n'attendant que la venue à bord de Joël. Il se tourna vers Rivas.

— Quand j'étais tout jeune, j'ai travaillé comme mousse sur un bateau fluvial. Et voilà que j'y retourne. On dirait que la boucle est bouclée.

— Avec une différence, dit Rivas en souriant. Cette fois, le bateau est à vous.

Joël réfléchit un instant.

— A moi et à la banque. Si un Confédéré m'entendait, il me ferait sans doute pendre pour trahison, mais je vous avoue que je suis bougrement reconnaissant que les Yankees aient institué le blocus.

Les deux hommes se serrèrent la main.

— *Buen viaje*, Joël.

— *Hasta la vista*, Rivas.

Joël monta à bord et les matelots ramenèrent la passerelle.

Au même moment, don Felipe Rodriguez quittait son bureau de la banque et montait dans sa voiture pour rentrer chez lui déjeuner et faire une sieste de trois heures. Quand il entendit le coup de sifflet du bateau, il pria son cocher de faire un détour par la route poussiéreuse longeant le fleuve. De sa voiture aux sièges de cuir capitonné, dans l'ombre de la capote, il regarda le vapeur descendre vers l'est et le port de Bagdad, des balles de coton empilées sur ses deux ponts, et il aperçut Joël sur la passerelle à côté du capitaine.

Lorsque le bateau se fut éloigné, il ordonna à son cocher de le conduire chez lui.

« Cela devrait intéresser Enrique, pensait le banquier tandis que la voiture cahotait sur la route mauvaise. Je ne dois pas oublier de lui écrire tout à l'heure, dès que je serai de retour à la banque. »

10

Bagdad ! Ce seul nom évoquait pour Joël une ville violente, une ville de péché, un port grouillant aux quais bordés de tripots, de maisons de danse opulentes, de saloons bruyants. Il imaginait une rade encombrée de schooners battant pavillon de pays dont il n'avait jamais entendu parler, des rues où se bousculaient des matelots venus d'Angleterre, de France, d'Amérique du Sud, des Portugais et des Espagnols et même des coolies chinois.

Mais quand l'*Azucena* siffla pour annoncer sa venue et doubla la pointe à l'embouchure du large fleuve boueux, il fut amèrement déçu.

Bagdad était un village endormi flottant sur un marais. Il ne pouvait guère y avoir plus de mille habitants vivant dans les misérables *jacales* bordant le fleuve et serrés autour de la place du marché. Un navire solitaire mouillait dans la rade, un trois-mâts dont l'Union Jack réconforta un peu Joël.

Il dut patauger dans l'eau brune pour descendre à terre, en longeant les piles enguirlandées d'algues de ce qui avait été jadis l'unique dock fluvial du village. Des nuées de moustiques bourdonnaient rageusement, le piquaient, faisaient apparaître des cloques sur sa figure et ses mains avant même qu'il mette le pied sur la terre ferme. Il lui fallut une demi-heure de recherches, de demandes et de fausses pistes pour dénicher enfin une cantina sordide où il trouva le capitaine du schooner britannique.

— Capitaine Jack Amberson...

L'homme salua Joël, voulut se lever et ne réussit qu'à renverser sa bouteille de tequila. Il était à moitié ivre; joyeusement, il fit signe au patron d'apporter une autre bouteille et un verre pour Joël. Le capitaine était un homme trapu au torse puissant, aux yeux aussi bleus que l'Atlantique. Un peu de gris atténuait le rouge ardent de ses cheveux et de sa barbe et sa peau gardait le souvenir de longues années de soleils tropicaux et de tempêtes glacées.

— Enchanté de faire votre connaissance... euh... c'est comment déjà, votre nom ?

Joël le répéta.

— Ah ! oui. Tenez, Trevor, buvez un coup avec moi. C'est un damné breuvage, hein ? dit-il en remplissant à ras bord le verre de Joël. On dirait que les Mexicains ont trouvé le moyen de distiller tous les feux de l'enfer.

Léchant un peu de sel au creux de son pouce, il avala sa tequila d'une gorgée et mordit ensuite dans une tranche de citron vert. Sa figure devint d'un rouge alarmant et des gouttes de sueur brillèrent sur son front.

— Aaaah ! fit-il. Il n'en faudrait pas beaucoup pour être tout à fait pompette !

Il remplit son verre mais attendit un peu avant de boire que la fournaise s'éteigne au creux de son estomac.

— Quel bon vent vous amène ici, monsieur Trevor ? demanda-t-il en se retenant des deux mains à la table pour ne pas perdre l'équilibre. Pourquoi recherchez-vous la compagnie d'un vieux capitaine ivrogne, de Liverpool ?

— J'ai du coton à vendre, répondit Joël.

La lèvre inférieure d'Amberson avança et ses épaules se soulevèrent.

— Une damnée bonne cargaison. Votre foutue guerre civile a pris nos fabriques anglaises par surprise. Elles réclament du coton à genoux.

— Vous le voulez ?

— Certes, certes, monsieur, assura Amberson en considérant avidement l'alcool épais dans son verre.

— Combien m'en donnerez-vous la livre ?

— Ah ! si je pouvais, monsieur, si je pouvais ! Mais les temps sont durs et je n'ai pas un liard. J'ai été pris de court lors de la mêlée à Galveston et j'ai dû faire voile avec la moitié de mon équipage et sans ma cargaison de retour. Déjà payée, monsieur, hélas ! Voilà donc les tristes événements qui m'ont amené les poches vides dans ce trou d'enfer. Et qu'est-ce qui vous a attiré dans cet Eden tropical, monsieur... euh ?

— Trevor. Comme je vous l'ai dit, j'ai du coton à vendre.

— Ah ! oui. Je me souviens. Ce sont ces alcools qui brouillent la mémoire.

Joël se leva, car il avait terriblement besoin de vendre son coton et il voyait bien qu'il n'arriverait à rien avec cet ivrogne.

Il avait atteint la porte de la cantina quand Amberson le rappela.

— Revenez, monsieur Trevor. Attardez-vous encore une minute, je vous prie. Peut-être... pourrions-nous conclure un marché.

— Quelle est votre idée ? demanda Joël en retournant à la table.

— Confiez-moi votre coton. J'ai un navire vide et je n'ai nulle envie de m'éterniser à Bagdad. Laissez-moi embarquer votre coton, à condition, dirons-nous. Je le transporterai à Liverpool et je le vendrai.

— Vous voudriez que je vous le remette tout simplement et puis que j'attende d'être payé ?

— Précisément, dit Amberson.

— Et quelle garantie aurais-je de votre retour ?

— Ma parole.

Joël secoua la tête.

— Pas question. Je ne puis courir ce risque.

Amberson soupira. Ses yeux bleus striés de rouge évaluèrent le contenu de la bouteille de tequila.

— Merci quand même, dit Joël.

— Je ne vous en veux pas, mon ami, grommela Amberson en se reservant. Je ne prendrais pas ce risque moi-même. Mais vous reviendrez me voir. Je suis prêt à parier ma foutue vie là-dessus...

L'ivresse le submergea. Il cligna des yeux, sa tête dodelina. Lentement, il parut se replier sur lui-même et son front finit par reposer sur la table. Ses ronflements sonores se répercutèrent dans la petite salle.

Joël entendit un pas derrière lui et une voix — basse, mélodieuse, familière — prononça son nom. Il se retourna.

— Lenore ! Mon Dieu, j'en crois à peine mes yeux !

— Ainsi c'est bien toi, Joël, dit-elle avec un sourire heureux. Le bruit a couru qu'un gringo nommé Trevor était en ville et je n'osais espérer que ce serait toi.

Elle s'approcha, l'enlaça et l'embrassa légèrement sur les lèvres. Elle portait la même robe verte soutachée d'or qu'il lui avait vue le premier soir, à St. Mary's.

— Homer Post m'a dit que tu étais à Vera Cruz, dit-il.

— Nous devions aller à Vera Cruz. J'ai attendu trop longtemps, avant de repartir à La Nouvelle-Orléans; alors j'ai attelé mon chariot à cette étoile filante.

Du bout de son éventail elle désignait le capitaine ivre mort.

— Et voilà où nous avons échoué. Il y a un an, je suis partie pour voir le monde. Depuis j'ai pu goûter aux plaisirs de St. Mary's et de Bagdad... qui n'a rien de la Bagdad légendaire, comme tu peux le voir. J'en suis venue à avoir peur de repartir.

Cela fit rire Joël.

— Eh bien moi, je suis enchanté que tu aies échoué ici. Tu es le seul rayon de soleil dans une bien sombre journée.

— Tu es un amour, chéri. Voyons, que je te regarde. Tu as l'air en pleine forme, toujours aussi beau.

— Et toi tu es plus belle que jamais, assura Joël, puis il rit de nouveau. Si on nous entendait, on croirait que nous ne nous sommes pas vus depuis des années, alors qu'il y a à peine deux mois.

— Une éternité ! Le capitaine et moi, nous sommes venus tout droit ici, de St. Mary's. Je n'ai pas cessé de regarder la baie, de guetter un autre navire pour m'emmener mais il n'y a rien eu, rien du tout. Rien que notre *Aeolus* solitaire à l'ancre. Et toi, Joël ? Que viens-tu faire ici avec tout ce coton ? J'ai vu deux vapeurs sur le fleuve.

— C'est une longue histoire, Lenore.

— Bon, ne me la raconte pas ici. Allons dîner quelque part. Il y a un café au bord de l'eau. On n'y sert pas de la grande cuisine mais au moins on ne vous empoisonne pas, ce qui n'est pas le cas des autres établissements de ce trou.

Joël prit Lenore par la taille et elle le conduisit à ce café où ils prirent un repas acceptable sinon délectable.

— Ah ! que j'aimerais boire un verre de champagne bien frais ! s'exclama Lenore avec nostalgie. Même un ballon de rouge ou un peu d'absinthe. Ce poison mexicain finit par tuer.

Elle but malgré tout le pulque que lui servit Joël.

— Maintenant, raconte-moi, mon chéri, pourquoi tu es venu à Bagdad.

Pendant tout le récit de Joël elle écouta sans rien dire, en hochant la tête de temps en temps.

— Hélas ! le capitaine a raison, murmura-t-elle quand il se tut. A ce qu'on dit, tu risques d'attendre des mois avant qu'un autre bateau arrive.

— Amberson voudrait que je lui confie le coton. Il dit qu'il le vendra en Angleterre et me rapportera l'argent.

— As-tu un autre choix ?

— Il semble bien que non.

— Mais tu ne te fies pas au capitaine ?

— Je ne le connais même pas !

— Mais tu me connais...

Joël l'examina en silence. Il voyait qu'elle avait une idée.

— Et tu as confiance en moi, n'est-ce pas ?

— Bien sûr ! s'exclama-t-il, comprenant enfin.

— Merveilleux ! Alors je serai ton agent.

— Bon sang, Lenore ! C'est fou, mais je crois que ça marcherait !

— Ce n'est pas fou du tout, mon cœur. Je partirai avec le capitaine et je le maintiendrai sur la voie de l'honnêteté.

Joël se leva d'un bond.

— Viens ! Allons dessoûler Amberson. Je veux faire charger ce coton et le voir partir avant la prochaine marée !

Bras dessus, bras dessous, ils se hâtèrent dans la rue défoncée jusqu'à la cantina où Amberson cuvait sa tequila.

— Je veillerai à ce qu'il obtienne le meilleur prix, assura Lenore, haletante d'avoir couru.

— Et ne reviens pas les cales vides. Achète des choses que je pourrai vendre au-delà de la frontière... des armes, des munitions, des médicaments, tout ce que tu pourras.

— Par exemple du laudanum, de la morphine ?

— Précisément ! Et n'oublie pas le luxe. Il va être rare. Des dentelles, des soieries, des chaussures. Je pourrai revendre tout ça avec un bon bénéfice.

— Ah Joël, que c'est passionnant ! L'Angleterre ! Enfin ! je vais voir le monde !

Joël avait déjà appris à Rudy le risque qu'il avait pris à Bagdad, et le silence tendu qui planait entre eux englobait aussi Emma et Anne.

Emma attendit d'être seule avec son mari et lui demanda ce qui se passait.

En allemand, son mari lui répéta tout ce que Joël lui avait raconté. Emma fut tout aussi stupéfaite qu'il l'avait été.

— Il est devenu fou ? Et nous ? Qu'allons-nous devenir ?

— Je ne sais pas.

— Il va perdre le ranch, c'est sûr !

— J'en ai peur. Mais nous devons attendre, patienter. Le prochain propriétaire aura peut-être besoin d'un régisseur et nous n'aurons pas à partir.

— Je l'avais toujours cru malin ! s'exclama Emma d'une voix indignée empreinte de mépris. Pense donc ! Tout confier à une sale putain !

Anne entendit la conversation et elle connaissait maintenant assez d'allemand pour comprendre.

Dans la soirée, quand Emma et Rudy se furent retirés dans leur propre maison, elle demanda à Joël :

— Papa, qu'est-ce que c'est qu'une putain ?

Il sursauta et la regarda avec étonnement.

— Où as-tu entendu ce mot ?

— C'est vilain, n'est-ce pas ? Je le pensais bien.

— Qui te l'a dit ?

— J'ai entendu Emma. Elle l'a dit en allemand. *Hure*. Mais j'ai cherché dans le dictionnaire. Qu'est-ce que c'est ?

— Une femme de mauvaise vie.

— Ah ?

Anne hocha la tête. Elle avait lu cela dans la Bible. Joël attendit un moment mais comme Anne n'insistait pas, il demanda :

— De quoi parlait-elle, Emma ?

— Oh ! de rien, je ne sais pas. Je l'ai simplement entendue dire ça.

— Anne, tu ne me dis pas toute la vérité.

Elle se mordilla la lèvre, baissa les yeux et finit par murmurer :

— Eh bien, Emma disait que tu avais tout confié à une... une *Hure*, avoua-t-elle, pensant qu'en allemand le mot semblait moins choquant.

— Je vois. Allons, viens là, viens t'asseoir à côté de moi. Je crois que nous devons avoir une conversation, tous les deux.

Il expliqua l'affaire du mieux qu'il le put, le prêt, le coton, le capitaine et Lenore.

— Alors elle est vraiment... une de celles-là ?

— Sans doute. Mais elle est aussi une personne très bien, une dame qui a été très bonne avec moi et qui essaye de nous aider dans une situation difficile. J'ai confiance en elle, elle me plaît et elle te plairait aussi si tu la connaissais.

— Je pourrai, un jour ?

— Nous verrons. Mais je veux que tu te souviennes d'une chose, Anne. Les gens sont ce qu'ils sont et non ce que les autres disent qu'ils sont.

11

Bagdad avait changé. La prospérité commençait. A son arrivée, Joël compta huit navires à l'ancre. Au bord de l'eau, des ouvriers perchés sur un échafaudage posaient la charpente du toit d'un vaste entrepôt et les rues poussiéreuses et endormies grouillaient maintenant d'une foule bigarrée.

Joël parvint à trouver une chambre derrière la cantina où il avait fait la connaissance d'Amberson. Après avoir rangé ses affaires, il descendit sur les docks. Un schooner britannique venait d'être déchargé et Joël se joignit aux négociants qui examinaient les marchandises. Sous le soleil brûlant du Mexique, des pièces de cotonnade s'entassaient à côté de caisses de fusils et de munitions. Il vit des médicaments, des soieries, des centaines de paires de chaussures. Il y avait des ustensiles de cuisine et des chapeaux de Paris empanachés. Les marchands se disputaient, tâtaient les étoffes, examinaient les armes. Ils surenchérissaient furieusement et quand un marché était conclu, ils surveillaient jalousement leurs employés qui entassaient les achats dans des carretas et les emportaient.

— Est-ce que vous auriez des nouvelles de l'*Aeolus* ? demanda Joël à un courtier.

— Quoi ? grogna l'homme, irrité.

— Le schooner *Aeolus*. Capitaine Jack Amberson. Vous n'en avez pas de nouvelles ?

— N'allez pas l'attendre, conseilla le vendeur. Il ne vous apportera rien que nous n'ayons ici. Des souliers, ça vous dirait ? C'est ça que vous cherchez ? Ou de la morphine ?

Joël secoua la tête et s'éloigna.

Inlassablement, il demanda des nouvelles de l'*Aeolus* et du capitaine Amberson, d'un bout à l'autre du port. La réponse était toujours la même. Enfin, un matelot anglais entendit par hasard sa question.

— L'*Aeolus*, vous dites ? Un deux-mâts de Liverpool, c'est pas ça ?

— Si ! Vous avez des nouvelles ?

— Je l'ai vu de mes yeux, répliqua le marin. Il s'est échoué sur un banc juste devant Land's End.

Le cœur de Joël se serra.

— Vous êtes sûr que c'était l'*Aeolus* ? Un autre navire, peut-être...

— Pensez-vous, j'ai bien reconnu son capitaine, ce bougre d'Amberson, qui gueulait des ordres sur la passerelle.

— Ses avaries étaient importantes ? demanda Joël en redoutant la réponse.

— Il gîtait salement sur bâbord, répliqua le matelot avec indifférence. Plus que ça, je pourrais pas dire. Si ça se trouve, il se sera dégagé à la marée suivante. Ou alors il aura été drossé par le grain qui se dirigeait de son côté. Tout ce que je sais, c'est que la dernière fois que je l'ai vu, il était là tout bête comme une baleine échouée.

Accablé, Joël quitta le port. Il savait qu'il devrait essayer de trouver des cargaisons pour ses vapeurs fluviaux qui arriveraient le lendemain. Il pensait pouvoir compenser une partie de ses pertes en persuadant les marchands d'expédier leurs denrées par le fleuve au moins jusqu'à Roma, sinon Laredo. Mais il n'en avait pas le courage. Peu lui importait que les vapeurs restent vides. Cela vaudrait mieux, peut-être, pensait-il, puisqu'il n'avait pas de quoi payer l'équipage qui ne tarderait pas à déserter.

« Qu'ils s'en aillent ! se dit Joël. Qu'ils emportent donc aussi les foutus bateaux ! Sinon la banque de Mier les prendra. »

Soudain, il fut pris d'un tremblement violent, il chancela et dut se retenir à une carriole arrêtée pour ne pas tomber.

— *Borracho*, dit le conducteur du véhicule en clignant de l'œil à son compagnon et tous deux rirent de voir un gringo ivre si tôt dans la journée.

Les frissons cessèrent aussi brusquement qu'ils avaient commencé mais en lui laissant une curieuse impression de vertige. En retournant lentement vers le centre de la ville où les vieillards et les enfants passaient leur temps à l'ombre chiche de la petite place, il chercha un banc libre pour s'y reposer. Il était couvert de sueur froide et se sentait en proie à une intense léthargie.

« Je suis fatigué, pensa-t-il, fatigué de me donner du mal,

fatigué de me faire du souci. » Et pour la première fois il regretta sa décision de s'installer au Texas. Elle n'avait causé que des malheurs : Martha était morte, Anne grandissait sans mère et, la plupart du temps, sans père. Et maintenant tous ses grands projets étaient anéantis sans qu'il puisse rien y faire.

Des vieux le regardaient passer en silence. Il avait perdu sa grâce féline, sa démarche souple; il marchait comme un impotent, blême sous son hâle, et il ne pouvait maîtriser le tremblement de ses mains.

« Je vais aller à la cantina, se dit-il. Je pourrai me reposer, boire quelque chose. J'espère avoir encore de quoi m'enivrer. Ça me fera peut-être oublier... pour un moment au moins... »

Il se réveilla sur son lit et vit par la fenêtre qu'il était près de midi au soleil. La pièce était étouffante et sentait la maladie; il était trempé de sueur. Il voulut se lever, mais il était trop faible pour soulever sa tête du petit oreiller dur. Il lui était arrivé de prendre des cuites mémorables et de les payer cher ensuite, mais jamais il n'avait autant souffert qu'à présent. Des coups de marteau résonnaient dans sa tête, ses yeux étaient douloureux et il avait mal dans tous les os comme si un cheval l'avait piétiné.

Peu à peu, il prit conscience d'une présence dans la chambre.

— Qui est là ? murmura-t-il difficilement.

Une vieille femme en noir se leva d'un tabouret dans le coin et s'approcha du lit. Elle trempa un chiffon dans un bol d'eau et le lui passa sur le front.

— Que m'est-il arrivé ? demanda-t-il d'une voix faible.

La femme porta un doigt à ses lèvres, lui indiquant de ne pas s'agiter.

— Malaria, dit-elle.

— Depuis combien de temps suis-je ici ? demanda-t-il, et comme elle ne répondait pas, il posa la question en espagnol : *Cuanto tiempo ?*

— *Tres días*, dit la vieille en levant trois doigts.

— Trois jours ! La malaria ! Il comprit que pendant tout ce temps il était resté sans connaissance.

La femme changea le chiffon humide sur son front et retourna s'asseoir dans son coin.

Joël dormit jusqu'au soir et toute la nuit. Le lendemain matin, après avoir bu le bouillon que la vieille lui apporta, il se sentit assez solide pour se lever. Malgré ses protestations, il se traîna vers la porte. Le soleil l'éblouit, la chaleur de midi l'écrasa. Il sortit dans la rue, en marchant lentement, avec précaution car le moindre mouvement l'épuisait. Tâtant ses poches, il y trouva quatre *cents*, assez pour boire une citronnade au coin de la rue. D'un pas mal assuré, il se dirigea vers la plaza où se trouvaient les marchands ambulants.

De l'autre côté de la rue, quelqu'un cria :

— Hé, mon gars !

Ignorant la voix, Joël continua de marcher. L'autre insista :

— Hé, vous, là-bas, c'est vous que j'appelle ! Le gars qui demandait des nouvelles de l'*Aeolus* !

Joël s'arrêta et leva la tête. Clignant des yeux au soleil, il lui fallut un moment pour reconnaître dans celui qui l'interpellait le matelot à qui il avait parlé le jour de son arrivée.

— Dites donc, vous êtes bien le même type, hein ? demanda le marin, hésitant devant la figure ravagée de Joël.

— Oui... Oui, c'est moi.

— Ben, il arrive.

— Quoi ? Il... Quoi ?

L'esprit encore fiévreux de Joël avait du mal à comprendre.

— Probable qu'il a dû se soulever bien gentiment de ce foutu banc, déclara le matelot. L'*Aeolus* est en train d'entrer dans la rade toutes voiles dehors, comme le beau rafiot qu'il est !

Le cœur de Joël se mit à battre à grands coups et, oubliant sa faiblesse, il se hâta vers le port.

« Ils sont revenus ! pensait-il. Ils ne m'ont pas volé et ils n'ont pas sombré ! Ils sont revenus comme je le disais ! »

Il arriva sur la petite falaise dominant le wharf. Au-delà s'étendaient les eaux vertes de la baie. Et là, glissant majestueusement dans la rade, ses voiles gonflées et blanches comme les légers nuages du golfe, il vit l'*Aeolus* !

Joël renversa la tête en arrière et poussa un hurlement de victoire. Matelots et marchands s'interrompirent et regardèrent bouche bée ce fou qui exécutait une sorte de danse d'Indien sur la falaise en glapissant à pleins poumons et en agitant son Stetson.

En voyant Joël, Lenore fut atterrée. Sourde à ses protestations, elle le força à retourner dans son lit, dans la petite chambre derrière la cantina.

— Les affaires peuvent attendre, déclara-t-elle en congédiant la vieille pour prendre sa place au chevet de Joël. Maintenant, tu dois te reposer. Tu as l'air aussi faible qu'un petit chat.

Joël la regarda essorer le chiffon mouillé et le poser sur son front.

Il s'endormit avec son image devant les yeux. Quand il se réveilla il craignit d'avoir été victime d'un rêve dû à la fièvre, mais dès qu'il souleva les paupières il vit Lenore à son chevet.

— Comment te sens-tu ? demanda-t-elle.

— Mieux. Beaucoup mieux.

— Tu as dormi paisiblement et la fièvre est tombée, dit-elle en lui caressant le front. Voici du thé froid. Tu peux te soulever ?

— Oui. Je me sens beaucoup plus solide.

Elle l'aida à se redresser et porta le verre à ses lèvres. Il but avidement, en se disant que jamais il n'avait eu si soif de sa vie.

— Tu as l'air d'avoir repris des forces, en effet. Je crois même que tes couleurs sont revenues.

71

Plus tard, Lenore lui apporta une soupe et du café. Joël put s'asseoir sur le bord de son lit pour manger.

— J'avais peur qu'Amberson et toi ne reveniez pas, avoua-t-il.

— Pauvre idiot ! Je t'avais promis de revenir.

— Un matelot m'a dit que le bateau s'était échoué.

Lenore pinça les lèvres.

— Le capitaine était, comment dire, éméché. Il a commis une légère erreur de navigation. Ce n'était rien, vraiment. La marée suivante nous a dégagés. Après cela, j'ai caché son rhum et je lui ai fait jurer de ne pas boire une seule goutte avant que nous arrivions à Bagdad.

— Où est-il ?

— Il surveille le déchargement. Il meurt d'envie d'une bouteille de tequila, mais je l'ai interdit jusqu'à ce que toute la cargaison soit à quai. Je suis certaine qu'il est un parfait tyran avec les débardeurs.

— Tu es une maîtresse femme, Lenore.

Elle sourit fièrement.

— Je sais me faire obéir.

Joël acheva sa soupe et s'adossa contre ses oreillers pour boire son café.

— Eh bien, dit Lenore, tu ne veux pas savoir comment nous avons réussi ?

— J'ai peur de le demander.

— Tu n'avais rien à craindre, mon chéri. Nous n'aurions pas pu faire mieux ! Le capitaine sait durement marchander. Il a mis les courtiers en coton à genoux. Trente *cents* la livre !

Joël ferma les yeux et poussa un soupir de soulagement.

— Et nous ne revenons pas les mains vides. Nous avons embarqué une telle cargaison que je suis stupéfaite que nous n'ayons pas coulé à pic. Ah ! Joël, tu n'imagines pas ! Il y a des étoffes, des centaines et des centaines de pièces; des fusils et des munitions pour toute l'armée confédérée, apparemment. De l'opium, de la quinine, des pansements. Et nous avons même trouvé de la place pour un peu de soieries et de dentelles.

Joël lui saisit la main et la garda entre les siennes.

— Nous sommes riches, Lenore !

— Toi, tu es riche, Joël. Le capitaine et moi ne voulons que notre juste part. Qu'est-ce qu'un capitaine aurait à faire d'une fortune ? Et moi... je n'ai jamais été aussi heureuse. Je visite le monde !

Les forces de Joël revinrent rapidement. Il n'aurait su dire si c'était grâce à sa bonne fortune, à la joie de revoir Lenore ou à sa propre constitution robuste, mais toujours est-il qu'avant la fin de la semaine il put traverser le fleuve et discuter avec l'intendant de Fort Brown. Il réussit à lui vendre tout l'armement et les médicaments que l'*Aeolus* avait apportés à un prix qu'il n'aurait jamais cru possible.

Malgré les protestations de Lenore et d'Amberson, qui assuraient qu'il leur donnait trop, il les récompensa généreusement de leurs efforts. Il commanda chez un charron de Bagdad une douzaine de carretas pour remplacer celles que Rivas avait perdues lors d'une attaque de *bandidos*. Et il lui restait encore les soieries, les cotonnades, les souliers et les dentelles à transporter de l'autre côté de la frontière pour les vendre au prix fort à San Antonio.

Toute la semaine, Amberson était resté béatement ivre dans la cantina. Le soir de son dernier jour en ville, Joël emmena Lenore dans une petite *fonda* au bord du fleuve où ils dînèrent de cailles et de haricots, de riz et de tortillas chaudes.

Après le repas, il prit les mains de Lenore. Ses yeux bleus étincelaient dans la lueur des bougies et il sourit en voyant que le vin d'Espagne qu'ils avaient bu avait rosi ses joues.

— Nous pourrions prendre une chambre ici, Lenore, murmura-t-il. Voudrais-tu passer la nuit avec moi ?

— Avec joie, Joël. J'ai rêvé de toi toutes les nuits pendant mon voyage.

En haut, dans la pièce éclairée par les bougies, Joël délaça le corset de Lenore et le laissa tomber sur les jupons mousseux, au sol. Tendrement, il la fit pivoter. Il caressa la chair satinée de ses seins et courba la tête pour l'embrasser sur les yeux, les lèvres, le cou. Il l'enlaça et la serra contre lui.

— Les hommes adorent déshabiller les femmes, chuchota-t-elle à son oreille, mais ils n'ont pas l'air de se douter que les femmes adoreraient les déshabiller.

Elle laissa glisser ses doigts le long de son torse. Délicatement, comme si elle cueillait des violettes, elle déboutonna la chemise, en le taquinant, avec une lenteur énervante. Enfin elle la fit glisser sur ses épaules en caressant sa peau nue.

Ses mains descendirent sur la ceinture et dégrafèrent la boucle. Alors, à genoux devant lui, elle défit les boutons du pantalon.

Quand il fut entièrement nu, elle effleura de ses lèvres l'intérieur de ses cuisses et alluma en lui un incendie. Il la souleva pour la porter sur le lit et la sentit abandonnée. Son parfum l'excita. Il était de nouveau un jeune garçon, couché tout nu au bord d'une rivière du Tennessee. Il avait du soleil dans les yeux et une brise printanière, rafraîchie par une brume lointaine, le caressait.

Gémissant de plaisir, il la serra contre lui. Les paupières de Lenore battirent et se fermèrent quand elle laissa sa tête s'enfoncer dans l'oreiller et s'abandonna toute à lui.

— J'aimerais que tu restes avec moi, Lenore, murmura Joël. Quand la guerre sera finie, je serai riche. Je pourrai te donner tout ce que tu veux, tout ce que tu as jamais désiré.

Lenore sourit avec nostalgie. Elle se rapprocha de lui, nicha sa tête au creux de son épaule et avoua :

— S'il a jamais existé un homme avec qui je penserais pouvoir vivre, Joël, c'est toi.

— Veux-tu venir avec moi ? Veux-tu essayer... même pour un moment ? Au moins un peu de temps ?

Elle soupira.

— Je t'aime, mon chéri, vraiment. Et j'aimerais bien être le genre de personne qui est heureuse de rester toujours au même endroit. Hélas...

Joël caressa ses cheveux bruns et lui parla tout bas :

— Moi aussi, j'aimais vagabonder, je ne tenais pas en place. Je pensais que la seule vie pour moi, c'était d'errer.

— Un jour peut-être, mon cœur, dit-elle sans conviction. Quand j'aurai vu le monde...

— Tu aimes Amberson ?

— Non... Mais il m'a promis Paris, Marseille, Rio, Venise. Je ne peux pas laisser passer ça... Je t'en prie, ne m'en veux pas.

Joël la serra contre lui. Mais déjà les yeux de Lenore reflétaient le bleu de la mer et il savait qu'il était inutile de chercher à la persuader.

Dans la journée, Lenore regarda le vapeur de Joël remonter le fleuve. De la berge, elle agita la main jusqu'à ce que le bateau disparaisse au tournant d'une boucle. Alors elle sécha ses larmes et redescendit en ville pour rejoindre Amberson.

Dans la semaine, un messager à cheval apporta une lettre à l'hacienda d'Enrique de León. Il lut :

Hier, le señor Trevor est arrivé à Mier et a satisfait aux obligations de son prêt. Je pensais que cette nouvelle vous intéresserait...

Enrique n'alla pas plus loin. Avec un juron, il froissa la lettre entre ses doigts crispés.

1864

12

— Tu as l'air d'un général ! s'exclama Anne, admirant Joël dans son uniforme gris de l'armée confédérée.

— Un simple capitaine, Annie, rectifia-t-il tandis qu'elle arrangeait une dernière fois sa large ceinture de soie jaune. Et je me sens ridicule dans cette tenue. Je ne vois pas pourquoi je ne pourrais pas combattre les Yankees en jambières et gilet...

— Cesse de te plaindre, papa ! Tu es merveilleux !

Quand Joël se retourna pour s'examiner dans la glace d'un œil critique, il se reconnut à peine. Il secoua la tête en marmonnant :

— Un foutu soldat de plomb ! Jamais je n'aurais cru que je porterais un jour cet uniforme. Et je ne l'aurais pas porté si les Yankees n'avaient pas décidé d'opérer des razzias sur tous les ranchs de cette région. Qu'espèrent-ils gagner ? Nous n'avons rien qui puisse leur être utile... rien que des vaches sauvages et des mustangs dont ils ne pourraient pas s'approcher à un kilomètre. Il paraît qu'ils ont incendié le ranch Sanchez, à moins de vingt kilomètres au sud.

— Tu crois qu'ils vont attaquer aussi loin qu'ici ?

— C'est pour ça que je recrute cette triste bande de va-nu-pieds. Pauvres bougres ! Pas un seul homme entre quatorze et soixante ans ! Tous les hommes valides ont quitté la région en même temps que Rudy. Et la moitié ont été blessés, tués ou faits prisonniers. J'ai battu la campagne de la Nueces à Laredo, et tout ce que j'ai pu trouver, ce sont des gamins et des pépés. Belle armée !

— Au moins, ils sont volontaires, dit Anne dans l'espoir de l'apaiser.

— Volontaires ! J'ai dû menacer de les pendre s'ils avaient seulement l'idée de déserter.

— Tu ne ferais pas ça, dis, papa ? Si ?

— Non, murmura-t-il. La plupart sont les derniers hommes restants au foyer. Je ne pourrais pas leur en vouloir de filer de temps en temps voir comment les femmes se tirent d'affaire.

— En tout cas, tu n'auras pas à t'inquiéter pour Emma et moi quand tu ne seras pas là, déclara Anne.

Joël regarda sa fille en souriant. Il s'aperçut qu'elle avait grandi bien vite. A seize ans, c'était déjà une jeune femme, grande

75

et forte, avec de longues jambes et la grâce d'un lynx. Et elle était belle, avec ses longs cheveux blonds si épais, qu'elle portait dénoués. Quand elle galopait à côté de lui, avec sa crinière dorée volant derrière elle et scintillant au soleil, elle lui rappelait un beau palomino nerveux. Son visage était devenu plus anguleux, comme celui de son père, avec un menton volontaire et des pommettes saillantes, et son teint hâlé semblait accentuer le vert vibrant de ses yeux.

Malgré les protestations d'Emma, Anne portait le pantalon, une culotte de cuir comme les Mexicains, et elle était aussi à l'aise dans l'humble chemise d'un péon qu'avec la belle blouse de soie que Joël avait importée de France. Ses bottes étaient son seul luxe. Elle en possédait douze paires.

Elle avait de la volonté et elle était entêtée. Joël avait appris depuis longtemps, ainsi qu'Emma, qu'il était impossible de la plier à une autre volonté que la sienne. Il avait donc recours à son pouvoir de persuasion et espérait sa coopération.

Depuis le départ de Rudy, Emma était plus nerveuse et irritable que jamais. Son mari servait depuis un an en Louisiane sous les ordres de Taylor. Ses rares lettres parlaient de privations et de vie dure, de soldats sudistes se battant entre eux pour arracher des bottes et des vêtements aux Yankees morts, de nourriture pleine de vers, de maladies qu'on ne pouvait soigner parce qu'il n'y avait plus de médicaments. Et il parlait de sa nostalgie, il disait combien il rêvait de pouvoir rentrer à la maison.

Rudy n'avait jamais vu le fils né le lendemain de son départ, et en son absence Emma se laissait aller, grossissait et devenait une souillon. Avec trois bébés à soigner, elle n'avait guère de temps à consacrer à Anne. Aussi la jeune fille était-elle devenue indépendante et pleine d'assurance.

— Tu t'occuperas de tout ? demanda Joël en prenant son fusil.

— Ne t'inquiète pas. Je peux manier les vaqueros...

— Je veux qu'on construise un nouveau corral...

— Les hommes ont déjà commencé. Et je crois que je vais leur faire bâtir un nouveau baraquement plus grand. Ils sont trop entassés dans le vieux.

Joël examina sa fille pendant un moment; puis il lui sourit.

— Je ne m'inquiéterai d'absolument rien.

Elle l'accompagna jusqu'à son cheval. Il sauta lestement en selle et se pencha pour embrasser sa fille.

— A bientôt, Annie.

— Ne te fais pas tirer dessus, répliqua-t-elle en feignant de gronder alors qu'elle avait envie de pleurer.

Joël rit. Il éperonna son étalon et conduisit son armée d'enfants et de vieillards vers le sud-ouest, où ils avaient appris que campaient les Yankees.

Les yeux gris de Joël scrutèrent l'horizon et distinguèrent un mince ruban de fumée noire s'élevant tout droit dans l'air calme.

— Moreno ! cria-t-il au caporal mexicain voûté, assez vieux pour être son père.

— *Mande, capitán* ?

Moreno était natif de la région du campement et faisait office de guide.

— A qui sont ces terres ? demanda Joël.

— A un hacendado nommé Luis de Vargas. Le ranch s'appelle l'Ebonal.

— A voir cette fumée, on dirait que les Yankees ont été à l'œuvre.

— *Sí, capitán*, reconnut Moreno.

— Prends Salinas et Willard. Partez devant en éclaireurs et voyez ce que signifie cette fumée. Nous vous attendrons ici. Soyez prudents, ne vous faites pas voir. Les Yankees sont peut-être encore dans le coin.

Au bout de deux heures, les hommes revinrent. Entre-temps la fumée était devenue d'un gris pâle et avait fini par disparaître.

— Une maison incendiée, rapporta le soldat Willard. Reste plus que les murs de pierre et de la cendre.

— Les communs ?

— L'en reste encore un peu debout. Des cabanes, surtout. Les autres ont brûlé avec la maison.

— Pas de signes de vie ?

— Nous n'en avons point vu. Bien sûr, on s'est pas aventuré trop près.

Joël hocha la tête.

— Allons-y. Il y a peut-être des provisions qui nous serviraient, dans ces communs.

Il ordonna aux hommes de lever le camp. Ils se mirent en selle et se formèrent en colonne derrière lui.

Comme ils approchaient de l'Ebonal, ils virent de minces volutes de fumée s'élever encore des ruines de l'hacienda. Un veau orphelin meuglait près d'une vache morte dans les décombres d'un enclos. A part ce veau, les hommes de Joël ne virent rien de vivant, pas un chien, un cochon ou une chèvre.

Joël avait les nerfs à vif. Il sentait quelque chose qui n'allait pas.

— Il devait y avoir beaucoup de monde qui vivait ici... une grande maison, un pareil domaine...

— Ils ont peut-être fui avant l'arrivée des Yankees, suggéra un des éclaireurs.

— Je l'espère...

Mais un cri d'un des hommes l'avertit qu'un cadavre avait été découvert dans les décombres calcinés. En quelques minutes, les soldats en trouvèrent sept autres, tous des hommes, trois dans les cendres et quatre dans les hautes herbes derrière les communs.

Du haut de son cheval, Joël regarda son guide, Moreno, retourner un des corps. Il sursauta en voyant la figure sans vie.

— Qui était cet homme ? demanda-t-il.

— Le maître. Le propriétaire de cette hacienda, Luis de Vargas.

Joël n'avait vu l'homme qu'une fois, mais il se le rappelait bien : la tête chauve, les lourdes bajoues, les lèvres minces qui avaient souri cruellement quand il avait levé son pistolet et tiré une balle dans son épaule. Et les yeux ! Des agates ternes qui regardaient à présent le ciel, fixement.

— Sans toi, ma femme ne serait peut-être pas morte, gronda-t-il.

— Plaît-il, mon capitaine ? demanda l'éclaireur.

— Rien. Je pensais tout haut.

En contemplant le mort, Joël ne chercha pas à réprimer ses sentiments de vengeance. « Tu as essayé de me tuer une fois, ordure ! pensait-il. Et tu as cru que tu m'avais eu ! Je devrais te laisser aux charognards et aux coyotes. »

Mais, tournant bride, il appela ses hommes et leur donna l'ordre de creuser une tranchée pour enterrer les cadavres.

Les maraudeurs yankees avaient laissé plusieurs bâtiments intacts. Déjà les hommes s'étaient introduits dans les plus grands et en charriaient des sacs de maïs, de sel et de sucre; des acclamations s'élevèrent quand deux jeunes soldats roulèrent devant eux un baril de rhum.

— Chargez ces provisions dans la roulante, commanda Joël. Nous rationnerons le rhum ce soir. Je pense qu'aucun de vous n'est si jeune et si faible qu'il n'appréciera un petit coup.

Enfin il mit pied à terre et avança vers un autre bâtiment, dont la lourde porte de chêne pendait sur ses gonds rouillés. Il saisit la poignée de bois et tira mais la porte résista. Il tira encore, avec toute sa force; elle céda un peu mais ce ne fut qu'à la troisième tentative qu'il parvint à l'ouvrir.

Aussitôt il eut un mouvement de recul, car alors qu'il clignait des yeux dans l'obscurité il avait compris qu'il était en danger. Il avait perçu un bruit léger, le déclic d'un chien rabattu; il vit alors briller un instant le canon d'un pistolet braqué sur lui.

Joël se crut mort. Le temps d'un battement de cœur, il mit un genou en terre et dégaina son revolver. Au même instant il entendit un cri perçant, une voix de femme prononçant son nom :

— Señor Trevor ! Non ! Ne tirez pas !

Mais ses réflexes avaient déjà joué et son doigt se crispa sur la détente. Le coup de feu se répercuta bruyamment dans le petit bâtiment de pierre. Joël entendit un cri, puis le bruit d'une chute et un pistolet à crosse de nacre glissa jusqu'à lui.

Des hommes arrivaient à la rescousse, mais Joël savait déjà que le danger était passé, qu'il n'avait même jamais existé. Il se précipita dans l'obscurité et s'agenouilla près de la forme prostrée. Il la retourna et souffla, en reconnaissant les traits pâles :

— Oh ! mon Dieu... mon Dieu !

Avec précaution, il la souleva du sol de pierre et la porta

78

dehors, légère comme une plume, laissant derrière lui une traînée de sang.

— Qui est-ce ? demanda un des soldats.

— Elle s'appelle Sofia, répondit Joël entre ses dents. Un jour, elle m'a sauvé la vie.

Il la déposa à l'ombre d'un chêne isolé.

— Elle est morte ?

Joël ne répondit pas. Ses doigts tremblants déchirèrent la blouse trempée de sang, cherchant la blessure, terrifié à la pensée de ce qu'il pourrait découvrir.

Alors elle battit des paupières et ouvrit les yeux.

— Señor Trevor !

— Dieu soit loué, murmura-t-il avec soulagement.

La balle avait éraflé le flanc, juste sous l'aisselle, mais la blessure, bien qu'elle saignât abondamment, n'était que superficielle.

— De l'alcool ! Des pansements, cria-t-il. Vite !

Un des hommes courut chercher la trousse.

— Ne vous inquiétez pas, ce n'est pas grave, murmura Joël en serrant Sofia contre lui, essayant d'étancher le flot de sang avec la main.

Mais elle avait de nouveau perdu connaissance. Le soldat revint avec la trousse; Joël nettoya la blessure et fit un pansement serré avec des linges propres. Enfin il ôta sa chemise et en enveloppa Sofia.

Elle reprenait conscience, mais on voyait qu'elle souffrait.

— Ne bougez pas, conseilla-t-il. Ce n'est qu'une blessure superficielle.

Elle hocha faiblement la tête et se laissa aller entre ses bras, sous le chêne. Un des hommes lui apporta un quart de rhum. Joël le lui approcha des lèvres et la fit boire. Lentement, la couleur revenait à ses joues. Elle parvint enfin à se redresser.

Se rappelant comment elle était venue à lui avec le curandero, il lui dit :

— Drôle de façon de vous prouver ma reconnaissance.

— Ce n'est pas votre faute.

— J'ai vu le canon du pistolet. J'ai tiré sans réfléchir.

— Ne vous faites pas de reproches. Comment pouviez-vous savoir ?

Elle sourit encore, laissant ses yeux errer sur les traits de Joël, ce visage dont elle rêvait constamment depuis l'instant où elle l'avait vu pour la première fois.

— Je croyais que c'étaient les Yankees, expliqua Sofia. Je croyais qu'ils étaient revenus.

Elle se tourna vers la tranchée que creusaient les hommes.

— Combien y a-t-il de morts ?

— Sept.

— Mon mari aussi ?

— Qui est votre mari ? demanda Joël.

— Luis de Vargas. C'est son hacienda.

Joël fut stupéfait. Sofia surprit son air choqué.

— Nous avons été mariés le lendemain du jour où il vous a tiré dessus. C'était la volonté de mon père. Je n'avais pas le choix.

Joël, encore mal revenu de sa surprise, la regardait en silence. Il ne pouvait l'imaginer dans les bras de Luis, et il haïssait plus encore cet homme de l'avoir possédée.

— Est-il parmi les morts ?

Joël hocha la tête. Sofia sourit amèrement.

— J'en suis heureuse. J'espère qu'il est en enfer !

Un grabat avait été préparé pour Sofia à l'arrière d'un des chariots.

— Nous allons vous ramener chez votre père, lui dit Joël. Il n'y a plus rien ici pour vous.

Ils mirent un jour et demi pour atteindre l'hacienda de don Enrique de León.

Quand ils arrivèrent au Lantana, Sofia, qui était toujours dans le chariot, demanda :

— Est-ce que tout le monde est mort, ici aussi ?

Joël, chevauchant à côté d'elle, répondit.

— La maison est intacte, apparemment. Les communs aussi.

— Vous ne voyez personne ?

Joël allait répondre quand il surprit un mouvement, un homme armé d'un fusil courant entre la maison et l'écurie. Il cria à ses hommes :

— Halte !

Puis, se tournant vers Sofia

— Il faut que vous leur parliez. Ils sont armés et doivent nous prendre pour des Yankees. Criez, dites qui vous êtes, sinon ils vont commencer à nous tirer dessus.

Il se pencha dans le chariot et l'aida à se relever.

Elle scruta le paysage. Ils étaient tout près de l'hacienda et elle paraissait singulièrement abandonnée et vulnérable. Pas de chevaux dans les écuries. Même les chiens qui erraient généralement sur les sentiers de poussière entre les jacales des peones semblaient avoir fui.

— Ils sont partis, dit-elle.

— Non ! Ils sont là. Ils se cachent, simplement. J'ai vu passer un des hommes de votre père, à l'instant. Appelez-les avant qu'ils se mettent à tirer !

Sofia mit ses mains en porte-voix et cria :

— *Oigame ! Soy Sofia ! No tiren !*

Seul le silence répondit à son appel.

— Encore une fois, murmura Joël.

Mais avant qu'elle puisse parler, une fusillade éclata, venant de l'hacienda et des écuries. Des balles sifflèrent entre eux.

— Il est fou ! s'écria Joël. Il les laisse tirer sur sa propre fille !

Sofia hurla et s'aplatit sur le plancher du chariot. Les soldats coururent se mettre à l'abri.

— Feu ! ordonna Joël en sautant de son cheval pour passer derrière le chariot.

Les balles sifflèrent de part et d'autre. L'odeur de la poudre se répandit dans l'air. Le bruit des coups de feu assourdit Sofia.

Dans la maison, derrière la grille d'une fenêtre du rez-de-chaussée, don Enrique vida son chargeur et prit un autre fusil.

— Mais, señor, protesta son assistant, votre fille est là ! J'ai entendu sa voix.

Enrique, qui avait reconnu Joël, épaula tranquillement.

— Señor ! Votre fille !

— Elle est passée chez les gringos. Elle doit prendre ses risques avec eux.

Le fusil d'Enrique fit feu deux fois encore, en cernant de près le chariot. Sofia hurla et son cri couvrit un instant le crépitement de la fusillade.

— Salaud ! glapit Joël. Vous tueriez votre propre fille !

Visant avec soin, il tira.

Dans la maison, Natalia fit irruption dans la pièce où s'était barricadé son frère.

— *No, Enrique ! Por favor !*

Elle voulut lui arracher le fusil des mains. Il pivota et la frappa sauvagement, l'envoyant tomber contre son bureau d'acajou massif.

Joël vit Enrique bouger, se retourner. Il pressa de nouveau la détente.

L'hacendado se cassa en deux et le fusil lui échappa. Il tomba à genoux et s'étala enfin aux pieds de Natalia dans une mare de sang.

Atterrée, elle le regarda, comme si elle voyait un monstre. Il avait déjà les yeux vitreux, le regard fixe. Elle se détourna brusquement.

— Allez donner l'ordre de cesser le feu, dit-elle à l'assistant. Il n'y aura plus de tuerie !

L'homme sortit en courant et quelques minutes plus tard la fusillade se tut.

Joël attendit prudemment, ne sachant trop si la bataille était finie ou si les forces d'Enrique se regroupaient. Enfin il entendit appeler de la fenêtre du rez-de-chaussée et Sofia reconnut la voix de sa tante.

— Tía Natalia ! cria-t-elle en levant la tête au-dessus du rebord du chariot. C'est moi, Sofia ! Je suis rentrée. Je suis avec des amis. Dis-leur de ne pas tirer !

Au bout d'un moment, la lourde porte d'entrée s'ouvrit et Natalia sortit en courant, suivie par trois domestiques. Soulevant ses longs jupons noirs, elle se précipita vers le chariot, la figure ruisselante de larmes, en répétant le nom de Sofia.

Déjà quelques hommes de don Enrique émergeaient de leurs cachettes et jetaient leurs armes. Natalia tendit les bras vers Sofia, lui caressa la figure en sanglotant.

— *Mi vida, mi corazón !*

Elle l'enlaça, la serra contre son cœur mais Sofia ne put réprimer un cri de douleur.

— Tu es blessée ! Ils t'ont attaquée !

— Non, non, ce n'est rien. Je vais très bien.

Natalia se tourna vers une des jeunes servantes.

— Va chercher le curandero. Dis-lui que doña Sofia a besoin de lui.

— Qu'on la transporte dans la maison, ordonna Joël au caporal responsable du chariot.

Natalia marcha à côté du véhicule sans lâcher la main de sa nièce.

— Pourquoi ont-ils tiré ? gémit Sofia. Personne ne m'a donc entendue ?

— C'était Enrique, répliqua amèrement Natalia. Il était devenu fou !

— Où est-il, maintenant ?

Le silence de Natalia fut assez éloquent.

— Ainsi, c'est moi la maîtresse, à présent ?

Natalia hocha tristement la tête. Sofia tendit la main vers un des vaqueros.

— Aide-moi à descendre.

S'appuyant sur lui, elle descendit du chariot et gravit les marches du long perron couvert où elle s'arrêta, très droite, très fière, très belle.

— Fais mettre les chevaux à l'écurie. Veille à ce qu'ils soient bouchonnés, abreuvés et nourris. Señor Trevor, vos hommes et vous êtes les bienvenus dans ma maison. Je vous en prie, entrez. Viens, tía Natalia. Nous devons faire préparer un repas.

Elle attendit d'être rejointe par Joël et lui déclara :

— Un jour, vous avez été chassé de cette maison. Cela n'arrivera plus jamais.

Elle lui prit le bras et le conduisit dans le grand vestibule.

Cette nuit-là, Joël coucha dans un grand lit à baldaquin. Le matelas était moelleux et les draps embaumaient le grand air et le soleil. Il contempla le cercle de lumière mouvante au plafond, projeté par la lampe à pétrole, et songea à Sofia.

« Qui est cette femme ? » se demanda-t-il. Elle lui semblait faite à la fois de fer et de dentelle.

En accompagnant Joël à sa chambre après le dîner, elle lui avait dit :

— J'espère que vous serez à l'aise ici. Merci pour tout.

Puis elle l'avait embrassé rapidement sur la joue avant de se fondre dans les ombres du couloir.

Il sentait encore le feu de ses lèvres sur sa peau et le léger bruissement de sa robe de soie murmurait encore à son oreille. Il avait eu envie de la retenir, de la prendre par la main et de l'attirer contre lui, mais elle avait disparu sans se retourner.

Joël se redressa et souffla la lampe.

Dans sa chambre, de l'autre côté de la cour, Sofia regarda la fenêtre de Joël jusqu'à ce que la lumière s'éteigne derrière la jalousie.

— Viens à moi, mon amour, souffla-t-elle dans la nuit qui les séparait. Viens à moi !

13

Joël et ses hommes étaient sur le départ et la jeune femme avait le cœur gros. Elle se surprit à prier Dieu d'intervenir pour qu'il ne la quitte pas. Mais au bout de trois jours seulement, Joël ordonna à ses hommes de seller les chevaux. Ils devaient partir pour le Rio Grande afin d'unir leurs forces à celles du colonel John Ford, déjà légendaire, et de la cavalerie de l'Ouest.

En s'éloignant de l'hacienda, Joël savait que sa fièvre reprenait car il s'était réveillé avant l'aube baigné de sueur froide. Tous ses muscles, ses os même étaient douloureux et le soleil brûlait comme des charbons sur sa tête. Mais il espérait que la crise passerait, qu'il pourrait tenir au moins jusqu'à ce qu'ils rejoignent Ford. A midi, cependant, il comprit qu'il ne pourrait aller plus loin. Il appela son sergent.

— Murray, la malaria me reprend. Je le sens.

— Nous n'avons pas de quinine, mon capitaine.

— Je sais. Il va falloir que je retourne à l'hacienda. Là-bas, on me soignera. Je veux que tu prennes le commandement et que vous alliez vous joindre à Ford.

— Vous ne voulez pas qu'un de nous vous accompagne ?

— Non. Je pourrai y arriver tout seul, si je galope.

— Vous avez l'air bien fiévreux, mon capitaine.

— Oui, je sais.

Joël sentait ruisseler la sueur de son front, sur ses joues et son mouchoir de cou. Il demanda à son ordonnance de lui apporter une plume et du papier et il griffonna un message pour Ford, plaçant ses hommes sous les ordres du colonel. Il le signa et le tendit à Murray.

— Je vous rejoindrai dès que j'aurai repris des forces. Jusque-là, que Dieu vous protège.

Sur ce, tournant bride, il reprit le chemin du Lantana.

La *brasada* semblait illimitée. A chaque instant, Joël croyait voir se dresser à l'horizon la sombre masse de l'hacienda qui s'évanouissait comme une fumée à son approche. La fièvre l'affaiblissait et il dut se résoudre à s'attacher à sa selle pour ne pas tomber.

Il poursuivit sa route, brûlant et tremblant de fièvre, torturé par la soif. Il commença à délirer. Pendant un moment il se crut de nouveau avec sa troupe. Il s'imagina que le sergent Murray et le guide Moreno étaient à ses côtés.

— Il fait froid, Murray, dit-il en claquant des dents, les mains crispées sur le pommeau de sa selle pour se maintenir en équilibre. Je grelotte. Nous n'avons pas une couverture ?

Mais le spectre de Murray se contenta de le dévisager. Joël crut entendre Moreno annoncer : *Nous sommes perdus, mon capitaine. Je ne connais pas ce terrain. L'hacienda n'est pas par ici.*

— Avançons toujours, dit Joël. Nous devons la trouver.

Il est trop tard, mon capitaine. Il faut rebrousser chemin. Voyez, la nuit tombe.

Joël tira sur les rênes. Son délire l'abandonna soudain. Le soleil se couchait, transformant le ciel en un dôme de cuivre. Il secoua la tête pour s'éclaircir les idées.

Alors il la vit ! Le toit de tuiles rouges de l'hacienda Lantana apparaissait au-dessus de l'horizon. Faiblement, il éperonna son cheval. L'animal continua d'avancer au pas et puis, enfin, il sentit une écurie, avec du foin et de l'eau. Il se mit au trot. Joël fut ballotté sur la selle, cramponné au pommeau avec des mains de plus en plus faibles. La maison se dressa devant lui, il vit de la lumière aux fenêtres, il entendit tinter la cloche du dîner. Le cheval galopait maintenant, le mors aux dents, ses sabots tonnant sur la terre durcie. Joël fut projeté en avant sur sa crinière. Les rênes lui échappèrent, traînèrent au sol et s'enroulèrent à l'un des sabots antérieurs. Joël entendit le craquement de l'os, comme un coup de pistolet. Le cavalier et sa monture plongèrent la tête la première dans le *chaparral*.

Joël se rappelait bien peu de chose de sa maladie mais se souvenait qu'il avait repris conscience de temps en temps et vu le fin visage de Sofia penché sur lui, ses yeux sombres pleins d'inquiétude, son front soucieux. Et puis un jour, sentant le soleil inonder son lit, il souleva les paupières et la vit sourire. Elle avait les yeux brillants. Le soleil apportait de la couleur à ses joues. Et il sentit sa propre main serrée dans la sienne.

— Vous allez guérir, assura-t-elle. Mon curandero vous a sauvé.

— Depuis combien de temps suis-je ici ? demanda-t-il d'une voix si faible qu'elle dut se pencher tout près de ses lèvres pour l'entendre.

— C'est le quatrième jour. Vous avez été terriblement malade. J'ai eu si peur...

— Je vous suis très reconnaissant, souffla-t-il, et encore une fois elle dut se pencher tout près, si près qu'il sentit la tiédeur de sa joue et qu'une boucle brune l'effleura.

Sofia lui lâcha la main, se redressa et alla à la fenêtre. Comme elle regardait dehors, sa silhouette à contre-jour, Joël admira son incroyable beauté. Ses émotions étaient confuses... de la gratitude, certes, mais il y avait autre chose... Soutenu par ses oreillers, il la contempla sans rien dire, heureux de sa présence, ravi par sa grâce et sa beauté.

Au bout d'un moment, elle se retourna.

— Le soir tombera bientôt et il fera plus frais. Si vous vous en sentez la force, nous pourrions prendre le thé dans la cour.

— Cela me plairait.

— Je vais me changer pour le dîner, dit-elle du seuil. Si vous avez besoin de quoi que ce soit, il y a une sonnette à côté de votre lit. Vous n'aurez qu'à sonner et je viendrai tout de suite.

Dans un frou-frou soyeux elle disparut et la chambre inondée de soleil parut soudain froide et vide.

Les forces de Joël revinrent assez rapidement. Bientôt il put faire de courtes promenades avec Sofia dans le domaine.

— Cette terre a été donnée à mon arrière-grand-père par le roi d'Espagne, lui dit-elle, tandis qu'ils descendaient vers la berge d'un ruisseau à sec. Dans ce temps-là, c'était terriblement dangereux de vivre ici; les Comanches ont tué mon arrière-grand-père mais son fils est resté et a construit cette maison. Peu à peu, il a acquis de nombreux vaqueros, et à sa mort mon père en a hérité. Et maintenant, Lantana est à moi. Mon père n'avait pas de fils.

— Moi non plus, je n'ai pas de fils, dit Joël. Rien qu'une fille, Anne.

Anne ! Ainsi, c'était sa fille qu'il avait appelée dans son délire, pensa Sofia avec un grand soulagement. Il n'y avait donc pas d'autre femme dans sa vie !

Joël contempla la grandiose maison et les *jacales* minuscules à l'horizon.

— Un jour, murmura-t-il, j'espère construire un ranch comme celui-là.

Sofia ne dit rien. Comme ils s'arrêtaient sous les fleurs jaunes d'un arbre, un *huisache*, Joël l'examina. Elle avait remis son masque. Son visage semblait sculpté dans de l'ivoire.

— Vous voilà bien songeuse, la taquina-t-il.

La jeune femme sursauta, le masque se brisa et elle rit.

— Non, non. Je ne pensais à rien.

Mais elle avait souhaité qu'il la prenne dans ses bras. Elle rêvait désespérément de l'entendre dire qu'il l'aimait, qu'il voulait l'épouser. Si seulement il le lui demandait, alors tout ce qu'elle avait serait à lui, l'hacienda, le ranch, toutes les richesses du Lantana. Et, plus que tout, elle-même serait à lui, à jamais ! Si seulement il le lui demandait !

Mais Joël se taisait.

— Et vous ? demanda-t-elle pleine d'espoir. A quoi pensez-vous ?

Joël fronça les sourcils et ses yeux gris se tournèrent vers le sud.

— A la guerre. A mes hommes que je vais devoir rejoindre bientôt.

— Non ! cria Sofia, et Joël la vit brusquement pâlir. Pas encore !

Aussitôt elle eut honte de révéler ainsi son émoi et tenta de se rattraper.

— Je... Je voulais dire que vous n'êtes pas encore remis. Vous avez besoin de plus de repos.

— D'ici deux ou trois jours, je serai assez solide. Alors il me faudra partir.

Il savait qu'elle l'aimait. Il l'avait lu dans ses yeux, dans ses moindres gestes. Mais il n'était pas très sûr de ses propres sentiments. Était-ce simplement la solitude, se demandait-il, qui l'incitait à rester auprès de Sofia ? Était-ce la tristesse résignée dans les yeux des prostituées de Bagdad qui le faisait réfléchir à sa propre solitude ? Ou était-ce Lenore... l'absence de Lenore ?

Alors il décida de rester.

Sofia portait une robe de taffetas grise et soyeuse comme une aile de tourterelle. Un serviteur avait découvert pour Joël un costume *charro* noir tout brodé de fils d'argent. Les sombres cheveux de Sofia, tressés et roulés en chignon, étaient couronnés de marguerites jaunes. Joël était tête nue et portait aussi une guirlande de fleurs. Des branches de verveine lavande avaient été tressées dans la matinée par Sofia et les liaient tous deux par la taille.

Agenouillés dans la chapelle de l'hacienda, devant Natalia et tous les domestiques, ils furent mariés par le prêtre de la mission de Palo Pinto.

Le couple dîna seul ce soir-là dans de la vaisselle d'argent que les serviteurs étaient allés déterrer dans le souterrain, où elle avait été cachée à l'arrivée des Yankees.

Les serviteurs allaient et venaient silencieusement. Dans la cour, une seule guitare jouait tout bas des airs langoureux.

Joël leva son verre pour boire mais arrêta son geste, captivé par la beauté de Sofia. Il le reposa sans y avoir goûté et allongea une main sur la nappe damassée. Il lui effleura le bout des doigts et les sentit brûler. Elle s'empara de sa main et la porta à ses lèvres.

Ils se levèrent, abandonnant le repas, oubliant la liqueur de pêche, et montèrent côte à côte. Se tenant enlacés, ils longèrent le grand corridor.

On avait préparé pour eux la chambre nuptiale. Des bougies parfumées scintillaient sur les tables en projetant des lueurs dansantes sur les murs et le plafond. Les rideaux du lit avaient été tirés et relevés avec des nœuds de satin jaune. Deux couronnes de roses étaient posées sur les oreillers.

Joël prit Sofia dans ses bras et l'attira tendrement contre lui. Elle lui offrit ses lèvres mais quand il l'embrassa il la sentit frissonner. Dans un bruit de feuilles mortes agitées par le vent, la robe de taffetas glissa au sol. L'habit argenté de Joël scintilla un instant et alla rejoindre la robe. Il perçut contre sa peau le corps tiède de Sofia. Ses doigts glissèrent le long de son dos arqué.

Courbant la tête, il l'embrassa dans le cou, enivré par son

parfum de gardénia. Puis il reprit goulûment ses lèvres. Il y avait si longtemps ! Si longtemps ! Il avait besoin d'elle, il la désirait à en mourir. Il sentait son cœur battre contre ses côtes, le sang bourdonner à ses tempes, la respiration siffler dans sa gorge. Brusquement il la souleva dans ses bras et la déposa sur le lit.

Agenouillé près d'elle, il caressa la peau satinée de ses seins, de son ventre, de ses cuisses. Ses doigts jouèrent avec la douce toison frisée et s'y aventurèrent.

Soudain, Sofia poussa un cri et roula sur le côté, laissant Joël ahuri et décontenancé. Un grand sanglot la secoua et des larmes mouillèrent son oreiller.

Joël contourna le lit. Elle était atrocement pâle et ses lèvres tremblaient de terreur.

— Sofia ! Sofia, ma chérie, qu'as-tu ?

Elle ne répondit pas mais ses pleurs redoublèrent et elle cacha sa figure dans ses mains. Il les lui écarta et les sentit glacées.

— Qu'est-ce qu'il y a, mon amour ?

Elle ouvrit les yeux et le regarda d'un air désolé.

— Oh ! non, souffla-t-il, croyant comprendre. Sofia... Je ne suis sûrement pas le premier ?

Elle secoua la tête et la détourna, les joues ruisselantes de larmes.

— Non. Non, bien sûr que non. Il y a eu Luis. Mais... mais c'était... si horrible !

— Ah ! Sofia... Sofia, murmura-t-il en lui caressant doucement les cheveux. Ne pleure pas.

— Je t'aime, sanglota-t-elle, mais j'ai peur !

— Il ne faut pas. Je ne te ferai aucun mal. Calme-toi, n'aie pas peur. Nous allons simplement nous allonger côte à côte.

Il se glissa dans le lit et ramena le drap sur eux. Pendant un moment, ils gardèrent le silence. La respiration de Sofia devint plus régulière et Joël crut un instant qu'elle s'était endormie mais en tournant la tête il vit qu'elle le regardait. Puis il sentit sa main effleurer sa poitrine, en hésitant, légère comme un papillon. Il ne bougea pas et la laissa explorer son corps. Elle fit jouer ses doigts dans les poils de son torse et y appliqua la main un moment, sentant battre le cœur, sentant la respiration s'accélérer. Puis elle glissa son index le long de la fine ligne velue du ventre, hésita encore, la glissa entre les cuisses...

Joël laissa échapper un gémissement et son dos s'arqua.

— Ah ! Joël, *mi querido*, chuchota-t-elle et il devina à sa voix frémissante que sa passion s'éveillait.

Elle se tourna vers lui et l'enlaça.

— Viens, maintenant, souffla-t-elle. Je n'ai plus peur.

Joël fut tendre et prévenant. Il ne la pressa pas, il se montra plein de délicatesse et lui révéla enfin, pour la première fois, les douceurs de l'amour.

Plus tard, au plus profond de la nuit, il dormit dans ses bras. Sofia ouvrit les yeux et contempla Joël dont le corps était illuminé par de brèves lueurs argentées.

De nouveau des larmes brûlantes mouillèrent ses joues, mais c'étaient des larmes de bonheur.

— Oh ! mon Dieu, murmura-t-elle, bénissez-nous ! Faites que vous vivions ensemble une longue, longue vie !

14

Anne éperonna son cheval pour bloquer un jeune bœuf qui tentait de s'échapper.

— Alfonso ! cria-t-elle au vaquero qui se tenait près de l'enclos. Ouvre la barrière !

Le bœuf feinta sur la gauche, puis sur la droite, cherchant à fuir, apercevant la prairie au-delà, mais le cheval d'Anne dansait toujours devant lui.

— La barrière ! répéta Anne, mais l'attention du vaquero était attirée par un *jacal* voisin où une jeune femme peignait ses longs cheveux sur le seuil.

Le bœuf rebroussa chemin et vit une ouverture. Anne tira violemment son cheval sur la gauche, une fraction de seconde trop tard; le bovin passa au galop et fila dans les hautes herbes.

Les yeux d'Anne étincelèrent de rage.

— Alfonso, espèce d'ordure ! hurla-t-elle en réprimant avec peine l'envie d'abattre son fouet sur les épaules de l'homme. Enfant de putain ! Tu l'as laissé filer !

Déjà deux autres vaqueros partaient au galop pour ramener le bœuf récalcitrant.

La colère d'Anne se calma aussi vite qu'elle avait flambé. Ils avaient travaillé dur toute la matinée. Il était temps de faire une pause. Menant son cheval au pas vers la maison, elle sauta à terre et se dirigea vers la porte. Emma se tenait sur le perron couvert avec Klaus, son dernier-né, dans les bras; Davey et sa sœur Luisa jouaient à ses pieds. Emma pinçait les lèvres et Anne voulut passer, certaine de ce qui allait venir. Mais Emma barrait la porte de toute sa lourde masse.

— Ce n'est pas convenable de parler ainsi, dit-elle d'une voix réprobatrice. Une dame ne dit pas de gros mots.

— J'ai simplement fait ce qui devait être fait, répliqua Anne avec lassitude.

Elle était en selle depuis le lever du jour pour essayer de ramener le bétail qui s'était échappé pendant la nuit; un orage soudain avait effrayé les bêtes, qui avaient abattu une partie de la clôture du nouveau corral.

Anne entra dans la maison, mais Emma la suivit et continua de geindre :

— De tels mots ! Je ne sais pas où tu les as appris. Je n'ai jamais entendu pareil langage dans la bouche d'une femme.

— Tu n'as jamais vu une femme s'occuper de bestiaux non plus, riposta Anne.

Elle arracha ses gants de cuir, plongea une louche dans le baquet d'eau et but longuement.

— C'est une honte de dire des choses pareilles !

Anne se retourna brusquement, rouge de colère et d'impatience.

— Va-t'en, Emma ! Va t'occuper de ta maison et laisse-moi m'occuper de la mienne !

Emma se raidit. Elle rassembla ses jupes et sortit en courant. Une seconde plus tard, elle était de retour. Son air vexé avait disparu pour faire place à une grande excitation.

— Un coche, Anne ! Qui vient par ici ! Viens voir !

Anne posa la louche et rejoignit Emma sur le perron.

Un superbe coche noir tiré par six mules cahotait dans la prairie et se dirigeait tout droit sur la maison. Les deux femmes attendirent, fascinées. Un coche dans cette région ! C'était incroyable !

Le cocher, un peón en pantalon et chemise de coton couverts de poussière, tira sur les rênes et arrêta la voiture devant le perron. Otant son sombrero d'un grand geste, il se cassa en deux et sourit de toutes ses dents.

— Señorita, dit-il à Anne, j'apporte un message de votre père.

— Papa !

Anne dévala les trois marches de pierre et se précipita vers le coche. L'homme plongea la main dans un coffret de cuir posé à côté de lui et en retira une enveloppe. Anne la lui arracha des mains et rompit le cachet de cire. Le papier était lisse, épais et ressemblait à du véritable vélin.

« Ça ne peut pas être de papa, pensa-t-elle. Où aurait-il trouvé un tel papier ? »

Mais elle reconnut immédiatement l'écriture et lut avidement :

Ma fille Anne chérie,

J'ai la meilleure des nouvelles à t'apprendre mais je veux te la dire en personne. Je t'assure que c'est une occasion de se réjouir.
Je t'envoie ce coche pour qu'il te conduise à l'hacienda où je suis. Tu auras un jour de route, alors porte une tenue de voyage. Mais apporte plusieurs des jolies robes que j'ai achetées aux marchands français de Bagdad, car c'est un temps de fête.
Je t'aime et j'ai grand-hâte de te revoir,

Ton père affectionné,

Joël

— Emma ! Emma ! cria Anne en oubliant complètement sa colère de tout à l'heure. C'est une bonne nouvelle ! Papa parle de fête ! Il doit vouloir dire que la guerre est finie !

89

— *Gott sei dank* ! s'exclama Emma en tombant à genoux pour serrer ses enfants contre elle. Rudy va bientôt revenir !

— Papa envoie le coche pour moi. Il faut que j'aille le rejoindre tout de suite !

Tout à fait surexcitée, Anne fit rapidement ses bagages. Emma lui choisit deux robes de Paris, l'une en soie jaune ornée de nœuds de satin et de dentelle blanche, l'autre en beau taffetas épais du même vert que ses yeux.

— Et des chaussures ! s'écria Anne. Des souliers de bal ! Je vais emporter ceux avec les boucles d'argent.

Emma les enveloppa soigneusement et les plaça dans la malle.

— Ah ! Emma, je suis si heureuse. La guerre est finie ! Bientôt nous aurons papa et Rudy avec nous et tout sera comme avant !

Oubliant qu'elles ne s'aimaient guère, les deux femmes s'embrassèrent.

— Je rentrerai bientôt, promit Anne, des larmes de joie brillant dans ses yeux. Je rentrerai... avec papa !

Le voyage fut long, étouffant. Mais peu avant le coucher du soleil, les mules ralentirent et Anne entendit le cocher crier qu'ils étaient arrivés. Elle se pencha à la portière et regarda autour d'elle. Une vaste hacienda lui apparut, les fenêtres ouvertes, une foule de peones et de domestiques déjà rassemblée au bas du perron.

La lourde porte de chêne s'ouvrit à deux battants et Anne aperçut Joël qui émergeait de l'ombre dans une longue véranda. Avant même que le coche s'arrête tout à fait, la jeune fille ouvrit la portière et se tint sur le marchepied.

— Papa ! Papa !

Elle le trouva superbe, plus beau que jamais. Il avait une expression de bonheur qu'elle ne lui avait jamais vue depuis sa petite enfance et qu'elle avait oubliée depuis longtemps. Il agita la main et lui sourit.

Le coche s'arrêta dans un nuage de poussière. Comme Anne retroussait sa jupe et s'apprêtait à descendre, un mouvement derrière Joël attira son attention.

Sofia, vêtue de bleu sombre, la tête couverte d'une mantille de dentelle cascadant comme un nuage sur ses épaules, rejoignait Joël. Elle glissa son bras sous celui de son mari. Joël la regarda et sourit de nouveau. Puis, se tournant vers Anne, il enlaça les épaules de Sofia et la serra contre lui.

Anne restait pétrifiée sur le marchepied. Soudain, elle comprenait sa joie.

La guerre n'était pas finie ! Ce n'était pas du tout ce qu'il avait voulu dire !

Joël descendit du perron et vint accueillir sa fille. Elle se laissa embrasser, sans cesser de regarder par-dessus son épaule cette inconnue qui attendait en haut des marches.

— Anne, je me suis remarié.

— Pourquoi ne me l'as-tu pas dit avant, papa ?

— Je n'ai pas eu le temps, ma chérie. Mais viens. Je veux te faire connaître Sofia.

Joël l'escorta sur le perron et présenta les deux femmes l'une à l'autre.

— Ma fille, murmura Sofia.

Anne réprima un mouvement de recul. Elle avait envie de hurler : « Je ne suis pas votre fille ! Ma mère est morte et enterrée et je n'en aurai jamais d'autre. » Mais Joël la regardait et elle se laissa embrasser par Sofia.

« Je ne le supporterai pas, se promettait-elle. Je ne la laisserai pas me dire ce que je dois faire ! Ni changer ma vie, non ! »

Sofia et Joël se retournèrent, pour rentrer dans la maison, mais Anne resta clouée sur place, perdue dans ses pensées.

— Viens, Anne, dit Sofia. Entre dans ta nouvelle maison.

— Non ! Le ranch Trevor est ma maison. Je n'habiterai pas ici !

— Anne ! s'écria Joël, les sourcils froncés et l'air perplexe. Quelles sottises ! Mais bien sûr, voyons, le Lantana est ta maison maintenant, autant que la mienne.

— Non, pas du tout. Ma maison, c'est notre ranch, celui que nous avons bâti ensemble.

— Mais le Lantana est aussi notre ranch, à présent. Celui de Sofia et le mien... et le tien.

— Viens, *mi vida*, murmura Sofia en tendant vers la jeune fille une main affectueuse.

Troublée, décontenancée, blessée, Anne comprit qu'il serait vain de résister. Elle ne pouvait défaire ce que son père avait fait. Pas plus qu'elle ne pouvait tourner les talons comme elle le désirait pour voler vers la petite maison de pierre qu'elle considérait comme son foyer. Elle commença à craindre que la liberté dont elle jouissait depuis des années ne lui soit soudain ôtée, qu'au lieu d'être la partenaire elle ne redevienne la fille docile et soumise. Il lui faudrait attendre longtemps, craignait elle, avant d'être de nouveau maîtresse de ses actes.

Tard dans la nuit, incapable de dormir, Anne erra dans les longs corridors obscurs de l'hacienda. Elle avait l'impression angoissante d'être surveillée. A chaque tournant de couloir ou quand elle entrait dans une des vastes salles sombres, elle croyait entendre un léger son, mais quand elle se retournait elle ne voyait personne.

Elle sortit enfin dans le patio et s'assit au bord de la fontaine chantante. Dans l'ombre de l'arcade elle entendit un froissement de jupons soyeux.

— Qui est là ? demanda-t-elle vivement en clignant des yeux dans la pénombre.

Doña Natalia apparut. Une mantille cachait ses cheveux et elle serrait un *rebozo* autour de ses épaules.

91

— Vous êtes agitée, mon enfant, dit-elle.

Anne reconnut la vieille dame et se leva respectueusement.

— Je ne trouve pas le sommeil. Je suis habituée à mon propre lit.

Natalia s'approcha et s'assit à côté d'Anne. Ses yeux noirs examinèrent la jeune fille.

— J'ai été suivie, dit Anne.

— Ce ne sont que les domestiques.

— Je n'ai pas l'habitude d'être espionnée. Chez moi, il n'y a personne pour me surveiller.

— Ne faites pas attention à eux. Ils sont simplement là au cas où vous désireriez quelque chose.

Anne fut tout à fait ahurie.

— Ils ne dorment donc pas ?

— Comme de bons chiens de garde. D'un œil.

— Cela ne me plaît pas.

— Vous vous y habituerez.

Natalia frappa dans ses mains et une toute jeune servante aux longues nattes surgit silencieusement de l'ombre.

— Deux tasses de chocolat.

Quelques minutes plus tard, la petite revint, portant deux tasses fumantes sur un plateau. Natalia examina Anne.

— Vous voyez ? Tout ce que vous voulez. Il vous suffit de demander.

Anne prit son chocolat. Tout ce qu'elle voulait, simplement en tapant des mains ! Comme la vie était différente entre ces murs, pensa-t-elle. Bizarre, étrangère. Cette idée la séduisit malgré ses craintes et la nostalgie qu'elle éprouvait déjà pour la maison qu'elle venait de quitter.

— Oui, murmura-t-elle, je suppose qu'on peut s'y habituer.

— Très facilement, assura Natalia en souriant.

— Mais je suis accoutumée à tout faire et à me servir moi-même.

Natalia hocha la tête. Elle posa sa tasse et prit la main d'Anne entre les siennes.

— Mon enfant, je comprends ce que vous éprouvez. Ma propre mère est morte quand j'étais enfant. Et quand mon père s'est remarié, je me suis sentie trahie, abandonnée. J'avais l'impression que mon père m'aimait moins.

Un silence plana. Anne réfléchissait, elle se disait que ce n'était pas du tout la même chose, que cette femme ne pouvait absolument pas comprendre ce qu'elle ressentait.

Elle se leva brusquement, prête à abandonner son chocolat, à déclarer qu'elle avait sommeil et allait se coucher. Mais elle vit alors que Natalia pleurait en silence. Des larmes emplissaient les yeux de la vieille dame, brillaient sur ses joues ridées. Déroutée, Anne se rassit et posa une main sur celle de Natalia.

— Je vous en prie, doña Natalia, ne pleurez pas...

— Pardonnez-moi. Mais le souvenir et le remords sont si douloureux ! Comme je regrette de ne pas avoir imploré le pardon de mon père, de ne pas être tombée à genoux devant ma belle-mère pour la remercier de la joie qu'elle avait donnée à mon père sur ses vieux jours !

Natalia se ressaisit, sécha ses pleurs et se leva. Avec un sourire affectueux, elle tapota légèrement la joue de la jeune fille.

— Je vous laisse, mon enfant. Buvez votre chocolat pendant qu'il est chaud. Cela vous aidera à dormir.

Puis elle embrassa Anne sur le front et disparut sous les arcades aussi silencieusement qu'elle était venue.

Mais Anne ne dormit pas. Elle s'attarda dans le patio jusqu'à ce que les premières écharpes brumeuses de l'aube se déploient dans le ciel. Et lorsqu'elle quitta le banc près de la fontaine pour remonter dans sa chambre, ses sentiments à l'égard de Sofia avaient changé. Les larmes de Natalia lui avaient révélé l'amère moisson qu'elle récolterait si elle n'essayait pas d'aimer la nouvelle femme de son père. Elle pensa à lui, aux longues années depuis la mort de Martha, et comprit soudain son attitude. Elle devinait à présent combien sa solitude avait dû être désespérante.

A genoux contre son lit pour faire sa prière, comme lorsqu'elle était enfant et avait encore Martha auprès d'elle, elle se rappela le livre de la Genèse : « Et le Seigneur Dieu dit : Il n'est pas bon que l'homme soit seul... »

Anne se glissa dans son lit et tira les couvertures jusqu'à son menton. Il semblait qu'un grand poids eût été soulevé de ses épaules. Elle ferma les yeux et s'endormit d'un sommeil paisible.

Joël ne sut pas — et ne demanda pas — ce qui avait changé l'attitude de sa fille, mais quand Anne les rejoignit dans la matinée, elle alla tout droit à Sofia et l'embrassa sur les deux joues. Puis, lui prenant la main, elle la mit dans celle de Joël et les tint toutes deux.

— Si une fille peut donner une bénédiction, acceptez la mienne, dit-elle. Mes espoirs et mes prières seront pour votre bonheur éternel.

Plus tard, alors qu'Anne était montée se changer pour le repas de midi, Joël dit à Sofia :

— Je me demande ce qui l'a ainsi transformée...

Doña Natalia, qui paraissait assoupie dans son fauteuil, réprima un léger sourire.

1867

15

Le visiteur attendant dans le bureau de Joël remarqua une carte encadrée, accrochée au mur de pierre au-dessus de la cheminée. Il se leva pour aller l'examiner. Sur la carte, qui représentait la partie méridionale du Texas, un épais trait rouge traçait les limites des terres de Joël, trois territoires contigus occupant presque toute la région au sud de la Nueces. Le plus petit portait une inscription à la main : « Ranch Trevor ». A l'ouest, près de vingt fois plus grand, c'était le Lantana et à côté, le plus vaste des trois domaines, l'Ebonal.

Le visiteur, se penchant pour voir l'échelle afin de pouvoir se faire une meilleure idée de la superficie du ranch total, entendit la porte s'ouvrir derrière lui et se retourna vers Joël qui venait d'entrer.

— Monsieur Wallace, dit-il en tendant la main. Je suis Joël Trevor, heureux de vous accueillir au Lantana.

— Enchanté de faire votre connaissance, monsieur Trevor. J'étais en train d'examiner cette intéressante carte. Vous semblez posséder presque tout le sud du Texas.

— Le ranch appartient à ma femme et à moi.

Wallace ne put s'empêcher de se retourner vers la carte.

— Il doit représenter plus de deux cent cinquante mille hectares ! s'exclama le visiteur, impressionné.

— Quelque chose comme ça.

En réalité, il y en avait sept cent cinquante mille, mais Joël préférait laisser ses visiteurs faire leur propre estimation.

— Je vois qu'il y a trois domaines...

— C'est exact, mais nous appelons l'ensemble Lantana. C'est plus simple.

Les yeux de Wallace firent le tour de la pièce élégamment meublée d'acajou sombre. Deux longs canapés de cuir capitonné se faisaient face de part et d'autre de la grande cheminée de pierre. Un énorme lustre français scintillait au plafond de tous ses cristaux et le sol de céramique était réchauffé par des tapis oaxacans.

— Une demeure magnifique, dit-il avec admiration. Vous ne semblez guère avoir souffert de la guerre.

— Nous avons eu beaucoup de chance, assura Joël en

indiquant à son visiteur un fauteuil près de son bureau. Naturellement, par tradition, une hacienda doit se suffire à elle-même. L'essentiel est de survivre, quoi qu'il se passe dans le monde extérieur.

— Ma foi, j'ai pas mal voyagé et j'ai pu voir que beaucoup d'autres ne s'en sont pas aussi bien tirés.

Joël hocha la tête d'un air songeur. Depuis que la défaite avait mis la Confédération à genoux, le règne impitoyable de la Reconstruction la traînait dans la boue.

— Eh bien, monsieur Trevor, dit le visiteur, allons-nous en venir à nos affaires ?

— Vous vouliez parler bétail, n'est-ce pas ?

— Oui.

— Alors, attendez une minute, je vous prie. Il y a d'autres personnes qui doivent prendre part à cette discussion.

Allant à la fenêtre, Joël appela Rudy et Anne.

Rudy arriva le premier. Une petite cicatrice sur la pommette gauche était le seul souvenir du rôle qu'il eût joué dans la guerre. Il était aussi fort et musclé que jamais. Les années passées en compagnie des gars du Sud avaient adouci son accent allemand. Ses yeux bleus étaient toujours aussi vifs et perçants et ses cheveux blonds brillaient comme de l'argent. Il serra la main de Wallace et traîna un fauteuil près du bureau.

La porte s'ouvrit alors et Anne entra.

— Ma fille Anne, dit Joël.

Wallace se leva et s'inclina, sans la quitter des yeux.

Rudy observait attentivement le visiteur. Il savait parfaitement ce qui se passait dans sa tête. Pendant qu'il était à la guerre, Anne avait grandi. A son retour, il avait découvert une des plus belles femmes qu'il eût jamais vues. Alors qu'Emma était devenue grosse et négligée, Anne s'était épanouie; elle était grande, gracieuse, respirant la force et la santé. Elle n'avait jamais craint le soleil et son teint était doré et sans défauts. Elle avait les cheveux presque aussi blonds que lui et chaque fois qu'il se trouvait en sa présence, il lui était impossible de détacher son regard de ses yeux. Verts, ils étincelaient d'un feu intérieur comme deux émeraudes qui ne laissaient que soupçonner sa passion bridée.

La nuit, Rudy pensait à elle sans pouvoir dormir. Bien que les caresses d'Emma lui fissent horreur, il lui accordait à contrecœur les attentions qu'elle exigeait, mais Anne occupait toutes ses pensées. Il se demandait, alors qu'il serrait Emma dans ses bras, ce qu'Anne ferait si soudain il s'approchait d'elle, la serrait contre lui, l'embrassait avec toute l'ardeur qu'il éprouvait.

A présent, en traversant la pièce, Anne accorda à peine un regard à Rudy. Elle salua Wallace et le laissa lui baiser la main.

Rudy regardait, le cœur serré. Comme il aurait voulu aussi baiser cette main ! Mais ce ne serait que le commencement. Il ne pourrait s'en tenir là.

Anne passa derrière le bureau et se tint à côté de son père.

— Maintenant nous sommes tous là, dit Joël. Rudy est, naturellement, mon régisseur. Anne connaît ce ranch aussi bien que nous, sinon mieux. Elle l'a dirigé toute seule pendant la guerre.

— Ainsi, vous n'êtes pas seulement ravissante mais aussi une maîtresse femme, murmura Wallace.

Anne sourit, mais il sentit de l'acier sous sa beauté.

— Alors, reprit Joël. De quoi s'agit-il ?

— De bœufs. Le Nord en réclame à grands cris. Une vache qui vaut quatre dollars ici en rapportera quarante là-bas.

— Je le sais bien. Nous avons essayé d'en expédier par bateau à La Nouvelle-Orléans; mais tout bien calculé, les bénéfices ne valent pas tout le mal que l'on se donne.

— J'envisageais la voie terrestre.

— Nous avons essayé aussi. Demandez à Rudy.

Rudy hocha la tête.

— Un véritable enfer.

— Je ne parle pas de la piste Sedalia, dit Wallace. Il y a une nouvelle route qui monte tout droit, en plein par le cœur du Texas jusqu'à Abilene au Kansas. Il y a là un terminus de chemin de fer, tout récemment construit, d'où l'on peut expédier le bétail directement sur l'Est.

Joël réfléchit un moment à cette situation nouvelle.

— Quelle est au juste votre proposition ? demanda-t-il enfin.

— Je serai votre agent à Abilene. Vous m'amenez les bestiaux et je vous trouve un marché.

Joël hocha lentement la tête.

— Avez-vous une carte ? demanda Wallace. Je vais vous montrer la route.

Joël prit un rouleau dans un tiroir et le déroula sur son bureau. Anne se pencha et regarda le doigt de Wallace tracer une ligne de la région de San Antonio au centre du Kansas.

— Voyez ? reprit Wallace. Droite comme une flèche et pas d'obstacles.

— Ça me paraît bon, murmura Joël. Il pourrait bien y avoir du bénéfice dans cette affaire, après tout. Si nous en venions aux détails ?

16

Anne s'arrêta et contempla le patio où Sofia était assise avec sa tante Natalia. Leurs dés étincelaient au soleil tandis qu'elles brodaient une nouvelle nappe d'autel pour la chapelle.

— Où vas-tu, *querida* ? demanda Sofia.

— Il fait si beau que j'ai envie d'aller promener mon cheval du côté de Bitter Creek, répondit Anne en entrant dans le patio.

Elle alla embrasser Sofia et lui dit en souriant :

— Tu m'as l'air bien belle, aujourd'hui.

— Toutes les femmes sont belles, dans mon état.

— Sottises, grommela Natalia. J'en ai vu d'aussi vilaines que des truies, malades tous les matins, se plaignant sans cesse, avec des yeux rouges bouffis et les traits tirés.

— Tu ne regardais pas au fond de leur âme, riposta Sofia. Sinon, tu aurais bien vu que toute femme qui attend un bébé s'épanouit dans la beauté de Dieu.

Natalia renifla avec mépris et s'appliqua à sa broderie.

— Tu ne peux pas savoir comme je suis impatiente, dit Anne. J'espère que ce sera un garçon. J'ai toujours rêvé d'un petit frère.

— Il te faudra attendre, répondit Sofia en portant une main à sa taille encore fine. Si j'ai bien calculé, il viendra au monde en décembre.

Une servante vint apporter le thé. Sofia posa son ouvrage et le servit.

— J'aimerais bien que tu ne portes pas tout le temps ces culottes de peau, Anne, dit-elle en soupirant. Tu as tant de jolies robes.

— Je ne suis pas faite pour les robes. Je crois que je suis née en bottes et pantalon. Si je pouvais être comme toi avec une robe, j'en mettrais tout le temps... mais je ne me sens pas à mon aise en corset et jupons.

Sofia se résigna. Elle ne savait pas pourquoi elle insistait ainsi car elle se savait vaincue d'avance. Et elle devait bien reconnaître qu'Anne portait sa tenue masculine avec beaucoup plus d'élégance que la plupart des femmes leurs robes de satin.

— D'ailleurs, poursuivit Anne, tu me vois sur ma jument, attifée de la sorte ? Je serais bien ridicule !

— Pas si tu montais en amazone, comme il convient à une demoiselle convenable.

— Je serais morte de honte ! J'aurais l'air si bégueule !

Sofia éclata de rire.

— Personne ne pourrait jamais t'accuser d'être bégueule !

— J'espère bien.

Anne but rapidement son thé, se leva et donna encore un petit baiser à sa belle-mère.

— Je vais y aller maintenant, pendant qu'il fait encore soleil. A tout à l'heure.

— Amuse-toi bien.

En sortant sur le perron, Anne croisa Joël. Il l'examina en fronçant les sourcils.

— Prends garde où tu vas, Anne. Je n'aime pas trop te voir traîner avec les cow-boys. Je connais ces hommes et je sais ce qu'ils pensent.

— Voyons, papa, ils ne font pas du tout attention à moi.

— Bien plus que tu ne le crois, ma fille.

— Ils sont tous timides ! Je crois bien qu'ils ont peur de moi.

— Pas si peur qu'ils ne prendraient des libertés s'ils pensaient pouvoir s'en tirer, déclara Joël. Je t'ai toujours laissé la bride sur le cou, mais il y a des limites. Je ne supporterais pas que tu fréquentes un vaurien de vacher.

— Mais, papa, tu es un vacher toi-même !

— Je suis un éleveur de bétail, Anne. Ce n'est pas la même chose. Un éleveur possède du bétail. Un cow-boy se contente de s'en occuper.

Anne sourit pour rassurer son père.

— Je comprends, papa. Tu n'as pas à te faire de souci pour moi.

Joël hocha la tête, un pli barrant son front, en regardant sa fille descendre les marches et traverser la cour en direction de la forge du maréchal-ferrant où sa jument était ferrée.

Il avait conscience des regards qui la suivaient, des yeux des jeunes gens qui avaient fui le Sud profond après la guerre. Ils étaient arrivés au Texas, ces anciens combattants durs et grossiers, sans un centime en poche, ne possédant qu'une selle et les vêtements qu'ils avaient sur le dos. Joël en avait embauché par dizaines pour travailler avec les vaqueros. Les deux civilisations, sudiste et mexicaine, ne se heurtaient pas. Elles s'alliaient au contraire pour former une nouvelle race d'hommes : les cow-boys.

Gil Warner, le maréchal-ferrant, salua Anne. Dans un coin était assis un jeune cow-boy qui la contempla avec hardiesse.

— Celui-là, c'est Kelly Moore, annonça Gil en le désignant. Eh ! où sont tes manières, petit ? C'est Mlle Anne, la fille du patron.

— Bien le bonjour, mademoiselle.

— Bonjour, Kelly.

Ce qu'elle voyait plaisait à la jeune fille.

— Et où vous allez comme ça, mademoiselle Anne ? demanda Gil.

— Je pensais descendre jusqu'à Bitter Creek. Avec ces pluies de la semaine dernière, l'eau devrait être assez haute pour remplir le bassin.

Soudain, elle s'aperçut qu'elle ne s'adressait pas vraiment à Gil mais, à travers lui, au jeune cow-boy qui l'observait. Elle se surprit à ajouter :

— Il fait si chaud que je crois que je m'y baignerai. L'eau du ruisseau est froide, mais c'est bien agréable.

Elle coula un regard vers Kelly et baissa rapidement les yeux en voyant qu'il la dévisageait.

— Et voilà, annonça Gil en donnant une claque affectueuse à la jument. Vous voulez que je vous la selle ?

— Merci, je m'arrangerai toute seule. A ce soir.

Anne partit en menant sa jument par la bride vers la sellerie.

Gil prit les éperons de Kelly pour voir ce qu'il aurait à y faire.

— Où c'est, Bitter Creek ? demanda le garçon.

— Tu n'as pas besoin de le savoir, gronda le maréchal-ferrant.

— C'est moi que ça regarde.

— Tu ne ferais que chercher les ennuis. C'est la fille du patron et il n'a pas envie de la voir fricoter avec un des hommes, tiens-le-toi pour dit.

Kelly n'insista pas et quand Gil lui dit que ses éperons seraient prêts dans deux heures, il le remercia et s'en alla.

Le rassemblement des bêtes commença et pendant plusieurs jours la prairie autour de l'hacienda parut étrangement déserte alors que les cow-boys partaient en équipes vers les lointaines limites du ranch pour réunir le troupeau. De temps en temps, quelques-uns revenaient avec un groupe de bêtes à marquer pour la route et à mettre au pacage en attendant la conduite sur la piste Chisholm.

Anne guettait Kelly. Chaque fois qu'elle entendait beugler un nouveau troupeau, elle se précipitait à la fenêtre ou sur le perron dans l'espoir de le voir traverser la cour à longues enjambées.

Ses nuits étaient agitées, peuplées de rêves de Kelly; elle se réveillait avec son image devant les yeux, les longs cheveux châtains, les yeux d'un marron chaleureux, les lèvres bien dessinées qui souriaient si hardiment.

Sofia remarqua l'énervement de la jeune fille et, l'interprétant correctement, s'efforça de l'occuper. Mais l'esprit d'Anne vagabondait. Elle oubliait ce qu'elle faisait et disparaissait soudain; Sofia la retrouvait sur le perron, adossée à l'une des colonnes et regardant la prairie comme si elle attendait un visiteur.

Enfin, près de deux semaines après le début du rassemblement et quelques jours à peine avant le départ des hommes et de l'immense troupeau vers le nord, Anne aperçut Kelly.

Il avait plu dans l'après-midi et le jeune cow-boy et son équipe arrivèrent encore vêtus de leurs cirés. Sous le sombrero à larges bords, ses cheveux étaient humides et assombris, contrastant avec sa barbe décolorée par le soleil.

Le cœur d'Anne galopa dans sa poitrine. Jamais elle n'avait vu d'homme aussi séduisant, pensait-elle. Un cri de joie lui échappa et elle dévala les marches, se précipita dans la cour vers le corral où Kelly se dirigeait. La boue collante recouvrait ses bottes, les cow-boys la regardaient et riaient entre eux mais elle n'en avait cure. Même si Joël et Rudy eux-mêmes avaient été témoins de la scène, elle s'en serait moquée. Tout ce qu'elle voulait, c'était être auprès de Kelly, l'accueillir, lui dire combien il lui avait manqué.

Elle saisit ses rênes et leva son visage vers lui en souriant, en essayant de lui parler; mais il la regardait au fond des yeux, elle avait l'impression qu'il lui mettait l'âme à nu et les mots lui manquèrent.

— Je... vous êtes... j'avais peur que vous ne reveniez pas, bredouilla-t-elle.

100

Kelly ne dit rien mais son sourire s'élargit et sa main gantée frôla celle d'Anne sur les rênes.

— Pouvez-vous me rencontrer ce soir ? souffla-t-elle.

— Où ?

— A Bitter Creek... quand tout le monde dormira.

Elle n'attendit pas qu'il accepte. Craignant un refus, elle lâcha les rênes et se hâta dans la boue, mourant d'envie de se retourner pour le regarder encore un peu mais ne l'osant pas de crainte de le voir rire, se moquer de ses avances.

Elle avait tort de s'inquiéter. Tout le reste de la journée, Kelly ne fut bon à rien. Plusieurs fois le *caporal* dut lui parler durement, et finalement l'avertir que s'il ne se réveillait pas il n'avait qu'à toucher sa paie et décamper.

Cette nuit-là, après être sorti sans bruit du baraquement, le cow-boy alla se baigner dans l'eau froide et limpide de Bitter Creek, peignit ses cheveux et sa barbe et suivit à cheval le ruisseau jusqu'au bassin.

Anne arriva un quart d'heure plus tard.

Elle flottait rêveusement sur le dos au milieu du bassin tandis que les reflets de la pleine lune dansaient comme des pièces d'argent parsemées sur l'eau et qu'une légère brume bleue planait sur les sauges de la clairière.

Assis seul sur la berge, Kelly avait presque renoncé à l'attirer hors de l'eau. Il souffla un nuage de fumée de cigare vers la lune et tenta encore une fois sa chance.

— Pourquoi m'avez-vous fait venir ici, si vous vouliez simplement vous baigner toute seule ?

Anne ne répondit pas. Même la fraîcheur du bassin n'avait pu calmer les battements désordonnés de son cœur et maintenant qu'ils étaient seuls tous les deux, comme elle l'avait si souvent rêvé en son absence, elle n'était pas sûre de pouvoir aller jusqu'au bout.

Seuls ses orteils, ses seins — les pointes dressées, posées comme des boutons de rose sur chaque globe crémeux — et son visage renversé émergeaient à la surface calme. Kelly se détourna en s'efforçant d'imaginer le reste. Elle s'était déshabillée et avait plongé si rapidement qu'il n'avait eu qu'un bref aperçu fugace.

Il y avait une demi-heure de cela et il commençait à s'impatienter. Il avait presque envie de resseller son cheval et de retourner au baraquement. Ça lui apprendrait ! Mais comme un galet, son regard ricocha à la sombre surface du bassin vers l'endroit où elle faisait la planche. Il soupira et essaya de s'y prendre autrement :

— Attention aux serpents d'eau !

Cela provoqua enfin une réaction. Anne renonça à flotter et se mit à nager sur place.

— Je n'ai pas peur des serpents.

— Alors vous avez peut-être peur de mon vieux serpent borgne posé là sur la berge, la taquina-t-il.

Anne ne répondit pas, mais se mit à nager lentement vers le bord. Quand elle n'eut plus que de l'eau jusqu'à la taille, elle se releva et marcha lentement vers Kelly.

Il était certain de n'avoir jamais rien vu de plus beau. Elle était grande et bronzée, son corps brillait comme du bronze poli et des gouttelettes scintillaient sur la chair satinée de ses petits seins durs aux mamelons sombres.

Le sang monta à la tête du garçon quand il suivit des yeux les fils argentés de l'eau ruisselant de ses épaules, entre ses seins et sur son ventre pour disparaître entre ses jambes.

En voyant ses traits se convulser brusquement comme s'il souffrait, Anne s'arrêta, alarmée, soudain terrifiée par ce qui allait se passer.

Kelly vit son hésitation et, craignant de la perdre, il arracha vivement sa chemise et la jeta sur un buisson derrière lui. Puis il ôta ses bottes éculées et se dressa devant elle, torse et pieds nus.

Anne l'examina. Il avait un corps dur, musclé, la poitrine couverte d'un fin duvet cuivré qui s'amenuisait en une ligne sombre plongeant au milieu de la ceinture du pantalon. Elle sentit fléchir ses genoux et courir dans ses veines un sang brûlant.

Adroitement, Kelly déboutonna sa braguette. Anne le regarda comme envoûtée, suivit des yeux la ligne sombre qui disparaissait dans l'épaisse toison couvrant le bas du ventre. D'un mouvement presque négligent de ses pouces il fit glisser le pantalon sur ses chevilles et l'enjamba. Il rit, d'un rire clair, presque enfantin, dans son ravissement d'être nu devant une femme adorable.

« Mon Dieu, songea-t-elle, qu'il est beau ! »

Il resta un instant sur la berge puis il entra dans l'eau à la rencontre d'Anne. Il la sentit mouillée et lisse dans ses bras. Il y avait une verte odeur de mousse dans ses cheveux et son visage levé luisait au clair de lune. Quand il posa sa bouche sur ses lèvres elle essaya de se dégager mais il lui empoigna les cheveux et lui tira la tête en arrière. Elle sentit sa langue s'introduire dans sa bouche et, avec un petit soupir de bonheur, elle ouvrit les lèvres pour le laisser l'embrasser comme il le voulait.

Une main de Kelly glissa le long de son dos et passa sous ses fesses, chercha, sonda jusqu'à ce que les doigts trouvent ce qu'ils quêtaient. Elle poussa un cri où la peur se mêlait au plaisir.

— Non ! Arrêtez ! Non, Kelly, non !

Mais il la fit taire d'un nouveau baiser. Puis ses lèvres frôlèrent les yeux d'Anne, ses tempes, sa gorge, s'aventurèrent sur l'épaule puis plus bas sur un sein et puis l'autre. Il fit courir le bout de sa langue sur sa peau maintenant en feu, brûlante de passion. Lentement, comme un minuscule fouet, le bout de sa langue s'enroula autour du mamelon droit, le tortura, le caressa avec une délicatesse qui arracha un cri à la jeune fille.

Il la souleva hors de l'eau et la porta sur la berge où il la déposa dans l'herbe drue.

— Maintenant, chuchota-t-il d'une voix pressante. Maintenant...

Mais elle recula, elle le repoussa.

— Non, Kelly. J'ai peur !

Il lui poussa les épaules, la rallongea, écrasa sa bouche avec la sienne jusqu'à ce qu'elle craigne d'étouffer. Elle chercha son souffle quand il la délivra et remarqua à peine qu'il caressait doucement son ventre avec sa barbe bouclée. Involontairement, elle commença à onduler des hanches et un gémissement se forma au fond de sa gorge. La peau enfiévrée par ses lèvres, elle se tordit et noua ses chevilles derrière son dos en lui plaquant la figure contre son ventre. Il releva les mains et lui caressa, lui pétrit les seins, fit rouler les pointes dures entre ses doigts. Puis sa langue suivit le ventre bombé, s'insinua dans le chaume frisé qu'elle haussait vers lui.

Elle poussa encore un cri quand il sonda avec sa langue. Des lumières dansèrent derrière ses paupières crispées et il lui sembla que la terre s'ouvrait sous elle.

Alors, avec une lenteur qui la mit au supplice, il remonta le long de son corps jusqu'à ce que sa figure soit au niveau de la sienne.

— Maintenant ? murmura-t-il d'une voix haletante de passion. Maintenant ?

— Ah ! Oui ! Oui !

Il glissa ses deux mains sous elle et l'amena vers lui.

Le lendemain matin, Anne resta au lit et envoya une des bonnes chercher son petit déjeuner, au lieu de descendre à table. Elle était sûre que personne ne s'était aperçu de son absence pendant la nuit et tout aussi certaine que, si un des serviteurs l'avait vue se glisser dans l'hacienda juste avant l'aube, il n'en dirait rien. Mais elle avait peur d'affronter Sofia, elle craignait que sa belle-mère ne remarquât quelque chose sur son visage, un changement subtil qui s'était peut-être produit, révélant ce qui s'était passé.

Mais quand la porte de la chambre s'ouvrit, ce fut Sofia elle-même qui apporta le plateau et le posa sur la table de chevet.

— *Querida*, murmura-t-elle avec sollicitude en penchant son fin visage soucieux sur Anne. Tu es malade ?

Anne glissa plus profondément sous les couvertures en se félicitant d'avoir fermé les volets. Dans la pénombre, Sofia posa une main sur son front.

— Tu ne sembles pas fiévreuse.

— Je vais très bien, assura Anne. Simplement un peu de fatigue. Tu n'avais pas besoin de m'apporter toi-même mon déjeuner. Je ne voulais pas te déranger.

— Ce n'est pas un dérangement. Rien de ce que je peux faire

pour toi ne me dérange. Je t'aime comme si tu étais ma propre fille.

Des larmes brûlantes montèrent aux yeux d'Anne. Elle prit la main de Sofia et la pressa. La jeune femme se pencha sur elle, l'embrassa et sortit sans bruit.

Anne ne toucha pas à son petit déjeuner, elle se sentait bien trop malheureuse. « Pourquoi ne puis-je être comme Sofia ? se demanda-t-elle. Elle est si bonne, si pure, si honorable. Je voudrais tant lui dire ce qui s'est passé entre Kelly et moi, mais elle ne comprendrait jamais. Jamais ! »

Anne gémit et remonta la couverture. « Je ne le reverrai plus, se jura-t-elle. J'ai mal agi et je le sais fort bien. Je parlerai à Rudy, je lui dirai que Kelly m'a importunée et qu'il doit le renvoyer ! »

Mais le souvenir de la nuit passée l'envahit et, contre sa volonté, elle revécut chaque instant de leur acte d'amour.

« Non ! » protesta-t-elle en s'efforçant de chasser ces pensées, mais le visage souriant de Kelly semblait planer au-dessus d'elle. Elle sentait presque son haleine chaude sur sa joue, comme s'il était là près d'elle, dans son lit ! Elle n'aurait qu'à tendre la main, elle le toucherait...

Ils se retrouvèrent ce soir-là, et la nuit suivante. Ce devait être leur dernier rendez-vous, leur dernière nuit ensemble.

Les chariots et la roulante étaient approvisionnés, le bétail rassemblé en un immense troupeau. Le chef de piste et les cow-boys étaient prêts. Le lendemain à l'aube, la longue et lente conduite commençait sur la piste Chisholm.

17

Anne entra dans la pénombre de la chambre et referma la porte. Joël était couché sur le dos dans le lit à colonnes, la tête enfoncée dans les oreillers. Un nouvel accès de malaria, plus terrible que les autres, venait de le terrasser. Sa main se souleva du couvre-pieds quand il l'entendit et il l'appela d'une voix faible. Anne se précipita à son chevet.

— Papa, papa ! C'est moi.

— Annie...

Elle était atterrée. Joël avait les joues creuses, le teint cireux et ses cheveux grisonnaient. Elle se pencha et l'embrassa sur le front. Sa peau était sèche et parcheminée.

Anne s'agenouilla contre le lit et prit la main de son père; elle fut horrifiée en voyant qu'il était trop faible pour serrer ses doigts.

— Papa, je t'en supplie, guéris vite !

Dans la pénombre, Anne vit des larmes apparaître dans les

yeux creux et elle dut se mordre la lèvre pour ne pas éclater en sanglots.

Elle refusait d'en croire ses yeux. Ce ne pouvait être son père, cet homme si fort, plein de vitalité ! Il était d'une maigreur effrayante. Son corps, sous la couverture, était si émacié qu'elle était sûre de pouvoir le soulever comme un enfant.

« Mon Dieu, je vous en supplie, pria-t-elle en silence, ne le laissez pas mourir ! Faites qu'il redevienne aussi fort qu'il l'était ! »

Sofia attendait dans le couloir. Quand elle vit le visage bouleversé de la jeune fille et comprit combien elle souffrait, elle lui tendit les bras et Anne s'y jeta en s'abandonnant enfin aux sanglots qu'elle avait douloureusement contenus. Sofia la consola, lui caressa les cheveux, la serra contre elle, la soutint.

— Il va mieux, Anne, murmura-t-elle. Il est bien malade mais Casimiro le soigne. Il le guérira. J'en suis certaine.

— Il est si faible... si maigre et faible !

Au bout de quelques jours, Joël parvint à s'asseoir et une semaine plus tard il put être porté dans le patio pour s'asseoir avec elles le soir, pendant une heure ou deux. Il recommençait à s'alimenter normalement et Anne crut voir ses joues se remplir et reprendre des couleurs. Mais il se fatiguait vite et il fallait toujours appeler un des vaqueros pour le porter de nouveau dans son lit, car il était incapable de monter seul.

Chaque fois que Rudy venait à l'hacienda, ses yeux sondaient ceux d'Anne comme s'il cherchait à voir au fond de son âme.

Elle essayait de l'éviter, de feindre de ne pas le voir, mais il semblait s'appliquer à être toujours près d'elle, à se trouver inévitablement sur son chemin. Un soir enfin, alors qu'elle tentait de sortir du vestibule pour suivre les autres dans le patio, il lui saisit le bras et la tira en arrière. Un sourire lascif retroussa ses lèvres et il essaya de l'enlacer. Anne se dégagea, les yeux fulgurants.

— Tu es fou ? Qu'est-ce que tu fais ?

Rudy l'accula contre le mur, la retint prisonnière entre ses bras.

— Ne fais pas ta mijaurée avec moi, Anne ! Je sais ce que tu vaux !

— Écarte-toi, Rudy, sinon j'appelle au secours.

Le sourire de Rudy se transforma en rire moqueur.

— Ainsi, tu joues toujours à la princesse vierge, hein ? Mais un jour, ma belle, tu viendras à moi.

— Plutôt mourir !

Une lueur de colère et de luxure passa dans les yeux de Rudy.

— Il y a longtemps que je t'observe, tu sais. Tu crois que je ne t'ai pas vue faire les yeux doux aux cow-boys, en passant fière comme une reine sur ton cheval ? Tu ne sais donc pas combien j'ai rêvé que tu me regardes avec ces yeux-là, hein ?

— Lâche-moi, Rudy !

Elle voulut le repousser mais il la serra entre ses bras puissants. Sa bouche affamée se plaqua contre la sienne. Elle se débattit mais il la serra de plus belle contre lui, il écrasa sa bouche de ses lèvres, sa langue chercha à pénétrer, agile, avide, au point qu'elle sentit tout son corps frémir de résignation. Et malgré son dégoût, elle s'abandonna et se laissa embrasser jusqu'à ce que ses jambes fléchissent et qu'elle craigne de s'évanouir.

Enfin il la lâcha. Il la dévisagea de ses yeux bleus durs comme de l'acier et, comme il reculait, ses mains s'attardèrent sur les seins d'Anne.

— Ainsi, j'ai quand même le pouvoir de t'émouvoir, après tout !

— Tu as le pouvoir de me dégoûter !

Elle essuya sa bouche d'un revers de main puis elle le gifla violemment. Il plissa les yeux et un rictus déforma ses traits.

— Un jour, Anne, gronda-t-il, tu ne seras pas si prompte à me repousser. Un jour tu viendras mendier mes baisers.

— Un jour je t'enverrai en enfer, Rudy Stark !

Elle lui tourna le dos et s'enfuit en courant dans le patio où elle savait qu'il ne la suivrait pas.

Joël ne retrouvait pas ses forces comme il l'aurait dû. La fièvre le reprit et pendant trois jours il délira, trempé de sueur, incapable même d'avaler la quinine et les tisanes prescrites par Casimiro.

Anne, Sofia et Natalia se relayaient à son chevet, baignaient son front d'eau fraîche, et le vieux curandero était toujours là, vigilant.

La troisième nuit fut la pire; la température monta encore. Il réclamait Martha et chaque fois les yeux de Sofia se voilaient. Alourdie par sa grossesse, elle était épuisée par le souci et les longues veilles, mais pas un instant son amour ne l'abandonnait.

Enfin la fièvre tomba et Casimiro assura aux femmes que Joël ne mourrait pas. Sofia et Natalia descendirent à la chapelle pour réciter un chapelet d'action de grâces. Anne resta auprès de son père et put enfin glisser quelques cuillerées de bouillon froid entre ses lèvres.

— Je suis ici près de toi, papa, dit-elle sans savoir s'il l'entendait. Je suis là et je ne te quitterai jamais.

Les jours suivants, Joël parut se remettre. Une fois encore, il put passer de brefs moments dans le patio. Mais il se fatiguait vite, il ne s'intéressait à rien, et au bout de quelques minutes Sofia devait appeler les domestiques pour le porter jusqu'à son lit.

Joël avait horreur de son incapacité, de sa vie d'infirme. Et plus d'une fois Anne le surprit la tête tournée contre le mur et pleurant amèrement. Il ne semblait pas être aussi gêné qu'elle, quand elle le voyait les larmes aux yeux. Cela lui était égal, il ne se faisait plus un devoir de paraître fort et invincible.

Il n'était pas question pour lui de reprendre son travail. De plus en plus, Anne assumait le fardeau et dirigeait le ranch. Tout déplaisant que ce fût pour elle, elle dut travailler avec Rudy. Il continuait de la regarder comme s'il sondait son âme, mais il la conseillait sagement et obéissait à ses ordres.

Le grand bureau d'acajou de Joël devint visiblement celui d'Anne. Tous les matins, un vase de fleurs des champs fraîchement cueillies venait l'orner. Les papiers en désordre étaient maintenant bien rangés, dans des coffrets de bois. Les registres s'alignaient en bon ordre entre de lourds serre-livres d'onyx et la fine écriture d'Anne succéda sur les pages aux griffonnages laborieux de Joël.

Le travail n'était pas commode. Elle avait tant à faire que bien souvent elle restait à son bureau jusque tard dans la nuit et y revenait avant l'aube. Les équipes de nuit prirent l'habitude de voir sa lampe à pétrole briller alors qu'elles quittaient le baraquement à minuit et la lumière était de nouveau là quand elles rentraient au lever du jour. Cette lueur jaune devint pour eux un symbole de l'assiduité avec laquelle elle se consacrait au ranch. Les plaisanteries sur la « femme patron » cessèrent et les hommes commencèrent à professer pour elle du respect et de l'admiration.

Anne avait peu de temps pour rêver à Kelly, mais dans le silence de la nuit, quand elle éteignait sa lampe et montait se coucher, sa présence lui semblait presque palpable. Elle évoquait son visage, elle entendait sa voix et son rire. Et quand elle se glissait seule entre ses draps et serrait son oreiller dans ses bras, elle pouvait s'imaginer pendant quelques brefs instants qu'il était là. Et puis le sommeil venait, un sommeil sans rêves qui engourdissait son cerveau fatigué et calmait ses désirs passionnés.

Elle s'étourdit de travail, prépara le rassemblement d'automne, surveilla la construction d'un nouveau baraquement et de cabanes plus confortables pour les familles des cow-boys mariés. Elle dressa les plans d'une école qu'elle voulait bâtir dans le petit village qui grandissait autour du ranch, elle envoya des lettres à San Antonio, à Galveston et à La Nouvelle-Orléans pour demander une institutrice pour les enfants. Elle montait voir Joël aussi souvent qu'elle le pouvait, lui faisait ses rapports sur les activités du ranch mais prenait soin de ne pas le fatiguer avec des détails. Et quand elle avait un rare moment de liberté, elle montait à cheval et galopait, galopait aussi vite et aussi loin que possible dans la prairie, le soleil sur la figure et le vent dans ses cheveux encore courts... jusqu'à ce qu'elle soit hors de vue de l'hacienda et complètement seule avec elle-même. Alors seulement elle échappait aux tensions du ranch, de la maladie de Joël et du constant souci de Sofia.

Sofia était affolée. Joël avait sombré dans le coma et même les efforts de Casimiro — sa magie spéciale qui n'avait jamais échoué dans le passé — ne parvenaient pas à le ranimer.

— Joël, Joël ! cria-t-elle, ruisselante de larmes. *Mi vida ! Mi corazón !* Tu dois guérir ! Tu le dois ! *Díos mío, Santa Maria,* sauvez mon mari, je vous en supplie ! Nous avons eu si peu de temps, si peu !

Elle lui prit une main et la serra entre les siennes, elle contempla son visage à travers ses larmes, espérant un miracle.

Mais Joël était loin. Il errait dans un lieu lumineux où les vents étaient doux et frais. Il entendait quelqu'un qui l'appelait, il reconnut la voix de Martha et se sentit attiré vers elle. Elle semblait attendre juste au-delà d'une brume étincelante. Il se glissa dans la lumière, réconforté, calme, en pleine santé. Martha l'appela de nouveau. Il se sentit enveloppé par la brume. Mais la paix presque parfaite de Joël fut troublée.

— Anne ! cria-t-il tout haut. *Anne !*

Mais Anne, qui n'arrivait pas à dormir, était sortie faire un tour à cheval, bien que le soleil ne fût pas encore levé.

A son retour, Anne entendit les plaintes bien avant de voir la maison. Elle crut d'abord que c'était un animal blessé agonisant dans les broussailles, mais bientôt elle comprit que les cris étaient humains, un grand nombre de voix endeuillées déchirant le calme de l'aube.

Les gémissements aigus devinrent plus forts. Anne devina, avant même de se l'avouer, ce qu'ils signifiaient. Son sang devint glacé, un cri mourut dans sa gorge.

— *Papa !*

Des femmes voilées envahissaient le vestibule, les femmes des hommes travaillant au ranch. Elles serraient leur chapelet contre leur poitrine et sanglotaient bruyamment. Ces lamentations assourdirent Anne et lui firent peur.

— Papa ! cria-t-elle, ne sachant de quel côté se tourner.

Soudain elle vit Sofia sur le seuil de la chapelle au fond du corridor. Elle était voilée aussi, portant une mantille noire tombant presque jusqu'à ses chevilles. Derrière elle, la chapelle flamboyait de la lueur des cierges. Anne avança comme une somnambule.

— Où est papa ? demanda-t-elle d'une voix chevrotante.

Sofia se tenait très droite, immobile comme une des statues des saints ornant l'oratoire. Un chapelet s'entrelaçait entre ses doigts. Sous le voile, son visage était pâle, un masque de douleur.

— Il est mort, dit-elle.

— Non ! hurla Anne.

Elle sentit ses jambes fléchir, mais réussit à atteindre la chambre de son père. Celui-ci gisait sur son lit couvert de fleurs.

Anne jeta un seul coup d'œil à son corps maigre, émacié, à sa figure immobile et blême. Soudain tout se brouilla. Les ténèbres affluèrent, l'enveloppèrent. Elle crut entendre le hurlement de mille vents, crut voir les cierges s'éteindre un à un. Puis elle tomba en avant avec un gémissement de douleur et perdit connaissance.

On enterra Joël le lendemain, à côté de Martha. Anne tremblait tellement que Rudy et Emma durent la soutenir constamment.

Le prêtre parla en espagnol de la fragilité de la chair et de l'immortalité de l'âme. Anne écoutait à peine. Après les prières des morts, quand le prêtre eut aspergé d'eau bénite le tumulus de terre fraîchement retourné, elle avança d'un pas mal assuré et planta dessus une branche de lantana en fleur.

Puis elle se retourna et fit face aux assistants endeuillés. Ses joues étaient d'un blanc de craie, et sous ses yeux des cernes semblaient avoir été dessinés au fusain. Elle parla d'une voix tremblante qui portait néanmoins assez loin, vers tous les amis et voisins qui se tenaient tête basse derrière Sofia, vers les cow-boys et les ouvriers du ranch, le chapeau à la main, vers les serviteurs en noir sur le pourtour de la grande foule réunie pour présenter ses derniers respects.

— Mon père nous a quittés. Mais il était un homme tel que son souvenir continuera de vivre en nous jusqu'à la fin de notre vie. C'est la volonté de Dieu que l'homme naisse pour mourir, et nous partirons tous chacun à notre tour, jusqu'à ce que personne d'entre nous ne vive pour fouler cette terre. Mais quelque chose survivra. Mon père en a rêvé et l'a aimé. Il a travaillé pour cela et il s'est battu pour le garder. Je veux parler de ce domaine où nous nous trouvons. Il durera, comme durera le rêve de mon père !

Plus tard, Anne s'assit toute seule sur le perron de l'hacienda. Ses yeux balayèrent l'horizon d'est en ouest, et elle prit sa mesure. Les paroles de son éloge funèbre résonnaient encore à ses oreilles.

Cette terre ! Ce rêve ! Oui, ils survivraient. Elle jura d'y veiller. Ce serait son cadeau d'adieu à Joël.

DEUXIÈME PARTIE

1868-1875

1868

1

La mort et ses compagnons, la douleur et les regrets, Anne les connaissait bien. Mais avec le temps, s'appuyant sur le souvenir réconfortant de l'amour indéfectible que lui portait Joël, elle finit par accepter l'inéluctable.

Elle se plongea dans son travail. Bien que Joël eût légué le ranch en parts égales à Sofia et à elle, la responsabilité des affaires reposait sur les épaules d'Anne. Moins de deux mois après la mort de Joël, Sofia avait donné naissance à un fils. Pendant les mois suivants, toutes les pensées et tous les rêves de Sofia eurent l'enfant pour objet. Elle l'avait appelé Carlos, comme son grand-père, et le bébé semblait occuper tout son temps.

Désormais, Anne était seule à la tête du ranch, sachant que, tout en le dirigeant, elle devrait également en protéger les limites, parce que Carlos était là, qu'il allait vivre plus longtemps qu'eux tous et qu'il hériterait de ce domaine qu'ils avaient construit dans la brasada hostile.

La taille des troupeaux augmentait et Anne projetait d'en envoyer deux chaque année sur les pistes menant au Kansas. Il semblait que le pays ne cesserait jamais de se développer.

Une ville était apparue à moins de dix kilomètres de l'hacienda, à l'endroit où Bitter Creek faisait une courbe avant de se diriger vers le golfe. C'était un endroit dur et agité. Il y avait davantage de bars que d'églises et les maisons n'étaient que des cabanes précaires. Rudy s'en plaignit à Anne, il prétendait que des gens étaient installés sur les terres du Lantana et qu'il fallait les en chasser; mais Anne s'intéressait à la ville et pensait que sa présence était profitable au ranch. Elle l'appela Joëlsboro.

Elle y fit construire un hôtel pour attirer les voyageurs de commerce et un magasin pour fournir à la communauté ce qui lui était nécessaire.

Sofia insistait pour se rendre à Monterrey afin de rendre visite à des parents qu'elle n'avait pas vus depuis des années. Anne essaya de l'en dissuader, expliquant que c'était un voyage inutile dans un pays dangereux. Mais Sofia n'avait pas l'intention de se laisser convaincre. Depuis des semaines, en compagnie de Natalia, elle tirait l'aiguille, confectionnant des robes somptueuses en prévision de leur séjour qui devait durer six mois.

— Je pense que vous devriez laisser Carlos ici, dit Anne. Il est beaucoup trop jeune pour faire un tel voyage.

— Pas du tout, Anne, répondit Sofia avec confiance. Il est fort et en bonne santé. De plus, c'est justement à cause de lui que nous partons. Je veux le montrer à mes cousins.

— J'ai peur des *bandidos*, dit Anne.

Sofia sourit avec patience.

— Les hommes que tu appelles *bandidos,* ma chérie, sont en fait de grands généraux mexicains et des hacendados habitant de l'autre côté du Rio Grande. Et n'oublie pas que je suis, moi aussi, mexicaine.

Anne n'était pas convaincue.

Sofia poursuivit :

— Puisque je suis mexicaine, ils ne me feront pas de mal. De plus, je ne serais pas surprise qu'ils assurent ma sécurité pendant la traversée de la *brasada*.

Anne décida de ne pas insister.

Mais, au cours des semaines qui suivirent, rien de ce qu'elle put dire, aucun des arguments qu'elle présenta n'influença Sofia dont l'enthousiasme pour ce voyage augmentait à mesure qu'approchait la date du départ. Enfin, dans la dernière semaine d'août, tout fut prêt.

Le jour de leur départ, Sofia et Natalia se levèrent avant l'aube, vérifièrent et revérifièrent le contenu de leurs malles avant de les faire charger dans la voiture qui les attendait. Des servantes apportèrent des paniers de nourriture de la cuisine pour que les voyageuses aient à manger pendant le trajet. Le cocher et son aide firent sortir de l'écurie l'attelage de six mules et le mirent en place devant la voiture. Anne se rendit dans la chambre de Carlos, le baigna et l'habilla avec amour.

— Nous serons de retour en février, dit Sofia en s'installant dans la voiture aux côtés de Natalia.

— C'est si loin... murmura Anne. Elle avait amené Carlos et le tenait encore, peu désireuse de le laisser partir. J'espère que vous changerez d'avis et que vous rentrerez plus tôt.

Sofia tendit les bras pour prendre Carlos.

— Cela n'aurait pas de sens de faire un aussi long voyage pour rester moins longtemps.

Anne lui donna de mauvaise grâce l'enfant qui souriait.

— Suis mes conseils, Sofia. Va jusqu'à Agua Verde et attends la diligence de Laredo. Ensuite, suis-la. Je sais que cela va allonger le voyage, mais c'est plus sage.

— Bien sûr, querida, dit Sofia.

Anne se pencha à l'intérieur et embrassa légèrement Sofia sur la joue. « *Buen viaje* », murmura-t-elle. Puis elle embrassa Carlos, recula et ferma la portière.

La voiture s'éloigna en direction d'Agua Verde. Anne les regarda disparaître.

Au bout d'une demi-heure, Sofia appela le cocher. Il arrêta la voiture et descendit sur le marchepied.

— J'ai changé d'avis, lui dit Sofia. En définitive, j'ai décidé de ne pas prendre la route d'Agua Verde. Prends vers le sud, en direction de Roma. Nous gagnerons au moins deux jours.

— Mais, Sofia, dit Natalia, tu as promis à Anne...

— Elle se fait trop de soucis. Je ne voulais pas qu'elle s'inquiète. Ma route est meilleure.

— Il vaudrait mieux suivre la diligence...

— Je pense surtout à Carlos. Le voyage est difficile pour lui. Le plus court sera le mieux.

— Tu as peut-être raison.

Sofia sourit joyeusement, sachant que l'attachement de Natalia au bien-être de Carlos l'amenait à tout accepter.

— Prends la direction du sud, dit-elle au cocher. Nous arriverons à Roma sans même trouver le temps long.

Leur voiture cahota dans la *brasada* accidentée. D'après les estimations de Sofia, ils n'étaient qu'à quelques heures de Roma et du Rio Grande.

— Vous voyez bien, tía, dit-elle à Natalia. Nous sommes presque arrivées et tout s'est bien passé !

Natalia, qui tenait Carlos, acquiesça et remit le rideau en place pour empêcher le vent et la poussière d'atteindre le visage de l'enfant. S'approchant de la fenêtre, elle remarqua la silhouette d'un homme seul, à cheval, à mi-chemin de l'horizon.

Le cocher avait dû le voir également, car les mules changèrent de pas et la voiture ralentit.

— Que se passe-t-il ? demanda Sofia.

— Regarde, un cavalier ! répondit Natalia.

Sofia se pencha et regarda. « Il est seul, grâce à Dieu ! » murmura-t-elle dans un souffle.

A la vue du cavalier, Sofia avait senti tout son courage la quitter et son cœur s'était mis à cogner dans sa poitrine. Elle chercha dans son sac et en sortit un petit revolver à crosse de nacre.

— *Cuidado !* cria-t-elle par la fenêtre au cocher et à son compagnon. C'est peut-être un bandit !

Le cavalier avait rapidement traversé les broussailles et s'était immobilisé au milieu de la piste creusée d'ornières. Le cocher ne pouvait qu'arrêter la voiture.

— *Qué pasa ?* cria-t-il au cavalier.

— *Buenos días*, répondit celui-ci.

Il était mince et noueux, portait un sombrero foncé et une grosse moustache noire. Un revolver était glissé dans l'étui près de la selle, mais il ne paraissait pas avoir l'intention de s'en servir. Néanmoins, Sofia ne quitta pas la fenêtre et garda le revolver pointé sur sa poitrine.

— Je viens vous avertir qu'il y a des *bandidos*, dit l'homme au cocher.

Natalia sursauta et serra Carlos sur sa poitrine.

Le visage de Sofia avait pâli, mais, de la fenêtre, elle cria d'une voix ferme :

— Qui êtes-vous, señor ? Présentez-vous !

L'homme enleva son sombrero et se pencha sur sa selle.

— Je m'appelle Juan Chappa, señora. Je travaille pour don Pablo del Bosque.

— Vous êtes bien loin de chez vous...

— Je suis allé à Mier rendre visite à ma mère qui est veuve.

Sofia était sceptique, mais l'homme paraissait convenable et il y avait chez lui quelque chose qui la rassurait.

— Que savez-vous des *bandidos* ? poursuivit-elle.

— Je les ai vus, répondit-il. Sur cette piste... à moins de cinq kilomètres d'ici. Ils ne m'ont pas vu et j'ai pu passer à bonne distance sans être inquiété.

— Faisons demi-tour, Sofia ! cria Natalia.

— Ainsi, nous sommes en danger ? dit Sofia, s'adressant à l'homme et ignorant Natalia.

— *Sí*, señora, répondit-il... si vous continuez votre chemin, vous allez certainement tomber entre leurs mains.

— Pourtant, vous avez trouvé le moyen de passer à bonne distance, dit Sofia. Voudriez-vous nous montrer le chemin que vous avez pris ?

L'homme parut réfléchir un moment.

— Je vous paierai le dérangement, ajouta Sofia. Nous sommes pressés et nous ne pouvons pas faire demi-tour.

L'argent qu'on lui proposait sembla persuader l'homme.

— Je suis à votre service, señora. Je vais vous montrer le chemin.

— Diego, cria Sofia au cocher, suivez cet homme.

La voiture s'ébranla et, quittant la piste pour s'engager dans les broussailles, continua sa route.

On avançait lentement sur un chemin très difficile. Les deux femmes devaient se tenir aux poignées de cuir pour ne pas être projetées sur le plancher entre les deux banquettes. Carlos, qui était fatigué et avait faim, se mit à pleurer.

— Allons, allons, mon petit prince, murmura Sofia en le prenant sur ses genoux et en le berçant. Nous allons bientôt arriver à Roma.

Mais à peine s'était-elle tue que Diego, sur son siège, poussa un cri de frayeur et arrêta la voiture.

— Que se passe-t-il,, Diego ? cria-t-elle par la fenêtre, mais toute réponse était inutile car elle vit que l'homme qui prétendait être Juan Chappa avait soudain éperonné son cheval et galopait à toute vitesse en direction d'une petite colline située à quelque distance.

— Trahison ! cria-t-elle. Vite, Diego, fais demi-tour !

Diego avait déjà commencé, mais le terrain accidenté et la densité des buissons environnants le gênaient. Les mules, effrayées par les cris de Sofia, se mirent à hésiter, indifférentes au fouet de Diego.

— *Díos míos ! Santa Maria !* hurlait Natalia en faisant le signe de croix. Nous sommes perdues !

116

Venant de derrière la colline, un groupe de cavaliers apparut soudain. Les hommes brandissaient des fusils et s'approchaient rapidement de la voiture. En un instant, ils furent sur eux. Deux coups de feu claquèrent, Diego et son compagnon tombèrent de leur siège et restèrent étendus dans les broussailles. Les mules s'emballèrent, faisant tanguer dangereusement la voiture, jetant Natalia sur le sol. Sofia serra Carlos et tomba sur sa tante. Les deux femmes, pleurant convulsivement, priaient les saints de les sauver. Carlos pleurait.

L'homme appelé Juan Chappa rattrapa la voiture. Sautant de sa selle sur le siège du cocher, il tira les rênes et obligea les mules à tourner en rond. L'autre cavalier galopait à côté.

Sofia comprit que la voiture tournait en rond. Son corps absorbait tous les chocs que renvoyaient les roues en passant sur les pierres et les cactus. Certaine qu'ils allaient capoter, elle installa Carlos entre elle et Natalia.

Mais les mules se fatiguèrent et, quelques instants plus tard, Juan Chappa réussit à les arrêter.

Presque aussitôt la porte fut ouverte brutalement et l'un des cavaliers regarda à l'intérieur les formes recroquevillées de Sofia et Natalia.

On le poussa rudement et il fut remplacé par un autre homme au visage basané, avec des yeux noirs profondément enfoncés et une bouche dure, cruelle.

— Épargnez-nous ! supplia Natalia. Prenez notre argent, prenez tout ! Mais épargnez-nous. Il y a un enfant avec nous !

— *Silencio, abuela !* aboya l'homme, et Natalia recula comme s'il l'avait frappée.

— Qui êtes-vous ? demanda Sofia les dents serrées. Sa colère était presque aussi intense que sa peur.

— Je suis Emilio Valdez, répliqua l'homme.

Comme Natalia s'était mise à pleurer en reconnaissant le nom, Valdez rejeta la tête en arrière et rit, ses dents étonnamment blanches contrastant avec sa peau sombre.

— Ainsi, vous me connaissez, dit-il.

— Tout le monde vous connaît, señor, répliqua Sofia, luttant pour paraître brave, et tenter une autre tactique. Cependant, vous ignorez peut-être qui je suis.

— Je ne l'ignore pas, señora, dit Valdez. Vous êtes la *viuda* de Joël Trevor et vous venez du Lantana.

— Alors, vous allez certainement nous laisser en paix, attaqua Sofia. Vous n'êtes pas sans savoir que je suis mexicaine, tout comme vous. Nous n'avons aucune raison de nous affronter.

— C'est ce que vous croyez, cria Valdez, ses dents brillant sous sa moustache. Vos vaqueros ont tué sept de mes amis !

— A quoi vous attendiez-vous, señor ? Nous ne vous avons pas demandé de franchir la frontière. Nos hommes n'ont fait que défendre leur bien.

— Vous parlez durement, señora, dit Valdez. Nous verrons bien si plus tard vous continuerez sur ce ton.

Il se tourna vers Juan Chappa assis sur le siège du cocher et lui ordonna de faire avancer l'attelage.

— Où nous emmenez-vous ? demanda Sofia.

— Vous n'êtes pas seule à posséder une grande hacienda, señora, répondit Valdez. J'ai moi aussi ma propre maison et je serai très heureux de vous offrir mon hospitalité.

Il claqua la porte avant qu'elle ait pu répondre et s'éloigna, suivant la voiture au trot.

— Nous sommes perdus, gémit Natalia en se hissant sur la banquette. Il va nous tuer.

— Je ne crois pas, murmura Sofia en essayant de faire cesser les pleurs de Carlos. S'il avait voulu nous tuer, il l'aurait fait sur-le-champ. J'ai bien peur qu'il n'ait d'autres projets.

Natalia vit des ombres de désespoir dans ses yeux.

Ils roulèrent tout l'après-midi et ne s'arrêtèrent pas quand vint la nuit. Chappa fouettait les mules fatiguées, les forçant à avancer. Aux environs de minuit, ils passèrent le Rio Grande et s'engagèrent sur la rive mexicaine.

Une heure plus tard, ils s'arrêtèrent près d'un puits et les mules purent boire. Ils repartirent quelques minutes plus tard et arrivèrent à destination un peu avant le lever du jour.

Valdez ouvrit la porte de la voiture et ordonna aux deux femmes de descendre.

Dans l'obscurité matinale, Sofia distingua les contours d'une maison de pierre avec une cour centrale. Il y avait des corrals à l'ouest et au sud. Au loin, brisant la ligne d'horizon, il y avait les toits plats d'une douzaine de cabanes de paysans.

— Par ici ! ordonna Valdez et les femmes se dirigèrent en trébuchant vers la maison.

L'intérieur était loin d'être luxueux, mais il était confortable.

Valdez les conduisit jusqu'à une pièce ne donnant pas sur la cour.

— Entrez, dit-il.

Elles n'avaient pas de lumière, mais les premières lueurs de l'aube, par la fenêtre garnie de barreaux, révélèrent une pièce minuscule contenant deux lits et une petite table. Épuisée, Natalia se laissa tomber sur l'un des matelas de paille de maïs. Sofia se tourna vers Valdez, tenant Carlos dans ses bras comme pour lui rappeler sa brutalité.

— Nous avons faim, dit-elle. Peut-être avez-vous l'intention de confisquer la nourriture qui se trouve dans la voiture ?

— Je vais vous faire porter à manger.

— Et du lait ! Avez-vous du lait pour le bébé ?

— Je vous ferai aussi porter du lait, dit-il.

Puis il tourna les talons et s'éloigna.

— Qu'allez-vous faire de nous ? cria Sofia.

Il s'arrêta sur le seuil.

— Plus tard, répondit-il. Chaque chose en son temps.

— Si vous voulez une rançon, dit Sofia, adressez-vous à ma belle-fille. Elle paiera n'importe quel prix. N'importe lequel.

118

Les lèvres de Valdez dessinèrent un sourire qui fit frissonner Sofia.

— Je ne désire pas d'argent, répondit-il.

Il franchit le seuil et ferma la porte à clé de l'extérieur.

A trois heures, Natalia s'était effondrée sous l'effet de la chaleur et de la soif. Immobile sur le matelas, elle respirait avec difficulté, baignant dans sa propre sueur. Sofia, apercevant une paysanne, lui demanda de s'approcher de la fenêtre, ce que la femme fit avec prudence; mais quand Sofia lui demanda de l'eau, elle hocha la tête et disparut. Un peu plus tard, elle revint porteuse d'une gourde pleine qu'elle passa entre les barreaux de fer. Sofia la porta aux lèvres de Carlos et le laissa boire tout son soûl. Elle ne prit pour elle-même que ce qui était nécessaire à réduire l'intense sécheresse de sa bouche. Elle donna le reste à Natalia, en gardant un peu pour rafraîchir le front fiévreux de la femme.

Enfin, le soleil disparut derrière les montagnes de l'ouest. Un vent frais et sec se leva et pénétra dans la pièce. Sofia faillit pleurer de soulagement. On leur apporta enfin de la nourriture et Natalia parut reprendre vie. Elle cessa de délirer, et au bout d'un moment elle put s'asseoir et aider Sofia à faire manger Carlos.

Soudain, elles entendirent qu'on déverrouillait la porte qui s'ouvrit, démasquant Valdez, debout sur le seuil. Il portait un pantalon de cuir et une chemise de coton ouverte jusqu'à la ceinture. Ses yeux brillaient dans l'obscurité.

— Suivez-moi ! ordonna-t-il.

— Avez-vous décidé de nous libérer ?

— Pas encore... j'ai d'autres projets.

Sofia se tourna vers le lit et se pencha pour prendre Carlos.

— Laissez-le ici, commanda Valdez.

— Jamais ! cria Sofia.

— C'est vous que je veux... ni lui ni la vieille femme !

Il lui prit rudement la taille et l'attira à lui.

Sofia se défendit, lui griffant le visage jusqu'au sang. Valdez grogna et lui tordit le bras. Des lumières blanches apparurent devant ses yeux et elle crut qu'elle allait s'évanouir de douleur.

Rassemblant ses dernières forces, Natalia se leva et serra Carlos contre sa poitrine. Les yeux agrandis par la peur, elle vit Valdez qui soulevait Sofia, s'éloignait et traversait la cour.

Valdez porta Sofia jusqu'à sa chambre et la jeta sur son lit. Il ferma la porte.

— Maintenant, ma belle señora, je vais venger les sept hommes tués sur votre ranch.

Les yeux de Valdez se voilèrent. La colère lui serrait les lèvres. Il leva le bras et la frappa violemment sur la joue. Sofia entendit sa mâchoire craquer et son nez s'emplit de sang. De nouveau, la douleur la rendait impuissante. Elle recula en trébuchant et tomba à genoux. Valdez la traîna et la jeta de nouveau sur le lit, saisit sa robe et la déchira jusqu'à la ceinture, arracha la fine camisole de coton, découvrant les seins. Les yeux brillant de désir, il lui couvrit les seins de ses grosses mains, les massant durement.

Puis il se jeta sur elle, l'écrasant sous son poids. Elle continua de se défendre faiblement, trop épuisée par la douleur pour se dégager. Puis elle sentit qu'il tirait sur sa jupe et déchirait ses sous-vêtements. Grâce à ses jambes puissantes, il réussit à lui écarter les cuisses. Elle essaya de hurler, mais aucun son ne sortit de sa bouche... seulement un hoquet de terreur que la respiration bruyante de l'homme rendit inaudible.

Soudain, elle sentit qu'il entrait en elle, avec violence, d'un seul coup, et elle eut l'impression qu'on l'écartelait. Elle se mit à hurler... un long gémissement de douleur qui résonna contre les murs de pierre. Il allait et venait en elle avec la fureur d'un fou. Sofia s'évanouit.

Toute la nuit, il la prit et la reprit... toujours aussi brutalement que la première fois. Au cours d'un moment de lucidité, elle entendit Carlos pleurer de l'autre côté de la cour... ses gémissements étaient ponctués par les cris de frayeur de Natalia.

Un instant Sofia imagina les tortures que subissait sa tante des mains des autres *bandidos,* mais bien vite elle écarta cette pensée. Fermant les oreilles aux cris de Natalia, elle oublia même qu'elle les avait entendus.

Enfin, quand Valdez eut assouvi son désir, il s'éloigna, ouvrit la porte et gagna la cour. Sofia se tordait de douleur sur le lit. Elle leva la tête et vit Juan Chappa pénétrer dans la chambre.

— Non, réussit-elle à murmurer.

Mais Chappa s'approchait déjà d'elle, déboutonnant son pantalon.

— Non ! *Por Dios, no !*

Mais il était sur elle et, par-dessus son épaule, elle vit d'autres *bandidos* se rassembler près de la porte.

2

Anne n'apprit l'enlèvement qu'une semaine plus tard. La voiture de Sofia n'étant pas arrivée à Monterrey, la famille avait télégraphié à Joëlsboro pour avoir des nouvelles et on avait envoyé un cavalier porter le message au Lantana.

— Valdez ! dit Anne, froissant le télégramme dans son poing. Rudy était debout près de son bureau.

— C'est certainement Valdez, dit-il. C'est le seul qui soit assez audacieux pour avoir osé.

— Le Mexique ne nous aidera pas, déclara-t-elle. C'est une

certitude. Ils sont sans doute en train d'inaugurer la statue de Valdez, en ce moment !

Elle cessa de marcher de long en large et s'arrêta près de la fenêtre.

— C'est à nous de décider, Rudy. C'est à nous de les libérer.

— Que devons-nous faire ?

— Je veux que tu rassembles vingt-cinq ou trente cavaliers, les bons tireurs. Donne-leur nos meilleurs fusils et beaucoup de cartouches. Nous allons rendre visite à Valdez !

— Nous ? demanda Rudy ébahi. Tu n'as certainement pas l'intention d'accompagner les hommes !

— C'est absolument mon intention, dit sèchement Anne. En fait, j'ai décidé de prendre la tête de l'expédition.

— C'est impossible.

— Certainement pas ! Tu me connais assez pour le savoir, et je suis sûre que je vais faire un très bon général !

Certain que rien ne pouvait faire changer Anne d'avis, Rudy la quitta; une heure plus tard, il avait réuni les hommes. Ils se regroupèrent devant l'hacienda et Rudy leur distribua des Winchester et des cartouches. Puis Anne les rejoignit, montée sur Ebony, l'étalon noir qui avait appartenu à son père.

— Allons-y, dit-elle à Rudy.

Éperonnant Ebony, elle prit la tête de sa petite armée.

Ils chevauchèrent toute la journée et, au coucher du soleil, campèrent dans les broussailles, quelques kilomètres à l'ouest de Roma. Anne choisit un vaquero nommé Dominguez et lui donna l'ordre de franchir le Rio Grande et d'aller jusqu'à Mier.

— Sois sur tes gardes, l'avertit-elle, ne fais confiance à personne. Mais tâche de savoir où Valdez se cache. Elle lui tendit une bourse pleine de pesos d'argent : Cela devrait suffire à nous procurer l'information qui nous est nécessaire.

Dominguez sourit, en soupesant la bourse dans sa main.

— Une telle somme ferait parler n'importe qui.

Quand Dominguez revint, un peu avant minuit, Anne ne dormait pas et l'attendait. Il lui tendit la bourse vide.

— Qu'as-tu appris ? demanda-t-elle.

— Le rancho est à cinq heures d'ici, près d'un village appelé San Andres.

— As-tu entendu parler de ma belle-mère ?

— Des rumeurs seulement... On dit que Valdez s'est emparé de deux femmes et d'un enfant.

— *Cabrón !* jura Anne.

Elle se tourna vers le sud et regarda les collines sombres du Mexique se détachant sur le ciel nocturne.

— Repose-toi, Dominguez. Nous repartirons à l'aube.

Ils traversèrent le fleuve alors que les premiers rayons du soleil jaillissaient au-dessus de l'horizon. Anne conduisait la troupe. Enfin, quand le soleil fut presque au zénith, elle fit signe à ses hommes de s'arrêter.

— San Andres se trouve de l'autre côté de cette passe, dit-elle.

121

Si notre carte est correcte, nous devrions trouver Valdez un peu plus au sud, derrière cette rangée de collines. Rudy, va en reconnaissance avec Dominguez. Nous vous attendrons.

Ils revinrent un peu plus tard et rapportèrent qu'ils avaient vu l'hacienda et les jacales près d'elle.

— Il y a au moins cent chevaux de rechange, dit Rudy.

— Cela veut dire qu'il y a environ vingt-cinq hommes, calcula Anne.

— Ils sont presque aussi nombreux que nous, dit Rudy. Nous aurions dû prendre davantage d'hommes.

Anne regarda sa troupe. Les cavaliers étaient calmes. Ils étaient tranquillement assis sur leur selle, vérifiant leur Winchester et arrangeant leurs cartouchières.

— Nous sommes assez nombreux, dit-elle.

— L'hacienda est bien défendue, poursuivit Rudy.

— Notre atout, c'est la surprise, dit Anne. Il faut que nous soyons dans la maison avant qu'ils aient compris ce qui se passe.

Elle se tourna et fit face à ses hommes.

— *Listos* ? demanda-t-elle. Êtes-vous prêts ?

Ils hochèrent la tête.

— Anne ! dit soudain Rudy, laisse-moi prendre leur tête. Attends-nous ici.

— Ce sont mes hommes, Rudy, lui répondit-elle en le fixant de ses yeux verts. Je ne vais pas les abandonner maintenant.

— Mais c'est très dangereux !

— Je sais, dit-elle. Mais je prendrai leur tête, je ne pourrais pas me pardonner d'avoir tourné les talons et de m'être enfuie.

Rudy comprit qu'il était inutile de discuter.

— Anne, tu es une femme extraordinaire, dit-il.

Elle détourna les yeux :

— Allons-y ! cria-t-elle.

Ebony bondit, l'emportant vers les collines basses qui s'élevaient devant elle. Ses hommes se placèrent à ses côtés. Ils dépassèrent le sommet des collines et foncèrent sur l'hacienda. L'effet de surprise joua en leur faveur. En dehors des cris de frayeur de quelques paysans travaillant dans des champs éloignés, leur apparition ne déclencha d'abord aucune réaction. Anne crut même un moment qu'il leur serait possible de s'emparer de l'hacienda sans se battre.

Mais, alors qu'ils s'approchaient au galop, un coup de feu éclata, tiré du toit fortifié. Puis un autre... suivi par une fusillade.

Anne vit tomber deux de ses hommes.

Rudy et Dominguez avaient déjà atteint la maison. Ils sautèrent sur le sol et s'appuyèrent contre le mur.

Anne éperonna Ebony et se dirigea vers la voûte qui donnait dans la cour. Elle était à découvert et dirigeait sa monture à droite et à gauche, se faufilant sous une pluie de balles.

— Fais demi-tour ! hurla Rudy, fais demi-tour !

Sur le toit, Valdez abaissa le canon de son fusil et visa. Anne se déporta sur la gauche quand Valdez tira. La balle lui passa près de l'oreille. Quand il tira une seconde fois, elle sentit la balle frapper Ebony. Le cheval gémit de douleur, se cabra et tomba en arrière. Anne fut éjectée de sa selle et atterrit durement dans la poussière. Elle était étourdie par sa chute. Des éclairs lumineux défilaient devant ses yeux et elle cherchait son souffle. Mais, quand une autre balle fit voler la poussière près de son épaule, elle secoua la tête, chassa son étourdissement et se mit à ramper en direction du mur. Rudy lui tendit la main, la saisit par le poignet et la tira vers lui. Elle s'appuya contre le mur entre Rudy et Dominguez.

— Ils sont trop nombreux ! cria Rudy. Regarde, ils repoussent nos hommes !

— Il faut entrer, dit Anne. Il faut se débarrasser de ceux qui sont sur le toit.

Passant sous la voûte, elle gagna la cour. Une balle siffla près d'elle, brisant les tuiles du puits qui en occupait le centre. Tournant sur elle-même, elle tira, l'arme à la hanche. L'un des hommes qui se trouvaient sur le toit perdit l'équilibre et tomba lourdement sur le sol pavé.

Rudy et Dominguez firent irruption dans la cour. Ils tirèrent, rechargèrent et tirèrent de nouveau, tuant deux hommes de plus. On entendait également des coups de feu à l'extérieur, où les hommes de Valdez s'opposaient à ceux d'Anne.

Anne s'était mise à couvert derrière le puits. Valdez et Juan Chappa s'étaient allongés sur le toit de tuiles rouges. Chappa visa Dominguez, tira et l'atteignit à l'épaule. Celui-ci laissa tomber son revolver, s'écroula mais réussit à se mettre à couvert sous la voûte.

Rudy traversa la cour en courant et rejoignit Anne derrière le puits.

— Ils ne sont plus que deux, là-haut, lui dit-elle rapidement. Ils se cachent derrière la cheminée.

Elle jeta un coup d'œil autour d'elle. Il n'y avait que le puits dans la cour. Rien ne pouvait leur fournir un abri. Puis elle remarqua la porte de l'une des pièces qui donnaient sur la cour. Elle s'ouvrait et se fermait au gré du vent, grinçant sur ses gonds rouillés.

— Je vais aller là-bas, murmura-t-elle à Rudy. De cet endroit, il me sera possible de les atteindre. Commence à tirer. Occupe-les.

— Non, Anne, protesta Rudy, essayant de la retenir. Tu n'y arriveras pas.

— Il le faut, Rudy ! Nous n'avons presque plus de munitions. C'est le seul moyen.

Elle respira profondément. Jamais elle n'avait eu aussi peur.

Son fusil bien en main, elle quitta l'abri du puits et courut jusqu'à la porte ouverte. Derrière elle, Rudy ne cessait de tirer et les hommes postés sur le toit de lui répondre. Au moment où elle allait atteindre la porte, Valdez la vit et tira, mais trop tard. La balle rebondit contre le mur de pierre à trois centimètres de sa tête.

Anne roula sur le sol, glissa son fusil entre la porte et le mur, posant le canon sur le gond intérieur, et tira. Une tuile vola en éclats près du coude de Valdez qui recula, forçant Juan Chappa à faire le tour de la cheminée.

— Nous les tenons, cria-t-elle à Rudy. Ils sont pris entre deux feux.

Rudy appuya sur la gâchette. Sa balle atteignit Juan Chappa qui s'effondra sur le toit.

Valdez alors s'immobilisa, le dos à la cheminée. Jetant prudemment un rapide regard dans la cour, il vit briller sous le soleil le canon de la Winchester qu'Anne pointait dans sa direction.

— Rendez-vous ! cria-t-elle. Vous ne pourrez pas vous enfuir.

— Jamais ! répondit-il. Jamais Valdez ne se rendra à une femme.

« Ainsi, voilà le fameux Valdez, pensa Anne. Le redoutable Valdez... et nous le tenons. »

Pour la première fois depuis le début de la bataille, tout était calme et c'est alors que, venant de l'une des pièces voisines, on entendit des gémissements de bébé.

— Carlos, souffla Anne.

Valdez espérait profiter de ce moment d'inattention pour faire le tour de la cheminée et ajuster Anne. Mais son mouvement n'échappa pas à la jeune femme qui appuya sur la gâchette et dont la balle traversa la manche de la chemise de Valdez. Valdez recula, cherchant à atteindre le bord du toit. Anne rechargea et visa, vidant son chargeur au moment où Valdez enjambait le bord du toit et se laissait glisser sur le sol, de l'autre côté.

— Rudy, cria-t-elle, il s'est enfui ! Poursuivons-le...

Quittant l'abri du puits, Rudy passa en courant sous la voûte. Anne le suivit. Dehors, Rudy s'appuya contre le mur et tira. Mais Valdez avait sorti un cheval de l'enclos et galopait dans les broussailles en direction du sud-ouest.

Anne épaula et tira une dernière fois, Valdez était dissimulé par un nuage de poussière. Deux de ses hommes tirèrent, mais tout comme elle, ils le manquèrent.

Elle était au comble de la fureur. Tenant sa Winchester à deux mains, elle la leva au-dessus de sa tête et la jeta dans la direction prise par Valdez. Le salaud !

Un instant, Rudy crut qu'elle allait s'effondrer et pleurer. Mais Anne se calma, redressa les épaules et se mit à courir... passant de nouveau sous la voûte, en direction des gémissements de Carlos. Elle brisa le cadenas rouillé et ouvrit la porte.

Sur le seuil, elle se figea, incapable de bouger. A l'intérieur, couchée nue sur un matelas sale, Sofia tenait dans ses bras un Carlos faible et gémissant. Ses cheveux étaient décoiffés et des mèches sales lui couvraient le visage. Malgré le manque de lumière, Anne pouvait voir les traces de coups sur le corps de sa belle-mère et le gros bleu enflé qui lui déformait la mâchoire.

— Oh ! mon Dieu ! dit-elle à Rudy qui l'avait rejointe.

— Tiens, proposa Rudy en déboutonnant rapidement sa chemise, prends cela et couvre-la.

Anne traversa la pièce, enveloppa Sofia dans la chemise et lui murmura :

— Oh ! Sofia, ma chérie... Nous sommes ici. Tout ira bien. Nous allons vous ramener à la maison.

— A la maison... souffla Sofia. Sa voix était faible et tremblait.

— Oui, ma chérie, à la maison. Vous êtes sauvés. Nous sommes enfin réunies.

En pénétrant dans la pièce, Rudy avait été suffoqué par l'odeur insupportable de sueur et d'excréments.

— Sortons-la d'ici, dit-il.

Carlos cessa de pleurer quand Anne le prit, Rudy se pencha au-dessus du lit pour saisir Sofia dans ses bras. Ils traversèrent la cour et s'arrêtèrent à l'ombre de la voûte.

Quand Anne vit Sofia à la lumière du jour, elle cria de nouveau :

— Rudy, regarde ce qu'ils lui ont fait !

— Les porcs, jura-t-il.

Puis il posa doucement Sofia sur le sol pavé.

— Où est Natalia ? demanda Anne.

Les lèvres de Sofia formèrent silencieusement le nom de sa tante.

— Natalia ? répéta Anne. Où est-elle ?

— Dans sa chambre, murmura Sofia.

— Où se trouve sa chambre ? demanda Rudy. Je vais aller la chercher.

— Au premier étage, répondit Sofia.

Rudy et Anne se regardèrent.

— Mais, Sofia, il n'y a pas de premier étage... commença Anne.

— Au premier étage, dans sa chambre, poursuivit Sofia. Elle se prépare pour le dîner.

— Que veux-tu dire ? demanda Anne, le front plissé.

— Il faudrait que je me prépare, moi aussi, dit Sofia. Père ne sera pas content si je suis en retard. Il n'aime pas que je sois en retard pour le dîner.

Anne se détourna, les larmes aux yeux.

— Oh ! Rudy...

Sofia tendit les bras, prit Carlos et le berça en lui murmurant une chanson enfantine.

— Il faudrait que je monte me préparer, répéta-t-elle. Mais je préfère rester ici et jouer avec ma poupée.

Anne la regarda avec désespoir, comprenant enfin la vérité.

— Oh ! Rudy, elle a trop souffert. Elle ne sait plus où elle est. Elle est retombée en enfance... Et elle croit que Carlos est sa poupée.

Rudy se pencha sur Sofia et demanda :

— Nous reconnaissez-vous, Sofia ? Savez-vous qui nous sommes ?

Sofia leva la tête. Ses beaux yeux noirs étaient presque cachés par les bleus qui les entouraient.

— Êtes-vous des amis de mon père ? Êtes-vous venus dîner avec nous ?

Rudy se redressa et son regard rencontra celui d'Anne. Il dit :

— C'est peut-être mieux ainsi... il vaut peut-être mieux qu'elle ne se souvienne pas.

Anne, d'une main, se couvrit la bouche.

— Rudy, c'est trop horrible !

— Reste près d'elle, dit-il. Je vais chercher Natalia.

Il les quitta et Anne l'entendit ouvrit et fermer les portes des pièces situées tout autour de la cour. Il revint quelques minutes plus tard.

— Je n'ose pas te demander, dit Anne quand elle vit son visage défait.

Rudy hocha la tête.

— N'y va pas, Anne. Il vaut mieux que tu ne la voies pas. Je vais demander aux hommes de creuser une tombe et de l'enterrer.

Le reste de la troupe d'Anne se dirigea vers la cour. Dominguez apparut sous la voûte, son épaule bandée avec sa *bandana*.

— Quelles sont nos pertes ? demanda Rudy.

— Quatre hommes, répondit Dominguez.

— Et vous ?

— Ce n'est pas trop douloureux. Ce n'est pas grave.

Rudy sortit accueillir les hommes. Quelques minutes plus tard, il revint avec l'une des couvertures de la voiture, y enveloppa Sofia et la souleva.

Celle-ci ne résista pas mais s'assura qu'Anne les suivait, portant Carlos dans les bras. Les hommes avaient déjà attelé les mules, ils leur ouvrirent la porte de la voiture.

— Mais Natalia... dit Anne en montant sur le marchepied.

— Je dirai quelques mots sur sa tombe, affirma Rudy en aidant Anne à monter en voiture. On ne peut rien faire d'autre... la chaleur... Toi et Sofia allez partir devant... Sofia a besoin de soins médicaux dès que possible. Une douzaine d'hommmes vous accompagneront. Nous vous rejoindrons avant la nuit.

Il ferma la portière de la voiture.

Anne se pencha et lui saisit le bras.

— Vous allez poursuivre Valdez, n'est-ce pas ?

Rudy plissa les yeux mais ne répondit pas.

— N'y allez pas, Rudy, vous êtes trop peu nombreux. Il a certainement beaucoup d'hommes dans les collines.

— J'aimerais le tuer de mes propres mains, dit-il.

— Non, Rudy, n'essayez pas de le retrouver. Il y a eu assez de morts.

Rudy recula en silence et fit un signe de tête au cocher.

Le fouet claqua et les mules se mirent en marche.

126

— Rudy ! cria Anne; mais il lui tourna le dos et rejoignit ses hommes.

Le voyage jusqu'au Rio Grande fut un cauchemar. Un vent brûlant, venu des collines arides, leur desséchait la peau. Dans la voiture, la chaleur était suffocante; les secousses et les cahots les ballottaient d'un côté à l'autre. Anne avait envie de sortir et de suivre la voiture à cheval, libre et confortablement installée sur sa selle, mais elle savait qu'elle ne pouvait pas laisser Sofia seule.

Elle essaya de lui parler... Mais Sofia semblait ne pas vouloir répondre ou en être incapable. Ses yeux s'attardaient un instant sur ceux d'Anne puis se fixaient de nouveau sur Carlos qu'elle berçait.

« Rudy a peut-être raison, pensa Anne. Peut-être vaut-il mieux que Sofia soit ainsi, incapable de se souvenir des tortures qu'elle a endurées. »

Rudy et ses hommes rattrapèrent la voiture avant le crépuscule. Anne fut soulagée de voir qu'il était sain et sauf et heureuse, après avoir été confinée dans la voiture avec Sofia, de pouvoir parler à quelqu'un d'autre.

— Avez-vous trouvé Valdez ? lui demanda-t-elle quand il s'approcha.

— Nein, répondit Rudy. La déception et la colère assombrissaient son visage. Il s'est évanoui comme une ombre. Nous avons suivi sa trace jusqu'au Rio San Nicolas... après, plus rien.

« Nous entendrons encore parler de lui, prophétisa-t-il. Il n'est pas homme à accepter la leçon que nous lui avons donnée.

— Nous serons prêts, répondit Anne. La prochaine fois, il ne nous échappera pas.

Rudy approuva de nouveau.

— Non, dit-il. La prochaine fois, nous l'attendrons.

Bien qu'ils ne fussent qu'à quelques kilomètres de Mier où ils auraient pu trouver des chambres confortables pour la nuit, ils campèrent où ils étaient. Avec des couvertures, Anne fit un matelas pour Sofia et Carlos, puis elle s'allongea près d'eux.

Les étoiles scintillaient, toutes proches, dans le ciel nocturne. Anne reconnut l'arche brillante du Scorpion.

Elle avait l'esprit trop troublé pour dormir. Après s'être tournée et retournée pendant une heure, elle se leva et se mit à marcher au milieu des buissons. Les yuccas luisaient comme de l'ivoire sous la clarté des étoiles, leurs feuilles effilées ressemblaient à des poignards levés contre le ciel.

Anne ne se rendit pas compte immédiatement qu'elle n'était pas seule. Se retournant, elle vit la silhouette d'un homme, son cœur se mit à battre et elle ouvrit la bouche pour crier.

Puis elle entendit qu'il l'appelait doucement et reconnut la voix de Rudy.

— Tu m'as fait une peur bleue, murmura-t-elle.

— Je suis désolé.

Il se tenait près d'elle.

— J'ai cru que c'était Valdez.

— Je suis désolé de t'avoir effrayée et mise en colère.

— Je suis trop soulagée pour être en colère, dit-elle.

Puis, soudain, toutes les émotions de la journée... sa colère, sa peur, ce qui était arrivé à Sofia et sa propre solitude bouillonnèrent en elle. Elle se mit à trembler convulsivement et ses yeux s'emplirent de larmes.

Rudy lui passa un bras autour des épaules et elle s'appuya contre lui. Il la tenait serrée, la réconfortait.

— Ne pleure pas, Anne, lui murmura-t-il à l'oreille. Tout ira bien. Ne pleure pas.

Elle leva vers lui ses yeux pleins de larmes et essaya de sourire.

— Comme les gens sont différents, dit-elle. Vous autres Allemands dites : « Ne pleure pas, ne pleure pas. » Un Mexicain me serrerait et dirait : « Pleure, pleure. » Parfois il vaut mieux pleurer. Il n'y a rien d'autre à faire.

— Pleure si tu ne peux pas t'en empêcher, dit-il avec gentillesse.

Elle se cacha le visage contre son épaule et sanglota. Les doigts de Rudy couraient dans ses cheveux et sur sa nuque.

— Je suis si seule, Rudy... Tellement seule.

— Je suis là, Anne, je suis avec toi... A tes côtés, toujours.

Il lui leva le visage et ses lèvres effleurèrent si légèrement celles d'Anne que c'est à peine si elle se rendit compte qu'il l'avait embrassée. Mais elle se serra plus étroitement contre lui. Elle ouvrit légèrement la bouche et attendit qu'il l'embrassât de nouveau.

Ils tombèrent à genoux, dans les bras l'un de l'autre, et Rudy l'embrassa de nouveau, faisant renaître en elle des passions oubliées depuis longtemps. L'image de Kelly s'imposa un instant à elle, puis disparut sans laisser de traces. Elle ne vit plus que Rudy dont les cheveux luisaient sous la lumière argentée des étoiles. Elle sentit son corps dur et musclé se serrer avec insistance contre le sien. Elle sentit le goût de ses lèvres contre les siennes et entendit les battements rapides de son cœur.

Les mains de Rudy trouvèrent ses seins et les dégagèrent de sa *camisa* de coton. Elle ferma les yeux, cherchant son souffle pendant qu'il la caressait, avec les doigts d'abord, avec les lèvres ensuite. Ses seins se durcirent, nourris par la chaleur de la langue.

Adroitement, Rudy déboutonna le pantalon d'Anne et le lui retira. Elle resta immobile, allongée sur le sol. Il s'agenouilla près d'elle et lui caressa les seins, le ventre et les cuisses. La faible lumière des étoiles ne révélait presque rien de sa beauté. Il y avait si longtemps qu'il rêvait d'elle... si longtemps qu'il avait envie d'elle. Et maintenant...

Anne sentit son corps trembler de désir. Elle passa les bras autour du cou de Rudy et l'attira à elle. Ils s'embrassèrent avec passion. Sa langue trouva celle d'Anne et elle eut envie de le sentir pénétrer en elle.

Enfin il glissa en elle. Elle cria de plaisir et se serra contre lui. La poitrine de Rudy allait et venait contre ses seins, caressant leurs pointes.

Elle respirait rapidement. Elle crut qu'elle allait s'évanouir. Elle perdit la tête, oubliant tout sauf le rythme rapide de Rudy.

Enfin, lui aussi cria et s'abattit sur elle. Son corps était couvert de sueur, sa respiration bruyante et précipitée.

Ils restèrent longtemps allongés côte à côte, dormant par intermittence. Quand elle se réveilla, elle découvrit les bras de Rudy autour d'elle, sa tête reposant sur sa poitrine. Alors elle se leva doucement pour ne pas l'éveiller et s'éloigna. Marchant entre les buissons, elle regagna lentement le camp. A chaque pas, la réalité de ce qui l'attendait s'imposait plus fortement à elle, émoussant les passions de l'heure passée, lui faisant oublier les sensations ressenties par son corps. Son esprit retournait aux vieux souvenirs, aux inquiétudes du moment, au paysage désolé de sa solitude à venir... car il était impossible que ce qui était arrivé se reproduisît.

Et quand elle se retrouva près de sa couverture, elle comprit qu'elle avait mal agi. Il fallait penser à Emma. Bien qu'Anne n'eût pour elle aucune réelle affection, elle n'avait pas l'intention de lui prendre son mari ou d'être un prétexte à l'infidélité de Rudy. De plus, elle n'aimait pas Rudy. Pas davantage maintenant, après ce qui était arrivé, que l'année précédente, quand elle avait effacé le baiser qu'il l'avait forcée à accepter et qu'elle l'avait giflé, lui disant qu'elle voulait le voir brûler en enfer.

Sa pensée tournait en rond et elle se laissa tomber près du matelas qu'elle avait installé pour Sofia et le bébé.

« Je l'ai fait parce que je me sentais seule », confessa-t-elle silencieusement.

1874

3

Le réceptionniste de l'hôtel Menger de San Antonio leva la tête et sourit.

— Bonjour, mademoiselle Trevor. C'est un plaisir de vous revoir.

— Comment allez-vous, Frank ? demanda Anne avant de prendre le stylo et de signer le registre.

— Tout à fait bien, mademoiselle Trevor. En pleine forme.

— Mon appartement habituel est-il prêt ?

Le réceptionniste prit un visage contrit.

— J'ai bien peur que non, mademoiselle Trevor. Il y a eu un léger malentendu. L'appartement que vous demandez est occupé par un monsieur venu de Grande-Bretagne. Nous avions pensé qu'il partirait à temps, mais il semble qu'il ait l'intention de rester encore quelques jours.

Contrariée, Anne fronça les sourcils.

— Vous savez que je n'aime pas occuper un autre appartement que le mien.

— Je suis réellement désolé. Mais je me suis arrangé pour que vous puissiez avoir l'appartement du gouverneur... si cela vous convient. C'est plus agréable et beaucoup plus grand... sans supplément de prix, évidemment.

— Bon, je pense qu'on n'y peut rien changer, dit Anne, toujours aussi contrariée, bien qu'on lui donnât l'appartement du gouverneur sans supplément.

« Un Britannique, avez-vous dit ? Ces Anglais se sont abattus sur l'État comme des vautours et se sont emparés de tous les ranchs qui étaient en difficulté. Ils feraient mieux de ne pas trop s'approcher du Lantana, c'est moi qui vous le dis.

Le réceptionniste eut un sourire entendu.

— Je ne pense pas qu'ils iront de ce côté, mademoiselle Trevor. Puis il ajouta aussitôt : Un groom va vous accompagner jusqu'à l'appartement du gouverneur et vous le faire visiter. Je vais faire prendre vos bagages dans votre voiture.

Quand Anne se fut engagée dans les escaliers, le réceptionniste cessa de sourire et se tourna vers son nouvel assistant.

— J'avais peur qu'elle ne fasse un scandale, mais elle a pris cela plutôt bien.

— Qui est-ce ? demanda l'assistant.

— C'est Mlle Anne Trevor. Probablement la femme la plus riche de l'État. Vous avez certainement entendu parler du Lantana, n'est-ce pas ?

— C'est elle, la propriétaire ?

— Exactement. Et elle le dirige seule.

Une heure plus tard, Anne quittait l'hôtel et traversait Alamo Plaza. Elle se sentait mal à l'aise avec son bonnet de soie verte et sa longue robe de taffetas, bien qu'elle portât ses meilleures bottes sous sa jupe.

Tout en marchant, elle regardait autour d'elle. La plaza était encombrée de camelots qui vendaient des tranches de pastèque, et des gâteaux sucrés, des bonbons et des épis de maïs grillés au beurre. Un tailleur de pierre dégrossissait bruyamment un bloc de granit rose, des mendiants étaient assis aux rares endroits ombragés et, une main tendue, demandaient l'aumône. Des femmes à la dernière mode entraient et sortaient des magasins, leurs voitures à dais les attendant dans les rues envahies de monde; des bœufs stationnaient sur la place, semblables à de gros rochers bruns.

Comme chaque fois qu'elle se retrouvait en cet endroit, Anne se souvint de l'été de ses douze ans, quand, avec Martha et Joël, ils avaient entrepris leur voyage vers le sud pour prendre possession de leurs terres.

Ses yeux se posèrent sur un groupe d'enfants criards qui jouaient à cache-cache sur la place. Elle les observa un moment, elle n'avait pas envie de partir. Elle se demandait ce qu'étaient devenues les filles du maréchal-ferrant avec lesquelles elle avait l'habitude de jouer... et les deux jumelles de l'aubergiste ? Habitaient-elles encore ici ? Étaient-elles mariées ? Avaient-elles des enfants ?

Et du coup, l'idée que l'un des enfants qui couraient autour de la vieille église, comme elle l'avait fait elle-même, appartenait à l'une de ses anciennes camarades de jeu lui traversa l'esprit.

« La ville n'a presque pas changé, pensa-t-elle. Seulement un peu plus grande, avec davantage de gens et davantage de bruit. Mais, en dehors de cela, rien n'a changé. Rien... sauf moi. J'ai vingt-six ans et il y a longtemps que je ne voyage plus à l'arrière du chariot. »

Elle sourit presque tristement à son passé. Puis elle héla une voiture et se rendit à la banque.

Anne descendait de voiture et pénétrait dans la banque, quand M. Farley et M. Wallace sortirent de leur bureau, raccompagnant un grand homme blond vêtu d'un habit et d'un pantalon bleus. M. Wallace, en apercevant Anne, eut pour elle un large sourire, coutumier chez lui en présence des grosses fortunes.

— Bonjour, mademoiselle Trevor. Nous vous attendions.

— Comment allez-vous, monsieur Wallace ? demanda Anne.
Et vous, monsieur Farley ?

— On ne peut pas se plaindre, mademoiselle Trevor, répondit
Farley. J'espère que vous avez fait bon voyage et que vous êtes
confortablement installée au Menger.

— Le voyage n'a pas été désagréable, dit Anne. Mais j'ai eu une
mauvaise surprise à l'hôtel. Bien que j'aie réservé mon appartement habituel il y a un mois, j'ai appris en arrivant qu'il était
occupé par l'un de ces Anglais envahissants. Si nous n'y prenons
garde, les capitalistes anglais vont bientôt posséder tout le Texas.

Elle remarqua soudain les visages embarrassés des banquiers,
et se tut.

— Mademoiselle Trevor... je, euh... bredouilla M. Farley.

— Eh bien, qu'y a-t-il, monsieur Farley ? demanda-t-elle, son
regard allant de celui-ci à M. Wallace.

— C'est que... que...

— Ne vous tourmentez pas, messieurs, intervint l'étranger. Je
suis absolument d'accord avec mademoiselle. Dans mon pays,
nous avons le même problème.

Anne se retourna et regarda l'étranger. La couleur de ses
cheveux lui rappela de vagues souvenirs : blonds comme ceux de
Kelly. Il avait le front large et lisse, d'épais sourcils foncés et des
yeux plus bleus qu'un ciel d'été, le teint clair, les joues hautes en
couleur et un sourire presque insolent qui distendait ses lèvres
pleines et rouges.

— Permettez-moi de me présenter, dit-il, je m'appelle Alex
Cameron, je viens d'Édimbourg, Écosse. Nous autres, Écossais,
sommes tout à fait d'accord avec vous en ce qui concerne les
Anglais, mademoiselle Trevor.

Les visages des banquiers s'éclairèrent et Anne sourit, soulagée
de n'avoir pas commis de gaffe.

— Je suis très heureuse de vous rencontrer, monsieur Cameron, dit Anne en lui tendant la main.

— J'espère que nous aurons l'occasion de nous revoir, dit Alex.

— J'en serai très heureuse, répondit Anne.

— Messieurs, dit Alex, je vous remercie pour vos conseils. Ils
me seront d'un grand secours dans mes affaires.

— Vous pouvez faire appel à nous quand vous le désirez, dit
M. Farley.

Il se retourna comme pour partir, s'arrêta et regarda Anne.

— A propos, mademoiselle Trevor, en ce qui concerne votre
appartement à l'hôtel... C'est sans doute moi qui l'occupe puisque
je suis le seul étranger de l'établissement. Mais je vais faire
rectifier cette erreur immédiatement.

— Oh ! s'écria Anne, humiliée. Pourtant, avant qu'elle ait eu le
temps d'ajouter un mot, il l'avait saluée et avait quitté la banque.

— Oh ! répéta-t-elle, tandis que le rouge lui montait aux joues
et que son embarras se transformait en colère au moment où elle
se rendait compte que, pendant qu'il la saluait, son sourire
insolent s'était élargi au point de devenir presque moqueur.

— Quel mufle ! bredouilla-t-elle. Me laisser là tout ce temps à écouter ses balivernes tout en sachant très bien que si j'avais été au courant...

— Je suis sûr qu'il a seulement voulu se conduire en homme du monde, dit M. Farley, essayant d'éviter un scandale.

— Au diable les hommes du monde ! déclara Anne. Il a attendu la dernière minute pour me jeter ça au visage !

— Au moins vous aurez votre appartement habituel.

— Qu'il aille au diable ! fulmina Anne. Je préfère encore dormir dans une grange.

Quand elle regagna l'hôtel, cet après-midi-là, le réceptionniste la rattrapa dans les escaliers et l'avertit que ses affaires avaient été transférées dans son appartement habituel.

— Où est la personne qui l'occupait ? demanda-t-elle.

— Ce monsieur semblait très heureux de s'installer dans une chambre simple.

Anne hocha la tête et gagna son appartement. Dans le salon, sur la table située près de la fenêtre, il y avait un vase de roses jaunes et rouges. Leur parfum emplissait la pièce. Au milieu des fleurs, il y avait une petite enveloppe blanche. Anne l'ouvrit et lut :

Voudriez-vous me faire l'honneur de dîner en ma compagnie ce soir ?

Alex Cameron

Anne s'assit au bureau et rédigea la réponse, faisant un effort pour être polie :

Cher monsieur Cameron,
Je vous remercie pour votre gentille invitation. Cependant, ayant déjà pris des engagements, je dois, à regret, la refuser.

Anne Trevor

Elle cacheta l'enveloppe, la descendit au bureau et la fit déposer dans le casier d'Alex.

« Voilà, pensa-t-elle, c'est terminé. »

4

Alex Cameron !

Depuis un mois qu'elle était revenue de San Antonio, Anne n'avait pratiquement pas pensé à lui. Mais elle avait en main une lettre, postée trois jours plus tôt à Corpus Christi, l'informant qu'Alex Cameron passerait, sur le chemin de Laredo, et la priant de bien vouloir lui accorder son hospitalité pour une nuit, au Lantana.

Sa première réaction fut de demander à Rudy de jeter Alex Cameron dehors dès son arrivée. Puis, elle donna l'ordre de préparer la chambre d'amis et de tuer un jeune veau pour le barbecue.

Cameron arriva le lendemain après-midi, monté sur un vigoureux cheval rouan dont la robe luisante avait exactement la couleur de ses cheveux. Il était beaucoup plus beau que dans son souvenir, grand et bien bâti, avec des épaules larges et des hanches étroites. Un mois sous le soleil du Texas avait bruni sa peau dont la patine couleur de bronze contrastait fortement avec ses yeux bleus.

Il lui baisa la main, ce qui l'effraya et la déconcerta.

— Vous possédez un véritable empire, mademoiselle Trevor, dit-il. Anne fut heureuse d'entendre son doux accent écossais : il y a six jours que je ne vois que votre célèbre marque : la couronne d'épines.

— Nous nous préparons à rassembler les bêtes, monsieur Cameron, dit-elle en le conduisant vers l'hacienda.

Ce compliment lui avait fait plaisir, mais elle avait décidé de recevoir Alex avec une politesse froide.

— Et quelle magnifique maison ! Il est surprenant de découvrir une telle demeure dans cette région aride.

— Elle est très vieille, dit Anne. Elle a été construite par le grand-père de ma belle-mère, à l'époque où le roi d'Espagne a procédé à la distribution des terres.

— Pour nous, cela n'est pas très vieux, certaines parties de la demeure de mon père datent de Robert Ier Bruce.

— Eh bien, après tout, répondit Anne, qui ignorait qui était Robert Ier Bruce, mais pouvait l'imaginer, c'est ici le Nouveau Monde.

— C'est tout à fait exact, mademoiselle Trevor. Un monde très excitant. En un mois, j'en ai vu pour toute une vie.

De nouveau, il avait su vaincre sa froideur. Ce qu'il avait dit lui avait fait plaisir.

Elle s'arrêta au pied de l'escalier.

— Maria Elena va vous montrer votre chambre. Je suis sûre que vous avez envie de vous rafraîchir après ce voyage. Ensuite, je me ferai un plaisir de vous montrer le ranch.

Une heure plus tard, Anne emmenait Alex visiter les installations. Elle admira sa manière de se tenir en selle et sa curiosité insatiable.

— Le bétail se déplace librement dans le domaine, dit-elle, alors qu'ils regardaient les cow-boys pousser un troupeau en direction de l'un des nombreux corrals. Nous le rassemblons plusieurs fois par an et, par la piste, nous le conduisons au marché, au départ de la ligne de chemin de fer. Dans quelques semaines, ce troupeau va partir pour Newton, Kansas, et rejoindre ceux d'Atchinson, de Topeka et de Santa Fe.

— Si vous pouviez empêcher le bétail de se disperser, vous n'auriez pas besoin de le rassembler, dit Alex.

Anne sourit finement.

— Si nous empêchions le bétail de se disperser, il mourrait de soif. Il y a peu d'eau par ici. Il y a un peu plus d'un an, toutes les rivières étaient à sec et il n'y avait pas assez d'herbe sur vingt hectares pour nourrir une seule vache. De plus, il n'existe aucun moyen d'enfermer ces animaux pour longtemps.

Alex ne répondit pas, mais elle vit que ses yeux ne laissaient échapper aucun détail du paysage, comme s'il l'examinait au microscope.

Ils se dirigèrent vers le réservoir, un étang de deux hectares, provenant du barrage d'une rivière, autour duquel les animaux se rassemblaient pour boire.

— Je suppose que vous représentez un groupe d'hommes d'affaires anglais, dit Anne. Depuis la guerre, les gens de chez vous ont beaucoup investi au Texas.

— Non, ce n'est pas mon cas, répondit Alex. Je suis un homme libre, mademoiselle Trevor, je ne représente que moi-même.

— Qu'est-ce qui vous a amené ici ?

— Le goût de l'aventure, peut-être. La recherche de sensations nouvelles.

Il était confortablement installé sur sa selle et se caressait pensivement le menton en regardant le troupeau.

— Comme vous l'avez dit vous-même, c'est ici le Nouveau Monde, et j'ai bien l'intention de m'y installer.

— Vous voulez acheter un ranch ?

— Oui, dit-il.

— Eh bien, le Lantana n'est pas à vendre.

— Je sais.

Il leva les yeux sur elle. Elle soutint un long moment son regard, puis se détourna, confuse.

Leur promenade occupa la plus grande partie de l'après-midi. Alex posa mille questions. Anne répondit avec politesse et correction, mais sans chaleur.

— Si le bétail se déplace librement dans le domaine, vos hommes doivent souvent rassembler des bêtes appartenant à d'autres ranchers. Comment vous y prenez-vous ?

— Nous les leur rendons ou bien nous les conduisons au Kansas avec notre troupeau et nous nous arrangeons plus tard avec nos voisins.

— C'est la loi ?

— Une loi non écrite... une coutume, si vous voulez. Nous sommes corrects. C'est le seul moyen de survivre ici.

— Vos cow-boys tiennent-ils réellement compte de ces coutumes ? demanda-t-il.

— Bien sûr. Ils sont obligés. Oh ! il y a bien des disputes de temps en temps, mais cela ne dure jamais très longtemps. Un de nos proverbes dit : « Dieu a créé des hommes grands et des hommes petits, mais Sam Colt a rendu tous les hommes égaux. »

— Je ne comprends pas, dit Alex.

Anne sourit.

— Quand tout le monde possède un revolver... un colt... on fait très attention de ne pas gêner les autres.

— Je comprends, dit Alex, souriant à son tour.

Et le long après-midi passa ainsi, agréablement. Anne lui montra les corrals et les étables. Ensemble, ils visitèrent les quartiers des cow-boys et le petit village de *jacales* délabrés où vivaient les familles mexicaines. Alex examina les mustangs vigoureux et les long-horns robustes, puis il parla à Anne des bêtes anglaises, massives, bien en chair et courtes sur pattes, comme les Hereford et les Angus.

— Je ne crois pas qu'ils pourraient survivre dans la *brasada*, dit Anne, pensant tristement qu'ils seraient d'un meilleur rapport que les maigres vaches texanes.

Ils regagnèrent l'hacienda au crépuscule. Plus tard, autour du feu de camp, Alex fut l'invité d'honneur du barbecue. L'observant à la lumière tremblante du feu, Anne remarqua qu'il n'avait pas été long à s'adapter à ce pays étranger. Il n'était en rien différent des hommes qui l'entouraient. Il portait les jambières de cuir et le Stetson à large bord comme s'il était né avec. Il mangeait avec appétit et ne refusa pas quand le cuisinier, après avoir fait éclater le crâne du veau d'un coup de marteau, lui servit un morceau de cervelle.

Quand il parlait, évidemment, son accent trahissait ses origines mais Anne remarqua qu'il avait retenu les leçons qu'elle lui avait données au cours de l'après-midi. Il employait des mots d'un usage strictement local, et parlait travail avec Rudy comme s'il avait fait cela toute sa vie.

Après le dîner, quand il ne resta plus dans le feu que des braises rouges sous la clarté argentée des étoiles, un cow-boy sortit sa guitare et se mit à chanter la mort dans les rues de Laredo. Quand il eut terminé, Alex prit à son tour la guitare et chanta l'Écosse, le courage des soldats des Hautes-Terres et les jeunes filles à marier.

Sa voix était profonde et bien timbrée, avec des accents mélancoliques qui faisaient venir les larmes dans les yeux d'Anne. L'observant avec attention pendant qu'il s'accompagnait à la guitare et chantait, les yeux fermés et le visage levé vers le ciel, elle se demanda si elle ne l'avait pas mal jugé.

Un moment plus tard, quand elle se leva pour regagner la maison, elle espéra qu'Alex allait l'accompagner. Elle lui aurait offert du whisky, ils se seraient assis dans la cour, près de la fontaine, et ils se seraient dit tout ce qu'ils n'avaient pu se dire pendant la journée.

Mais Alex resta avec les hommes et Anne regagna seule la maison. Plus tard, en se mettant au lit, elle entendit de grands éclats de rire et comprit qu'ils se racontaient des histoires... des histoires corsées, viriles, qu'ils avaient gardées pour le moment où elle ne serait plus là; elle distinguait le rire vigoureux d'Alex au milieu des autres. Elle serra l'oreiller entre ses bras et ferma les yeux. Elle se sentait seule et éprouva à l'égard de ceux qu'elle avait laissés une sorte de jalousie.

Le lendemain matin, Alex lui annonça qu'il allait continuer sa route. Il avait décidé d'acheter de la terre et ne pouvait se permettre de rester plus longtemps au Lantana. Elle comprit qu'elle n'avait pas envie de le voir partir.

— Je pourrais vous faire visiter l'Ebonal, offrit-elle. Il ne fonctionne pas exactement comme le Lantana.

Mais Alex refusa.

— Je dois voir un nommé Kendall, à l'Agarita, dit-il. J'ai écrit que j'arriverai aujourd'hui.

Anne hocha la tête, dit qu'elle comprenait, mais quand elle fut seule sous le porche, lui faisant des signes et le regardant s'éloigner en direction d'Agarita, elle sentit tout le poids de sa déception.

5

Anne ne pouvait chasser Alex de ses pensées. Il lui suffisait, alors qu'elle était assise à son bureau, de remarquer au-dehors un rouan fougueux pour croire qu'Alex était revenu, alors qu'il s'agissait d'un cow-boy efflanqué nouvellement embauché à l'occasion du rassemblement. Pendant la nuit aussi, il lui suffisait d'entendre un homme chantonner pour calmer le troupeau, et la voilà qui aussitôt croyait reconnaître le timbre de la voix d'Alex, et essayait de se remémorer les paroles des ballades mélancoliques qu'il avait chantées autour du feu de camp. Inlassablement son esprit reformait l'image d'Alex, le visage levé vers les étoiles scintillantes du ciel d'été, s'accompagnant à la guitare.

Puis, par hasard, elle entendit parler de lui par un cow-boy appartenant à l'une des équipes qui arrivaient du sud avec un troupeau de long-horns, il disait que l'Écossais se trouvait au ranch Vivian, éloigné d'une centaine de kilomètres.

Anne connaissait les propriétaires du Vivian, les Magee, un couple entre deux âges, enthousiaste, qui, sous les prétextes les plus futiles, organisait des bals... des « Fandangos », comme on disait... et des fêtes qui duraient une semaine. Leur sens de l'hospitalité était si célèbre que les ranchers et leurs familles faisaient parfois plus de cent cinquante kilomètres pour assister à leurs fêtes.

Elle fut surprise que les Magee n'aient pas organisé un Fandango en l'honneur d'Alex. C'était une occasion unique de faire la fête. En un éclair, elle comprit comment il lui serait possible de l'attirer de nouveau au Lantana.

— Delia, Maria, Elena, Eugenia ! appela-t-elle. Je vais donner une fête... un Fandango et un barbecue. Je veux que la maison soit nettoyée et remise en ordre. Faites l'argenterie, battez les tapis et veillez à ce que toutes les bougies soient remplacées.

138

Dans la cuisine, elle donna l'ordre de confectionner des pains, des tartes et des *dulces* pour les invités. Puis elle fit appel à Jacinto, ce Mexicain voûté à barbe grise, qui avait la réputation de faire le meilleur bœuf rôti de tout le Texas.

— C'est vous qui choisirez la viande, Jacinto, lui dit-elle. Prenez ce que vous pourrez trouver de mieux et assurez-vous qu'il y en aura pour tout le monde. J'invite tous les gens que je connais.

Puis elle s'assit à son bureau et rédigea les invitations, dans lesquelles elle demandait à tous ses voisins, même aux plus éloignés, de venir au Lantana fêter avec elle la fin du rassemblement ainsi que le départ d'un nouveau troupeau sur la piste Chisholm.

Sa dernière lettre fut destinée aux Magee, elle n'oublia pas d'ajouter : « Ne manquez pas cela ! Et amenez vos amis s'il s'en trouve quelques-uns au Vivian. » Enfin, ayant fait venir une douzaine de vaqueros, elle leur remit les paquets d'enveloppes et leur dit de porter les invitations aussi rapidement que possible.

Quand Rudy entendit parler de ce qui se préparait, il se précipita dans le bureau d'Anne, le visage déformé par la colère.

— C'est le plus mauvais moment ! dit-il. Nous avons trop de travail avec le rassemblement pour faire la fête.

— Je ne demanderai rien à tes hommes, répliqua Anne.

— Ils ne dessoûleront pas pendant des jours !

— Je compte sur toi pour les en empêcher, dit-elle froidement.

— Tu sais très bien, poursuivit-il, le visage de plus en plus rouge, qu'ils ne seront plus capables que de penser à faire la foire.

— Pas si tu les as bien en main, Rudy, rétorqua Anne qui déjà se levait pour mettre un terme à l'entretien. Et je suis sûre que tu en es capable. De plus, les invitations sont déjà parties, il est trop tard pour les annuler. Il n'y a pas eu de fête au Lantana depuis la mort de papa. Je crois qu'il est grand temps.

— Ce n'est pas le moment !

— Eh bien, il faudra que tu prennes les choses comme elles sont.

Elle saisit son Stetson et quitta rapidement la pièce, laissant Rudy à sa fureur. Elle connaissait la raison de sa colère. Il avait compris qu'elle organisait une fête dans la seule intention de revoir Alex, son mécontentement ne l'effrayait pas.

« C'est moi qui commande », se dit-elle alors qu'elle traversait la cour afin d'examiner la longue tranchée étroite que creusait Jacinto pour recevoir les feux du barbecue. « Je suis la *patrona* de ce ranch et je n'ai d'ordres à recevoir de personne. Rudy n'a aucun droit sur moi. Aucun ! Il est grandement temps qu'il le comprenne. »

Trois jours plus tard, tous les messagers étaient revenus à l'hacienda. Anne fut heureuse de constater que tout le monde avait accepté. Elle eut du mal à dissimuler un sourire de triomphe quand un des hommes lui rapporta : « ... et les Magee ont dit : sûr qu'on va venir, et on amènera l'Écossais qui passe quelque temps chez nous. »

L'une des baraques fut évacuée et nettoyée, les cow-boys s'entassant dans les autres. C'est là qu'on logerait les hommes; les femmes et les enfants occuperaient les chambres du premier étage. Anne s'assura elle-même que tout y était en ordre.

— Je veux qu'il y ait deux cruches d'eau sur chaque table de toilette, dit-elle. Et des fleurs ! Un vase de fleurs près de chaque lit. Et mets un sac de feuilles de citronnier dans chaque placard !

— Si, señorita, murmura Maria Elena en prenant note mentalement.

Anne quitta la chambre et regarda fixement la porte fermée qui lui faisait face. D'un geste de la main, elle congédia Maria Elena. Elle traversa le couloir et frappa.

— Pase ! répondit une voix de l'intérieur.

Anne leva le crochet et ouvrit la porte. Assise près de la fenêtre, son ouvrage sur les genoux, Sofia brodait.

Comme chaque fois, son étonnante beauté coupa le souffle d'Anne. Bien qu'elle eût atteint trente ans le printemps précédent, Sofia avait toujours la peau aussi blanche et pure que lorsqu'elle était enfant. Ses cheveux, tressés en macarons sur ses oreilles, étaient lisses et noirs, sans le moindre filet gris, elle était aussi mince et souple qu'une jeune fille.

— Buenos días, Sofia, dit Anne, s'approchant et l'embrassant sur le front. Comment te sens-tu aujourd'hui ?

— Muy bien, gracias, señorita, répondit joyeusement Sofia avant de montrer son ouvrage à Anne.

— C'est très beau, Sofia ! C'est ce que tu as fait de mieux.

Sofia eut un large sourire.

— Tu ne cherches pas à me flatter, n'est-ce pas ?

— Absolument pas.

— Crois-tu que tía Natalia sera de cet avis ?

Comme toujours, Anne sentit son cœur se serrer. Elle saisit affectueusement la main de Sofia.

— Tía Natalia sera de cet avis.

Il y avait longtemps qu'Anne avait perdu tout espoir de voir Sofia se remettre de son horrible séjour chez Valdez. Le temps s'était arrêté pour elle... l'esprit d'une enfant de dix ans dans le corps d'une femme adulte.

Anne se pencha, embrassa le large front lisse de Sofia et la laissa à sa broderie. Le cœur lourd, elle ferma la porte derrière elle.

6

Anne ne s'était pas assise de la journée, elle avait souhaité la bienvenue aux invités venus en voiture, en chariot ou à cheval. Mais, tout en embrassant les nouveaux arrivants, elle jetait un

140

regard par-dessus leur épaule, espérant être la première à apercevoir la voiture qui viendrait du Vivian.

Cela dura tout ce long après-midi torride. Après avoir salué Anne, les femmes conduisaient leurs enfants dans les chambres fraîches du premier étage, se reposaient et se changeaient. Le voyage, pour les convives les plus courageux, avait duré trois jours. Les hommes changeaient de vêtements dans la baraque qui leur était réservée et partaient en promenade découvrir le Lantana, car beaucoup d'entre eux venaient au ranch pour la première fois. Ils visitaient les étables, l'abattoir, la tannerie et les comparaient aux leurs. Ils examinaient les mustangs d'Anne et, admiratifs, estimaient le nombre de long-horns rassemblés avant le grand départ en direction du nord. Puis ils se réunirent à l'ombre de deux chênes et racontèrent des histoires gaillardes en se passant des bouteilles de tequila et de whisky.

Dans la cour, Jacinto allait et venait près de la longue tranchée dans laquelle six bœufs rôtissaient sur les braises brûlantes. De temps en temps, un filet de fumée bleue s'échappait du monticule de terre et l'odeur alléchante dérivait du côté des hommes.

Puis le soleil descendit dans le ciel et les ombres s'allongèrent sur la terre. Des femmes se rassemblèrent dans la cour, près de la fontaine; d'autres sortirent et regardèrent les enfants jouer, tout en se racontant les potins qu'elles tenaient en réserve depuis longtemps et qui, pour celles qui habitaient les ranchs les plus isolés, ne se renouvelleraient pas avant une année ou plus.

Il y avait deux heures que la dernière voiture s'était arrêtée devant l'hacienda et, d'après les estimations d'Anne, la plupart de ceux qui avaient accepté l'invitation étaient déjà arrivés. Néanmoins Anne fit allumer deux grands feux pour guider ceux qui étaient partis en retard ou avaient mal jugé la distance à parcourir.

Elle était inquiète et préoccupée. Pourquoi Alex et les Magee n'étaient-ils pas arrivés ? Ils n'habitaient pas loin, selon les critères des ranchers... quatre-vingts kilomètres environ. Ils auraient dû être là. Et si les Magee avaient été retenus chez eux, pourquoi Alex n'était-il pas venu seul ?

— Señorita, dit Jacinto en s'approchant d'Anne, le barbecue est presque prêt.

Les yeux d'Anne scrutèrent l'horizon.

— Nous allons attendre encore un peu, Jacinto, dit-elle. Est-ce possible ?

— Un peu seulement, répondit-il avant de retourner près de la tranchée.

L'obscurité s'installa, mais, autour des feux, il faisait aussi clair qu'en plein jour. Sur une scène élevée au milieu de la cour, un quartette de mariachis, composé de vaqueros, chantait des ballades mexicaines et des chansons d'amour.

Finalement, il fut impossible de faire attendre le barbecue davantage. Jacinto et ses aides découvrirent les flancs succulents des bœufs et se mirent à les découper sur les longues tables chargées de pots de *frijoles*, de plats de légumes et de fruits, de paniers pleins de galettes de maïs Jalapeno et de tortillas chaudes.

Les invités d'Anne mangèrent comme s'ils avaient été privés de nourriture pendant des semaines. Les flancs des bœufs furent découpés un par un et servis; on jeta les os à une troupe de chiens braillards rassemblés dans l'arroyo. Les pots et les plats se vidaient à mesure qu'on les remplissait. A en juger par les éclats de rire et les plaisanteries, les convives prenaient du bon temps.

Anne circulait parmi les invités, s'arrêtait de temps en temps pour parler, sourire à leurs plaisanteries, admirer leurs enfants, jouant à la perfection le rôle d'hôtesse. Elle considérait que la fête était une réussite. Elle était heureuse que les invités s'amusent, mais un peu d'elle-même était ailleurs. La lune s'était levée et ses yeux ne quittaient pas l'horizon où elle espérait voir arriver la voiture des Magee. En relevant la tête, elle vit Rudy, debout près des colonnes du porche, qui la regardait fixement, un sourire de satisfaction sur les lèvres.

Ne voulant pas lui parler, elle changea de direction. Ce ne fut qu'après avoir fait quelques pas qu'elle comprit ce que signifiait ce sourire.

Faisant de nouveau demi-tour, les yeux brillants, elle l'appela.

— Qu'as-tu fait ?

Rudy ouvrit de grands yeux, feignant l'innocence.

— De quoi parles-tu ?

— Tu le sais très bien, dit-elle, les lèvres serrées par le dégoût et la colère. Tu t'es arrangé pour que les Magee ne puissent pas venir.

— Je n'y suis pour rien, protesta Rudy.

— Tu mens ! déclara-t-elle, sans prêter attention aux gens qui la regardaient. Tu ferais aussi bien de tout me dire. Tu sais que je finirai par savoir la vérité.

Rudy la prit par le bras et l'éloigna des curieux.

— Ne me touche pas ! ordonna-t-elle en se dégageant. Dis-moi ce que tu as fait !

— Je t'en prie, Anne, il faut que tu comprennes...

— Tu leur as fait dire de ne pas venir, n'est-ce pas ?

— Je l'ai fait dans notre propre intérêt. Pour nous, Anne. Ne peux-tu pas le comprendre ? Pour nous deux.

Anne lui jeta un regard de haine.

— Il n'existe rien que l'on puisse appeler nous deux.

Les yeux de Rudy s'emplirent de désespoir.

— Tu n'as pas besoin de lui, Anne. Il va t'utiliser. Mettre la main sur ce ranch que nous avons construit ensemble. C'est un arriviste, ça se lit sur son visage.

— Et moi, je lis le mensonge, la fourberie et l'abus de confiance sur le tien, Rudy. J'ai toléré bien des choses... en raison de ce que tu as fait pour mon père et aussi d'Emma et des enfants. Mais maintenant, c'est fini. J'en ai assez de ta jalousie, assez de te voir me suivre comme un petit chien. Je n'ai plus confiance en toi, Rudy.

— Anne... Anne, je t'en prie...

— Je veux que tu quittes le Lantana immédiatement... le plus tôt sera le mieux.

— Anne, attends !

Mais elle avait tourné les talons et s'enfonçait dans la foule, marchant en direction d'un groupe de cow-boys, assis sous la scène.

— Fidel, dit-elle en faisant signe à l'un des hommes de s'approcher.

— *Sí, señora* ? répondit le jeune homme.

— Je veux que tu ailles au ranch Vivian... chevauche toute la nuit si c'est nécessaire. Dis à M. et Mme Magee que la fête a lieu, quoi qu'ait pu leur dire Rudy. Dis-leur qu'elle va durer encore quatre jours. Et dis-leur que je les prie, ainsi que leur invité, M. Cameron, de bien vouloir y assister.

Fidel acquiesça et s'éloigna en direction de l'écurie.

Les invités festoyèrent jusqu'au petit matin et Anne resta debout jusqu'à ce que le dernier groupe d'acharnés soit allé se coucher. Pourtant, peu après l'aube, ayant pris un bain et s'étant habillée, elle allait et venait dans l'hacienda pour vérifier que tout était parfait. Elle venait de quitter la cuisine et traversait la cour, quand quelqu'un l'appela.

Levant les yeux, elle vit Emma debout près de la voûte. Les enfants étaient tous les six groupés derrière elle, de Davey qui, à quatorze ans, était déjà plus grand et plus fort que Rudy, à la petite Sonia.

— Anne, pourquoi as-tu fait cela ? demanda-t-elle, la regardant avec désespoir. Pourquoi as-tu chassé Rudy ?

— Je ne veux plus en entendre parler, dit Anne.

— Je t'en prie, Anne, réfléchis ! Reviens sur ta décision ! supplia Emma qui, laissant ses enfants sous la voûte, pénétra dans la cour.

A sa vue, Anne se sentit mal à l'aise. Ses cheveux bruns étaient ébouriffés, comme s'ils n'avaient jamais connu le peigne. Ses yeux sombres, la seule beauté de son visage, étaient rouges et presque enflés tant elle avait pleuré. Sa robe était froissée et bâillait, laissant entrevoir des bourrelets de chair. Anne remarqua que les talons de ses simples sandales mexicaines étaient complètement usés et que les chaussures elles-mêmes étaient rafistolées avec des bandes de cuir brut.

Emma s'avança et tomba lourdement à genoux devant elle.

— Non, Emma ! Lève-toi !

Mais Emma ne bougea pas et regarda Anne, son visage bouffi déformé par la douleur.

— Je t'en prie, Anne. Ne le chasse pas. Où irons-nous ? Qu'allons-nous devenir ?

Elle essaya de prendre la main d'Anne, mais celle-ci se recula.

— Souviens-toi de ce que nous avons vécu ensemble, sanglota Emma. Tu m'as aidée à mettre Davey au monde. C'est toi qui lui

143

as donné son nom. Tu es sa marraine. Et les autres enfants... ils ont confiance en toi. *Die armen Kinder !* Ils t'aiment.

Anne essaya de ne pas regarder les enfants groupés sous la voûte.

— Nous sommes restées ensemble pendant toute la guerre. La vie était dure, mais nous nous entraidions, et nous avons survécu. Et maintenant tu nous chasses ! Pourquoi, Anne, pourquoi ?

Le visage d'Anne était impassible. Elle ne voulait pas regarder Emma, mais elle ne pouvait pas s'en empêcher. Elle avait l'air si pitoyable, si misérable, si effrayée de ce que l'avenir allait lui apporter, cette femme que Rudy n'aimait plus et qui avait à peine de quoi vivre. Anne était certaine que Rudy ne dormait plus dans le même lit qu'Emma. Il la traitait d'une manière ignoble, restait des semaines sans lui parler ou la rembarrait impitoyablement devant les serviteurs, les cow-boys... n'importe qui.

Elle était agenouillée devant Anne, devant ses enfants, et suppliait comme elle n'avait jamais supplié.

Anne se sentit submergée par une vague de pitié. Comment aurait-elle pu expliquer à cette pauvre femme désespérée qu'elle chassait Rudy parce qu'il était amoureux d'elle ? Comment aurait-elle pu lui expliquer qu'il était follement jaloux et que cette jalousie l'empêchait de vivre sa vie ? Comment aurait-elle pu dire que Rudy ne cessait de tromper Emma et qu'elle, Anne, était sa maîtresse. Elle ne l'aimait pas, c'était un fait, mais cela ne changeait rien.

Presque sans le vouloir, Anne se pencha et tendit les bras vers Emma. Elle lui prit les mains, l'aida à se relever et vit une lueur d'espoir briller dans les yeux gonflés.

— C'est bon, Emma, dit-elle à voix basse, qu'il reste !

Les yeux d'Emma s'emplirent de larmes. Elle se jeta dans les bras d'Anne et sanglota désespérément contre son épaule.

— Merci, mon Dieu, murmura-t-elle, et merci, Anne, merci !

Anne se dégagea :

— Rentre chez toi, Emma, dit-elle calmement. Reconduis tes enfants.

Emma recula. Ses lèvres tremblantes eurent un sourire de soulagement et des larmes coulèrent sur ses joues pâles. Puis elle se retourna, les bras tendus, et rassembla ses enfants.

Anne détourna les yeux, incapable de la regarder. « Ce que je pense de Rudy importe peu, Emma est déjà bien assez malheureuse. »

Quand elle releva la tête, elle constata avec soulagement que la voûte était déserte.

Rudy était encore au lit quand Emma et les enfants regagnèrent la maison.

— C'est arrangé, dit Emma d'une voix fatiguée, s'immobilisant sur le seuil pour repousser une mèche de cheveux raides qui lui barrait le visage. J'ai supplié Anne de nous garder. Nous pouvons rester.

Rudy eut un sourire satisfait.

— Idiote ! Comment peux-tu ramper ainsi ? Tu as réellement cru qu'elle nous chasserait ?

« Je la tiens dans le creux de ma main, poursuivit-il, fermant le poing. Bien serrée, comme cela. Elle ne peut rien faire sans moi. Je sais trop de choses sur le ranch. Je lui suis trop utile. De plus... Il laissa sa voix en suspens et détourna les yeux.

— Qu'y a-t-il, Rudy ? demanda Emma, légèrement soupçonneuse. De plus... Quoi ?

— Rien, répondit-il en lui faisant signe de s'en aller. Prépare le petit déjeuner ! Il est tard et j'ai faim.

Le lendemain, en fin d'après-midi, Maria Elena vint prévenir Anne de l'arrivée d'un attelage.

Le cœur battant à tout rompre, Anne traversa l'entrée en courant et déboucha sous le porche juste à temps pour voir Moses et Vivian Magee sortir de leur voiture.

— Eh bien, Anne, que signifie cette fête annulée puis rétablie ? cria Vivian en guise de salut — elle était petite et grosse, avec des cheveux bouclés. On se faisait une joie de venir et on a été diablement déçus quand on a appris que la fête était annulée.

— C'était une erreur, Viv, dit Anne d'un ton rassurant en se laissant embrasser sur les deux joues. Comment ça va, Moses, vous avez l'air en forme.

Mais elle n'avait pas quitté la voiture des yeux et attendait Alex. Bien que les rideaux fussent tirés à cause de la poussière et de la chaleur, elle pouvait voir qu'il y avait quelqu'un à l'intérieur.

— J'espère que ce n'était pas une blague quand vous avez écrit que tous nos amis seraient les bienvenus, dit Vivian.

— Bien sûr que non, Viv, répondit Anne.

— Eh bien, tant mieux, parce qu'on vous a prise au mot.

A ce moment, Alex descendit de voiture. Elle le trouva incroyablement beau, vêtu d'un pantalon de gabardine bien ajusté et d'une chemise de soie fine maintenue au col par une *bandana*.

Anne sourit de plaisir et sans s'en rendre compte, se passa la main dans les cheveux pour s'assurer qu'elle était à son avantage.

Mais Alex ne monta pas la saluer, comme elle l'espérait. Il se tourna vers la voiture et tendit un bras à l'intérieur. Le sourire d'Anne se figea quand elle vit une petite main gantée de blanc se glisser dans la sienne et une jolie petite brune vêtue d'organdi bleu pâle apparaître.

— Je crois que vous connaissez déjà M. Cameron, dit Vivian d'un air joyeux. Et je voudrais vous présenter ma petite-nièce, Flora, elle nous vient de Macon, Géorgie.

— Nous sommes vraiment gâtés, dit Anne, dont le sourire se crispa davantage en remarquant que la petite main gantée de Flora reposait encore dans celle d'Alex.

— C'est une joie et un honneur de vous rencontrer, mademoi-

145

selle, dit Flora en faisant une petite révérence. J'étais justement en train de dire à Alex que je n'aurais voulu manquer cette fête pour rien au monde.

— Je suis très heureuse que vous ayez pu venir, répondit Anne dont les yeux lançaient des éclairs.

— N'est-ce pas la plus jolie fille que vous ayez jamais vue, Anne ? gazouilla joyeusement Vivian.

— Oh ! ma tante, taisez-vous, gloussa Flora en rougissant. Je suis à demi morte d'embarras.

Mais elle leva ses yeux sombres vers Alex et battit des cils.

— Elle est très, très jolie, murmura Anne avec sincérité, en dépit du mal qu'elle avait à articuler ces mots.

Flora était fine, délicate, et n'arrivait pas à la poitrine d'Alex. Ses cheveux noirs et brillants couvraient ses épaules laiteuses, son corsage décolleté et ajusté mettait en valeur sa taille fine et sa voluptueuse poitrine.

Pour la première fois de sa vie, Anne souhaita ne pas porter un pantalon. Elle savait que cela lui allait bien. Cela mettait en valeur les courbes pures de sa haute silhouette comme aucune robe n'aurait pu le faire. Mais Flora avait l'air si douce, si féminine... elle ressemblait tellement à ce qui, dans l'imagination d'Anne, pouvait plaire à Alex... qu'elle souhaita disparaître immédiatement.

— Eh bien, ma chérie, dit Vivian, n'allez-vous pas nous demander d'entrer ? Je suis tellement desséchée, après ce long voyage, que je crache du coton !

— Oui, oui, bien sûr, s'excusa Anne en rougissant. Entrez, que voulez-vous boire ?

Flora prit familièrement le bras d'Alex et monta les escaliers à la suite de Moses et de Vivian.

— Oh ! n'est-ce pas la plus grande maison que vous ayez jamais vue ? s'exclama Flora quand ils pénétrèrent dans l'entrée. Qui s'attendrait à découvrir une aussi belle demeure, car c'est bien une demeure, n'est-ce pas, Alex, au milieu des terres sauvages du Texas ?

— Je suis heureuse que vous l'aimiez, dit poliment Anne qui aurait aimé griffer le visage lisse de Flora.

Elle les conduisit dans le patio déjà rempli d'invités qui venaient de terminer leur sieste.

— Hé, Moses, regarde, cria Vivian, n'est-ce pas Amy Lou Potter elle-même ? Mon Dieu, ma chérie, il y a des siècles que je ne t'ai vue.

Vivian et Amy Lou Potter se précipitèrent l'une vers l'autre et s'embrassèrent chaleureusement.

— Viens ici, ma petite Flora ! appela Vivian. Viens ici ! Je veux te présenter l'une de mes plus vieilles amies.

A contrecœur, Flora lâcha le bras d'Alex et vint faire la révérence à Amy Lou. Anne se trouva ainsi pour la première fois seule avec Alex.

Elle le fixa un moment, puis elle dit :

— Eh bien, vous pourriez au moins dire : « Comment allez-vous ? » Vous n'avez pas prononcé un seul mot depuis votre arrivée.

Alex sourit. Une lueur ironique brilla dans ses yeux.

— Je me demandais combien de temps vous pourriez garder ce sourire.

D'un seul coup, Anne se rendit compte que son sourire de circonstance lui contractait la mâchoire. Elle laissa les muscles de son visage se détendre.

— C'est mieux, dit Alex. Le sourire forcé ne vous va absolument pas.

Anne se raidit.

— Me tourmenter doit beaucoup vous amuser, monsieur Cameron. Vous n'avez pratiquement jamais rien d'agréable à dire.

L'ironie moqueuse quitta ses yeux, remplacée par une lueur étrange, presque sauvage, qui prit possession de son visage comme si une tempête s'était soudain déclenchée en lui. Il lui saisit le bras et la conduisit hors du patio. Elle était trop étonnée par ce changement pour lui résister. Il l'entraîna dans le bureau, ferma la lourde porte d'un coup de pied, puis il prit son visage dans ses mains et la força à le regarder.

— Ainsi, vous voulez qu'on vous dise des choses agréables, murmura-t-il. Eh bien, peut-être aimerez-vous entendre ce que j'ai à vous dire. Je pense que vous êtes la plus jolie fille que j'aie rencontrée. L'image de votre visage ne m'a pas quitté depuis notre première rencontre.

Son visage à lui était grave, ses yeux aussi bleus que la mer. Un instant, Anne crut qu'il allait la prendre dans ses bras et l'embrasser. Mais il s'éloigna d'elle et se dirigea vers la cheminée.

— Qu'y a-t-il ? demanda Anne, attendant sa réponse avec anxiété. Est-ce Flora ?

Surpris, Alex eut un rire bref.

— Flora ? Comment pouvez-vous croire cela de moi ? Non, ce n'est pas cette petite écervelée. Je l'ai rencontrée pour la première fois il y a une semaine et, depuis, elle ne m'a pas laissé en paix une minute.

— De quoi s'agit-il, alors ? demanda Anne en s'approchant de lui. Qu'est-ce qui vous embarrasse tellement que vous ne puissiez plus parler ?

Alex se retourna et la regarda droit dans les yeux.

— J'ai quitté ma terre natale et je suis venu au Texas dans le seul but... d'investir dans la terre, d'acheter mon propre ranch. En voyageant dans la région, je n'ai rien découvert qui en valût la peine. Oh ! il y a bien quelques milliers d'hectares ici, quelques centaines là, mais rien qui me convienne vraiment. Je veux un domaine comme le vôtre... c'est à peine si j'ose rêver de quelque chose d'aussi grandiose. Peu de ranchs, et peut-être aucun, peuvent être comparés au Lantana. Mais je veux pouvoir me tenir au milieu du mien et savoir que, même en marchant toute la journée, il me sera impossible d'en atteindre la limite. C'est là mon rêve, et je veux le réaliser. Et, pour cette raison, je dois partir. J'ai entendu dire que des terres de cette taille sont à vendre, mais à presque mille cinq cents kilomètres d'ici, dans l'extrême nord de l'État, près de la frontière indienne.

Alex sourit à Anne. Son visage était à la fois pensif et désenchanté.

— Alors, il faut me comprendre, poursuivit-il, bien que je vous trouve plus belle et attirante que je ne saurais le dire, il m'est impossible de vous faire la cour. Je ne serais pas plus inaccessible si j'allais sur la Lune. Séparés par une aussi grande distance, il n'y a aucun avenir pour nous deux.

Il s'avança et l'embrassa légèrement. Avant qu'elle ait eu le temps de le retenir, il ouvrit la porte et partit rejoindre les autres.

Anne ne savait plus que penser. Elle se laissa tomber sur le canapé et se prit les épaules dans les mains pour les empêcher de trembler. C'était la première fois qu'un homme la traitait ainsi. Mais depuis le début, il avait gardé ses distances, ne pouvant rien lui promettre pour l'avenir. Soudain, elle comprit les raisons de son attitude agressive et parfois exaspérante. Il était ironique et sarcastique parce qu'il ne voulait pas s'attacher à elle. Mais il n'avait pas pu porter ce fardeau sans rien dire plus longtemps.

Elle se leva et redressa les épaules. En dehors de son père, elle n'avait jamais rencontré d'homme aussi honnête. Elle craignait de ne jamais en rencontrer d'autre.

« Il faut qu'il reste, se promit-elle. Il ne faut pas le laisser partir. »

Anne n'avait pas pensé à s'habiller pour le bal, mais, pensant à Alex, elle courut jusqu'à sa chambre et chercha une robe susceptible de lui plaire. Il y en avait une en organdi, mais elle détestait le rose... et de plus, Flora portait une robe d'organdi.

Puis elle vit la robe de taffetas rouge sombre. Elle était osée, elle ne l'ignorait pas... un corsage très décolleté, serré à la taille, et une large jupe qui se balançait gracieusement à chaque mouvement. Elle l'enfila et resta immobile devant son miroir pendant que Maria Elena attachait les boutons.

— *Qué bonita !* murmura la servante d'un ton admiratif, et Anne adressa un sourire satisfait à son image. Alors elle tourna sur elle-même, regardant la jupe virevolter autour d'elle, dénoua le ruban qui retenait ses cheveux, secoua la tête pour qu'ils prennent leur place sur ses épaules, puis releva un peu sa jupe pour laisser voir les pointes de ses chaussures de danse.

Heureuse et sûre qu'elle allait avoir du succès, Anne se sentit prête à faire son apparition dans la salle de bal.

Mais Maria Elena la retint.

— Señorita !

— Qu'y a-t-il ? demanda Anne.

Maria Elena s'approcha, portant la chaîne d'or et le rubis que Martha avait légués à Anne juste avant de mourir.

Anne les regarda un instant comme si elle ne les reconnaissait pas. Il y avait des années qu'elle ne les avait portés... des années qu'elle n'avait pas eu l'occasion de passer la fine chaîne d'or autour de son cou.

— Bien sûr, murmura-t-elle à Maria Elena, cela ira très bien avec cette robe.

Elle prit la chaîne et la mit. Le rubis réfléchissait la lumière et brillait sur sa poitrine comme une goutte de sang.

— *Bellísima* ! souffla Maria Elena.

— Merci, murmura Anne. Elle se sentait grande, forte et belle. Elle tourna les talons et sortit.

7

Anne s'arrêta en haut de l'escalier pour mettre ses gants. La valse lente que jouait l'orchestre du major Woodrow la fit frissonner.

Elle descendit les marches lentement, majestueusement, comme si l'orchestre jouait pour elle seule, pour accompagner son entrée. Puis, traversant rapidement l'entrée, ses chaussures de bal claquant légèrement sur le carrelage ciré, elle tendit les mains et ouvrit toutes grandes les portes de la salle de bal. A ce moment, la musique s'arrêta. Le major Woodrow, resplendissant dans un costume vert orné de filets d'or et rehaussé d'épaulettes rutilantes, fit demi-tour pour recevoir les applaudissements des danseurs. Alors qu'il amorçait son salut, ses yeux furent attirés par la silhouette d'Anne, qui se tenait sur le seuil : levant sa baguette, il fit exécuter à son orchestre un joyeux air de fanfare.

Tous les regards se tournèrent vers Anne qui ressemblait à une reine au milieu de ses courtisans. L'assemblée se mit spontanément à applaudir et une dizaine d'anciens combattants poussèrent le cri de ralliement des Sudistes.

Riant de plaisir, Anne pénétra majestueusement dans la salle.

Si tous les hommes la regardaient comme la plus ravissante créature qu'ils eussent jamais vue, il n'y avait pas une femme qui ne se demandât si elle aurait eu le courage d'apparaître en public vêtue d'une robe aussi osée.

Le major Woodrow, s'étant de nouveau incliné profondément devant l'hôtesse, se redressa pour annoncer :

— Mesdames et messieurs... un quadrille écossais ! Choisissez vos cavaliers !

Une vague d'enthousiasme submergea les danseurs, mais personne ne bougea; c'était à Anne de choisir la première. Elle n'hésita pas. Traversant la salle, elle tendit la main à Alex. Flora, qui était alors pendue à son bras, cacha sa surprise et sa colère sous un sourire bien élevé, mais l'éclat dur de ses yeux ne fit qu'augmenter la gaieté d'Anne.

Les danseurs se mirent sur deux rangs, les hommes face aux femmes, le major Woodrow baissa sa baguette et le quadrille écossais commença.

Anne dansait comme elle n'avait jamais dansé. Ses chaussures de bal semblaient flotter à quelques centimètres au-dessus du sol. Elle prit les mains d'Alex et tourbillonna. Puis, se tenant par la taille, ils passèrent à leur tour sous le tunnel de bras tendus. Ils se séparèrent, Alex à un bout de file, Anne à l'autre. Puis, un instant plus tard, ils se dirigèrent de nouveau l'un vers l'autre. La musique était gaie et rythmée. Il semblait à Anne qu'ils étaient à des kilomètres l'un de l'autre. Elle avait l'impression de vivre dans un rêve où tout se déplaçait lentement... Alex qui s'approchait d'elle, ses cheveux blonds montant et descendant quand il passait d'un pied sur l'autre, son sourire qui s'élargissait à mesure qu'il s'approchait, ses mains tendues pour recevoir les siennes.

Soudain, ils se touchèrent. La musique résonnait dans ses oreilles. Elle se sentait ivre de joie et d'émotion. Ils étaient l'un contre l'autre. Elle sentait ses bras puissants autour d'elle. La musique ne s'arrêtait pas, exigeant d'eux qu'ils se séparent de nouveau, mais Alex, la tenant serrée contre lui, l'entraîna loin des autres danseurs.

Anne passa le reste de la soirée comme dans un rêve. Elle dansa avec d'autres hommes, veilla à ce que les verres ne soient jamais vides et conversa aimablement avec les jeunes filles qui faisaient tapisserie. Mais son cœur était avec Alex.

Elle regardait dans sa direction et découvrait qu'il la regardait également. Quand elle désirait boire, il était près d'elle pour lui tendre une coupe de champagne. Elle avait à peine terminé de danser avec un de ces beaux garçons qui avaient voyagé plusieurs jours pour assister à la fête qu'Alex la reprenait dans ses bras et l'entraînait de nouveau au rythme de la musique.

Anne dansait, riait et buvait plus qu'elle ne l'avait jamais fait. Elle se sentait légèrement ivre, mais elle ne savait si c'était d'émotion ou de champagne et ne cherchait pas à savoir. Une seule chose comptait pour elle : être dans les bras d'Alex. Elle comprit, à la façon qu'il avait de la tenir et de la regarder dans les yeux, qu'il lui appartenait.

Il était plus d'une heure quand l'orchestre cessa de jouer. Les musiciens, épuisés, ayant quitté la scène, Moses Magee se mit au violon et fit danser les invités. Un par un, fatigués, heureux, ivres de nourriture et d'alcool, les danseurs à leur tour allèrent se coucher. Enfin, Moses Magee lui-même poussa un profond soupir, posa le violon et sortit en titubant. Anne et Alex restèrent seuls.

Ils firent le tour de la pièce en éteignant les bougies. Les ombres grandirent autour d'eux, l'obscurité les rapprochait l'un de l'autre. Quand il ne resta plus qu'une seule bougie, Alex s'humecta le bout des doigts et saisit la mèche. La flamme grésilla et s'éteignit.

Il prit Anne par la taille et l'attira contre lui. Leurs lèvres se rencontrèrent et il l'embrassa passionnément. Anne, en gémissant de plaisir, glissa les doigts dans ses cheveux bouclés.

— Il est impossible que tu partes, mon chéri, murmura-t-elle, tremblante. Je ne te laisserai pas partir.

— Je ne le pourrais pas, même si je le voulais, répondit Alex.

— J'ai besoin de toi, Alex. J'ai besoin de ton amour et j'ai besoin de ton aide. Tu as assez cherché, mon bien-aimé. Il est inutile d'aller plus loin. Tout ce que je possède, le Lantana et tout ce qu'il contient, t'appartient.

— Et toi ? demanda Alex.

— Je t'appartiens également, répondit-elle.

Serrés l'un contre l'autre dans l'obscurité, ils montèrent l'escalier et suivirent le long couloir menant à la chambre d'Anne. Il ferma la porte derrière eux et la prit dans ses bras. Elle sentit les doigts d'Alex défaire les boutons de sa robe. Elle leva les bras, fit passer la robe par-dessus sa tête et la laissa tomber sur le sol. Alex quitta rapidement ses vêtements et ils s'abattirent sur le lit où il l'embrassa jusqu'à ce qu'elle perde le souffle... jusqu'à ce qu'elle se sente exactement comme le jour où elle était tombée dans la rivière. A bout de souffle, elle griffa le dos d'Alex. Il cria, de plaisir et de douleur, puis lui saisit les bras et les immobilisa sur le lit.

Elle tenta de se mouvoir sous lui, n'essayant pas réellement de se dégager, mais prenant plaisir à mesurer sa force à celle d'Alex. Ainsi elle le prit par surprise et le fit rouler sur le dos, mais il passa les bras autour d'elle, la serrant si fort que ses poumons se vidèrent de tout l'air qu'ils contenaient et qu'elle crut qu'elle allait s'évanouir.

Puis il desserra son étreinte. Elle était à califourchon sur lui et gémit de plaisir quand ses mains caressèrent les courbes de sa poitrine et de ses hanches. Du bout des doigts, il effleura la peau douce et blanche de son ventre; puis ses mains glissèrent entre les jambes d'Anne.

Elle se mit à genoux. Il était prêt. La tenant fermement, il l'attira jusqu'à lui. Anne rejeta la tête en arrière, ferma les yeux.

Peu avant l'aube, un orage éclata sur la *brasada*. Anne s'éveilla dans les bras d'Alex alors que le tonnerre et les éclairs se déchaînaient autour de l'hacienda, éclairant les murs de la chambre d'une lumière argentée. Les meuglements nerveux du troupeau couvraient le grondement du tonnerre.

— Le bétail ! dit Anne, faisant un mouvement pour se lever, l'orage va effrayer les bêtes.

Mais Alex la retint et la serra contre lui.

— Tout ira bien, murmura-t-il d'un ton rassurant. Les cow-boys vont s'en occuper.

Anne resta dans ses bras, les yeux grands ouverts, fixant le plafond éclairé par intermittence. Bientôt, l'orage prit fin aussi soudainement qu'il avait commencé. La pluie frappa de moins en moins violemment les vitres, puis cessa complètement.

Juste avant le lever du soleil, Alex se leva et s'habilla. La maison était encore silencieuse quand il descendit l'escalier et traversa l'entrée. Sur le perron, il respira avec délices l'air frais du matin. Au loin on entendait les hommes de nuit qui s'en allaient, relevés par l'équipe qui prendrait la piste après le petit déjeuner.

Le grand jour était arrivé et la surexcitation des cow-boys qui allaient prendre le troupeau en charge n'échappait pas à Alex.

Il regarda un moment, puis dévala les marches et traversa la cour en direction des baraques.

Mais son apparition sur le perron n'était pas passée inaperçue. A cheval parmi les cow-boys, Rudy, offusqué et incrédule, regardait Alex s'éloigner.

Il comprit aussitôt ce qui était arrivé. La jalousie et la haine s'installèrent en lui.

Bientôt, les invités d'Anne se rassemblèrent sur le perron et dans la cour. Pour la douzième fois en sept ans, Ben Talley, vif et rude, agita sa *bandana* au-dessus de sa tête, annonçant ainsi que l'heure de prendre la piste était arrivée. Les cow-boys poussèrent des cris et agitèrent leurs chapeaux. Les bêtes meuglèrent et se mirent à piétiner sur place, soulevant un nuage de poussière.

— H'yaw ! Hee-yaw ! crièrent les cavaliers et l'immense troupeau se mit en route, semblable à un fleuve majestueux.

Les spectateurs rassemblés dans la cour et sur le perron crièrent des encouragements et des adieux. Le petit Carlos courait avec enthousiasme derrière le troupeau en agitant son chapeau et en criant, imitant par là les adultes.

Au premier étage, Sofia se pencha à sa fenêtre et regarda son fils... sans savoir que c'était son fils, elle prenait plaisir à le regarder gambader. Ses lèvres esquissèrent un sourire et elle fit un signe d'adieu quand Ben Talley, bien droit sur sa selle près du taureau de tête, lui dit au revoir.

Les premières bêtes avaient déjà disparu dans un nuage de poussière jaune quand celles du centre et de la queue s'ébranlèrent. Derrière, venait le cow-boy chargé du troupeau de chevaux. Un peu plus loin, sur le flanc, cahotait le *chuck wagon*, plein à craquer de provisions pour le voyage.

Anne se tenait sur le perron, incapable de cacher son émotion. Elle avait vu un grand nombre de convois quitter le Lantana, pourtant, c'était la première fois qu'elle frissonnait en regardant le troupeau s'allonger et entreprendre sa longue marche vers le nord. « Oh ! mon Dieu », pensa-t-elle. Tout cela lui paraissait si loin !

Elle retint ses larmes et se remit à sourire. Elle sentit une main se fermer autour de la sienne, leva les yeux et vit qu'Alex était près d'elle.

— J'ignorais que c'était un spectacle aussi impressionnant, dit-il. C'est beaucoup plus grandiose que je ne m'y attendais.

— C'est extraordinaire, n'est-ce pas ?

— Oui, vraiment, répondit Alex. Nous pourrons le raconter à nos petits-enfants.

Ses mots s'imprimèrent en elle et elle sentit une vague de bonheur la submerger... Une joie telle qu'elle n'en avait jamais ressentie.

— Nos petits-enfants... murmura-t-elle. Oh ! Alex ! Serre-moi ! Serre-moi fort et ne me laisse jamais partir !

8

Alex baissa son Stetson sur ses yeux et regarda le paysage désolé qui les entourait. Leur voiture cahotait sur la piste creusée d'ornières, soulevant un nuage de poussière blanche.

— Un jour, je t'emmènerai à Édimbourg, dit-il. On l'appelle parfois la Ville Enfumée pour ce que lui déversent les cheminées d'usines, mais c'est une belle ville. Nous suivrons le Royal Mile, de Holyroodhouse au château, d'où l'on peut voir l'estuaire et les montagnes, à plus de soixante-dix kilomètres de là. Puis nous irons dans les montagnes, au château de mon père, rendre visite à ma famille.

— Parle-moi d'eux, dit Anne.

— Mes parents sont âgés... Je suis né tardivement. Je n'ai pas de sœur, mais j'ai un frère, Robert, qui est mon aîné de dix-sept ans. Il va hériter de notre château et de toutes nos terres.

— Il n'y a rien pour toi ? demanda Anne.

Alex hocha la tête.

— Non. C'est l'aîné qui succède au père, ainsi le veut la tradition.

— Et toi ? demanda Anne.

— Eh bien, il faut que je me débrouille, comme tout le monde. C'est la raison pour laquelle j'ai quitté l'Écosse. Je voulais aller là où les possibilités étaient les plus vastes. Je suis tombé sur un exemplaire du *Times* dans lequel on parlait du Texas et des empires que les éleveurs s'y créaient, sur des terres qu'on pouvait acheter pour moins de vingt shillings l'hectare, et j'ai décidé de lier mon destin à ces nouveaux territoires du Nouveau Monde. Les grandes villes étouffantes, comme New York, Philadelphie ou Boston, n'étaient pas pour moi. Je les ai visitées et je ne les ai guère trouvées différentes de Londres. J'y suis resté aussi peu de temps que possible. Dès le début, j'ai su que je m'installerais au Texas. Mon espoir était de réussir en travaillant, et si la chance m'aidait un peu, à acquérir ma propre baronnie.

Anne sourit.

— Et je suppose que c'est moi, la chance.

Alex se mit à rire.

— Oui, c'est ce que tu es, mon amour.

— Pourtant, dit Anne, après la scène de la banque, je ne voulais plus jamais te revoir. Tu m'avais traitée avec si peu de ménagement que j'ai cru que tu étais un mufle.

— Et moi, que tu étais une petite effrontée !

Rieuse, Anna passa un bras sous celui d'Alex.

— Et maintenant, que penses-tu de moi ?

— Je pense encore que tu es une petite effrontée... mais c'est pour cela que je t'aime.

Anne ferma les yeux et s'appuya contre l'épaule d'Alex. La semaine avait été trépidante, un bal chaque soir et trois festins par jour, le clou ayant été un rodéo passionné et tumultueux au cours duquel les invités s'étaient mesurés aux vaqueros d'Anne.

Après le rodéo, les voitures s'étaient avancées devant l'hacienda, avant de s'éloigner dans la *brasada*, emportant les invités, fatigués mais heureux. Ceux qui habitaient loin partirent les premiers; les proches voisins, comme les Magee et les Kendall, qui n'avaient que soixante ou quatre-vingts kilomètres à parcourir, restèrent une nuit de plus.

Le lendemain matin, au petit déjeuner, ils furent surpris de voir Anne apparaître vêtue d'une robe de soie blanche.

Elle souriait nerveusement, et quand elle prit la parole, sa voix tremblait d'émotion.

— Je suis désolée de vous déranger, dit-elle, mais j'aimerais que vous m'accompagniez à la chapelle.

— Qu'est-ce que tout cela veut dire ? marmonna Moses Magee à l'adresse de sa femme. Des prières ? On aurait dû partir hier, comme je le voulais.

— Allons, Moses ! souffla Vivian qui, bien qu'aussi étonnée que les autres invités, se leva néanmoins pour suivre Anne.

Anne s'arrêta à l'entrée de la chapelle et dit :

— Entrez, asseyez-vous.

Ils s'installèrent sur les prie-Dieu, parlant à voix basse, se demandant ce qui allait arriver, et tendant le cou pour regarder Sofia qui était assise au premier rang entre Eugenia et Maria Elena.

Le révérend Polk, un pasteur méthodiste qui s'était récemment installé à Joëlsboro, entra par une porte latérale et prit place derrière le pupitre. Il sourit avec indulgence et, par-dessus le bord de ses lunettes, regarda la congrégation improvisée.

La porte de la chapelle s'ouvrit de nouveau et tout le monde se retourna. Anne et Alex s'immobilisèrent un instant sur le seuil, puis, se tenant par le bras, s'engagèrent lentement dans l'allée.

— Que je sois damnée ! souffla Vivian Magee. Je ne peux pas croire qu'il va y avoir un mariage...

Flora, qui était assise à sa gauche, eut d'abord l'air abasourdie, puis elle se mit à pleurer. Vivian lui tendit un mouchoir et lui posa une main sur le bras pour la réconforter.

Anne et Alex atteignirent le pupitre. Le pasteur s'éclaircit la voix et commença :

— Mes chers amis, nous sommes réunis ici...

Leur voiture attendait devant l'hacienda et les invités étaient rassemblés sur les marches pour leur présenter leurs vœux et les regarder partir.

— C'était une fête extraordinaire, ma chérie ! s'exclama Vivian Magee en pinçant la joue d'Anne. On est venus pour un Fandango et, finalement, on a assisté à un mariage ! Moses et moi, on n'arrivera jamais à faire aussi bien, sûr !

— Tous mes vœux de bonheur, mon gars, dit Moses en serrant la main d'Alex. Vous avez une bonne épouse et un bon ranch.

— Où allez-vous passer votre lune de miel ? demanda quelqu'un, quand les jeunes mariés montèrent en voiture.

— A San Antonio, répondit joyeusement Anne, puis à La Nouvelle-Orléans.

Alex fit claquer les rênes et la voiture s'ébranla. Sur le perron, tout le monde applaudissait et faisait des signes.

Ils prirent leur temps, s'arrêtant dans les auberges et les relais, et arrivèrent à San Antonio tard dans l'après-midi du quatrième jour.

— Aujourd'hui, tu ne me refuseras pas l'accès de ton appartement habituel ? dit Alex quand ils arrivèrent devant l'hôtel Menger.

Anne rit et, bras dessus, bras dessous, ils gagnèrent la réception. Elle regarda Alex saisir le crayon et signer le registre : « M. et Mme Alex Cameron, le Lantana. »

— Anne Cameron, murmura-t-elle, j'aime ce nom.

Les yeux d'Alex s'attardèrent sur le registre. « Le Lantana, pensa-t-il, j'aime ce nom. »

A peine étaient-ils installés dans leur appartement qu'un message de Marcus et Dora Buchanan, des amis d'Alex, leur fut remis les invitant à une fête donnée en leur honneur dans la maison au bord de la rivière.

— Comment sont-ils au courant ? demanda Anne en relisant l'invitation.

— Je leur ai télégraphié de Yellow Rock, dit Alex. A quelle heure sommes-nous invités ?

— Huit heures, répondit Anne.

Alex sortit sa montre de sa poche et démasqua le cadran.

— Eh bien, nous avons du temps devant nous.

— Pour quoi faire ?

Il sourit et la prit dans ses bras.

— Pour nous connaître un peu mieux.

Anne sourit également. Elle lui passa les bras autour du cou et ils se dirigèrent vers le lit.

La réception des Buchanan fut très gaie. Il y avait douze invités sous le lustre étincelant de leur élégante salle à manger. Anne connaissait la plupart des convives : de riches ranchers et leurs épouses.

— Ma chère, déclara Lucinda Hambleton, maintenant que vous êtes mariée, vous devriez vous faire construire une maison ici, à San Antonio. C'est beaucoup plus agréable que d'être confinée toute l'année dans un ranch.

— Mais j'aime vivre au Lantana, objecta Anne.

— Oui, moi aussi... j'aime Palo Verde. Pourtant, je deviendrais folle si je devais y rester continuellement.

— Mais il y a tellement à faire dans un ranch, dit Anne. Je ne vois pas comment je ferais pour m'absenter longtemps.

— Beaucoup de travail et peu de loisirs, dit Lucinda avec désinvolture, agitant les mains comme pour éloigner les objections d'Anne. Pensez à toutes les réceptions que vous allez manquer ! Et aux boutiques. Il y a une petite Française très intelligente qui vient d'ouvrir un magasin de mode près de la plaza. Elle possède les modèles les plus récents. Il faut que je vous y conduise demain matin.

Anne acquiesça poliment mais décida qu'elle serait très occupée, le lendemain matin, quand viendrait l'heure de faire les magasins en compagnie de Lucinda. Des chapeaux ! Elle n'aimait oue les Stetson, un point de vue qu'elle garda pour elle-même.

Les domestiques débarrassèrent la table et servirent le café et de petites soucoupes de flan.

— Regardez ! dit Gideon Ward, un éleveur du comté d'Uvalde, bedonnant et portant une moustache grise.

Il fouilla dans la poche intérieure de sa veste et en sortit un petit paquet, le défit et jeta son contenu sur la table.

— Qu'est-ce que c'est ? demanda Marcus Buchanan, se saisissant de l'objet et le levant de telle sorte qu'ils purent tous voir un morceau de fil de fer, long d'environ trente centimètres, hérissé à intervalles réguliers de pointes acérées.

— C'est une invention nouvelle, déclara Gideon Ward. Je crois qu'on appelle cela le fil de fer barbelé.

— Et à quoi cela peut-il bien servir ? demanda Lucinda Hambleton.

— A construire des clôtures, répondit Gideon.

— Pourquoi des clôtures ?

— Pour enfermer les vaches, ma chère, dit-il.

— Il vous faudra des vaches vraiment bien dressées, remarqua Anne, se désintéressant de l'objet et revenant à son flan.

Marcus Buchanan fut du même avis.

— Qui serait assez fou pour croire que ce dérisoire petit morceau de fil de fer pourra empêcher des taureaux sauvages de passer ? Il est impossible de les enfermer.

— Marcus ! dit Dora, craignant que son mari n'ait offensé Gideon.

— Ne vous inquiétez pas, Dora, affirma Gideon. Je pense la

même chose que Marcus. J'ai apporté cela pour faire rire vos invités.

Alex tendit la main et accepta le morceau de fil de fer barbelé que lui passait son hôte, le tourna et le retourna entre ses doigts, l'examinant, le front plissé.

— Qui vous l'a donné ? demanda-t-il.

Gideon haussa les épaules.

— C'est une espèce de cinglé, dans le parc à bestiaux. Je ne sais pas son nom. Je n'ai pas pris la peine de le lui demander.

— Est-ce qu'un éleveur n'a pas essayé de poser des clôtures de fil de fer dans la région ? demanda Marcus à Anne. Evidemment, ce n'était pas du fil hérissé de pointes, comme celui-ci.

Anne leva la tête. Elle n'avait écouté que d'une oreille et il lui fallut un instant pour comprendre la question.

— Oh ! oui, dit-elle enfin. Oui, mais cela n'a pas marché. Les vaches l'abattaient chaque fois qu'elles avaient envie de passer.

Gideon hocha la tête.

— Et cela lui a coûté une belle somme, je suppose ?

— Cela ne fait aucun doute, répondit rêveusement Anne que la conversation ennuyait.

Elle prit sa cuillère et se mit à ramasser ce qu'il restait de flan au fond de sa soucoupe.

Alex n'avait pas cessé d'examiner le fil de fer, passant le bout du doigt sur l'épais brin central et touchant les pointes acérées.

— Ce genre de chose existe en Écosse, Alex ? lui demanda Marcus.

— Non, pas du tout, répondit Alex. Mais nos troupeaux sont tout à fait dociles; des murs de pierre et des haies suffisent à les retenir.

— Nos taureaux sont si puissants que les buissons d'épineux ne les effraient pas. Je dirais même qu'ils les aiment. Si l'un d'eux s'installe au milieu de toutes ces épines, il faut une semaine pour l'en faire sortir, plaisanta Gideon.

— De toute façon, dit Lucinda Hambleton d'une petite voix, à quoi pourrait bien servir une clôture ? Le bon Dieu nous a donné assez d'espace pour contenter tout le monde.

Anne jeta un regard à Alex. Il avait déroulé le fil de fer et le tenait devant lui. Il n'avait pas touché à son flan. Elle tendit subrepticement la main et s'en saisit.

— Si seulement vous vous rappeliez qui vous l'a donné, dit-il tranquillement, s'adressant à Gideon.

— Il m'est impossible de m'en souvenir, répondit Gideon. Mais en revanche, je l'ai entendu dire qu'il allait faire une démonstration sur la plaza, juste en face de l'Alamo, demain après-midi. On pourrait aller jeter un coup d'œil. Il y aura sûrement du spectacle, c'est moi qui vous le dis... les vaches vont se répandre dans toute la ville.

Tout le monde rit de bon cœur, sauf Alex. Puis Dora Buchanan se leva, marquant ainsi la fin du dîner.

157

Le lendemain après-midi, à l'hôtel Menger, Gideon Ward fit dire à Alex qu'il l'attendait dans la cour.

— Allons-y, chérie, dit Alex à Anne.

— Mais il n'y a aucune raison, répondit-elle d'une voix ennuyée. J'ai déjà vu beaucoup de taureaux sauvages.

— Ce ne sont pas les bêtes que je veux voir, dit Alex. C'est le fil de fer barbelé.

— Le fil de fer barbelé, répéta Anne, assise devant la coiffeuse et se brossant les cheveux. Tu sais ce que je pense des clôtures de fil de fer. C'est une invention de rêveur. Je parie qu'il n'a jamais mis les pieds dans un ranch.

— Il faut au moins aller voir, dit Alex.

— Je n'irais pas. Je n'ai pas envie d'y aller.

— Alors, que veux-tu faire ? demanda-t-il.

Elle se leva et lui passa les bras autour du cou.

— Je veux rester ici et faire l'amour avec toi.

Alex sourit et la regarda.

— Nous aurons tout le temps de faire cela... plus tard. Il faut que j'assiste à cette démonstration. Il se dégagea et prit son chapeau.

— Tu y vas tout de même ? demanda Anne avec surprise.

— Bien sûr, répondit-il en se dirigeant vers la porte. Je ne serai pas long.

Puis il sortit, laissant Anne debout au milieu de la pièce, les mains sur les hanches et la bouche ouverte d'étonnement. Elle avait vraiment cru qu'il changerait d'avis et qu'elle pourrait le convaincre de rester avec elle.

« Je ne peux pas y croire », souffla-t-elle et son étonnement se transforma aussitôt en colère. Elle saisit sa brosse à cheveux et la lança de toutes ses forces contre un vase de roses jaunes qui se renversa.

En pénétrant dans la cour, Alex entendit le bruit du vase qui se brisait et se rendit compte que cela venait de leur appartement. Il s'arrêta un instant, leva la tête, puis haussa les épaules et partit à la rencontre de Gideon.

La plaza, devant l'Alamo, était déjà pleine de badauds. Alex et Gideon se frayèrent un chemin jusqu'aux premiers rangs et découvrirent qu'un enclos de pieux de cèdre, plantés à intervalles réguliers et reliés entre eux par le même fil de fer qu'avait montré Gideon la veille au soir, avait été construit.

Gideon jeta autour de lui un regard inquiet.

— Je ne sais pas ce que vous en pensez, Alex, mais je crois qu'on ferait mieux de reculer un peu. Quand les taureaux vont sortir et se mettre à charger, ils vont sûrement abattre cette clôture et nous piétiner.

Mais il était trop tard pour se mettre à l'abri. La foule les poussait et les immobilisait. Un homme gagna le centre de l'enclos et s'adressa à l'assistance.

— L'invention que nous présentons va révolutionner l'élevage, déclara-t-il. Et nous allons vous montrer comment. Je suis allé exposer ce fil de fer partout et tout le monde m'a dit qu'un vieux taureau texan était capable de l'arracher sans même s'en apercevoir. Eh bien, je vais vous démontrer que ces gens-là parlent sans savoir. Rien ne peut traverser ce fil de fer.

Un murmure, ponctué de rires, monta de la foule.

L'homme, habillé comme un citadin et coiffé d'un chapeau melon, leva les bras pour obtenir le silence.

— Que tous les ranchers présents fassent bien attention. Ce fil de fer va vous donner la possibilité de maintenir votre troupeau en un seul endroit au lieu de le laisser se disperser dans toutes les directions.

— Et pour les fermiers, alors ? cria quelqu'un.

L'homme sourit.

— Il semble raisonnable d'admettre que ce qui empêche les bêtes de sortir les empêche également d'entrer. Vous me suivez ? Cela veut dire que vous pourrez clore vos fermes. Vous n'aurez plus à craindre que des troupeaux ne détruisent vos récoltes. Et cela empêchera vos propres taureaux de piétiner vos champs de maïs.

Il y eut des applaudissements isolés, mais, dans sa majorité, la foule était indécise.

— Un vieux proverbe dit que des actes valent mieux que des mots, poursuivit l'homme. Alors je vais maintenant sortir d'ici et le spectacle va commencer.

La foule parut partager les craintes de Gideon et tout le monde s'éloigna de l'enclos.

Sans plus de cérémonie, on ouvrit les portes et une douzaine de têtes de bétail se précipitèrent en meuglant dans l'enclos. Des spectateurs se mirent à crier et les gens commencèrent à se pousser en essayant de se mettre à l'abri.

Un instant, les animaux restèrent immobiles, étonnés, au milieu de l'enclos. Puis un gros taureau armé de cornes majestueuses gratta le sol et se jeta sur la clôture.

— Oh ! mon Dieu, s'exclama Gideon, en reculant. On est fichus.

Fasciné, cloué sur place, Alex ne pouvait détacher ses yeux du taureau qui chargeait droit sur eux. Gideon s'était jeté sur le sol, roulé en boule, et s'était couvert la tête avec les bras.

Le taureau se précipita contre le fil de fer. Celui-ci se tendit et vibra. Mais il tint bon et le taureau recula comme si on l'avait frappé sur la tête. De l'autre côté, deux bêtes qui s'étaient également attaquées à la clôture, reculèrent, blessées par les pointes acérées. Le taureau suivit la clôture, lui donnant un coup de corne de temps en temps et tentant une ou deux fois de l'ébranler de son flanc puissant. Mais Alex se rendit compte que l'animal commençait à comprendre.

Le grand taureau et les vaches se mirent à aller et venir, excités par la présence de la foule, tout en se gardant bien d'approcher de la clôture. Un peu gêné, Gideon s'était relevé et époussetait son pantalon.

— Ça marche, Gideon ! dit Alex.

— Je n'en reviens pas, répondit Gideon.

La foule s'approcha de nouveau, ne craignant plus de voir les taureaux détruire la clôture et piétiner les spectateurs.

— Regardez, dit Alex, ils ne vont plus approcher.

Quelqu'un poussa le cri de ralliement des Sudistes. D'autres le reprirent et, quelques instants plus tard, un concert d'exclamations joyeuses s'éleva de la plaza.

Alex et Gideon s'éloignèrent et burent un verre pour réfléchir au miracle dont ils avaient été témoins.

— Ça marche ! Ça marche vraiment ! dit Gideon, quand il fut installé près d'Alex dans la cour du Menger devant un punch à la menthe. Mais qu'est-ce qu'on pourrait bien en faire ? Je pense qu'on pourra s'en servir pour construire des enclos où enfermer le troupeau pendant les rassemblements. Mais c'est le seul avenir que je voie à cette invention. Les taureaux doivent rester libres. Il faut qu'ils puissent aller jusqu'à l'herbe et à l'eau; sans cela, ils vont mourir de faim derrière ces fils de fer.

Alex hocha la tête. D'après ce qu'il savait de la *brasada*, tout ce que disait Gideon était vrai. Enfermés, incapables d'aller à la recherche de la nourriture, les animaux mourraient.

La concentration nouait les sourcils d'Alex. Le fil de fer barbelé le fascinait. L'invention semblait bougrement intelligente. On ne pouvait pas imaginer qu'après l'avoir vue mater un taureau sauvage en quelques minutes, on ne puisse l'utiliser qu'à la construction d'enclos au moment du rassemblement.

Gideon le sortit de ses pensées.

— Je prendrais bien un autre punch à la menthe. C'est très rafraîchissant quand il fait chaud comme aujourd'hui. Mais j'ai promis à ma femme de rentrer tôt. Sa sœur vient dîner.

Alex se leva et serra la main de Gideon.

— Nous partons demain matin pour La Nouvelle-Orléans, dit Alex. Nous resterons loin assez longtemps.

— Faites bon voyage ! Saluez Anne pour moi. Et passez nous voir quand vous reviendrez à San Antonio.

Alex remercia Gideon et le regarda s'éloigner. Puis il demanda un autre punch à la menthe et s'assit de nouveau à sa table. Il chercha dans sa poche et en sortit un morceau de papier. Après la démonstration, il s'était approché de l'homme qui avait présenté le fil de fer et avait noté quelques informations.

Il déplia la feuille de papier froissé et lut ce qu'il avait écrit : « Joseph Glidden. Dekalb, Illinois. »

« Je me demande où c'est, pensa-t-il, et comment on peut s'y rendre. »

— Dekalb, Illinois, cria Anne ébahie. Nous devons passer notre lune de miel à La Nouvelle-Orléans. Est-ce que tu insinues que nous allons à Dekalb à la place ?

Le ton de sa voix irrita Alex. Il se détourna et regarda, par la fenêtre, le soleil couchant.

— Pas à la place, ma chère, dit-il, nous irons également à La Nouvelle-Orléans. Mais en plus...

— Non, Alex, non. Je ne veux pas aller à Dekalb, Illinois. Je n'ai jamais entendu parler de ce pays. Si tu es tellement emballé par ce fil de fer barbelé, pourquoi ne pas écrire une lettre à ce M. Giddins ?

— Glidden, rectifia Alex. Il s'appelle Joseph Glidden. C'est lui qui a inventé ce fil de fer.

— Bon, peu importe, ne peux-tu lui écrire ?

— Je veux le voir personnellement.

— Je ne vois pas pourquoi. Tu sais que ce fil de fer ne nous sera d'aucune utilité. Tu l'as dit toi-même. Tu sais que notre bétail mourra si on l'enferme dans des enclos. Alors, je t'en prie, Alex, je t'en prie... Je veux partir demain pour La Nouvelle-Orléans, comme nous l'avons prévu. Pourquoi ne pas écrire à M. Giddins et lui demander les informations qui te sont nécessaires ?

Alex s'éloigna de la fenêtre et gagna le bureau. Anne se sentit soulagée et satisfaite quand il trempa sa plume dans l'encre et se mit à écrire.

Quand il eut terminé, il plia la feuille de papier et cacheta l'enveloppe.

Toute souriante, Anne, traversant la pièce, s'approcha du bureau et lui posa les mains sur les épaules.

— Que lui as-tu écrit ? demanda-t-elle.

— Je lui ai écrit que nous serions à Dekalb mercredi prochain.

9

C'était la première fois qu'Anne prenait le train, mais cette découverte quelque peu effrayante ne réussit pas à entamer sa mauvaise humeur. Elle traversa ainsi l'Arkansas et le Missouri, mécontente de devoir quitter le train tous les cent cinquante kilomètres et de devoir gagner en diligence la ville voisine où un autre train les attendait et les emportait plus loin.

Quand ils atteignirent l'Illinois, ils prirent l'un des nouveaux wagons-couchettes de George Pullman, mais Anne feignit d'ignorer ce luxe relatif. Alors qu'elle refusait de quitter leur compartiment, Alex se promena dans le train, liant connaissance avec d'autres passagers. Il dîna de bon appétit, et resta jusque tard dans la nuit à jouer au poker dans la voiture-salon avec des amis de rencontre.

— J'aurais cru que, après moins d'une semaine, un homme bien élevé ne laisserait pas sa jeune femme seule pour aller jouer aux cartes jusqu'au petit matin, dit-elle sèchement quand il regagna leur compartiment.

— Tu sais bien que j'aime beaucoup le poker, dit-il avec nonchalance tout en quittant ses bottes et en se préparant à se mettre au lit.

— Ignorerais-tu que moi aussi je pourrais aimer jouer aux cartes de temps en temps, plutôt que de rester cloîtrée pendant que tu t'amuses ?

— Tu joues au poker ? demanda-t-il surpris.

— Bien sûr, répliqua-t-elle. Et je suis même très forte.

— Je l'ignorais, dit Alex.

— Il y a beaucoup de choses que tu ignores, lui rappela-t-elle.

Soudain, il tendit les bras, prit Anne aux épaules et la secoua légèrement.

Il resta un instant silencieux et reprit à voix basse, les lèvres près de l'oreille d'Anne :

— Je sais que tu n'es pas contente. Ce n'est pas la lune de miel dont tu avais rêvé. C'est également mon cas. Mais ce n'est qu'un entracte... une interruption. Dans quelques jours, nous descendrons le Mississippi sur un bateau à roue en direction de La Nouvelle-Orléans. Nous prendrons alors du bon temps, exactement comme nous l'avions prévu. Mais Anne... Anne, c'est dans l'intérêt du Lantana que nous faisons ce voyage en Illinois.

La locomotive siffla plaintivement dans la nuit. Le wagon pullman se balançait en rythme, traversant en trombe les étendues vertes de l'Illinois.

Anne se serra contre Alex et enfouit son visage contre son épaule. Ses lèvres tremblaient et des larmes s'échappaient de ses yeux.

— Allons, allons, dit-il doucement. Sèche tes larmes. Il n'y a aucune raison de pleurer. Nous sommes ensemble et nous nous aimons.

— Oh ! oui, Alex, nous nous aimons, n'est-ce pas ?

— Plus qu'il est possible de le dire, ma chérie.

— Oh ! mon chéri, dit-elle, je suis désolée. J'ai été égoïste. Je voulais que tu t'occupes de moi. Je voulais que tu t'occupes uniquement de moi.

— Mais ne comprends-tu pas, dit-il en lui levant la tête, que je ne m'occupe que de toi ? Tu es le Lantana... et le Lantana, c'est toi. Il y a quelque chose que tu ne comprends pas... Le Lantana n'est pas seulement un ranch. C'est une baronnie. Tu possèdes plus de terres que beaucoup de monarques européens et ton empire est peuplé de sujets qui ont besoin de toi et comptent sur toi pour assurer leur subsistance. Tu ne règnes pas sur un pauvre petit domaine. En réalité, tu règnes sur un véritable royaume !

— Oh ! Alex, murmura-t-elle, tu me fais peur.

— Il n'y a pas de raisons d'avoir peur, répondit-il. Tu es forte et, ensemble, nous serons plus forts encore. Côte à côte, nous prendrons ce royaume et nous le rendrons grandiose; Anne, une aventure extraordinaire nous attend !

162

Ils restèrent moins de vingt-quatre heures à Dekalb. Ils gagnèrent Saint Louis par le train suivant et embarquèrent à bord du *Memphis Queen* en partance pour La Nouvelle-Orléans.

La rencontre avec Joseph Glidden avait été un succès. Il avait accueilli chaleureusement Anne et Alex, puis leur avait fait visiter son usine où des machines bruyantes fixaient les pointes acérées sur un fil de fer galvanisé toujours en mouvement.

Plus tard, de retour dans le bureau de Glidden, Alex avait demandé :

— Quelle est la longueur d'un rouleau ?

— Cinq cent cinquante mètres, avait répondu Glidden.

Alex avait pris un morceau de papier et s'était mis à calculer.

— Dans ces conditions, monsieur Glidden, nous aurons besoin de six cent cinquante rouleaux.

Glidden avait ouvert de grands yeux.

— Mon Dieu ! Vous avez l'intention de clore votre ranch ou le Texas tout entier ?

— Le tiers sud, seulement, répondit Alex sans sourciller.

Ils descendaient le Mississippi à bord du *Memphis Queen*, menant grand train et occupant la plus belle cabine du bateau. Pendant la journée, ils restaient assis sur le pont et regardaient défiler lentement les rives du fleuve. A chacun de ses arrêts, le bateau était accueilli par un orchestre de jazz. L'ambiance était gaie et chaleureuse. Le soir, ils dînaient dans le luxe et dansaient sous les lustres de cristal de la salle de bal.

Anne était au comble du bonheur. Elle chassa de sa mémoire les moments désagréables qui avaient marqué le début du voyage. Elle ne pensait qu'à elle-même et à Alex; et elle était très amoureuse... tellement amoureuse qu'elle ne remarquait pas les longues rêveries dans lesquelles il s'enfermait parfois. Les préoccupations qui l'éloignaient d'elle par moments lui échappèrent complètement.

Sur le quai surpeuplé vers lequel se dirigeait le *Memphis Queen*, attendait Charles Laforêt, banquier de premier plan et propriétaire de La Rivière, l'une des plus belles plantations en amont de La Nouvelle-Orléans.

Il vit Alex et Anne appuyés contre la rambarde et se fraya un chemin dans la foule afin de se trouver au pied de la passerelle quand le couple débarquerait.

— Alex, mon ami[1], s'exclama-t-il en serrant chaleureusement les mains d'Alex, bienvenue à La Nouvelle-Orléans !

— Je suis très heureux d'être ici, Charles, répondit Alex. J'aimerais te présenter ma femme. Anne, je te présente Charles Laforêt.

— Je suis très heureuse de vous rencontrer, Charles, dit Anne en souriant. Alex m'a dit grand bien de vous.

— Ne croyez pas un mot de ce qu'il dit, plaisanta Charles en riant mais sans réussir à dissimuler sa satisfaction. Il avait tout

1. En français dans le texte.

juste dépassé la cinquantaine. Il était grand, bien bâti, avec un beau visage gaulois : pommettes hautes, nez fier, patricien, yeux vifs et intelligents.

Il plut tout de suite à Anne et elle fut heureuse qu'Alex lui ait écrit pour l'informer de leur arrivée.

Il les conduisit à sa voiture et prit la main d'Anne pour l'aider à monter.

— A l'hôtel Saint-Louis, dit-il au cocher avant de monter en voiture et de s'asseoir près d'Anne sur la banquette de cuir. Eh bien, Alex, tu as l'air en pleine forme. Tu dois te plaire au Texas. Ou peut-être est-ce à cause de ta jolie femme. Quand je t'ai vu pour la dernière fois, en Écosse, dans le château de ton père, tu étais pâle et indécis, tu te demandais quoi faire de ta vie. J'ai l'impression que tu as pris la bonne route.

— C'est vrai, dit Alex en regardant Anne.

— Et comment va ton père ?

— Il devient moins valide en vieillissant, mais il est toujours aussi grincheux, répondit Alex.

— Je ne peux pas le croire, dit Charles en se tournant vers Anne, Douglas Cameron est l'homme le plus vigoureux que j'aie rencontré, et de plus, tout à fait charmant. J'ai été invité, avec ma famille, dans son château des Highlands, au cours de mon dernier voyage en Europe. Je dois avouer que nous n'avons jamais été mieux reçus. Et j'espère que je saurai me montrer à la hauteur de sa gentillesse pendant votre séjour ici.

Au début, Anne fut séduite par La Nouvelle-Orléans. Alex et elle occupaient un splendide appartement à l'hôtel Saint-Louis et prenaient part aux délicieux divertissements de Crescent City en compagnie de Charles et de Léonie, sa femme. On leur servait des plats aux goûts étranges dont Alex et elle ignoraient tout : du pompano rôti et sucré, des gombos au riz, de l'andouille à l'ail, des crabes et des langoustes... le tout accompagné d'un pain chaud, délicieux et craquant.

Certains soirs, ils dansèrent jusqu'à l'épuisement; Charles leur prêta deux fois sa voiture pour qu'ils puissent aller à la campagne en suivant la route qui longeait le fleuve et pique-niquer seuls sous de grands chênes moussus.

Une semaine plus tard, Charles leur envoya sa voiture et ils se rendirent à la fête organisée à La Rivière.

— Quelle magnifique maison ! s'exclama Anne en serrant la main d'Alex alors qu'ils suivaient la longue allée.

La lune s'était levée, révélant une demeure à colonnes, blanche et entourée d'une large véranda. Les fenêtres étaient brillamment éclairées et ils entendirent les flonflons de l'orchestre bien avant d'atteindre la maison.

Léonie les attendait sur l'escalier.

— Bienvenue, mes chers[1], dit-elle en tendant les bras vers eux.

---

1. En français dans le texte.

Une fois de plus, Anne fut heureuse d'entendre le léger accent français de Léonie. Cela rendait la scène plus irréelle et merveilleuse.

— Vous avez une robe magnifique, ma chère, dit Léonie. Je suis sûre qu'elle vient de Paris.

— J'ai bien peur que non, répondit Anne, amusée mais flattée. Une des servantes du Lantana l'a copiée dans un magazine.

— Mon Dieu ! s'exclama Léonie, réellement étonnée, il faudra que vous me donniez son nom.

Prenant Anne et Alex par le bras, elle leur fit gravir les marches et les conduisit sous la véranda puis dans la salle de bal.

Les Laforêt n'avaient reculé devant rien. L'orchestre était installé sous un dais décoré de fougères et de fleurs cueillies dans le jardin de la plantation. Des serviteurs en livrée allaient et venaient dans la salle avec des plateaux chargés de coupes de champagne, et, sur de longues tables couvertes de nappes blanches, il y avait assez de nourriture et de boisson pour des bacchanales.

Charles, qui avait guetté leur arrivée, se fraya un chemin au milieu des danseurs pour leur souhaiter la bienvenue.

— Il faut que tu viennes tout de suite voir Jeannette et Suzanne, dit-il, elles sont très étonnées que tu ne sois pas venu plus tôt alors que tu es ici depuis une semaine.

Traversant de nouveau la salle de bal, il conduisit Anne et Alex vers un groupe de jeunes gens rassemblés près de l'orchestre.

— Jeannette, appela-t-il, essayant de couvrir la musique, Suzanne, Alex et sa femme sont arrivés.

La plus jeune, Suzanne, fut plus prompte à se retourner. C'était une jeune fille aux cheveux roux, jolie et souriante.

— Oh ! Alex, dit-elle, vous souvenez-vous de moi ?

— Bien sûr, sourit-il.

Puis il la présenta à Anne.

— Aimez-vous toujours les chevaux ? demanda-t-il.

— C'est ma passion, dit Suzanne en riant.

Anne comprit que, sous cette apparence soignée et bien coiffée, se cachait un garçon manqué qui aurait préféré s'occuper de chevaux plutôt que d'assister à un bal.

Puis Jeannette quitta ses amis et s'avança.

Elle était d'une beauté éclatante. Elle avait les traits de son père : pommettes hautes et nez droit. Ses cheveux noirs accentuaient encore la douce blancheur de sa peau.

— Mais tu as grandi, dit Alex en lui prenant la main. Quand nous nous sommes rencontrés, tu étais encore une petite fille.

Ses joues prirent la couleur des roses fixées sur le dais et Anne remarqua que ses lèvres se mirent à trembler quand Alex lui prit la main.

— Oh ! Alex, souffla-t-elle, je... je suis si heureuse de vous revoir.

Alex la présenta à Anne, mais Jeannette ne faisait les yeux doux

165

qu'à Alex. Elle parla brièvement à Anne, avec politesse, puis se retourna vers Alex.

— Voulez-vous danser avec moi ? demanda-t-elle.

— Accepte, Alex, dit Charles, ainsi j'aurai l'occasion de faire valser Anne.

Alex passa les bras autour de la taille de Jeannette et ils s'éloignèrent. Ils dansèrent en silence, faisant le tour de la salle de bal. Quand ils passèrent devant une porte-fenêtre ouverte, Jeannette s'écarta et murmura :

— Allons sous la véranda, Alex... juste un moment.

Sans lui lâcher la main, elle le conduisit dehors. Le clair de lune emplissait le jardin de mystère. Jeannette s'immobilisa près de la balustrade, regardant droit devant elle. Alex se tenait près d'elle.

Soudain, elle se tourna et le regarda. Ses yeux étaient pleins de larmes.

— Oh ! Alex, je vous ai perdu, sanglota-t-elle, se jetant dans ses bras.

Alex ne savait que faire.

— Que veux-tu dire, Jeannette ?

— Je vous aime, Alex, dit-elle en pleurant. Vous ne pouvez pas l'ignorer. J'ai pensé à vous chaque jour depuis que nous sommes revenus d'Écosse. Et maintenant... maintenant...

Alex essaya de la repousser, mais Jeannette s'accrocha à lui.

— Je t'en prie, Jeannette, je t'en prie, murmura-t-il.

— Je ne peux pas supporter l'idée que vous soyez marié, dit-elle, les épaules secouées de sanglots. Maintenant que je vous ai perdu à jamais.

Alex sentit le parfum des roses dans ses cheveux. Il la regarda tendrement. Son sourire était attristé car il comprenait les peines de cœur de la jeunesse.

— Jeannette, j'aurai toujours de l'affection pour toi.

Elle releva la tête et le regarda, les yeux brillants.

— Je ne veux pas de votre affection. Je veux que vous m'aimiez.

Alex se dégagea.

— N'allons pas plus loin, Jeannette. Retournons à l'intérieur. Écoute, la danse est terminée.

Elle hocha la tête en silence et essuya ses larmes. Alex fit demi-tour pour rentrer dans la salle de bal, mais Jeannette lui prit la main et le retint.

— Je ne vous oublierai jamais, Alex, dit-elle. Et je vous aimerai toujours.

Après le bal, Anne et Alex regagnèrent leur hôtel et ne s'éveillèrent pas avant midi le lendemain. Anne se leva et demanda qu'on monte le petit déjeuner, mais Alex resta couché, le front soucieux.

Il comprit qu'il ne pouvait pas cacher plus longtemps ses projets à Anne. Au cours des jours précédents, il avait remarqué qu'elle était plus nerveuse.

Il était temps de partir. Alex le savait. Mais comment annoncer à Anne qu'il ne rentrerait pas au Lantana avec elle ?

Ce soir-là, elle trouva elle-même la solution du problème. Quand elle prit le manteau d'Alex pour le ranger, elle trouva dans l'une des poches un billet pour une seule personne dans le train de San Antonio.

— Où est l'autre ? demanda-t-elle en fouillant dans l'autre poche. Oh ! Alex, tu as dû le perdre.

Il avait l'intention de tout lui expliquer le lendemain matin, après une dernière nuit en ville, mais il ne lui était plus possible de reculer.

— Je ne l'ai pas perdu, Anne, dit-il, il n'y en a pas d'autre.

Le ton de sa voix inquiéta Anne. Elle leva la tête. Elle tenait toujours le manteau.

— Je... Je ne comprends pas.

Il lui prit le manteau et le jeta sur le lit.

— Asseyons-nous, Anne. Il faut que je te parle.

Il la conduisit jusqu'au canapé et remplit deux verres de champagne. Puis il remit la bouteille au frais dans le seau d'argent. Anne prit le fragile verre de cristal mais ne but pas.

— Que se passe-t-il, Alex ? Dis-moi. Tu as des difficultés ? Tu as l'air ennuyé.

— Anne, tu vas retourner seule au Lantana.

— Seule ? Je ne comprends pas. Et toi ? Que vas-tu faire ?

— Je dois partir en voyage, Anne... en voyage d'affaires.

— Eh bien, j'irai avec toi !

— Non, Anne, je resterai absent beaucoup trop longtemps. Il faut que tu restes au ranch. Tu dis toi-même que tu n'as pas confiance en Rudy et nous sommes restés absents trop longtemps déjà.

— Alex, je ne comprends pas, en quoi consiste ce voyage d'affaires, et où vas-tu ?

Alex détourna les yeux.

— Je retourne en Angleterre, Anne.

— Non !

— Si ! Il le faut. J'y ai beaucoup réfléchi et c'est le seul moyen. Je vais acheter des reproducteurs pour notre ranch. On peut améliorer beaucoup la race du bétail texan, mais il nous faut des animaux bien en chair pour y parvenir.

— Alex, c'est une idée ridicule. Cela ne donnera aucun résultat.

Elle se leva d'un bond et se mit à marcher de long en large devant lui.

— Les vaches anglaises ne survivront pas au Texas. Elles n'ont pas l'habitude des broussailles. Elles ne sont pas assez résistantes. Elles vont mourir de faim.

Anne s'arrêta et fixa Alex.

— Le fil de fer, s'exclama-t-elle, cette saleté de fil de fer. Maintenant, je comprends pourquoi tu tenais tant à te rendre en Illinois. Tu y penses depuis le début... tu savais que tu retournerais en Grande-Bretagne, mais tu me l'as caché.

— Je ne voulais pas gâcher notre lune de miel.

— Oh ! comme c'est gentil ! Ses yeux brillaient de colère. Ainsi, après t'être amusé avec moi deux semaines, pour m'amadouer, tu t'en vas courir de l'autre côté de l'océan pour Dieu sait combien de temps et tu me laisses rentrer seule de notre lune de miel. Eh bien, je n'accepte pas, Alex. Tu rentres avec moi au Lantana ou alors je t'accompagne !

— Anne, tu sais que c'est impossible. Tu sais qu'on a besoin de toi au ranch.

— Je n'accepte pas, cria-t-elle. Je ne veux pas rester seule. Je me suis mariée avec toi pour ne plus jamais être seule. Alex... Alex...

Il lui prit la main et essaya de l'attirer contre lui, mais elle se libéra et se remit à marcher de long en large.

— Anne, sois raisonnable. C'est dans notre intérêt que je m'en vais. Les long-horns, tout maigres qu'ils soient, ont fait de toi une femme riche. Pense à ce que vont te rapporter des bêtes plus grosses.

— J'ai assez d'argent, cria-t-elle. Je suis probablement la femme la plus riche du Texas !

Elle vint à lui, lui prit les mains et s'agenouilla à ses pieds.

— Oh ! Alex, j'ai besoin de toi... seulement de toi... que tu restes toujours près de moi.

Il l'attira près de lui, sur le canapé, et la prit dans ses bras. Elle se mit à pleurer et il embrassa ses larmes.

— Anne, mon amour, nous resterons ensemble, tous les deux, côte à côte, toujours.

Elle resta un moment silencieuse, appuyée contre lui. Là, elle se sentait en sécurité et elle essaya de reprendre le contrôle de sa voix. Enfin, elle demanda :

— Alors, tu ne pars pas. Du moins pas maintenant ? Tu attendras que je puisse t'accompagner ?

Alex soupira.

— Je suis désolé, Anne. Je le suis réellement, crois-moi. Mais mon bateau quitte le port demain à midi.

10

Le lendemain matin, à quatre heures, le train dans lequel Anne avait pris place quitta la gare de La Nouvelle-Orléans. Elle avait refusé d'accompagner Alex jusqu'au port pour assister à son départ. Pendant toute la matinée, il avait essayé de la convaincre, mais elle lui avait opposé un silence de glace. Il avait tenté de l'embrasser au moment de lui dire au revoir, mais elle s'était tournée vers la fenêtre et avait fixé la voiture qui attendait Alex dans la rue.

— Je reviendrai dès que possible, Anne, avait-il dit avant de sortir. Je ne serai absent que quelques mois, c'est promis.

Elle n'avait pas répondu. Elle ne s'était même pas retournée pour le regarder sortir. Et, quand la porte se fut fermée derrière lui, elle ferma également les volets pour ne pas le voir dans la rue.

Anne frissonna et se tassa sur son siège. Elle n'avait aucune idée de ce que lui réservait l'avenir. Elle ignorait jusqu'au nom du bateau sur lequel Alex s'était embarqué. Et quelle était sa destination ? L'Angleterre ? L'Écosse ? Elle ne lui avait pas demandé de lui laisser une adresse et il ne lui avait rien dit. Combien de temps serait-il absent ? Quelques mois, avait-il dit. Mais Anne n'en était pas sûre.

Assise, seule dans l'obscurité, bercée par les mouvements réguliers du train, elle se souvint de ce que Rudy lui avait dit d'Alex : « Il va se servir de toi. C'est un arriviste, c'est écrit sur son visage. »

Anne avait peur que Rudy n'ait eu raison. Ils n'étaient mariés que depuis quelques semaines et Alex semblait avoir déjà pris la tête du ranch. Il l'avait traînée contre sa volonté en Illinois et avait pris la décision de dépenser une fortune pour du fil de fer barbelé dont elle ne voulait pas, n'en voyant pas l'utilisation. Puis, il l'avait abandonnée pour aller en Grande-Bretagne acheter un troupeau qui, elle en était sûre, dépérirait et mourrait dans les immensités sauvages de la *brasada*.

« Quelle folle j'ai été, pensa-t-elle avec amertume. C'est bien un arriviste, et il ne perd pas son temps. »

Elle poussa un profond soupir et regarda les marais sur lesquels s'étendait l'obscurité. Elle se demanda si Alex l'aimait vraiment. Il lui semblait impossible que son ardeur ait été un faux-semblant. Il lui avait procuré plus de plaisir que les autres. Était-il possible que sa passion ait été feinte, une ruse pour lui faire croire qu'il l'aimait ?

La fierté d'Anne fit obstacle à ces soupçons et elle les écarta de son esprit.

« C'est impossible, se dit-elle. Il m'aime vraiment. J'en suis sûre. Il le faut ! »

La nuit se referma autour d'elle et elle s'endormit sur la banquette inconfortable.

Le voyage fut difficile. On passait d'un train à une diligence, puis de nouveau dans un train. Mais ils laissèrent enfin les forêts de pins derrière eux et pénétrèrent dans l'immense prairie, parsemée de chênes et de peupliers, qui indiquait que San Antonio n'était pas loin.

Moins d'une heure plus tard, le train pénétra en gare, sifflant et faisant sonner sa cloche. Anne fut la dernière à descendre. Elle sauta également sur le sol et regarda autour d'elle, à la recherche d'un cocher susceptible de rassembler ses bagages et de la conduire à l'hôtel Menger. Alors elle vit Rudy. Il était appuyé contre un pilier, au milieu de la foule qui s'était rassemblée à l'arrivée du train.

— Rudy, cria-t-elle en se frayant un chemin jusqu'au quai.

Il se retourna, la vit, sourit et vint à sa rencontre. Un rayon de soleil fit briller ses cheveux. Son visage était coloré malgré son hâle et les muscles de ses larges épaules roulaient sous le tissu de sa chemise.

Il lui tendit les bras et elle ne put résister au désir de se jeter contre lui et de se laisser serrer. Puis, reprenant ses esprits, elle se dégagea et se força à sourire.

— Merci d'être là, Rudy, dit-elle, je ne m'attendais pas à ce que tu viennes toi-même.

— J'avais envie de changer d'air, répondit-il, il y a des siècles que je ne suis pas venu à San Antonio.

Les yeux bleus de Rudy ne quittaient pas les siens, la gênaient, la faisaient bégayer.

— Mes... mes... bagages ! J'en ai une quantité inimaginable. Est-ce que tu as quelqu'un... pour t'aider ?

Rudy sourit de nouveau, remontant lentement les coins de sa bouche. Sans quitter Anne des yeux, il héla deux jeunes Mexicains qui se tenaient près de lui.

— Amigos, allez chercher les bagages de la dame.

Les jeunes garçons attrapèrent au vol les pièces que Rudy leur lança et disparurent dans la foule.

— Où est ton mari ? demanda Rudy sans cesser de la fixer.

— Il est en voyage... En voyage d'affaires.

— Sera-t-il absent longtemps ?

Anne faillit avouer qu'elle n'en savait rien. Mais soudain, le charme fut rompu entre Rudy et elle. Elle baissa les yeux.

— Non, mentit-elle, il ne sera pas absent longtemps.

Les jeunes garçons réapparurent, titubant sous le poids des bagages d'Anne. Rudy déchargea l'un d'eux de la plus grosse des valises et la chargea sans effort sur ses épaules.

— La voiture attend dehors.

— J'avais l'intention d'aller au Menger, dit-elle. Je ne pensais pas prendre la route du Lantana avant demain matin. Mais puisque tu es ici, nous ferions aussi bien de partir.

— J'espérais que nous pourrions rester une journée, dit Rudy. J'ai des courses à faire. Emma m'a fait une liste.

— Bien sûr, répondit Anne en hochant la tête. Je ne pense qu'à moi. Le voyage t'a probablement fatigué.

— Non, dit Rudy. J'ai passé la nuit dans une auberge, au sud de la ville. Ce matin, j'étais bien reposé.

— Eh bien, c'est décidé, dit Anne. Nous allons passer la journée ici. Je vais te prendre une chambre au Menger.

Quand Rudy s'installa près d'elle dans la voiture, un sourire jouait sur ses lèvres.

Le soir, ils dînèrent ensemble dans un petit restaurant allemand près de la rivière. Anne n'avait pas retrouvé son appétit et touchait à peine à sa nourriture. Rudy engloutissait de grandes quantités de saucisses rôties et de pommes de terre bouillies.

170

— Tu n'as pas faim ? demanda-t-il en montrant l'assiette qu'Anne avait à peine touchée.

— Pas vraiment, répondit-elle, je n'ai pas envie de manger.

— Eh bien, reprends un peu de vin, proposa-t-il en saisissant la bouteille et en remplissant le verre d'Anne.

C'était un vin blanc légèrement acide, qu'Anne n'aimait pas beaucoup, d'une qualité très inférieure aux vins français de prix qu'elle avait bus à La Nouvelle-Orléans; mais elle le but rapidement et, quelques minutes plus tard, elle tendit de nouveau son verre à Rudy pour qu'il le remplisse.

— Oh ! la la, dit-elle sans pouvoir s'empêcher de glousser de surprise. Je crois bien que le vin m'est monté à la tête.

Rudy sourit de nouveau.

— Tu devrais manger un peu.

— Je ne pourrais plus rien avaler, dit-elle.

Il se contenta de sourire encore et lui remplit son verre.

— Assez, assez, protesta-t-elle, mais elle porta son verre à ses lèvres et but.

Quand, une demi-heure plus tard, ils se levèrent pour partir, Rudy dut s'approcher d'elle pour la soutenir. Elle tituba sur le chemin pavé, cherchant à comprendre pourquoi une surface aussi rigide ondulait ainsi. Rudy lui prit la taille et l'aida à marcher.

— Oh ! des marches, dit-elle en regardant l'escalier conduisant de la berge à la rue, je n'y arriverai jamais.

Rudy la souleva avec autant de facilité que si elle avait été une poupée de chiffons et la porta jusqu'à la rue. Elle se sentait en sécurité dans ses bras. Elle se blottit contre sa poitrine, les bras autour de son cou, et il l'entendit murmurer : « Merci, Rudy, merci. Je n'y serais jamais arrivée seule. »

Il la porta jusqu'à l'hôtel. Sans se préoccuper du visage surpris du réceptionniste, il gagna le deuxième étage, montant deux marches à la fois, et ouvrit la porte de l'appartement d'Anne.

Sans la lâcher, il traversa le salon et la chambre. Puis il la posa doucement sur le lit. Anne secoua la tête pour essayer de dissiper le vertige qui s'était emparé d'elle.

— La chambre tourne, murmura-t-elle faiblement, et je ne peux pas la faire cesser.

Elle sentit que les mains de Rudy tripotaient les boutons de sa robe. Son visage était tout proche et elle se rendit compte qu'elle pouvait vaincre le vertige en fixant les yeux de Rudy. Elle s'y plongea et perçut la chaleur de son souffle sur sa joue et l'âpreté du vin sur ses lèvres.

Il lui retira sa robe et elle se laissa aller contre l'oreiller. Presque aussitôt, il s'agenouilla au-dessus d'elle, le souffle court, les lèvres ouvertes.

Soudain son vertige cessa. Les deux images de Rudy se fondirent en une seule. Elle leva les bras et posa les mains sur sa poitrine pour le repousser.

171

— Rudy, gémit-elle, les yeux grands ouverts, je t'en prie, je suis mariée maintenant.

Il lui saisit les poignets, écarta ses mains et lui maintint les bras contre les flancs. Il baissa la tête et l'embrassa longuement.

— Tu es mariée, murmura-t-il enfin, la bouche près de l'oreille d'Anne, mais tu es toujours à moi. Alex ne t'aime pas. Je t'avais prévenue. Ses regards ne trompaient pas. Et maintenant, il est parti, te laissant seule. Une jeune épouse... abandonnée. Est-ce ainsi qu'on aime ? Réponds-moi, Anne !

Sa tête allait et venait sur l'oreiller.

— Je ne sais pas, Rudy, je ne sais pas.

— Et moi, je t'aime, poursuivit-il sans cesser de lui souffler dans l'oreille, il y a des années et des années que je t'aime. Et je ne te quitterai pas, moi.

Ses yeux s'emplirent de larmes et elle sanglota sans se cacher.

— Je te suis fidèle, Anne, continua-t-il. Sa voix était un murmure grave qui la berçait et la réconfortait. Je resterai toujours près de toi, Anne. Toujours... toujours.

Puis elle sentit le corps de Rudy peser sur le sien, les muscles puissants de sa poitrine s'appuyer contre la chair tendre de ses seins, les poils blonds de son ventre effleurer les siens, ses longues jambes glisser entre ses genoux et les écarter. Il lui prit les bras et se les mit autour du cou, puis, basculant les hanches, il glissa en elle.

— Rudy ! cria-t-elle. Elle serra les doigts sur sa nuque et appuya avec force la bouche de l'homme contre la sienne.

11

Le 7 février, Anne reçut une lettre d'Alex. Elle avait été postée à Naples le 17 novembre. Elle l'ouvrit et lut :

Ma chère Anne,

J'espère que cette lettre te parviendra avant Noël. Mon plus grand regret est de ne pouvoir être là pour passer les fêtes avec toi. Si je n'avais pas été malade, j'aurais fait voile vers Galveston début décembre et nous aurions été réunis pour les fêtes.

Cependant l'humidité de l'air a eu presque aussitôt des effets sur ma santé. J'ai essayé, au début, de ne pas en tenir compte, mais j'ai été finalement contraint de garder la chambre avec une pneumonie qui m'a affaibli tellement qu'il me fut impossible de t'avertir.

Actuellement, je suis en assez bonne santé pour voyager. Je suis allé à Naples. On espère que le soleil d'Italie va me remettre définitivement sur pied.

Tout cela a évidemment retardé de plusieurs mois l'exécution de mes projets. Je compte repartir pour l'Angleterre, mais on m'a dit que je ne pourrai pas entreprendre ce voyage avant le mois de mars.

J'espère que tout va bien au Lantana. Je pense à toi et je t'aime.

Alex.

Anne leva la tête et regarda les flammes qui dansaient dans la cheminée, profondément émue. Il y avait cinq mois qu'elle était revenue au Lantana... cinq mois pendant lesquels elle n'avait eu aucune nouvelle d'Alex. Il lui avait été impossible de savoir où il était et ce qu'il faisait... et aucun indice sur ses sentiments vis-à-vis d'elle après qu'elle eut refusé de lui dire au revoir à La Nouvelle-Orléans.

Au début, elle avait guetté avec passion l'arrivée d'une lettre. Elle aurait voulu lui écrire pour lui dire qu'elle était désolée d'avoir agi ainsi, qu'il avait eu raison d'entreprendre ce voyage. Mais surtout, elle voulait qu'il lui dise qu'il l'aimait... qu'il l'aimait vraiment... Être rassurée sur ce point lui aurait donné la force de rompre complètement et définitivement avec Rudy.

Mais elle n'avait reçu aucune lettre. Alex ne lui avait pas

confirmé son amour et ne l'avait pas rassurée sur ses sentiments. Et, au fil des mois, pendant que l'hiver, avec ses vents violents chargés de pluie et de neige fondue, s'installait, tellement rigoureux qu'Anne avait peur de ne plus jamais avoir chaud, elle se rapprocha de plus en plus de Rudy.

« Trop tard », pensa-t-elle. Elle froissa la lettre entre ses mains et faillit la jeter au feu. Mais quelque chose la retint. Peut-être était-ce le souvenir de ses grandes espérances, le matin où elle s'était tenue près d'Alex, dans la chapelle, et l'avait épousé, peut-être était-ce le souvenir doux et persistant du jour où il l'avait embrassée et lui avait fait l'amour ? Peut-être était-ce simplement le désir de lire la lettre encore une fois pour se convaincre vraiment qu'il l'aimait ?

Quoi qu'il en soit, elle aplatit la feuille de papier froissée et la glissa dans l'un des tiroirs de son bureau.

Un nouveau chargement de fil de fer barbelé arrivait chaque semaine. Les cow-boys d'Anne plantaient des pieux et tendaient le fil de fer sur le périmètre des trois ranchs qu'elle contrôlait. Quand le premier chargement était arrivé, elle avait failli le refuser et télégraphier à Joseph Glidden pour annuler le contrat. Mais Rudy l'en avait empêchée.

— Au moins, cela fixera les limites de ton domaine, remarqua-t-il, et il sera moins facile à des bandits tels que Valdez de voler du bétail.

Fermant étroitement le col de son manteau, elle traversa la cour et rejoignit Rudy qui se tenait près d'un chariot chargé de fil de fer.

— Où envoies-tu ce chargement ? demanda-t-elle.

— A Ebonal, répondit-il en criant pour couvrir le bruit du vent. Nous essayons de faire le lien entre sa clôture et celle du Lantana. Il faut empêcher le bétail qui fuit le froid de repartir.

La rigueur de l'hiver avait poussé d'innombrables jeunes taureaux beaucoup plus au sud que les autres années. Les hommes d'Anne travaillaient fiévreusement à la construction d'une barrière, à la limite nord du domaine, pour empêcher que les animaux ne quittent la propriété quand viendrait enfin le printemps. Elle faisait apposer sa marque, la couronne d'épines, aussi rapidement que possible. Le mauvais temps, qui avait semé la mort et la désolation dans la majeure partie de l'État, profitait au Lantana dont la richesse augmentait à mesure que la température baissait.

— Encore un hiver comme celui-là, cria joyeusement Rudy, et nous posséderons toutes les vaches du Texas.

Anne le regarda sans répondre. Le *nous* ne lui avait pas échappé et elle n'était pas certaine qu'il lui faisait plaisir. Elle frissonna et serra son manteau autour d'elle.

Elle regagna l'hacienda et ferma derrière elle les lourdes portes de chêne. Dans son bureau, elle rechargea le feu et l'attisa jusqu'à ce que les flammes s'élèvent et viennent lécher les briques couvertes de suie. Puis elle s'approcha de son bureau et sortit la lettre d'Alex. Il y avait une adresse sur l'enveloppe : 73 Kent Lane, Londres. Alex y serait à son retour d'Italie.

Elle prit une feuille de papier, trempa sa plume dans l'encre et écrivit :

Mon Alex chéri,
Rentre vite, je t'en prie. J'ai plus que jamais besoin de toi... plus que je ne saurais le dire...

Elle s'arrêta. L'encre sécha sur la plume pendant qu'elle réfléchissait à nouveau à Rudy et au contrôle de plus en plus étroit qu'il exerçait sur le Lantana et sur elle-même. Elle comprit qu'il lui restait peu de temps. Si Alex ne revenait pas bientôt, elle avait peur que Rudy ne s'empare complètement du ranch. Ainsi, non seulement elle aurait perdu le Lantana, mais également Alex.

Elle trempa de nouveau sa plume dans l'encre et écrivit avec passion, affirmant à Alex qu'elle l'aimait et qu'elle se faisait beaucoup de souci pour sa santé. Elle remplit quatre pages de sa haute écriture inclinée avant de terminer :

... Mon aimé, mon cher amour, je compte les jours qui me séparent de ton retour. Écris-moi, je t'en prie, pour me dire que tu as déjà pris ta place de bateau. Je t'attendrai à Galveston, les yeux fixés sur l'horizon pour voir apparaître les voiles de ton bateau.

Ton épouse qui t'aime,
Anne.

Elle cacheta l'enveloppe et appela la femme de chambre.

— Maria Elena, demande à Ernesto de porter cette lettre en ville et de la poster. Je veux qu'elle parte aujourd'hui.

Anne se mit au travail. Elle examina les documents officiels empilés sur son bureau. Elle avait du mal à comprendre leur langage pompeux, mais elle était consciente de la garantie qu'il représentait. Le mois précédent, elle avait fait le long et difficile voyage jusqu'à Austin pour faire enregistrer les titres des trois ranchs qu'elle contrôlait. Elle entendait raconter de plus en plus souvent que des squatters, qui avaient été assez intelligents pour se rendre dans les bureaux de la capitale et réclamer les titres de propriété de terres sur lesquelles ils désiraient s'installer, avaient réussi à s'approprier des terrains appartenant depuis toujours aux ranchs voisins. Elle était bien décidée à ne pas laisser un seul mètre carré du Lantana lui échapper et les documents posés devant elle garantissaient que son ranch, trois millions cinq cent mille hectares, lui appartiendrait, ainsi qu'à ses héritiers, pour toujours.

Dans la cheminée, les bûches s'étaient enflammées, mais cela ne semblait pas suffire à réchauffer la pièce. Anne mit son manteau de peau de mouton sur ses épaules et se leva. Elle avait l'intention de s'envelopper dans une couverture de laine et de s'allonger sur le canapé, mais, parvenue au milieu de la pièce, elle fut saisie de vertige, tituba et dut s'appuyer contre une chaise pour ne pas tomber. Elle resta un instant immobile, respirant avec difficulté, à attendre que la nausée disparaisse; mais elle ne disparut pas et elle dut se comprimer la gorge entre les doigts pour ne pas vomir. Elle réussit à faire le tour de la chaise et s'y laissa tomber, la tête sur les genoux.

La nausée finit par s'atténuer et elle put se redresser. De nouveau, la pièce lui parut froide et, quand elle tendit les mains vers le foyer, elle se rendit compte qu'elle tremblait.

Les premiers malaises avaient eu lieu après son retour d'Austin. Au début, elle les avait mis sur le compte de la fatigue due à un long voyage au cœur de l'hiver. Quand elle s'était rendu compte qu'ils ne cessaient pas, elle s'était mise à croire que ses nerfs en étaient responsables... les soucis causés par son aventure avec Rudy et l'absence d'Alex les mettaient à rude épreuve. Mais, assise devant le feu, tremblante et pâle, elle n'était plus sûre de rien.

« Casimiro », murmura-t-elle en se levant lentement. Elle le trouva dans sa petite hutte située près du groupe de baraques où vivait un grand nombre de familles mexicaines. Quand elle entra, il broyait des herbes bouillies. A l'intérieur de la cabane, l'air était chargé de fumée bleue que dégageait un feu de broussailles et un vieux chien était couché sur un lit de paille près du foyer.

Casimiro lui dit bonjour et lui offrit une tasse de *tisana*. Il était voûté, ses longs cheveux couvraient ses épaules et sa peau était jaunie par l'âge. Mais Anne l'avait toujours vu ainsi. Il en était de même pour tous les habitants du Lantana. Personne ne savait exactement quel âge il avait... mais on disait qu'il avait plus de cent ans. Chaque fois qu'un enfant effronté avait l'audace de le lui demander, un sourire plein de sous-entendus plissait le visage ridé de Casimiro et il répondait : « J'ai connu ce pays avant que les hommes n'en foulent le sol. J'ai connu le temps où il n'y avait ni lune ni étoiles. »

En le regardant, penché au-dessus des tasses de terre cuite qu'il emplissait de thé, Anne était presque prête à croire qu'il avait réellement connu ces époques reculées.

— Que se passe-t-il, doña Anne ? demanda-t-il après lui avoir servi une tasse de thé et l'avoir fait asseoir sur l'unique chaise de la cabane.

— Je ne me sens pas bien, répondit Anne dans son dialecte, mélange d'espagnol et d'indien. J'ai l'impression d'avoir l'estomac plein d'eau bouillante et je suis prise de vertiges.

Casimiro la fixa, ses yeux jaunes plongeant profondément dans ceux d'Anne, sondant son âme. Il posa deux doigts sur ses lèvres, lui ordonnant ainsi de ne plus rien dire. Puis il lui prit les mains et les garda entre ses paumes sèches comme du parchemin. Il ferma les yeux et parut entrer en transe tout en se concentrant.

Enfin, il ouvrit de nouveau les yeux et lâcha les mains d'Anne. Il observa son visage avec attention puis tendit la main et lui effleura le ventre.

— Qu'y a-t-il ? demanda Anne. Savez-vous quelle maladie j'ai ? Pouvez-vous me guérir ?

— Vous n'êtes pas malade, répondit Casimiro d'une voix froide et acérée comme un vent d'hiver. Vous n'avez pas besoin d'être soignée.

— Qu'y a-t-il, alors ? demanda Anne, confuse.

— La vie est en vous, répondit-il d'une voix douce. Une nouvelle vie.

Anne sursauta et pâlit.

— Non ! C'est impossible.

Casimiro se tourna de nouveau vers elle.

— Un enfant, dit-il simplement. Avant que la lune ne soit pleine sept fois encore.

— Non ! cria Anne, incapable d'accepter le verdict mais certaine que Casimiro avait dit la vérité. Ce n'était pas la peine de compter les mois pour comprendre que l'enfant était de Rudy.

Son esprit cherchait désespérément une solution et elle crut qu'elle allait s'évanouir. « Alex, pensa-t-elle. Oh ! Alex, tout est fini entre nous maintenant. »

Elle reprit rapidement le dessus et se pencha vers le curandero.

— Casimiro, murmura-t-elle d'une voix tremblante, il faut que vous m'aidiez. Vous connaissez certainement une herbe, un remède, capable de m'en débarrasser. Je vous en prie, aidez-moi.

Les yeux de Casimiro s'assombrirent et il se détourna.

— Je ne connais aucun moyen, dit-il simplement.

— Oh ! Casimiro, il est impossible que ce soit vrai. Vous êtes un sage. Vous connaissez les vertus des herbes et des racines. Je vous en prie, aidez-moi.

Il se tourna de nouveau vers elle, mais elle ne put percer le voile qui obscurcissait ses yeux.

— Je soigne, je remets en place. Je donne la vie, murmura-t-il. C'est tout ce que je sais faire.

Il se pencha sur le feu et l'attisa à l'aide d'une branche noircie. Il ne pouvait pas l'aider... ou bien il ne voulait pas. Peu importait; cela revenait au même. Anne comprit que, quoi qu'elle fasse, elle ne réussirait pas à le convaincre.

Elle se leva, traversa la pièce au sol de terre battue et gagna la porte. Aussitôt, elle sentit le souffle glacé du vent. Elle se retourna. Casimiro l'observait.

Elle se glissa dehors et ferma rapidement la porte derrière elle.

12

Ce jour-là, ainsi que le lendemain, furent un cauchemar pour Anne. Ce qui se passait en elle l'angoissait et la tourmentait; ce qui ne pouvait manquer d'advenir de son mariage la désespérait.

Pour la première fois depuis des années, elle ne fit pas sa visite quotidienne à Sofia et quand Carlos, joyeux, vint lui demander de jouer aux dominos avec lui, elle le renvoya avec une tape sur les fesses. Les servantes s'avertirent les unes les autres, en silence, et gardèrent leurs distances. Elles firent tranquillement leur travail, évitant la chambre et le bureau d'Anne et restant dans les couloirs et la cuisine.

Le moment le plus désagréable fut lorsque Rudy pénétra sans frapper dans son bureau sous prétexte de discuter travail, mais en réalité dans l'espoir de faire l'amour avec elle sur le canapé devant le feu.

— Sors, dit-elle d'une voix glacée.

Subrepticement, il ferma la porte à clé et s'immobilisa devant elle, un sourire jouant sur ses lèvres.

— Ne comprends-tu pas l'anglais ? dit-elle d'une voix coupante. Dois-je le dire en allemand ? *Hinaus* !

Rudy cessa de sourire mais ne bougea pas. Elle était furieuse de le voir ainsi, debout devant elle, les mains dans les poches arrière, les hanches en avant dans une attitude provocante et les joues encore rougies par le froid. Anne ferma à demi les paupières. Ses yeux étincelaient et elle se rendit compte que si elle pouvait s'emparer de son colt, elle serait capable de viser et d'abattre Rudy... sans remords... avec satisfaction même.

— *Hinaus*, hurla-t-elle, se redressant et lui montrant la porte.

Sa colère surprit Rudy. Il recula et tendit la main derrière lui pour ouvrir le verrou. Elle ne le quitta pas des yeux, le visage glacé, pendant qu'il se glissait dehors et fermait la porte.

Puis elle s'abattit sur son bureau, les épaules secouées de longs sanglots.

Anne avait déjà commencé à grossir, mais elle mit des vêtements larges afin que son état reste secret. Elle voyait venir avec angoisse le jour où il lui faudrait apparaître en public, elle se demandait comment elle pourrait s'habiller. Son pantalon de cuir était pour elle, depuis toujours, comme une seconde peau et elle savait qu'elle avait pris trop de poids pour le mettre.

Elle rencontrait Rudy aussi rarement que possible, lui laissant de plus en plus la responsabilité de diriger le Lantana, situation qui, considérant ses rêves d'avenir, le mettait au comble du bonheur.

Anne se rendait dans la chambre de Sofia, s'asseyait près de sa belle-mère et, par la fenêtre garnie de barreaux de la chambre du premier étage, regardait le printemps s'installer. Sofia brodait des nappes blanches pour l'autel de la chapelle. Elle ne parlait plus que rarement, même quand Carlos lui rendait visite, mais ses doigts habiles façonnaient des motifs élégants avec des fils aux couleurs vives et son dé à coudre en or brillait au soleil.

Elles passèrent de longues journées ensemble dans un silence presque jamais rompu. Mais, en bas, on préparait le rassemblement de printemps. Anne ne s'en occupait pas, parfois, elle entendait Rudy crier des ordres d'une voix forte et assurée, mais elle ne cherchait pas à savoir ce qui se passait.

Anne finit par lire la dernière lettre d'Alex. Ses mots étaient doux et passionnés, mais ses déclarations d'amour la remplirent de consternation et d'inquiétude plutôt que de joie. Il écrivait à la fin qu'il rentrerait au début de l'été.

« Deux mois, pensa Anne. Deux petits mois. »

Elle avait beau s'ennuyer de lui, elle avait beau l'aimer encore, désirer plus que tout trouver refuge entre ses bras, elle chercha un moyen de retarder son retour, de reculer la date à laquelle son bateau entrerait dans le port de Galveston.

Néanmoins, elle prit une plume et du papier pour lui écrire qu'elle attendait impatiemment son retour, honteuse de sa fourberie quand elle ajouta que tout allait bien.

Le pouvoir grandissant de Rudy sortit enfin Anne de sa léthargie. Pour la première fois depuis le début de sa grossesse, elle se mit à faire attention à son apparence. Il n'était pas question de porter un pantalon de cuir. Elle avait essayé d'en enfiler un et n'avait pas réussi à attacher les boutons. Mais elle trouva deux robes de coton, de couleur foncée, qui lui allaient assez bien.

— Heureusement que je suis grande, murmura-t-elle en s'examinant dans son miroir. Sa haute taille l'aidait à dissimuler son ventre naissant et elle découvrit qu'en jetant un châle sur ses épaules et en le nouant devant, il lui était encore possible de cacher sa grossesse.

— Pour le moment du moins, dit-elle, s'adressant à son reflet. Mais pour combien de temps ?

Elle quitta sa chambre et descendit l'escalier. Elle rencontra Maria Elena dans l'entrée.

— Oh ! señora, dit la femme de chambre, je suis contente que vous alliez mieux. Comment vous sentez-vous ?

— Très bien, Maria Elena, merci, dit-elle en ouvrant la porte de son bureau et en pénétrant à l'intérieur.

Elle fut surprise de trouver Rudy derrière son bureau.

— Que fais-tu ici ? demanda-t-elle sans chercher à cacher sa colère.

— Il y a du travail, répondit Rudy.

Il n'avait manifestement pas l'intention de se lever. De plus, après avoir jeté un regard indifférent à Anne, il se replongea dans l'étude d'un livre de comptes.

— Tu as ton bureau, Rudy, dit-elle, pourquoi ne pas l'utiliser ?

— Les livres de comptes sont ici, répondit-il. J'ai l'intention de les mettre à jour. Cela n'a pas été fait depuis longtemps.

Anne ne pouvait pas le nier. Elle ne s'en était pas occupée depuis qu'elle s'était découverte enceinte. Les tiroirs débordaient de factures, de relevés bancaires et d'états. Pourtant, elle était furieuse que Rudy ait pris sur lui de faire son travail. Depuis la mort de Joël, elle s'était occupée seule des problèmes financiers du ranch, et que Rudy ait pris connaissance de ces informations personnelles l'effrayait.

— C'est bon, Rudy, dit-elle sèchement, laisse les livres ici. Je vais m'en occuper.

— Il y a encore beaucoup à faire, Anne, dit-il, montrant ainsi qu'il n'avait pas l'intention de la laisser prendre la suite. Il y a ici des choses vieilles de plusieurs mois.

Elle traversa rapidement la pièce et, d'une main, ferma brutalement le livre de comptes.

Rudy tendit aussitôt la main, lui saisit le poignet et le serra avec force.

— Cesse de te battre, dit-il sans élever le ton, tout à fait sûr de lui. Tu ferais mieux de t'habituer à me voir ici. Nous sommes associés maintenant... ou nous le serons bientôt.

— Je ne sais pas de quoi tu veux parler, dit-elle entre ses dents. Ses yeux brillaient de colère.

— Je suis sûr que tu le sais, répondit-il. Un sourire jouait sur ses lèvres. Il lui lâcha le poignet et s'adossa, regardant Anne de la tête aux pieds sans chercher à cacher qu'il l'examinait.

— Pourquoi une robe, Anne ? Aurais-tu l'intention de sortir ? Peut-être t'es-tu soudain mise à aimer les robes ?

— Mes vêtements ne te concernent pas ! dit-elle sèchement.

— Mais la raison qui te les fait porter me concerne, répondit Rudy. Il se leva brusquement et lui fit face, la regardant droit dans les yeux.

— Je connais ton secret, Anne. Je sais que tu attends un enfant et qu'il est de moi.

Anne encaissa le coup et recula en titubant comme s'il l'avait frappée.

— Va-t'en !

Rudy fit un pas dans sa direction :

— Sois raisonnable, Anne. Quand ton mari verra ce qui est arrivé, tu auras besoin de moi. Je serai ton unique allié.

— Je serais plus en sécurité si j'avais un serpent à sonnettes pour ami ! dit Anne.

Rudy baissa les yeux et hocha la tête.

— Tu me juges mal, Anne. Je t'aime.

Sa voix était calme et son apparente sincérité décontenança Anne.

— Tu ne l'as jamais cru... jamais vraiment. Mais c'est vrai. Je t'aime plus que tout. Je sais ce que tu penses de moi. Je sais que tu as peur de mon ambition. Je suis ambitieux, je ne peux pas le nier. Depuis que mon père m'a jeté hors de chez lui, quand j'étais jeune, je rêve de posséder une terre. Tout en travaillant au Lantana, pour Joël d'abord, pour toi ensuite, mais toujours pour un salaire, je n'ai pas cessé de rêver. Je me suis promis d'avoir un jour un ranch à moi... et le Lantana me convient très bien. Mais, il faut me croire, Anne, j'abandonnerais ce rêve si mon amour pouvait être partagé.

— Cela n'arrivera jamais, Rudy, dit Anne en s'éloignant.

Il sourit tristement et n'essaya pas de la suivre.

— C'est bien possible, constata-t-il, mais je veux tenter ma chance. J'attendrai.

— Il faudra que tu sois aussi patient que Job.

Rudy acquiesça :

— Je le serai !

Anne profita de sa position pour reprendre sa place derrière le bureau. Rudy se retourna et lui fit de nouveau face.

— Réfléchis, Anne. Souviens-toi du passé. Quand tu as épousé Alex et que vous êtes partis en voyage de noces à La Nouvelle-Orléans, je t'aimais déjà. Mais, une fois à La Nouvelle-Orléans, il t'a abandonnée et je t'attendais quand tu es revenue seule... J'attends encore... et je t'aime encore.

Anne voulut parler, mais il lui imposa silence d'un geste de la main.

— Quand Alex va rentrer, poursuivit Rudy, et découvrir que tu es enceinte, nous verrons qui prendra ton parti. Nous verrons qui t'aime vraiment. Et peut-être viendras-tu enfin à moi.

Il ne lui laissa pas le temps de répondre. Il fit rapidement demi-tour et sortit de la pièce, fermant la porte derrière lui.

Anne se laissa tomber sur sa chaise et se prit la tête entre les mains. « Oh ! Rudy, pensa-t-elle, tu ne comprends pas. Est-il possible que la haine se transforme en amour ? La peur en confiance ? Non, tu ne comprends pas. »

13

Au cours des semaines suivantes, ils ne firent aucune allusion à cette conversation. Comme pendant le calme qui précède la tempête, leurs rapports furent anormalement bons... chargés pourtant d'une violence prête à éclater.

Cela arriva plus tôt que prévu, et sous une forme totalement différente.

Au milieu du mois de mai, Anne se rendit en voiture à Joëlsboro afin de rendre visite au docteur au sujet de sa grossesse. Jacob Collier, un vieil ivrogne bavard, était arrivé en ville l'hiver précédent et s'était installé dans un cabinet de deux pièces situé au-dessus de la pharmacie.

Il était mince, chauve, avait une grosse moustache grise et, tout en examinant Anne, il prenait de temps en temps une gorgée de whisky, portant à ses lèvres une bouteille verte qui ne quittait pas le tiroir inférieur de son bureau.

— Oui, vous êtes bien enceinte, dit-il en s'essuyant la moustache et en se léchant les lèvres.

— Je le sais, dit froidement Anne. Je voulais seulement savoir si cela se déroulait normalement.

Le docteur Collier leva les sourcils et fit la moue.

— Ça m'en a tout l'air. Vous ne vous sentez pas mal ?

— J'ai été malade, il y a quelque temps, répondit Anne, mais je me sens bien maintenant.

Anne quitta la table d'auscultation, boutonna sa robe et prit son sac.

— Tout se déroule parfaitement bien, affirma de nouveau le docteur Collier, vous êtes solide comme un cheval ! Bon... eh bien... alors, ce sera un dollar, ajouta le docteur Collier en tendant la main.

En traversant la salle d'attente, Anne eut la surprise de voir Emma, assise sur l'un des bancs de bois.

— Oh, Emma ! Es-tu malade ?

— Bonjour, Anne, dit Emma sans prendre la peine de paraître heureuse de la rencontrer, c'est à cause de cela. Elle leva le bras et lui montra la brûlure infectée qu'elle avait au coude.

— Tu aurais dû montrer cela à Casimiro, suggéra Anne, il te l'aurait guéri en un rien de temps.

— Je ne fais pas confiance aux guérisseurs mexicains, répondit Emma. Et toi, Anne, qu'est-ce que tu as ?

Anne hésita puis dit :

— Rien. Rien de sérieux. Je croyais que j'avais besoin d'un remontant, mais le docteur Collier dit que je suis en pleine forme.

Emma sourit poliment et répondit par un signe de tête au geste d'adieu d'Anne.

Un moment plus tard, le docteur Collier passa la tête dans la salle d'attente et fit signe à Emma d'entrer. Il nettoya la brûlure et l'enduisit d'une épaisse pommade jaune avant de la panser.

— Ne vous salissez pas, conseilla-t-il en lui tendant un pot de baume, et mettez-vous un peu de cela sur le bras chaque fois que vous changerez le pansement.

— Merci, docteur, dit Emma en se levant.

Elle gagna la porte, puis se retourna et ajouta :

— J'ai rencontré mon amie Anne Cameron dans la salle d'attente. J'espère qu'elle n'est pas malade.

— Mme Cameron va très bien, dit joyeusement le docteur en tendant le bras pour prendre sa bouteille dans le tiroir. Une femme aussi grande et forte ne devrait pas avoir de difficulté pour accoucher.

Le visage d'Emma ne changea pas d'expression, mais elle retint son souffle.

— Vous habitez au Lantana, n'est-ce pas ? demanda le docteur Collier.

— Oui... oui, répondit Emma.

— Eh bien, quand le moment sera venu, assurez-vous qu'elle

fait appel à moi. Je viendrai pour que tout se déroule comme il le faut.

— Bien sûr, docteur, bien sûr, dit Emma; et ce sera pour quand, selon vous ?

— Pour le mois d'août, répondit le docteur Collier, pour le milieu du mois d'août.

Il était trop occupé à chercher sa bouteille pour remarquer la pâleur des joues d'Emma. Quand il releva la tête, elle était partie.

Cette nuit-là, et tandis que Rudy dormait près d'elle, Emma resta éveillée. Elle entendit l'horloge sonner deux heures. Elle n'avait pas encore fermé l'œil. La poitrine de Rudy montait et descendait régulièrement, Emma était irritée par son profond sommeil.

« Maintenant, je sais exactement en quoi consiste ton travail, pensa-t-elle en regardant le profil imprécis du visage de son mari. Ce n'est pas seulement poser des clôtures et faire le cow-boy. C'est aussi coucher avec la patronne. Je l'ai toujours su, mais maintenant, j'en suis certaine. Elle est enceinte et c'est toi le père ! »

Emma s'assit, le souffle coupé par l'angoisse qui lui serrait la poitrine. « Oh ! Rudy », pleura-t-elle doucement, « pourquoi avoir fait cela ? Je suis ta femme et je t'aime. Pourquoi t'être laissé séduire ? »

Elle se leva sans bruit. « Je ne la laisserai pas faire ! Je mourrai peut-être, mais je ne la laisserai pas faire ! »

Elle gagna la cuisine en titubant, folle de jalousie et de désir de vengeance. « Je la hais, dit-elle à voix haute. C'est une putain, rien de plus ! Je l'ai élevée alors qu'elle avait perdu sa mère, et maintenant, elle veut me prendre mon mari. Il faut l'en empêcher. Je ne peux pas la laisser faire ! »

Elle s'appuya contre l'égouttoir de bois, le souffle court, cherchant à échafauder un plan. Elle aurait voulu qu'ils puissent faire leurs paquets et quitter le Lantana, mais elle savait que Rudy, ensorcelé par Anne, s'y refuserait.

— Qu'est-ce que je peux faire ? murmura-t-elle, désespérée. Qu'est-ce que je peux faire pour sortir mon Rudy des griffes de cette putain ?

Puis elle vit la boîte d'allumettes posée sur l'appui de la fenêtre. La pensée qui lui traversa l'esprit lui coupa le souffle et elle essaya de la chasser. Mais sa jalousie, plus forte que tout, la poussa à tendre la main. Ses doigts se refermèrent sur la boîte.

Emma traversa en silence la cour située derrière l'hacienda. La grande maison se dressait devant elle.

Progressant lentement, elle trouva la porte qui donnait sur la cour arrière. Le verrou rouillé grinça quand elle le souleva, mais la porte s'ouvrit sans un bruit. Elle traversa le patio et s'arrêta près de l'escalier de l'entrée. Elle se saisit d'une chaise à dessus de paille. Puis elle sortit une allumette de la boîte qu'elle avait apportée et la gratta sur le sol.

Elle crépita puis s'enflamma. Sa lumière éclaira l'entrée tout entière. Les doigts tremblants, Emma approcha l'allumette de la chaise recouverte de paille. Un filet de fumée grise s'éleva; puis la paille émit un craquement et s'enflamma.

Emma recula et regarda. Les flammes s'étendirent rapidement et gagnèrent le dossier. Le bois noircit et s'enflamma. Du pied, elle poussa la chaise contre l'escalier, assez près pour que les flammes viennent lécher les marches. Le vieux bois prit presque immédiatement, se consumant d'abord, produisant ensuite des flammes voraces qui s'attaquèrent aux marches supérieures. La fumée s'accumula, comme un brouillard épais, sous l'escalier, puis gagna le couloir du premier étage.

Emma recula en titubant, le poing pressé contre la bouche pour étouffer un cri silencieux. « Oh ! mon dieu, cria-t-elle en elle-même. Qu'ai-je fait ? »

Soudain, le mur entier prit feu; l'intense chaleur roussit ses cheveux ébouriffés. Elle dut reculer, tituba dans la fumée, qui la fit tousser, et se dirigea comme une folle vers la porte par laquelle elle était entrée.

Elle traversa alors la cour en courant, poussa la barrière de bois et ne s'arrêta que lorsqu'elle fut loin de l'hacienda. Elle se retourna et regarda autour d'elle.

La maison paraissait toujours sombre et tranquille. Il n'y avait aucun signe du désastre.

— Mon Dieu ! pardonnez-moi, murmura-t-elle, cherchant son souffle.

Elle crut un moment qu'elle allait s'évanouir. Elle ne savait plus ce qu'elle faisait et elle faillit crier pour donner l'alerte.

Puis soudain, elle se rendit compte qu'elle devait rester calme. Donner l'alerte, c'était se dénoncer. Elle ne pouvait que faire demi-tour et retourner chez elle.

Une minute plus tard, elle atteignit la véranda. Elle s'appuya contre la balustrade et regarda l'hacienda, tache sombre sur le ciel étoilé. Une lueur orange apparut derrière une fenêtre.

Emma tourna le dos. Elle ne voulait pas en voir davantage. Elle regagna silencieusement son lit. Rudy ne bougea pas. Sa poitrine montait et descendait régulièrement.

Emma attendit, les larmes aux yeux, fixant le plafond obscur. Pour la première fois, elle pensait à ceux qui vivaient dans la maison... pas à Anne, mais aux autres, Sofia, Carlos, Maria Elena et toutes les servantes.

Elle se dressa, prête à réveiller Rudy, quand le silence nocturne fut brisé par le tintement frénétique d'une cloche.

Rudy bougea, le signal d'alarme l'ayant dérangé dans son sommeil.

Emma perdit le contrôle de ses nerfs et se mit à crier :

— Rudy ! Rudy !

L'alerte résonnait dans ses oreilles. Rudy secoua la tête et saisit ses bottes.

— Valdez, dit-il.

Emma faillit le corriger, dire : « Non ! l'hacienda brûle ! » Mais elle se ravisa à temps et le regarda prendre sa Winchester au-dessus du lit et courir en direction de la porte.

Emma sortit du lit et quitta la pièce. Elle rejoignit Rudy sous la véranda où il s'était immobilisé, les yeux fixes.

L'hacienda était en feu; un torrent de flammes sortait des fenêtres et s'élevait en tourbillonnant furieusement au-dessus du toit de tuiles.

— Anne ! cria-t-il, les yeux brillant de peur.

De nouveau, le poignard de la jalousie transperça le cœur d'Emma et, quand Rudy laissa tomber son fusil et traversa la véranda, elle lui saisit le bras pour le retenir.

— Non, Rudy, non, laisse-la mourir.

Il pivota et la regarda. La lueur orange de l'hacienda en feu éclairait son visage ravagé. Elle pleurait. Son menton tremblait et ses épaules étaient secouées de sanglots.

Mais, dans la lumière tremblante de l'incendie, il vit la vérité.

— C'est toi, accusa-t-il, c'est toi qui as mis le feu !

— C'est pour toi, Rudy ! Pour nous !

La haine contracta le visage de Rudy. Il se dégagea et lui frappa violemment le visage, la projetant en arrière près de la porte où elle s'effondra.

— Rudy, je suis ta femme, cria-t-elle en se tenant la joue.

— Tu es une putain ! hurla-t-il, une putain et une meurtrière !

Puis, pivotant sur les talons, il la laissa où elle était et courut en direction de l'hacienda.

Anna avait ouvert les yeux au premier tintement de la cloche. Elle rejetait les couvertures et sortait du lit quant elle sentit l'odeur de fumée. Le feu !

Elle courut à la fenêtre et saisit les barreaux de fer qui faisaient de sa chambre une cellule. Le vieux Jacinto sonnait l'alarme, tirant sur la corde qui commandait la cloche. Les cow-boys se rassemblaient dans la cour, vêtus seulement de caleçons longs. Anne entendait leurs cris d'étonnement, ce qui ne fit qu'augmenter sa peur.

— Madame Cameron, cria l'un d'eux, qui avait aperçu son visage derrière les barreaux de fer, on va vous sauver.

Mais la fenêtre située exactement au-dessous explosa et un geyser de flammes s'en échappa. Anne recula en titubant.

— Carlos, cria-t-elle, Sofia !

Elle courut à la porte et l'ouvrit. Le couloir était plein d'une épaisse fumée noire. Elle retint sa respiration, gagna la chambre de Carlos, se précipitant sur l'enfant endormi et le secouant pour le réveiller.

— Non, grogna Carlos, engourdi par le sommeil. Laisse-moi tranquille.

— Réveille-toi, Carlos ! Réveille-toi tout de suite, ordonna-t-elle, le faisant sortir du lit et le soulevant dans ses bras.

Soudain, il ouvrit les yeux tout grands.

— De la fumée !

185

— La maison brûle, il faut que nous sortions immédiatement, dit Anne.

Carlos s'accrocha au cou d'Anne.

— Maman ! cria-t-il.

Anne tituba jusqu'à la porte ouverte mais l'épaisse fumée âcre les contraignit à reculer. Elle fut prise de panique et gagna la fenêtre en courant. Le rez-de-chaussée tout entier était en feu, et les flammes chauffaient déjà la grille qui les empêchait de sortir.

Rudy arriva sur les lieux à temps pour voir Anne se jeter, sans résultat, contre les barreaux de fer.

— *Gott in Himmel ! Nein !* hurla-t-il, horrifié. Anne !

Les cow-boys avaient déjà formé la chaîne mais Rudy savait, tout comme Anne, que c'était inutile. Même si, par miracle, ils réussissaient à éteindre le feu, il serait impossible d'échapper à la fumée.

Les flammes montèrent et Rudy vit, impuissant et désespéré, Carlos et Anne reculer puis disparaître.

Un cow-boy échevelé essaya de lui passer un seau plein d'eau, mais il le jeta sur le sol et se mit à courir en direction de l'hacienda.

— N'y allez pas ! cria un autre cow-boy, saisissant Rudy aux épaules et essayant de le retenir. Tout est en flammes !

Mais Rudy tourna sur lui-même et lui écrasa le poing sur le visage, se dégageant et envoyant l'homme rouler dans la poussière.

Il monta les escaliers du perron quatre à quatre et ouvrit les grandes portes de chêne en l'appelant.

Emma, qui l'avait suivi jusqu'à l'hacienda, restait immobile, le souffle court et regardait, incrédule et ébahie, Rudy disparaître dans la fournaise. Elle tomba à genoux. Des larmes coulaient sur ses joues, la lumière tremblante des flammes jouait sur son visage, elle hurla :

— Rudy ! Rudy ! Reviens !

Soudain, le toit du perron s'effondra et un amas de tuiles et de poutres en flammes bloqua Rudy à l'intérieur. Des étincelles s'élevèrent, semblables à des millions de lucioles. Emma hurla, un cri inhumain qui déchira l'air, et s'écroula dans la poussière.

Dans l'entrée, Rudy allait et venait, prisonnier de la fournaise. L'escalier était impraticable; toute une partie s'était écroulée et avait été remplacée par une colonne de flammes. Le salon et la cuisine étaient également en feu. L'intense chaleur lui roussit les cheveux et noircit sa chemise.

Il hurla de douleur, griffant désespérément le tissu qui se consumait, mais la chemise s'enflamma soudain, l'enveloppant, et il tomba à genoux sous une pluie de braises venue du plafond.

Au premier étage, dans la chambre de Carlos, la peur clouait Anne sur place et elle regardait les flammes s'élever, pénétrer par la fenêtre et s'attaquer aux rideaux. Elle s'éloigna du mur, comme poussée par un tourbillon et des cendres se répandirent dans la pièce. Carlos s'accrochait à elle, appelant Sofia.

Puis, soudain, sa mère apparut sur le seuil, fantôme diaphane émergeant de la fumée.

— Suivez-moi, dit-elle, semblable à un spectre dans le brouillard.

— Sofia ! cria Anne, nous sommes pris au piège.

Sofia fit de nouveau signe; son visage impassible était étrangement calme.

— Venez, répéta-t-elle.

Anne la suivit sans un mot. Sofia disparut dans la fumée, apparemment insensible à ses vapeurs empoisonnées.

— Sofia ! hurla Anne, avançant à l'aveuglette dans le couloir.

Les fumées toxiques la faisaient suffoquer et lui desséchaient les poumons. Carlos, qui respirait péniblement, finit par s'évanouir, la tête posée sur l'épaule d'Anne. Elle fut prise de vertige et perdit l'équilibre.

Puis elle sentit la main fraîche de Sofia lui saisir le poignet et la tirer sur le côté vers ce qui lui sembla être une ouverture dans le mur du couloir. Elle tomba à genoux, laissant tomber Carlos.

Ce n'est qu'au bout d'une bonne minute qu'elle se rendit compte qu'elle ne respirait plus de fumée. Ses poumons s'emplissaient d'un air humide à l'odeur de moisi, assez semblable à celui qui surplombe les eaux stagnantes.

Son esprit s'éclaircit lentement et elle se rendit compte qu'elle se trouvait en haut d'un escalier aux marches de pierre. Carlos revint à lui et se mit à gémir en cherchant son souffle.

La voix calme de Sofia sortit de l'ombre :

— Suivez-moi... Suivez-moi.

Anne s'était péniblement remise debout et avait pris de nouveau Carlos dans ses bras. Elle entendait les pas de Sofia, juste devant elle, et les suivait; elles descendaient un escalier raide et invisible taillé dans l'épaisseur du mur de la maison.

« Le tunnel, pensa-t-elle, pleurant de soulagement. Évidemment, le tunnel, pourquoi n'y ai-je pas pensé plus tôt ? »

Le bruit des pas de Sofia cessa et Anne entendit le crissement de deux pierres frottées l'une contre l'autre.

Avec peine Sofia ouvrait la lourde porte conduisant au passage souterrain.

S'étant baissée pour franchir l'ouverture, elle se retourna et prit Carlos des bras d'Anne qui les suivit, trop heureuse d'être sauvée pour s'inquiéter du limon gluant sur lequel reposaient ses pieds nus.

— Oh ! Sofia, vous nous avez sauvés, dit-elle avec reconnaissance.

Sofia ne répondit pas et, portant Carlos, s'engagea dans le long passage obscur. Quelques instants plus tard, il lui sembla qu'un souvenir se formait dans sa mémoire. Elle s'arrêta et essaya de le fixer.

Quand Anne la rejoignit, Sofia murmurait quelque chose à voix très basse.

— Comment ? Qu'y a-t-il, Sofia ?

— La dame est malade, déclara tranquillement Sofia.

— Quelle dame ? demanda Anne sans comprendre de quoi Sofia voulait parler.

Sofia essaya de retenir le souvenir qui, peu à peu, s'estompa.

— La dame est malade... un fier caballero... il faut que j'y aille...

Mais cela lui demandait un trop gros effort et elle y renonça.

Furieux de leur impuissance, tenant encore les seaux vides, les cow-boys virent le feu s'attaquer aux poutres du toit et les murs s'écrouler. Au-dessus de la fournaise, une lugubre lueur orange colorait le ciel et l'odeur de la fumée alourdissait l'atmosphère.

— C'est fini, dit l'un des hommes, la voix fatiguée et cassée par l'émotion. Personne n'en sortira vivant.

Un peu à l'écart, Emma était assise dans la poussière, entourée de ses enfants stupéfiés. Elle se tenait les épaules, se balançait de droite à gauche et murmurait : « Rudy... Rudy... Rudy... »

L'un des cow-boys, prenant pitié des enfants, s'avança et leur exprima sa sympathie :

— On est tous avec vous, les p'tits. Votre papa est mort en héros, en essayant de sauver la patronne et sa famille.

Emma gémit, battit des cils et s'affaissa, évanouie.

Un peu plus loin, quelqu'un cria, une exclamation de surprise et de joie. Toutes les têtes se tournèrent et tous les yeux scrutèrent la lumière rougeoyante et la fumée jaune qui enveloppaient l'hacienda prête à s'effondrer. Au loin, un mouvement se dessinait : une silhouette, deux, puis trois... la dernière était celle d'un enfant.

Quelqu'un cria :

— C'est eux... c'est Mme Cameron, Sofia et le petit !

Le trio s'approchait en effet au travers du nuage de fumée. Les hommes, frappés de mutisme, les regardaient comme s'ils revenaient de l'au-delà.

— Ils sont sains et saufs ! cria un cow-boy, ils sont sains et saufs !

Une acclamation de joie emplit l'air et Jacinto sonna la cloche.

14

Alex s'appuya contre le bastingage et scruta le rivage ensoleillé du Texas quand le *Weymouth Star* pénétra dans la baie de Galveston.

— Vous cherchez quelqu'un ? s'enquit une voix près de lui.

Alex fit face à Harvey Larkin, importateur bedonnant et sympathique avec lequel il avait lié connaissance pendant le voyage.

— Je regardais si je ne voyais pas ma femme, répondit Alex en tournant de nouveau les yeux vers les silhouettes indistinctes rassemblées sur le quai.

Les dix-huit jours de voyage depuis Liverpool et l'air de la mer s'étaient révélés excellents pour sa santé. Quand il pénétra dans le port, ce bel après-midi de juin, sa peau était hâlée, ses yeux brillaient et il se sentait en pleine forme.

— Elle a écrit qu'elle viendrait m'attendre, poursuivit-il.

Le bateau s'approcha doucement du quai et les arrimeurs attrapèrent les cordes.

— Eh bien, monsieur Cameron, voyez-vous votre charmante petite femme ?

— Non, répondit Alex. J'ai l'impression qu'elle n'est pas là.

Il regarda une nouvelle fois le quai, puis il fit demi-tour et suivit Larkin sur la passerelle. En posant le pied sur le sol, il entendit un jeune messager crier son nom.

— Par ici, cria Alex.

— Un télégramme, monsieur, dit le jeune garçon en tendant une enveloppé fermée à Alex.

Alex déchira l'enveloppe et lut :

Désolée de ne pouvoir venir stop t'attendrai au Lantana stop je t'aime Anne.

— Bon sang, marmonna Alex. Il y avait quatre mois qu'il rêvait de leurs retrouvailles, qu'il rêvait de serrer Anne dans ses bras et de couvrir son visage de baisers, projetant de l'emmener dîner dans le somptueux Galveston Palace et de la conduire ensuite dans leur appartement où ils auraient pu se retrouver vraiment et faire l'amour, pour la première fois depuis neuf mois.

Mais il pénétra seul dans l'hôtel et échangea l'appartement qu'il avait réservé contre une chambre toute simple au dernier étage. Quand il y fut seul, ses bagages dispersés autour de lui, il s'assit au bord du lit et sortit son portefeuille.

— Dix-neuf... vingt... Vingt et un dollars et soixante-trois cents, murmura-t-il en comptant l'argent qui lui restait. Avant de partir, il avait tout prévu, calculant ses dépenses avec une grande précision. Mais il avait été pris de cours par sa maladie et la nécessité de se rendre en Italie.

Quoi qu'il en soit, il ne s'était pas inquiété. Il pouvait se permettre d'arriver à Galveston avec quelques dollars en poche. Il était certain qu'Anne l'attendrait.

Mais elle n'était pas venue.

Quatre jours plus tard, il descendait de la diligence à Agua Verde, louait un cheval à Cyrus Parker, le propriétaire du relais, et partait au galop en direction du Lantana.

Anne le vit arriver. Elle ne put s'empêcher de frissonner en le voyant approcher, monté sur une jument baie; elle eut envie de l'appeler, de courir à sa rencontre à travers champs et de se jeter à son cou. Mais elle resta immobile et silencieuse, debout sous la véranda de la petite maison de pierre qu'elle occupait depuis l'incendie et qu'avait libérée Emma, partie à Joëlsboro juste après l'enterrement de Rudy. Elle porta involontairement les mains à son ventre distendu qu'aucune robe et aucun châle ne pouvait plus cacher.

Elle le vit tirer sur les rênes de la jument en apercevant les ruines calcinées de l'hacienda, descendre de cheval et s'entretenir avec les cow-boys qui se rassemblaient autour de lui.

« Ils vont tout lui raconter, pensa Anne. Ils vont décrire l'incendie et lui apprendre pour Rudy et les servantes. Ils vont tout lui raconter... sauf en ce qui me concerne. »

Puis elle vit que les cow-boys lui indiquaient la petite maison dans laquelle elle se trouvait. Il regarda dans cette direction et vit Anne. Il sauta en selle avec élégance et éperonna son cheval.

Le cheval galopait vers la maison, projetant des pierres et de la poussière quand Alex tira sur les rênes. Il ne descendit pas. Il resta immobile sur sa selle et regarda Anne. Il ne comprit pas ce qu'elle avait d'étrange, pourquoi elle se dissimulait dans l'ombre, mais il lut la peur et l'inquiétude sur son visage.

Sans lâcher les rênes, il sauta légèrement sur le sol.

— Eh bien, ma chérie, tu ne viens pas embrasser ton mari ?

— Oh ! Alex, dit-elle en retenant ses larmes.

— Allons, allons, Anne, dit-il d'une voix douce, essayant de la consoler. Je suis enfin là. Je vais m'occuper de toi. Tout ira bien maintenant.

— Non, murmura-t-elle,... tout n'ira pas bien.

— Qu'y a-t-il, mon amour ? demanda-t-il quand elle se dégagea.

Sans un mot, elle s'éloigna de lui et se retourna pour qu'il puisse bien la regarder.

Elle vit l'expression de son visage changer : l'incrédulité et l'ébahissement qui remplaçaient l'étonnement et l'inquiétude. Ses joues pâlirent sous le hâle et ses yeux se durcirent.

— Qui est le père ? demanda-t-il dans un souffle.

— Il vaut mieux que tu ne le saches pas, murmura Anne.

Elle se tenait devant lui, tremblante, la gorge serrée. Elle aurait voulu qu'il fasse quelque chose... qu'il l'attire contre lui, la prenne dans ses bras en lui promettant que tout irait bien, ou qu'il se mette en colère, qu'il la gifle en lui disant qu'il la méprisait. N'importe quoi. N'importe quoi, mais pas cet insupportable silence.

Il détourna les yeux et regarda l'immense prairie luisante sous le soleil de l'après-midi.

— Alex, mon cher Alex, réussit-elle à dire, butant sur chaque mot, je m'excuse.

Ses joues perdirent leur pâleur quand la colère monta en lui.

— Les excuses viennent toujours trop tard.

— Ne parle pas ainsi, Alex ! Il n'est pas trop tard.

Il la regarda de nouveau, un sourire lugubre sur les lèvres.

— Ma chère, dit-il d'une voix froide et égale, il y a des choses qui, brisées, sont irréparables.

— Non ! cria Anne, incapable d'accepter son verdict.

Elle tendit les bras vers lui, mais il lui tourna le dos, conduisit sa jument vers le rail d'attache et y fixa les rênes.

Ils reprirent la vie commune mais vécurent comme des étrangers. Quelques jours plus tard, Alex, à la tête d'un groupe de cow-boys, se rendit à St. Mary où son troupeau de bétail anglais avait été débarqué.

Anne fut presque soulagée de le voir partir. Son attitude froide et polie la rendait folle. Il ne lui parlait que lorsqu'elle s'adressait à lui et dormait sur une couchette dans la pièce principale. Les repas étaient pris en silence.

Ainsi, pendant son absence, attendit-elle son retour, espérant, contre toute logique, que ses sentiments auraient changé et qu'il accepterait de voir de nouveau en elle sa femme.

Mais quand il revint avec le troupeau, il passa le reste de la journée près du nouveau corral construit pour recevoir les animaux et ne regagna la petite maison que longtemps après la tombée de la nuit. Seule dans son lit, Anne l'entendit entrer et se jeter sur sa couchette. Elle resta allongée, les yeux grands ouverts, à regarder les étoiles par les fentes du toit. Puis ses yeux s'emplirent de larmes et les points lumineux se brouillèrent.

15

Juin passa et sans amélioration des relations entre Anne et Alex. Un jour, comme elle ne pouvait plus supporter son silence, elle rassembla son courage et dit :

— Si tu me hais vraiment, pourquoi ne me quittes-tu pas ? J'accepterai de divorcer.

— Je n'ai rien à accepter de toi, Anne, répondit-il. Il est certain que j'aurais de bonnes raisons. Si je voulais divorcer, aucun tribunal ne pourrait m'en empêcher.

— S'il en est ainsi, dit-elle, pourquoi restes-tu ?

— Les affaires, répondit-il, uniquement les affaires. Tout mon argent est investi dans le bétail que j'ai fait venir au Lantana. Où pourrais-je aller ? Comment pourrais-je recommencer sans argent pour acheter des terres ?

Il se tut et regarda la prairie.

— Il serait sans doute possible de convaincre le tribunal de m'en attribuer une bonne partie.

— Diviser le Lantana ? cria-t-elle, jamais ! Il a appartenu à Sofia et à mon père, et maintenant, c'est à moi qu'il appartient.

— Pas à toi seule, Anne. Il m'appartient également.

Il se tut et la regarda, lisant sur son visage la peur qu'il ne mette sa menace à exécution. Il sourit tristement et poursuivit :

— Ne t'inquiète pas, Anne. Je ne le ferai pas. Je sais trop bien ce que ce royaume signifie pour toi. Je ne ferai rien pour l'amputer.

Le cœur lourd, elle fit demi-tour et murmura :

— Merci.

— Ne me remercie pas, dit-il. Comme je te l'ai dit, il s'agit uniquement d'affaires.

Il ôta sa *bandana* et s'épongea le front; puis il quitta la véranda et s'arrêta au soleil.

Anne tourna le dos et entra dans la maison, laissant Alex retourner près de son précieux troupeau. Sofia leva la tête et sourit placidement pour saluer la venue d'Anne, puis elle se remit à son ouvrage.

Une semaine plus tard, Anne s'éveilla au milieu de la nuit, les rêves troublés par un vague malaise. Il n'y avait pas un souffle d'air dans la chambre obscure et elle repoussa le fin drap qui la couvrait. Elle toucha son ventre distendu et ses seins gonflés, ferma les yeux et changea de position, cherchant l'endroit le plus frais du lit. Elle s'était presque endormie de nouveau quand elle fut saisie d'une crampe à la hauteur des reins. La douleur fut violente et brève, puis elle disparut aussi vite qu'elle était apparue. Mais cela l'avait complètement réveillée et elle se rendit compte que son entre-jambes était humide.

— C'est le moment, murmura-t-elle pour elle-même. L'enfant va naître.

Pendant les heures suivantes elle resta immobile, sachant que les douleurs devraient devenir plus violentes et plus fréquentes. Elle essayait de se rendormir, mais chaque fois qu'elle commençait à sommeiller, les crampes la reprenaient et la réveillaient. Enfin, quand la lumière grise du matin éclaira la fenêtre de sa chambre, elle entendit Alex se lever dans la pièce voisine.

Elle l'appela et il apparut sur le seuil.

— Envoie chercher le docteur, Alex, mon bébé va naître. Envoie aussi chercher Consuela. Elle aide les femmes mexicaines à accoucher. Elle pourra être utile.

Quelques minutes plus tard, Consuela arriva. Elle était petite et grosse, avec un large sourire. Elle avait mis des centaines d'enfants au monde, dont onze elle-même. Quand le docteur Collier arriva, Consuela avait déjà lavé Anne et changé les draps du lit. Elle était allée chercher une pile de serviettes propres et l'avait posée sur la table.

— *Agua caliente*, ordonna le docteur.

— *Ya lista*, répondit joyeusement Consuela en lui montrant la marmite pleine d'eau fumante placée sur un feu de camp juste derrière la porte de la chambre.

— Eh bien, vous avez pensé à tout, señora, dit le docteur Collier.

Les douleurs durèrent encore une heure. Puis, à peine eut-elle le temps de comprendre ce qui arrivait, elle se mit à grogner et un instant plus tard, le docteur Collier souleva un enfant maigre et humide auquel il donna une claque sur les fesses. Le bébé eut un hoquet et cria joyeusement. Le docteur Collier le tendit à Consuela qui lui essuya le visage et l'enveloppa dans une épaisse couverture blanche.

— Qu'est-ce que c'est, docteur ? demanda Anne en se soulevant sur un coude et en tendant l'autre bras pour prendre l'enfant à Consuela.

— Un garçon, madame Cameron. Un bon gros garçon.

Anne serra l'enfant contre elle et regarda son visage pour la première fois.

— Il est beau, señora, dit Consuela en joignant les mains et en souriant joyeusement.

— C'est aussi mon avis, Consuela, souffla Anne, et elle posa tendrement les lèvres sur le front de l'enfant.

— Comment allez-vous appeler ce jeune homme ? demanda le docteur Collier.

Anne leva la tête et répondit :

— Je crois que je vais l'appeler Joël... comme mon père.

— Joël deux, hein ? dit le docteur Collier.

— Dos, s'exclama Consuela, ce qui en espagnol signifie : deux.

— Dos, répéta Anne en souriant, c'est probablement ainsi qu'on l'appellera : Dos.

— J'ai vu bien pis, remarqua le docteur Collier en se dirigeant vers la porte. Je vais me passer les mains sous l'eau et continuer mon petit bonhomme de chemin. Cette brave femme peut s'occuper de tout. Je dirais même qu'elle sait aussi bien que moi comment mettre un enfant au monde, mais si vous avez besoin de moi, appelez-moi.

Anne leva la tête, radieuse.

— Merci, docteur.

Le docteur Collier sourit et franchit le seuil. Anne s'allongea, son nouveau-né dans les bras, et entendit la voix d'Alex sous la véranda.

— Tout s'est bien passé, docteur Collier ? demanda-t-il.

— On ne peut mieux, répondit le médecin. Félicitations, monsieur Cameron. Vous êtes père d'un beau petit garçon.

Alex ne répondit pas. Anne l'entendit pénétrer dans l'autre pièce, aller et venir un instant puis s'en aller de nouveau. Mais elle ne s'en soucia pas. Rien, pas même son obstination à ne pas venir la voir ainsi que le bébé, ne pouvait entamer l'immense bonheur qui l'habitait.

Consuela apporta à Anne une assiette de ragoût et s'assit près d'elle pendant qu'elle mangeait. Anne engloutit la nourriture comme si elle était restée des semaines sans manger, puis elle en demanda davantage. Elle en aurait bien repris une troisième fois, mais elle se sentit envahie par une vague de lassitude et ne pensa plus qu'à dormir.

Consuela prit le bébé et le mit dans un berceau près du lit. Quand elle releva la tête, Anne dormait déjà, toujours souriante.

Consuela sortit de la pièce sur la pointe des pieds et ferma doucement la porte. Puis elle mit son châle sur ses épaules et rentra chez elle.

Anne fut réveillée par des coups de feu. Elle se dressa d'un bond et regarda dans le berceau. Dos bougea, porta l'un de ses petits poings à la bouche, mais ne s'éveilla pas.

Anne se leva, chancelante, et gagna la fenêtre. Quand elle écarta le rideau, une nouvelle salve déchira l'air.

Une armée de cavaliers se dirigeait au galop vers le ranch, tout en tirant des coups de feu. Anne vit trois de ses hommes s'effondrer sur place pendant qu'un autre groupe se mettait à couvert, cherchant refuge dans la grange et les écuries.

« C'est Valdez ! » pensa-t-elle, certaine que son vieil ennemi était revenu. Elle vit Alex aller en courant de la grange à l'écurie, chargé des Winchester que Rudy avait fait venir de l'Est.

Anne tourna sur elle-même, les yeux agrandis par la peur. Elle pensa à Sofia et à Carlos. Elle regarda le berceau. Et Dos !

Elle gagna la porte et l'ouvrit. Dans la pièce principale, Sofia était assise, immobile, sur sa chaise près de la fenêtre. Carlos était debout près d'elle et lui tenait les mains.

Soudain, on entendit le claquement sourd de lourdes bottes sous la véranda. Anne recula et ferma sa porte. Oubliant sa douleur et sa faiblesse, elle se précipita vers la table située près du lit. Elle saisit le colt quarante-cinq, glissa l'index sur la gâchette et souleva le chien avec le pouce.

Puis elle entrouvrit la porte.

Valdez, debout au milieu de la pièce, tournait le dos à Anne. Sofia était pétrifiée sur sa chaise et tenait les mains de Carlos. Son visage était blême et ses yeux emplis de terreur.

Anne sentit alors un grand calme l'envahir. Elle se sentit solide et forte.

— Valdez, dit-elle calmement.

Il se retourna, modérément surpris d'avoir entendu son nom. Anne attendit de voir une étincelle de compréhension dans les yeux de Valdez, d'être certaine qu'il l'avait bien reconnue.

Puis elle leva le lourd Peacemaker et fit feu. La balle pénétra en lui. Son corps sans vie fut projeté en arrière et s'abattit près de la cheminée.

Elle traversa la pièce et jeta un coup d'œil prudent par la porte ouverte. Dans le champ, une vingtaine de bandits gisaient morts. Un instant plus tard, elle vit du mouvement près de la grange. Un groupe d'hommes apparut, regardant autour d'eux avec prudence, le fusil pointé, prêts à tirer. Elle entendit un cri et d'autres hommes sortirent de la grange et des autres bâtiments.

« C'est terminé, pensa-t-elle. Nous les avons repoussés. »

Un groupe de cow-boys sortit de l'écurie. Elle regarda avec anxiété, attendant de voir Alex.

— Non ! souffla-t-elle, portant une main à sa gorge, non, je vous en prie ! Puis elle le vit s'avancer au soleil.

— Il est vivant, murmura-t-elle. S'il avait été tué, je n'aurais pas pu le supporter.

Elle avait du mal à rester debout, mais elle s'appuya contre le chambranle. Elle vit Alex regarder en direction de la maison et fut surprise quand il se mit à courir vers elle.

Le vent lui arracha son Stetson mais il ne s'arrêta pas. Il courut à toute vitesse jusqu'à la véranda. Il s'appuya contre la balustrade pour reprendre son souffle et demanda enfin :

— Personne n'a été blessé ? Tout va bien ?

— Nous sommes sains et saufs, répondit Anne.

Il traversa la véranda, toujours essoufflé.

— Nous les avons repoussés, dit-il, pour le moment du moins. Mais ils vont certainement revenir.

— Ils ne reviendront pas, dit Anne.

— Pourquoi ? demanda-t-il.

— Parce que j'ai tué leur chef, répondit-elle. Elle fit un pas de côté pour qu'il puisse voir, dans la pièce, le corps de Valdez, gisant près de la cheminée dans une mare de sang.

Tard dans la soirée, Alex vint dans la chambre d'Anne. Elle était assise dans son lit et donnait le sein à Dos. Elle n'avait pas encore de lait, mais le bébé tétait et se tenait tranquille.

Gêné, Alex resta immobile sur le seuil jusqu'à ce qu'Anne lui ait fait signe d'entrer et de s'asseoir au pied du lit.

— Tu as été courageuse, Anne, dit-il, incapable de la regarder dans les yeux.

— J'ai déjà tué un homme dans des conditions semblables, répondit-elle d'une voix douce. Il y a longtemps, quand j'étais enfant. Je peux t'affirmer que ce n'est pas plus facile la seconde fois.

— Il le méritait, dit Alex.

— Je le sais mieux que toi, murmura Anne.

Alex la regarda, profondément ému. Son visage était blafard et pâle, ses traits tirés par la fatigue. Le bébé qu'elle tenait serré contre sa poitrine était fragile et vulnérable. Soudain, Alex eut envie de s'approcher d'elle, de la prendre dans ses bras et de l'embrasser.

Il détourna les yeux, se souvenant qu'à peine une heure plus tôt, elle s'était traînée hors de son lit et avait sorti toute la maisonnée des griffes de Valdez. Son cœur était plein de fierté et d'admiration pour sa bravoure et, quand il se tourna de nouveau vers elle, il vit l'inflexibilité de son caractère.

Anne éloigna l'enfant de son sein et le berça.

— C'est un beau garçon, Anne, dit Alex.

— C'est mon fils, répondit Anne.

Dans le ton de sa voix, il y avait comme un avertissement... une plénitude, une puissance nouvelle, qui l'immobilisa au pied du lit.

Ils restèrent un long moment silencieux. Puis Anne prit la parole :

— Je suis fatiguée, Alex, j'ai besoin de dormir.

Il se leva gauchement, se rendant compte qu'il venait de passer à côté de quelque chose d'important.

— Oui... Oui, évidemment. Excuse-moi.

— Alex, dit Anne, d'une voix calme.

Il fit demi-tour.

— Ferme la porte derrière toi, s'il te plaît.

Alex s'assit au bord de l'étroite couchette, dans l'autre pièce, et se prit la tête dans les mains. Il avait l'impression d'avoir tout gâché. Il avait follement envie de retourner près d'Anne, mais elle avait changé et il savait qu'il n'aurait pas le courage de frapper à sa porte.

16

Les hommes de Valdez avaient semé la désolation dans le ranch. Non seulement ils avaient tué dix-sept des hommes du Lantana, mais ils avaient également arraché les clôtures sur plusieurs kilomètres, à la périphérie, et le bétail ainsi que les chevaux s'étaient dispersés. Les pertes étaient immenses. Pendant toute la semaine suivante, des informations alarmantes parvinrent au quartier général. Mille têtes disparues ici... trois mille là. Sur le seul territoire de l'Ebonal, cinq mille têtes avaient pris la fuite. Pis encore, pour Alex, presque un quart du troupeau qu'il avait fait venir d'Angleterre avait été tué par les bandits.

Nous avons été durement touchés, écrivit Anne dans une lettre destinée à M. Farley de la banque de San Antonio. *Il nous faudra acheter de nouvelles clôtures et mon mari désire faire l'acquisition d'un bon nombre d'éoliennes afin de fournir de l'eau au troupeau. Et nous voudrions bien sûr construire une nouvelle maison. Notre ancienne maison a brûlé, comme je l'ai mentionné dans ma lettre précédente. Je vous prie de bien vouloir me faire savoir quelle somme d'argent est actuellement disponible sur mon compte. Comme vous devez vous en douter, j'ignore tout de ma situation puisque mes livres de comptabilité ont été détruits au cours de l'incendie.*

Anne et Alex attendirent avec inquiétude la réponse de M. Farley pendant une semaine, puis deux. Mais rien ne vint. Puis, seize jours après qu'elle lui eut envoyé la lettre, M. Farley lui-même arriva en voiture à la petite maison qu'elle occupait.

— Il ne fallait pas vous déranger, dit-elle en l'accueillant sous la véranda.

— Il valait mieux que je vous rencontre en personne, répondit Farley en lui serrant la main. Puis il demanda à voir Alex.

— Il est près du corral, dit Anne. Se tournant vers Carlos, elle ajouta : Va vite chercher Alex. Dis-lui que M. Farley est arrivé.

Carlos enfourcha son petit cheval blanc non sellé et s'accrocha à la crinière pour galoper.

— Beau garçon, remarqua M. Farley.

Anne sourit.

— C'est mon demi-frère, mais c'est comme mon fils.

Alex et Carlos arrivaient ensemble.

Alex salua cordialement Farley. Ils pénétrèrent tous trois dans la maison et s'installèrent sur des chaises autour de la grande table de chêne.

— Eh bien, monsieur Farley, dit Alex, vous pouvez vous rendre compte par vous-même de la situation. Il y a beaucoup à faire ici.

— Et également sur l'Ebonal, ajouta Anne. La clôture a été détruite sur des kilomètres et il faut la reconstruire.

— Il faut que nous sachions où nous en sommes, conclut Alex.

Farley ouvrit la serviette de cuir usagé qu'il avait apportée et en sortit des livres à dos noir.

— La situation n'est pas brillante, dit-il, le visage sombre et grave. En fait, elle est très mauvaise.

Anne jeta des regards inquiets à Farley puis à Alex.

— Que voulez-vous dire, monsieur Farley ?

— Je suis réellement désolé de devoir vous dire cela, madame Cameron, répondit Farley. J'ai le regret de vous informer que vous n'avez plus rien chez nous.

— Mais c'est impossible, dit Anne en se levant à moitié.

— Je ne comprends pas, dit Alex, ce ranch a toujours rapporté de l'argent.

— J'en suis certain, répondit Farley en ouvrant les livres et en les retournant de telle sorte qu'Anne et Alex puissent voir les colonnes de chiffres. Mais au cours de ces sept ou huit derniers mois, il y a eu des retraits considérables. Voyez vous-même.

Anne examina rapidement le livre. En janvier, il y avait un retrait de 10 000 dollars. Le mois suivant, le total des retraits s'élevait à 36 000 dollars. Puis, en mars, son compte avait été amputé de 93 000 dollars.

Elle n'en croyait pas ses yeux.

— Tout cela n'est pas clair. Je n'ai jamais donné l'autorisation d'effectuer ces retraits !

Elle tourna les pages. C'était chaque mois pareil... mais en pire. En avril, son compte avait diminué de 166 500 dollars. Et le dernier retrait, début mai, se montait à presque un quart de million de dollars.

Anne comprit d'un coup la vérité. « Rudy », souffla-t-elle.

Alex lui jeta un regard dur.

— C'est Rudy, dit Anne. J'étais malade. Il s'est occupé de tout. Il est mort en mai et... regarde ! Regarde ! Depuis cette époque, il n'y a pas eu un seul retrait de ce genre.

Elle gémit et ferma les yeux, l'estomac noué.

— J'ai été folle. Je n'avais pas confiance en lui, mais je n'aurais pas cru qu'il serait capable d'agir ainsi.

— Emma, dit Alex, devrait savoir où se trouve l'argent.

197

Mais Anne hocha la tête, consternée.

— Non, pas Emma. Rudy ne la tenait au courant de rien. De plus, si elle avait autant d'argent, elle ne vivrait pas dans les conditions dans lesquelles elle est installée à Joëlsboro. Non... il est impossible de savoir où se trouve cet argent. Au Mexique, peut-être, ou dans des banques de la région, sous des faux noms. Ou tout simplement enterré quelque part dans la prairie, dans un endroit connu seulement de Rudy, un endroit que nous ne découvrirons jamais...

Un silence consterné s'installa.

Finalement, Alex prix la parole :

— Eh bien, il ne nous reste plus rien, n'est-ce pas, monsieur Farley ?

Farley hocha la tête.

— C'est pire encore, monsieur Cameron. En réalité, dit-il en tournant les pages jusqu'à la dernière colonne de chiffres, vous avez un gros découvert... qui se monte à 9 377 dollars.

Alex se leva et fit les cent pas dans la pièce.

— C'est pour cette raison que vous êtes venu en personne.

Farley hocha la tête.

— J'en ai bien peur, monsieur Cameron. Notre conseil d'administration est très inquiet sur l'état de vos finances.

Alex se pencha au-dessus de la table et regarda Farley dans les yeux.

— Que pouvons-nous faire ? Est-il possible d'obtenir un prêt ?

Le visage de Farley se ferma. Il baissa les yeux.

— Nous sommes de bons clients, lui rappela Anne. Et le Lantana est une bonne affaire. Même en 1863 et en 1864, quand beaucoup de ranchs étaient en difficulté, le Lantana a fait des bénéfices.

Farley hocha la tête, et Anne vit sur son visage que le prêt ne serait pas accordé. Leurs pertes avaient été trop importantes et Farley avait vu de ses yeux les déprédations infligées au ranch. Il ne conseillerait pas à sa banque de prendre un tel risque.

— Je suis désolé, madame Cameron, terriblement désolé, dit-il. Anne et Alex comprirent qu'il était sincère.

— C'est trop, dit Anne à Alex plus tard dans la soirée, après le départ de Farley. C'est la goutte d'eau. J'en ai assez de me battre, de me défendre. Je suis épuisée et je ne veux pas continuer ainsi. Je n'ai rien demandé. Je voudrais être l'une de ces femmes de Joëlsboro qui n'ont rien d'autre à faire que de tenir leur maison, élever leurs enfants et dire du mal de leurs amies.

Alex s'était appuyé contre le manteau de la cheminée et la regarda pester ainsi pendant une demi-heure.

Il avait pitié d'elle, sachant que sa colère et son désespoir n'étaient dirigés que contre elle-même, qu'elle s'en voulait de s'être laissé ainsi déposséder par Rudy. Son visage était tendu et pâle, son front plissé par l'inquiétude.

Alex gratta une allumette contre le manteau de pierre et amena la flamme au bout de son cigare.

— Il n'y a qu'une seule chose à faire, Anne, dit-il. Sa voix était calme et raisonnable. Si tu la fais, tu seras libre pour toujours, sans soucis et sans problèmes d'argent.

Elle leva la tête.

— Quelle chose, Alex ? Explique-moi, je le ferai.

— Vends le Lantana.

Elle le regarda, muette.

— Oui, vends-le, poursuivit-il. Tu n'auras pas de mal à trouver un acquéreur. Tu auras assez d'argent pour le restant de tes jours. Tu ne seras pas obligée d'habiter Joëlsboro. Tu pourras vivre à San Antonio ou à La Nouvelle-Orléans. Même à New York si tu le désires. Et tu seras assez riche pour vivre comme une grande dame, avoir des serviteurs, un attelage et toutes les robes élégantes qui te feront plaisir.

Il traversa la pièce, ouvrit le secrétaire et sortit un porte-plume, de l'encre et du papier. Il posa le tout sur la table, devant elle, et dit :

— Tiens ! Écris à M. Farley. Demande-lui de s'occuper de l'affaire. Il sera très heureux de te représenter. Écris-lui que tu veux t'en débarrasser. Je parie qu'il mettra moins d'un mois à le vendre.

Anne regarda fixement les objets posés devant elle. Quelques lignes, une courte lettre, et elle serait débarrassée de tous ses problèmes.

Le Lantana !

Soudain, le visage contracté, elle repoussa violemment le papier, l'encrier et le porte-plume. Ils tombèrent sur le sol et s'éparpillèrent.

— Non ! cria-t-elle, comme l'avait prévu Alex. Non, je ne peux pas ! Je ne veux pas !

Immobile et silencieux, Alex regarda avec fierté et admiration l'indomptable courage qui l'animait de nouveau.

— Je ne peux pas, dit-elle. J'ai promis de ne jamais vendre le Lantana. Il faudra me tuer pour m'en faire partir !

Le lendemain avant l'aube, Anne entendit Alex se lever dans la pièce principale. Elle-même se leva et gagna la porte. Une lampe à huile était posée sur la table et, à sa lueur, elle vit Alex qui, déjà habillé, mettait des chemises dans une valise marron. Par terre, près de la couchette, il y avait une autre valise, fermée.

— Tu me quittes ? demanda-t-elle.

— Oui, répondit Alex.

— Pour de bon ?

— Oui, répliqua-t-il.

Puis il se tourna et la regarda. Elle se tenait à l'extérieur de la lueur jaune.

— J'aurais dû m'en douter.

— Mais je vais sauver le ranch, Anne, dit-il, pour toi.

Elle releva la tête. Son visage était grave.

— Je me suis marié avec toi parce que je t'aimais, dit-il d'une voix à la fois solennelle et triste. Tu dois me croire. Mais je me suis également marié parce que je voulais le Lantana. Je voulais nous voir à la tête du plus grand et du plus puissant royaume que ce pays ait jamais connu. Mais le ciel était contre nous, Anne, et cela n'arrivera jamais.

Il eut un rire cynique.

— J'ai voulu agir en arriviste, mais il y a un défaut dans ma cuirasse... un reste de fierté que je suis incapable de détruire. Je ne peux te laisser ici, seule avec tous ces ennuis. Je ne peux me contenter de partir, même si je le désire. Quand je t'ai rencontrée et épousée, tu étais riche, et le Lantana était fort et puissant. Je ne t'abandonnerai pas avant qu'il en soit de nouveau ainsi.

Il se tut et ferma sa valise.

— Je vais sauver le ranch, Anne, pour toi. Je vais à La Nouvelle-Orléans où il me sera possible d'obtenir un prêt. Charles Laforêt m'aidera. Je vais te remettre à flot. Et ensuite... ensuite, je disparaîtrai pour toujours de ta vie.

Il s'arrêta sur le seuil, ses valises à la main.

— J'ai pris un peu d'argent. Il faudra que j'aie l'air prospère à La Nouvelle-Orléans.

— Alex, ne pars pas, dit Anne.

— Au revoir, Anne, murmura-t-il.

Puis, avant qu'elle ait eu le temps de l'appeler de nouveau, il disparut dans l'obscurité.

17

— Alex, mon ami ! dit Charles Laforêt en pénétrant dans le confortable appartement d'Alex à l'hôtel Saint-Louis. Bienvenue à La Nouvelle-Orléans !

Les deux hommes se serrèrent chaleureusement la main.

— Merci, Charles, je suis très heureux de te revoir, dit Alex.

Il fit un geste en direction de la table chargée de bourbon, de whisky, de champagne glacé et de bourgogne millésimé.

— Veux-tu prendre un verre ?

— Un peu de champagne, répondit Charles en s'installant sur le canapé, près d'un chandelier étincelant. Je vois que tu occupes de nouveau le plus bel appartement de l'hôtel.

— J'ai l'intention de recevoir un peu, dit Alex en lui tendant un verre de Dom Pérignon.

— Nous allons t'accaparer, dit Charles. Léonie a déjà prévu d'organiser un magnifique bal en ton honneur à La Rivière. Elle est extrêmement heureuse que tu sois de nouveau en ville, tout comme Suzanne et Jeannette.

Il but une gorgée de champagne, s'installa confortablement et ajouta.

— Honte à toi, mon vieux[1], de ne pas avoir amené ta femme. Comment va-t-elle ?

— Très bien, dit Alex sans changer d'expression, elle t'envoie le bonjour.

— Tu lui transmettras le mien, répondit Charles. Eh bien, Alex, qu'est-ce qui t'amène à La Nouvelle-Orléans cette fois ? Les affaires ou le plaisir ?

— Les deux, en quelque sorte.

Charles eut un sourire approbateur.

— Mais naturellement ! Pourquoi pas ? Les Américains conseillent de ne jamais mélanger les affaires au plaisir, mais les Français de La Nouvelle-Orléans considèrent qu'une telle attitude est proche de l'hérésie. Si nous ne pouvions pas nous amuser un peu en traitant nos affaires, je crois que nous ne ferions rien du tout.

Alex rit et leva son verre.

— Alors, poursuivit Charles, Léonie s'occupera de tes distractions. Puis-je t'être utile en ce qui concerne les affaires ?

— En fait, j'avais l'intention de te rendre visite à la banque demain matin.

— Je suis à ta disposition, dit Charles, tendant les mains en signe de générosité. De quoi as-tu besoin ?

— D'un prêt, répondit Alex. Nous avons l'intention de faire des transformations au Lantana et nous avons pensé qu'il valait mieux utiliser l'argent des autres que le nôtre.

— Les banques sont là pour cela, dit Charles.

— Il s'agit d'une grosse somme, avertit Alex.

— C'est justement ce genre de prêt qui nous intéresse. Charles sourit : Viens à mon bureau demain matin, nous réglerons cela ensemble. Je te connais bien, Alex, et je suis l'ami de ton père depuis des années. Il n'y aura aucun problème, je peux te l'assurer.

Alex sourit. Le coup avait marché. Il avait choisi de chercher de l'argent à La Nouvelle-Orléans parce qu'il y connaissait Charles... et parce que c'était assez loin pour qu'on y ignore tout des difficultés du Lantana.

— Et maintenant, dit Charles en vidant son verre, nous en avons terminé avec les affaires. Nous pouvons passer au plaisir. Je sais où trouver les plus jolies métisses de la ville. Elles nous serviront comme des rois. On peut jouer, danser ou... il haussa les épaules, disons simplement que ces jeunes femmes ne sont pas farouches.

Bien qu'il eût passé la soirée à s'amuser, comme Charles l'avait prévu, Alex occupa la matinée du lendemain à couvrir des feuilles de papiers de chiffres, calculant la somme qui serait nécessaire à Anne pour rembourser à la banque de Farley les dettes du Lantana et réparer les clôtures détruites par les hommes de Valdez.

1. En français dans le texte.

201

« Anne pourra s'en tirer avec cela, pensa-t-il en pliant la feuille de papier et en la glissant dans la poche de son manteau. Cela lui permettra de tenir le coup. A l'automne, elle enverra un nouveau troupeau vers le nord et le bénéfice devrait la tirer définitivement d'affaire. »

Anne venait de reposer Dos dans son berceau après l'avoir fait téter et boutonnait son corsage quand elle entendit le bruit des sabots d'un cheval. Elle gagna la porte et eut la surprise de voir Ramiro Rivas, se dirigeant vers la maison. Il y avait des années qu'elle ne l'avait pas vu, depuis qu'il avait conduit le convoi de coton pour le compte de son père, mais elle le reconnut immédiatement. Bien qu'il y eût des filets gris dans ses cheveux noirs, il paraissait toujours aussi fort et vigoureux.

Il arrêta son cheval et sauta légèrement de la selle.

— Ramiro ! cria-t-elle, descendant les marches en courant pour l'accueillir, quelle bonne surprise !

Elle lui prit les mains et les serra chaleureusement.

— Ainsi, vous vous souvenez de moi, señora ? demanda-t-il en souriant.

— Bien sûr, dit-elle, comment pourrais-je oublier l'associé de mon père ? Et pourquoi señora ? Vous m'avez toujours appelée Anne.

Le sourire de Ramiro s'empreignit de gêne.

— Les temps ont changé, señora, répondit-il, autrefois, j'étais un hacendado, comme votre père, aujourd'hui, je ne suis que l'un des vaqueros de M. Kendall. Il est convenable de dire señora quand je m'adresse à vous.

— C'est ridicule, Ramiro, dit sèchement Anne, je ne le supporterai pas.

Il sourit de nouveau et hocha la tête, mais elle vit dans ses yeux qu'il n'en démordrait pas.

— Ne restez pas au soleil, dit-elle. Sans lui lâcher la main, elle le conduisit jusqu'à l'escalier. Vous boirez bien quelque chose ?

— Non, señora, répondit-il avec un mouvement de recul. Je ne peux pas rester longtemps. Personne ne sait que je suis venu.

Le ton de sa voix inquiéta Anne et elle attendit son explication.

— M. Kendall sait que vous avez de grosses dettes. Il a écrit à vos banquiers de San Antonio pour proposer de rembourser. Il espère évidemment s'approprier votre ranch.

— Jamais ! cria Anne.

— Il est malin, señora, et gourmand, il aimerait posséder tout le sud du Texas.

— Il ne l'aura jamais, promit Anne, mais la précarité de sa situation ne lui échappait pas. Si Kendall rachetait ses dettes, il pourrait saisir tout ce qu'elle possédait, sauf la petite maison de pierre dans laquelle elle habitait.

— Je suis venu vous prévenir, poursuivit Ramiro, j'aimais

beaucoup votre père et je ne voudrais pas que vous perdiez le Lantana comme j'ai perdu l'Agarita.

— Mon père a essayé de vous aider, dit Anne, le saviez-vous ?

Ramiro hocha la tête :

— Oui. Il était trop tard, mais vous, vous avez encore le temps.

Il glissa une main dans la poche intérieure de sa veste et en sortit une enveloppe blanche cachetée.

— Voici la lettre que M. Kendall a écrite aux banquiers. Il m'a ordonné de la porter moi-même à San Antonio. Je vais aller le plus lentement possible. Mais il faudra que je la remette tôt ou tard et que je transmette la réponse des banquiers à M. Kendall.

— De combien de temps disposerai-je ? demanda Anne.

— Une semaine ? hasarda Ramiro.

Anne réfléchit à la promesse faite par Alex de sauver le ranch. Elle n'avait eu aucune nouvelle depuis son départ et elle se demandait si elle entendrait encore parler de lui.

— J'espère que ce sera suffisant, Ramiro, dit-elle.

— Il faut que je m'en aille maintenant, señora, dit-il, je ne veux pas qu'on sache que je suis venu.

— Merci, Ramiro. Elle lui serra les mains et l'embrassa sur les joues. Si je peux vous être utile, n'hésitez pas.

Ramiro hésita.

— Quand j'ai perdu l'Agarita, votre père m'a offert de travailler pour lui au Lantana. J'ai refusé parce que l'Agarita était mon seul foyer, ma maison, mais ce n'est plus le cas maintenant.

— Dans ce cas, permettez-moi de vous faire la même proposition que mon père, dit Anne. J'ai besoin d'un régisseur. La place est à vous si vous le désirez.

— Gracias, señora, dit Ramiro, mais il faut d'abord sauver le Lantana.

Il recula et salua. Puis il monta à cheval et s'éloigna.

C'était un beau jour d'automne à La Rivière. Le ciel ressemblait à une ombrelle de soie bleue et une faible brise venue du nord murmurait dans le feuillage vert des chênes.

La famille Laforêt était rassemblée, comme chaque dimanche, sur la pelouse en pente douce devant l'imposante maison de la plantation. De longues tables, couvertes de nappes blanches, avaient été installées sous les arbres, et des serviteurs sortaient de la demeure portant des plateaux et des paniers chargés de nourriture : dindes rôties, jambon fumé, gâteaux, brioches, pommes, poires et fraises accompagnées de crème fouettée, et des galettes à la pacane tout juste sorties du four.

Les femmes, magnifiques dans leurs robes du dimanche, conversaient joyeusement, en groupes, à l'ombre des chênes ou se promenaient bras dessus, bras dessous sur la pelouse bien entretenue. Certaines cueillaient, dans le jardin luxuriant, des roses qu'elles se mettaient dans les cheveux; d'autres surveillaient fièrement leurs enfants qui jouaient au bord de l'étang ou montaient les petits poneys apprivoisés que les garçons d'écurie avaient fait sortir.

Les hommes allaient et venaient, buvant des punchs à la menthe et au lait, parlant des courses. Ils discutaient du prix du coton et des qualités de leurs chiens de chasse. Quand ils avaient la certitude que leurs épouses ne pouvaient pas les entendre, ils parlaient de leur dernière petite métisse, avec laquelle ils avaient passé quelques heures au Vieux Carré.

C'était un honneur, Alex ne l'ignorait pas, d'être invité à la matinée[1] des Laforêt. C'était une réunion de famille à laquelle les étrangers n'étaient généralement pas admis. Mais il avait reçu la veille un mot de Charles l'invitant à y assister.

Charles lui-même l'attendait quand son landau, ayant suivi l'allée cavalière, s'arrêta près des autres voitures.

— Je suis très heureux que tu aies pu venir aujourd'hui, dit Charles.

— Tout le plaisir est pour moi, répondit Alex.

— Allons boire un verre, reprit Charles en le prenant par le bras et en le conduisant vers une table chargée de bouteilles et de verres de cristal. Ensuite, nous ferons un petit tour, tu pourras ainsi rencontrer tout le monde. Comme tu peux t'en rendre compte, la famille Laforêt est plutôt nombreuse... nous sommes presque cent, d'après moi, mais personne ne s'est jamais donné la peine de compter. C'est la raison pour laquelle je t'ai demandé de venir aujourd'hui. Il semble que nous ne soyons tous réunis qu'à l'occasion de ces garden-parties.

Un maître d'hôtel en veste marron mélangea de la menthe fraîche et du sucre au fond d'un verre qu'il emplit de bourbon. Puis il versa le mélange dans une tasse en argent pleine de glace et contenant une feuille de menthe, qu'il tendit à Alex.

Charles prit un punch au lait; puis ils allèrent de groupe en groupe et Charles présenta Alex à sa famille.

— Ma cousine Sylvie et son mari Antoine, dit Charles. Il s'arrêta pour laisser à Alex le temps de serrer les mains et de dire quelques mots. Ma tante Célestine et ma tante Clotilde. Tiens, voici Bernard, l'un de mes neveux favoris. Voici quelqu'un que je voudrais te présenter...

Et ils allèrent ainsi d'un groupe à l'autre sur l'immense pelouse. Les noms s'accumulaient dans la tête d'Alex : Felicity, Roger, la tante Berthe et l'oncle Maurice, Jean-Luc, Geneviève, Michel, David, Jules, Madeleine, Louise, Isabelle, Philippe, Lawrence, Camille et un nombre incalculable d'André, de Françoise, de Marie et de Pierre.

Alex ne savait que penser. Charles semblait pressé, comme s'il voulait lui présenter tout le monde aussi rapidement que possible. Souvent, alors qu'ils allaient d'un groupe à l'autre, Alex regardait autour de lui, cherchant Jeannette, mais il ne la vit pas. D'autres membres de la famille sortaient de temps en temps

1. En français dans le texte.

de la maison et Alex espérait, chaque fois qu'un nouveau groupe apparaissait sous la véranda, que Jeannette en faisait partie.

Enfin, ils parvinrent à l'extrémité de la pelouse et revinrent sur leurs pas, se dirigeant vers la maison. Alors qu'ils passaient sous un chêne, Charles s'arrêta et offrit à Alex un cigare dans une boîte d'argent qu'il sortit de sa poche.

— C'est une belle famille, n'est-ce pas ? demanda Charles en grattant une allumette et en l'approchant du cigare d'Alex. L'une des plus grandes de la paroisse. Et très unie. Nous aimons nous rencontrer. C'est pourquoi tout le monde assiste à ces matinées. Même le vieux Bertrand est là. C'est le gros chauve qui se sert des fraises. C'est le mouton à cinq pattes de la famille. Il vit avec sa maîtresse, au Vieux Carré, mais tous les dimanches, il prend sa femme en voiture et vient ici. Il ne voudrait manquer la matinée pour rien au monde.

Alex, dont le verre était vide, avait envie de retourner près de la maison. Mais Charles ne paraissait pas pressé de partir. En réalité, il sembla à Alex qu'il le maintenait intentionnellement à bonne distance de telle sorte qu'il puisse avoir une vue d'ensemble de la scène.

Le silence s'était installé entre les deux hommes. Charles prit enfin la parole :

— Je crains que ma fille Suzanne n'ait été indiscrète, dit-il. Elle m'a donné quelques informations qui m'ont... attristé, je dois le dire.

Alex le regarda avec curiosité.

— D'après elle, Jeannette lui aurait dit que tu allais divorcer.

— C'est vrai, Charles, répondit Alex. J'aurais dû te l'apprendre moi-même, mais...

— Je comprends bien, ce sont des choses personnelles. Il n'est pas utile de m'en avertir.

Il se tut un instant. Ses yeux allèrent d'un bout à l'autre de la pelouse, s'arrêtant çà et là sur les membres de la famille. Puis il reprit la parole.

— Toujours d'après Suzanne, Jeannette serait amoureuse de toi. Il faut que je te dise, Alex, malgré toute l'affection que j'ai pour toi, que toute relation entre toi et Jeannette serait absolument impossible. Une Laforêt ne peut pas tomber amoureuse d'un divorcé.

Alex grimaça un sourire.

— Les catholiques sont étranges, dit-il, l'infidélité vous fait rire, comme dans le cas du vieux monsieur que tu m'as montré tout à l'heure, et pourtant, vous n'acceptez pas le divorce. Je ne comprends pas.

— Il y a une logique dans notre folie, Alex, répondit Charles. C'est la famille qu'il faut protéger... l'unité de la famille. C'est pour cette raison que je t'ai invité aujourd'hui. Je voulais que tu voies les Laforêt tous rassemblés dans un même lieu.

— Et il n'y a aucun divorcé parmi vous ?

— Aucun, dit Charles. Et non parce que le divorce et le remariage sont considérés comme des péchés. Nos idées n'ont rien de mystique. Mais nous évitons le divorce parce qu'il est source de division. Il ferait éclater la famille. Nous sommes forts, riches et nous réussissons parce que nous sommes unis. Il arrive que l'un de nous trébuche et tombe, mais les autres sont là pour l'aider à se relever. Nous continuons alors notre route ensemble en pardonnant et en oubliant l'incident.

— Je vois ce que tu veux me faire comprendre, dit Alex.

Charles quitta sa famille des yeux et se tourna vers Alex.

— Je ne suis pas certain que tu aies bien compris.

Alex n'avait pas l'intention de partir, mais Charles le retint.

— Attends un peu, Alex. Regarde. Regarde sous la galerie.

Une vieille femme, vêtue de soie grise, s'approchait de la balustrade.

— C'est ma grand-mère, dit Charles. Elle a eu quatre-vingt-seize ans l'été dernier. Regarde comme elle sourit. Vois comme elle est heureuse d'être entourée de sa famille.

La vieille dame leva la main et fit signe aux gens rassemblés sur la pelouse. C'était un geste de reine.

Puis une autre femme vint prendre place à ses côtés. C'était la mère de Charles. Un instant plus tard, Véronique, la sœur de Charles, apparut sous la galerie, suivie de Suzanne et, enfin, de Jeannette.

— Regarde, Alex, dit Charles, toutes ces générations réunies. Réfléchis à ce que cela représente.

Pendant qu'il parlait, Jeannette arrêta et prit dans ses bras une petite fille, une nièce sans doute, car elle avait les mêmes cheveux et la même peau qu'elle.

La scène rappela à Alex l'apparition de la famille royale au balcon du palais.

— Toutes ces générations réunies, répéta doucement Charles.

Alex remarqua que sa voix avait un ton respectueux.

Un moment plus tard, Charles détourna les yeux et dit :

— Eh bien, Alex, je crois que tu as besoin d'un autre punch à la menthe. Retournons-nous à la maison ?

Alex était cloué sur place, les yeux fixés sur les femmes rassemblées sous la galerie.

— Alex, dit Charles.

— Je vais m'en aller, Charles, dit-il calmement.

— Es-tu certain que tu ne veux pas rester ? La matinée vient tout juste de commencer.

Alex secoua la tête.

— Non, merci, je m'en vais. Je crois que je comprends enfin ce que tu as voulu dire.

Le visage de Charles s'adoucit, il esquissa un sourire amical.

— Tu ne m'as pas invité avec la seule idée de me présenter ta famille, n'est-ce pas, Charles ? dit Alex. Tu n'as pas voulu me présenter les Laforêt, mais me montrer un exemple. Me montrer le clan Cameron... du moins ce qu'il pourrait être avec du temps, des sacrifices et une discipline semblable à celle qui anime ta famille.

— Je pense que tu as bien compris, Alex, dit Charles. Retourne auprès d'Anne. N'abandonne pas aussi facilement tes rêves. Quelle que soit la raison qui t'a poussé à la quitter, ce n'est que peu de chose dans un dessein plus large. Vous vouliez fonder une dynastie. Vous n'y parviendrez jamais en prenant la fuite, en la détruisant avant qu'elle n'ait eu le temps de s'épanouir. Si vous abandonnez maintenant, vous le regretterez jusqu'à la fin de vos jours.

Alex acquiesça. Il avait compris.

Le vendredi suivant, Anne fut avertie que la Banque du Delta, à La Nouvelle-Orléans, lui accordait un prêt. Les fonds avaient déjà été virés sur son compte à San Antonio.

Elle fit venir Ramiro, qu'elle avait engagé comme régisseur, et lui apprit la nouvelle.

— Dis aux garçons qu'ils vont être payés, j'ai de l'argent maintenant.

— Alors le ranch est sauvé, dit Ramiro avec soulagement.

Anne acquiesça :

— Oui, le Lantana est de nouveau pur et libre.

— Je suis content pour vous, señora, reprit Ramiro.

— Merci, Ramiro. Maintenant, allez répandre la nouvelle. Je ne veux plus perdre un seul cow-boy.

Après son départ, Anne enfila sa veste de cuir, sella son rouan et parcourut son domaine. Ses yeux allèrent d'un horizon à l'autre; tout ce qu'elle vit lui appartenait.

« Je devrais être heureuse », pensa-t-elle.

Mais la solitude pesait lourdement sur son cœur.

Elle passa près du petit cimetière où ses parents étaient enterrés. Le lantanier qu'elle avait planté sur la tombe de Joël avait fleuri et, malgré la fraîcheur de l'automne, il lui restait encore des fleurs rouille et or.

Ses yeux s'emplirent de larmes.

« Qu'est-ce qui m'arrive ? pensa-t-elle. Je devrais être folle de joie. J'ai tenu la promesse que je t'ai faite, papa. Le Lantana est sauvé. »

Mais des larmes lui coulaient des yeux et brillaient sur ses joues. Elle se sentait immensément vide et s'étonnait de trouver ce vide douloureux.

Elle éperonna doucement son cheval et continua sa promenade, sans se soucier de la direction qu'elle prenait.

La maison, la grange et les écuries disparurent derrière elle. Devant, il n'y avait que la *brasada*.

Elle chevaucha longtemps et le vent froid venu du nord sécha les larmes sur son visage. Elle atteignit enfin la clôture de fil de fer barbelé qui s'étendait de chaque côté aussi loin que ses yeux pouvaient voir. Elle la suivit jusqu'à la porte principale. La grande arche de fer forgé reposait sur deux épais piliers de pierre. Forgé dans l'acier, on lisait : LANTANA, et au-dessus, il y avait sa marque : la couronne d'épines.

Elle arrêta son cheval et resta une minute sous l'arche. Son corps était engourdi. Son esprit était vide. Elle poussa un profond soupir de résignation et ses mains gantées tirèrent les rênes vers la gauche. Elle se prépara à partir. Son cheval tournait et se mettait en marche quand elle aperçut un point sombre sur l'horizon.

« J'espère que c'est un des cow-boys qui revient », pensa-t-elle, et elle décida d'attendre son arrivée près de la porte.

De nouveau elle observa l'horizon, un cheval galopait. L'homme éperonnait sans pitié sa monture et se tenait presque couché sur sa selle, le visage enfoui dans la crinière.

Anne attendit qu'il approchât. Elle se demandait pourquoi il allait aussi vite, on aurait pu croire qu'il était poursuivi et qu'il lui fallait absolument arriver jusqu'à la porte.

Puis soudain un frisson lui parcourut la nuque, elle se redressa sur sa selle et garda les yeux fixés sur le cavalier qui semblait si pressé de couvrir la distance qui les séparait.

Il était presque sur elle quand son cœur bondit dans sa poitrine.

— Alex ! cria-t-elle.

Il arrêta son cheval dans une pluie de pierres, essoufflé par sa chevauchée.

Ils restèrent immobiles, séparés par l'épaisse porte de fer. Anne sentait son cœur battre dans sa poitrine. Alex reprenait son souffle et essayait de parler.

— Anne, dit-il enfin... Puis-je revenir ?

Elle le fixa un moment. Elle ne se sentait pas capable de parler. Il attendit la réponse.

Après ce qui sembla à Alex une éternité, elle descendit de cheval, souleva la lourde barre de fer et ouvrit la porte. Alex mit pied à terre et franchit le seuil, tirant son cheval derrière lui.

Face à face, ils se regardèrent dans les yeux. Ils n'osaient franchir la distance qui les séparait encore.

Alex reprit la parole :

— Je t'ai dit un jour que certaines choses, une fois brisées, étaient irréparables.

— Je m'en souviens, murmura Anne.

— J'avais tort, poursuivit Alex. Mon amour pour toi est plus fort que jamais. Excuse-moi. Pourras-tu jamais me pardonner ?

Les lèvres d'Anne tremblaient et ses yeux étaient pleins de larmes. Elle lui prit les mains et les attira contre elle. Il lui saisit la taille et la serra dans ses bras pendant qu'ils s'embrassaient.

— Oh ! Anne, lui souffla Alex à l'oreille, tu m'as tellement manqué !

Anne le regarda dans les yeux et dit à voix basse :

— Bienvenue chez nous, mon amour.

TROISIÈME PARTIE

1893-1895

1893

1

Le long de la frontière il était d'usage, quand une fille avait quinze ans, de marquer son entrée dans l'âge adulte et, en septembre 1893, Maggie Cameron devait célébrer son *quince añera*.

Un *quinceañera* pouvait se réduire à une réunion de famille, avec quelques gâteaux décorés de sucre glace, un goûter et la musique d'un accordéon asthmatique, ou bien devenir une fête somptueuse, comme pour Maggie.

Les préparatifs pour la fiesta d'une semaine commencèrent un an avant la date prévue et ce serait la plus grande fête jamais donnée au Lantana.

Depuis le changement des rideaux de velours de la plus petite des chambres du troisième jusqu'à l'astiquage à la main des milliers de pendeloques des lustres de cristal scintillant dans l'immense salle de bal, la vaste demeure fut complètement remise à neuf... les quarante-six pièces. Tout l'été, des bonnes en sueur repassèrent des hectares de draps, de nappes, de serviettes, tout ce linge brodé de la célèbre marque du Lantana, la couronne d'épines. Et les cuisinières à l'œil expérimenté trièrent les plus belles bêtes sur pied des immenses troupeaux pour les réunir dans un enclos spécial afin de les engraisser.

Comme toujours dans ces cas-là, une amélioration en amenait une autre. Des charpentiers et des peintres furent embauchés pour donner un coup de neuf aux granges et aux écuries tandis que les cow-boys faisaient des heures supplémentaires pour réparer toutes les clôtures.

Une semaine avant l'arrivée des invités, tout était presque terminé et une troupe de péons armés de faux transforma près de quinze hectares de pâturages en pelouse digne du parc d'un château.

Quand ils eurent fini, leur *caporal* se présenta à la grande maison et la maîtresse du domaine, Anne Cameron, sauta en selle pour aller approuver le travail, car au Lantana aucun détail n'échappait à son examen.

Dos Cameron prit le cabriolet flambant neuf de sa mère et partit à travers la prairie, vers la voie de chemin de fer privée du Lantana, à une dizaine de kilomètres à l'ouest de la grande maison. Dès qu'il eut dépassé le dernier des corrals nouvellement blanchis, il poussa un soupir de soulagement, heureux d'échapper à la frénésie de dernière minute de la fiesta de Maggie.

Le train spécial devait arriver en début d'après-midi, aussi n'y aurait-il de sieste pour personne. Dans la matinée, quand la caravane de chariots était partie pour aller chercher les invités, Alex s'était inquiété.

— Crois-tu qu'il soit convenable de faire monter le gouverneur dans un chariot comme tout le monde ? avait-il demandé à Anne.

— Ça ne devrait pas l'offusquer. Il ne cesse de répéter qu'il est un homme du peuple.

Comme la plupart des grands ranchers, Anne n'aimait pas du tout Jim Hogg et elle était plutôt satisfaite de lui imposer ce trajet pénible. Mais Alex n'était pas du même avis.

— Un affront ne nous servirait à rien. Envoyons Dos le chercher avec ta voiture.

Dos avait dix-huit ans, déjà homme et fort comme un taureau, avec de larges épaules, des bras et un torse musclés. En le voyant pour la première fois, on avait une impression de danger latent, de puissance à peine contrôlée. Ses yeux — très écartés et du même vert que ceux d'Anne, frangés d'épais cils blonds — recélaient des éclairs semblables à ceux qui fulguraient à l'horizon par les chaudes nuits d'été.

Malgré sa forte charpente, il se déplaçait avec la grâce féline d'un lynx traquant une proie et d'aucuns disaient que Dos Cameron cherchait constamment une proie. Depuis l'âge de douze ans, il avait eu toutes les filles qu'il désirait, des servantes aux yeux noirs jusqu'aux filles virginales de Joëlsboro.

En fait, alors que son cheval trottait vers la petite gare du Lantana, il se demandait déjà laquelle des nombreuses femmes voyageant par le train allait partager son lit ce soir-là.

Ce train particulier était une chose étonnante, composé d'une locomotive, d'un tender, d'un fourgon, d'une voiture de voyageurs et d'une voiture-salon qu'Anne avait achetée à M. Pullman et fait entièrement redécorer selon son goût. Elle était meublée de canapés et de fauteuils d'acajou et de velours, de lits dissimulés, d'une table de salle à manger, avec des rideaux frangés d'or, une cuisine, un cabinet de toilette et la lumière électrique. La carrosserie était d'un bleu profond et sur les flancs le nom du Lantana s'étalait en lettres de cuivre au-dessus de la couronne d'épines.

Dos n'eut pas à choisir car parmi les voyageurs se trouvait une actrice de New York du nom de Nelda Flynn, appartenant à une troupe en tournée qui s'était produite la veille à San Antonio. Elle avait aperçu Dos par la fenêtre et s'était précipitée en bousculant ses camarades pour être la première à lui mettre la main dessus.

Nelda Flynn avait quarante-deux ans, un secret bien gardé et que personne n'aurait cru, d'ailleurs, car elle jouait les ingénues et avait tout à fait le physique de l'emploi avec son visage sans rides encadré de boucles blondes, son corps menu et son teint de lis. Elle se présenta hardiment à Dos et minauda.

— A qui ai-je l'honneur ?

— Je suis Dos Cameron.

Nelda ne put croire à sa chance.

— Le propriétaire du Lantana ! s'écria-t-elle. Je suis ravie de vous connaître.

— Le fils des propriétaires, madame, rectifia Dos, amusé mais flatté.

— L'héritier de la couronne, répliqua-t-elle sans se troubler. Quel superbe cabriolet ! Vous permettez que je monte avec vous ?

— C'est vous que je viens chercher, assura galamment Dos.

— Vous saviez donc que je venais ? demanda Nelda sans douter un instant de ce qu'il disait.

— Ma mère a la liste de tous ceux qui viennent au Lantana. Personne ne franchit la clôture sans sa permission.

— Eh bien, je suis très flattée, déclara l'actrice en montant dans la voiture. Allons. Ne vous souciez pas de mes bagages, quelqu'un s'en occupera.

Dos sourit, claqua les rênes sur le dos du cheval, fit demi-tour et laissa le gouverneur trouver tant bien que mal une place dans un des chariots grinçants.

Il fit un long détour, en profita pour flirter avec Nelda qui ne demandait pas mieux et quand ils arrivèrent enfin, les lourds chariots étaient déjà là. Anne et Alex attendaient leurs invités sur le perron. Anne accueillit Nelda avec un sourire chaleureux, mais son pied tapant nerveusement le sol avertit Dos de sa colère rentrée et des réprimandes qu'il aurait à subir plus tard.

Alex se força à être poli; cependant sa colère se devinait à l'éclat sombre de ses yeux. Tandis que Nelda gravissait lestement le perron, Dos fit précipitamment les présentations.

— Nous sommes honorés de recevoir au Lantana une personne aussi célèbre, dit Anne en jetant un regard noir sur son fils.

— Tout le plaisir est pour moi, madame Cameron, susurra Nelda dans son plus beau style d'ingénue, sans se douter qu'Anne la trouvait grotesque. Et quelle prévenance d'avoir envoyé votre fils me chercher en cabriolet !

— C'est Dos qu'il faut remercier, répliqua Anne avec une douceur feinte. Il serait malséant que Mlle Flynn voyage en chariot découvert, n'est-ce pas, Dos ?

— Euh... Je vais conduire Nelda à sa chambre, marmonna-t-il, pressé d'échapper à Anne et à Alex.

Dès qu'ils furent partis, Alex jura et Anne se tourna vivement vers lui.

— Je m'occuperai de ça, Alex.

Elle disparut dans la maison qu'Alex avait fait construire près de vingt ans plus tôt. C'était une énorme bâtisse victorienne de trois étages, en pierre de taille, avec des toits d'ardoise et des pignons et, dans un coin, une tour carrée dépassant l'ensemble d'un étage. C'était là, dans une petite pièce entièrement vitrée, sous les combles, qu'Anne avait son bureau.

« Le bougonnoir de maman », disait sa fille Maggie, parce qu'elle s'y retirait chaque fois qu'elle était en colère ou soucieuse. C'était plus que cela, cependant, un sanctuaire, un asile de paix et de silence où elle pouvait réfléchir, échafauder des projets, se souvenir ou oublier, suivant son humeur, d'où elle pouvait contempler avec une lunette d'approche militaire le royaume sur lequel elle régnait.

Elle avait l'intention d'y monter, mais des voix au sommet du grand escalier l'avertirent que des invités descendaient et elle se réfugia dans un petit salon pour les éviter. Son demi-frère Carlos, assis devant la cheminée vide, se leva en la voyant.

— Ah ! Carlos, tu es là ! Je me croyais seule.

— Qu'est-ce qui ne va pas ? demanda-t-il vivement en remarquant sa pâleur.

— Rien. Ce doit être l'énervement. La fête ne fait que commencer et j'ai déjà l'impression d'être passée à l'essoreuse. Je ne me rendais pas compte que j'avais invité tant de monde. Ils sont au coude à coude là-haut et il ne cesse d'en arriver. Grâce à Dieu, nous n'avons pas à loger ceux de Joëlsboro.

— Ne te mets pas dans cet état, Anne, tout le monde va beaucoup s'amuser.

— Tout le monde sauf moi, je le crains.

— Toi plus que tous Attends donc que la musique commence et qu'Alex débouche le champagne.

Elle sourit et se laissa embrasser sur la joue. Carlos savait mieux que personne l'apaiser et déjà la conduite scandaleuse de Dos semblait loin.

Mince, pas plus grand qu'Anne mais solidement bâti, Carlos avait hérité le type espagnol et la beauté de sa mère : un nez aristocratique et fier, des lèvres pleines et délicatement ourlées, d'épais cheveux noirs à reflets bleus. A première vue, il avait tout d'un grand d'Espagne mais ses yeux trahissaient le mélange de sangs; c'étaient ceux de Joël, gris, argentés comme des éclats de mica au soleil.

— Dos a laissé le gouverneur en plan, expliqua Anne sans cacher son irritation. Note que je me moque éperdument de cette outre gonflée d'air mais, après tout, Jim Hogg est notre foutu gouverneur. Au lieu de l'attendre, Dos ramasse cette vulgaire cabotine qui s'est pour ainsi dire imposée dans le train. Tu devrais la voir, au moins quarante ans et habillée comme Maggie à douze ans, couverte de volants et de petits nœuds de ruban. Grotesque ! Tout à fait le genre de fille avec qui Dos aime s'afficher !

— Je lui parlerai, proposa Carlos.

Anne hésita et soupira.

— J'allais le faire, mais il vaut peut-être mieux que ce soit toi. Je le mettrais en pièces.

— Quand est-ce que l'orchestre commence ? demanda Carlos.

— A neuf heures. On dînera avant. Ah ! mon Dieu ! Maggie ! s'écria soudain Anne en se plaquant une main sur la bouche. Je l'ai complètement oubliée. J'ai promis de l'aider à s'habiller !

Elle se leva d'un bond et courut à la porte.

— La pauvre petite ! Tu la connais. Elle redoute son *quinceañera* autant qu'elle l'attend avec impatience !

Anne se hâta dans le vestibule, saluant de la tête les invités mais sans s'arrêter pour bavarder. Rapidement, elle monta à la chambre de Maggie et entra sans frapper.

— Maggie, chérie, excuse-moi, j'ai été retenue. Il faut que tu te dépêches, maintenant. Nous avons des invités entassés jusque dans les combles.

Maggie se détourna de sa coiffeuse en poussant un soupir exaspéré.

— Ah ! maman, je ne suis pas comme toi ! Il me faut des heures !

Anne lui sourit tendrement et s'empara du fer à friser.

— Attends, je vais t'aider.

— Je ne sais pas pourquoi j'ai des cheveux raides alors que papa et toi vous êtes bouclés, gémit Maggie d'un air boudeur. Et vous qui êtes si célèbres pour la reproduction !

— ... du bétail, ma fille, répliqua Anne en riant. C'est pour ça que nous sommes connus et pas pour... eh bien, pour ce que tu as l'air de dire. Et de plus, je te prierai de ne pas courir au bal ce soir en parlant de reproduction et de vaches qui vont au taureau. Ça va entre nous, c'est notre métier. Mais il va y avoir beaucoup de gens de la ville qui n'ont encore jamais mis le pied dans un ranch et cela les choquerait terriblement.

— Bande de crétins !

— Tu vas te trouver parmi les gens les plus importants du Texas.

— Je croyais que c'étaient nous, les gens les plus importants, taquina Maggie, mais avec une certaine fierté assurée.

— C'est vrai mais tout le monde le sait, alors il est inutile de le rappeler.

Maggie examina sa mère dans la glace. Anne portait une robe de soie verte parfaitement assortie à la couleur de ses yeux.

— Tu es merveilleuse, maman, déclara Maggie. Jamais on ne te donnerait quarante-cinq ans.

— Tu as vraiment une manière brutale de t'exprimer, protesta Anne en posant le fer pour examiner son œuvre.

— Non, mais c'est vrai ! Nous pourrions presque passer pour des sœurs. Pour des demi-sœurs, si tu veux, comme Carlos et toi.

— Ma foi, j'accepte ce compliment et je t'en remercie. Mais tu me ferais grand plaisir en ne criant pas mon âge sur les toits.

— Ne t'inquiète pas. D'ailleurs, personne ne me croirait.

Anne sourit et embrassa Maggie sur le front.

— Toi aussi, tu es ravissante. Maintenant, debout ! Il faut que tu enfiles ta robe.

Un quart d'heure plus tard, Maggie s'assit pour mettre ses petits souliers dorés. Elle était enfin prête.

— Allons, viens, maintenant. Tout le monde doit se demander où nous sommes.

Mais Maggie s'attarda encore pour s'examiner dans la glace, assez peu satisfaite, en tournant la tête à droite et à gauche. Elle était vêtue à la dernière mode d'une robe de satin rose thé avec d'énormes manches gigot qui faisaient paraître sa taille encore plus fine. Le décolleté plongeant révélait la naissance de ses seins juvéniles et un collier de chien orné de pierres de lune encerclait son long cou.

— Voyons, Maggie, dépêche-toi ! Descends vite et joue la maîtresse de maison en m'attendant. Je vais voir où est ton père.

Elles se séparèrent sur le palier. Maggie aspira profondément et descendit par le grand escalier tandis qu'Anne se dirigeait vers l'appartement qu'elle partageait avec Alex.

A la porte, elle hésita un instant avant d'ouvrir. Alex s'était changé. Il paraissait plus grand et incroyablement beau dans sa tenue de soirée, un habit d'alpaga bleu nuit au col châle de satin et un gilet de brocart ivoire.

— Tu es vraiment splendide, dit-elle. Je vois que tu as su nouer ta cravate sans mon aide.

— Je sais faire beaucoup de choses quand il le faut. Si je te demande de nouer ma cravate, c'est simplement parce que ça te rapproche de moi.

Elle se serra contre lui, il l'embrassa légèrement sur la bouche.

— Mon cow-boy écossais ! murmura-t-elle. Tu es encore plus beau maintenant que lorsque je t'ai connu. Regarde-toi. Pas une ride, à peine quelques cheveux gris, mais cela te donne encore plus de distinction !

Il rit tout bas, avec bonheur, en serrant Anne contre lui et l'embrassa, ses lèvres glissant pour frôler son oreille délicate, légères comme une aile de papillon. Elle se nicha au creux de son cou, humant profondément son odeur de lotion et de tabac de La Havane.

— Dieu ! quand je te tiens dans mes bras je me sens encore tout jeune homme, souffla-t-il, et ces mots firent battre le cœur d'Anne au point qu'elle crut défaillir. Zut ! Dommage que nous soyons déjà habillés.

Sans un mot, elle leva la main et dénoua sa cravate. En souriant, elle déboutonna le gilet puis les boutons de perle du plastron amidonné.

Ils passèrent une heure au lit, s'aimant avec une vigueur qui aurait fait honte à Dos, puis, épuisés et heureux, ils s'assoupirent jusqu'à ce que des ombres violettes recouvrent le ranch.

Anne précéda Alex en bas, et quand elle salua ses invités, chacun remarqua qu'elle n'avait jamais paru aussi radieuse.

Anne souriait à part elle, acceptait les compliments et pensait :
« Si seulement vous saviez pourquoi... si vous saviez... »

3

Le gouverneur était à la droite d'Anne et elle fit un effort pour
être plus qu'aimable avec lui. Alex présidait une autre table d'au
moins cinquante couverts, Maggie à côté de lui. Ils étaient
entourés de vieux amis pour que la jeune fille se sente moins
intimidée.

Carlos attirait les regards de toutes les jeunes filles, et aussi
bien des dames plus âgées. Il était plus espagnol que jamais, ce
soir, avec son costume *charro* noir tout brodé d'argent, très
cintré, qui faisait ressortir sa grâce élégante. Une large cravate de
satin cramoisi tranchait sur la blancheur éblouissante de sa
chemise de soie et attirait l'attention sur l'altière beauté de ses
traits.

Dos, naturellement, était avec Nelda.

Cependant, Nelda avait trouvé quelqu'un de plus à son goût
que Dos. Elle penchait la tête vers lui, non pour l'écouter mais
pour mieux voir Carlos, deux tables plus loin.

« Ah ! j'ai fait une grosse erreur, pensait-elle. Ce jeune prince
brun est ce que j'ai vu de plus joli dans ma vie. » Soudain, le
taurillon doré à côté d'elle ne l'intéressait pas plus qu'un veau
qu'on vient de châtrer.

Dos, ignorant qu'il avait perdu la faveur de la dame, acheva son
dîner et claqua des doigts pour faire remplir sa chope de bière.
Nonchalamment vautré à la table, il mordit le bout d'un cigare et
se pencha pour l'allumer à la lampe-tempête vacillante. Nelda en
profita pour capter le regard de Carlos. Son sourcil haussé posa la
question et Carlos y répondit par un sourire presque imperceptible.

« Pourquoi pas ? » se dit-il. Elle était beaucoup moins vulgaire
qu'Anne voulait bien le dire. Et il ne comprenait pas du tout
pourquoi elle lui donnait quarante ans. A la lueur des torches, son
teint était frais, son visage aussi lisse et pur que celui des jeunes
filles qui l'entouraient; elle avait les lèvres rouges, les joues roses
et son décolleté audacieux dévoilait deux seins fermes et satinés.

S'étant assurée de Carlos par un simple regard, Nelda ne vit
aucune raison de ne pas reporter son attention sur Dos. Il était
beau également, et si elle avait le temps — et si Carlos la décevait
— elle le prendrait à son tour...

Le dîner terminé, la salle de bal commença à s'emplir, mais
surtout de la jeunesse. Les personnes plus âgées se promenèrent
un moment, savourant la fraîcheur de la nuit, pour mieux
digérer. Tout le monde avait trop mangé — et certains trop bu —

chacun avait besoin d'un peu de répit avant de danser toute la nuit.

Dos sentit le changement d'attitude de Nelda. Ses yeux ne flirtaient plus avec lui et elle paraissait préoccupée. Il tenta de lui proposer une promenade, en pensant à un entrepôt derrière une grange où il y avait un vieux lit de camp au matelas de crin et, si ses souvenirs étaient exacts, un *sarape* mexicain comme couverture. Mais Nelda ne voulut pas en entendre parler.

— Le bal va commencer, voyons ! Regardez, voici l'orchestre.

— Vous aimez tellement danser ?

— J'ai débuté dans ma carrière comme danseuse.

Dos sombra dans un silence maussade mais resta auprès d'elle. Cette proximité ne gênait pas Nelda, du moment qu'elle pouvait distinguer Carlos de l'autre côté de la salle de bal. Il était encore tôt, elle avait tout son temps.

Les musiciens attaquèrent une polka et Alex, sachant que c'était la danse préférée d'Anne, l'entraîna sur la piste. Ses pieds légers frappèrent le sol en cadence et pendant un moment, tandis qu'ils tournoyaient, elle fut suprêmement heureuse.

Dans la maison, Dos cherchait Nelda. Sous prétexte d'avoir besoin de se poudrer, elle lui avait échappé et avait rejoint Carlos. Dans un souci de discrétion, ils s'étaient esquivés par la cuisine, mais dans l'obscurité ils avaient failli tomber sur Virgil Jones qui lutinait une des jeunes souillons aux yeux vifs.

Carlos entraîna vivement Nelda vers la remise des voitures, attela un cheval au cabriolet neuf d'Anne et partit en direction d'un arroyo planté de cèdres.

Leur arrivée troubla le sommeil de quelques oiseaux et une chouette poussa un cri plaintif.

— Quand j'étais petit, dit Carlos en s'étendant avec Nelda sur une couverture, sous les branches, je croyais que les arbres eux-mêmes faisaient ce bruit. Je trouvais merveilleux que d'autres choses que les animaux aient une voix.

Cela n'intéressait absolument pas Nelda. Elle regrettait seulement qu'il fît si noir qu'elle ne pouvait voir le corps mince de ce beau garçon. Elle lui glissa une main entre les jambes et la surprise le fit taire.

Il lui fallut un moment pour se remettre de ce geste osé, mais quand il se ressaisit il ne perdit pas de temps. La robe ornée de dentelles et de fanfreluches semblait avoir mille boutons mais il les défit rapidement, ouvrit le corsage et dénoua les rubans du cache-corset.

Déshabillé en un clin d'œil, il prit Nelda dans ses bras et la serra contre lui. Comme elle ne pouvait le voir, elle l'examina avec ses mains, lui caressa le dos, des épaules jusqu'aux reins. Carlos avait le nez dans son cou; l'odeur et le goût de la poudre de riz l'excitaient singulièrement.

Nelda gémit quand il se coucha sur elle et elle noua autour de ses hanches ses jambes gainées de soie. Glissant ses mains entre leurs deux corps, elle le caressa, les passa sur le ventre dur et plat de Carlos jusqu'à ce qu'elle trouve ce qu'elle cherchait.

Dos traversa la cour. Au loin dans la nuit un coyote hurla et un hibou lui répondit, des combles de la remise. Arrivé à la route blanche comme du sel au clair de lune, il s'arrêta pour déboucher sa bouteille. Le bouchon sauta dans un bruit de détonation et le hibou effrayé s'envola lourdement.

Le jeune homme but longuement au goulot, puis il repartit d'un pas mal assuré. Il lui fallut une demi-heure pour atteindre l'arroyo où il vit le clair de lune se refléter sur la capote de cuir du cabriolet.

Un râle de passion le fit sursauter et, en se penchant au bord de l'arroyo, il vit Carlos et Nelda, les bras de l'actrice serrés autour du dos nu de son oncle, ses hanches tressautant en cadence. Dos les observa avec fascination, le cœur battant, puis il se retira silencieusement, les oreilles agressées par leurs gémissements d'extase.

Il retourna à la maison, torturé par cette scène. Il vida la bouteille de champagne et, poussant un juron, la fracassa contre un arbre. Tout autre que Dos aurait sauté sur le couple, arrachant l'homme à Nelda, il aurait martelé de ses poings la figure de son rival. Mais il n'avait pas le cœur de se battre avec Carlos. Non, pas lui ! C'était le seul homme du Lantana qui prenait sa défense quand il avait des ennuis, la seule personne, à part Anne, qui s'interposait entre lui et la colère ou le dégoût d'Alex ! Non, pas Carlos ! N'importe qui, mais pas lui !

Il se mit à courir vers le corral. Là il choisit un étalon noir, le sella rapidement et le lança au grand galop dans la prairie.

4

Klaus Stark était allé directement au Liberty Saloon de Joëlsboro, un modeste bâtiment de bois semblable à tous ceux qui bordaient la rue principale défoncée. Ce n'était guère plus qu'un bar où les cow-boys pouvaient chasser avec de l'alcool la poussière qu'ils avaient avalée toute la journée. Près de l'entrée, il y avait quelques tables de jeu recouvertes de feutre vert, pour le faro, le vingt et un et le poker. Contre un mur, des banquettes à haut dossier formaient des sortes d'alcôves, et dans le fond une estrade accueillait pendant le week-end un violoneux ou un accordéoniste pour accompagner la demi-douzaine de souillons aux oripeaux voyants qui passaient pour des danseuses.

Ce soir-là, il n'y avait pas de musique et la salle était presque vide, la plupart des habitants ayant sauté sur l'occasion unique d'aller profiter de l'hospitalité du Lantana.

Klaus passa devant la seule table de poker occupée et alla s'accouder au bar d'acajou. Le patron du saloon tarda à le servir. Il n'aimait pas Klaus, il n'aimait d'ailleurs aucun des Stark. Ils tenaient mal l'alcool et leur sale caractère avait été la cause de plus d'une bagarre. Et il était évident que Klaus avait déjà beaucoup bu.

Trop fier pour réclamer, Klaus attendit avec une patience inaccoutumée que le patron vienne placer une bouteille devant lui et passa le temps en observant les filles assises à une table devant l'estrade : la grosse Fanny avec ses cheveux rouges flamboyants et ses dents d'or qui étincelaient comme le trésor de Montezuma; Hester la louchonne au teint terreux; Ethel qui niait obstinément sa grossesse alors que son ventre l'empêchait de s'approcher de la table; Guadalupe dont tout le monde savait qu'elle collait des morpions aux cow-boys imprudents; et l'impétueuse Cora qui avait un stylet dans sa botte et un colt 41 à crosse de nacre dans son réticule.

Il y avait une nouvelle à la table, Klaus la connaissait de vue. Elle s'appelait Lorna Rivers. Elle le regarda lorsqu'il entra.

— Va donc lui mettre le grappin dessus s'il te plaît, conseilla Fanny à la fille. Il n'est pas fameux, mais tu ne dois pas l'être non plus. Et puis il n'est pas brutal et on ne peut pas en dire autant de ces vauriens à la table de poker. Et, il faut l'avouer, il est bien plus joli. Probable aussi qu'il sent moins mauvais.

Lorna rit malgré sa nervosité.

— Qu'est-ce que je dois lui dire ?

— Demande-lui de te payer un verre.

— Je n'ai jamais bu d'alcool !

— T'en fais pas ! Le vieux Jack te servira du thé sucré. Allez, va !

Fanny tapota affectueusement la main de Lorna et la renvoya de la table.

Klaus feignit de ne pas la voir venir et attendit pour se retourner et la regarder qu'elle soit à côté de lui, tout intimidée.

— Bonsoir, Klaus, dit-elle en se forçant à sourire, se demandant s'il allait la reconnaître sous ses fards.

— Par exemple, si c'est pas Lorna Rivers, dit-il d'une voix nonchalante.

Il sourit et elle fut déconcertée par le regard de ses yeux d'un bleu si vif.

— Pourquoi est-ce que tu ne me payes pas un verre ? hasarda-t-elle en bredouillant.

— Jamais dit que je t'en offrirais pas ! Hé, Jack, apporte un verre !

Jack Lynch, le patron du Liberty Saloon, en remplit un d'une bouteille spéciale qu'il gardait sous le comptoir et le posa devant Lorna.

Lorna allait remercier quand un martèlement de sabots

retentit dans la rue. Klaus et elle se tournèrent vers la porte au moment où Dos faisait irruption. Ses cheveux blonds étaient en désordre, ses joues congestionnées. Son ample chemise ouverte jusqu'à la taille sortait du pantalon et les talons de ses bottes claquèrent bruyamment sur le plancher quand il s'approcha du bar.

— Donne-moi à boire, Jack, cria-t-il.

Jack lui apporta une bouteille et un verre.

— Comment ça se fait que t'es pas au Lantana pour les festivités ?

— J'en ai eu ma claque des festivités, grommela Dos.

Il remplit son verre et renversa une bonne partie du whisky sur le bar. Ce fut d'une main tremblante qu'il le porta à ses lèvres.

— Qui est-ce ? demanda Lorna à Klaus, car si elle avait entendu parler du Lantana elle ignorait tout de ses propriétaires.

— Un des foutus Cameron, répliqua Klaus, ses dents serrées révélant la colère qui flambait en lui.

Dos l'entendit, comme l'avait voulu Klaus, et il se tourna vers l'autre extrémité du comptoir, la figure plus rouge encore.

— Qu'est-ce que t'as à rouscailler, Klaus ?

La main de Klaus se crispa sur son verre. Le feu de son regard rivalisait avec celui de Dos.

Les joueurs de poker, pressentant l'algarade, posèrent leurs cartes pour mieux regarder. Dans le fond, les filles se levèrent mais restèrent près de leur table.

— Je t'ai posé une question, gronda Dos.

— Si je ne suis pas assez bon pour allez chez toi, alors t'es pas assez bon pour boire près de moi !

Dos ne savait pas du tout ce que Klaus voulait dire mais cela n'avait pas d'importance car il flairait la bagarre et, dans son dépit, il l'accueillait avec joie. Ses poings étaient déjà serrés, ses pieds écartés.

Klaus fit un pas vers Dos qui ne broncha pas. Jack Lynch voulut lui saisir le bras mais il fut repoussé. Lorna recula en ouvrant de grands yeux, comprenant que rien ne pourrait empêcher ces hommes de se battre.

— Tu sais pourquoi, Dos Cameron ? Tu sais pourquoi ? Tu ne t'es jamais demandé pourquoi les garçons de Rudy Stark n'avaient pas le droit de mettre les pieds dans le ranch qu'il a aidé à construire ?

Dos se l'était demandé, effectivement, il avait même posé la question et on lui avait simplement répondu que les Stark étaient une sale engeance à ne pas fréquenter. Et maintenant il en avait un devant lui, qui le défiait à un combat qu'il n'avait aucune intention d'esquiver.

— Bougre de con ! hurla Klaus. Tout le monde le sait ! Tout le monde le sait, sauf toi !

— Ta gueule, Klaus, avertit Jack Lynch, car lui aussi, il savait.

Mais sa voix était faible et ni Klaus ni Dos ne l'entendirent. La figure du jeune Stark était noire de haine.

— Le monde entier sait que ta mère était la putain de mon père !

Dos rugit de fureur. Il balança son poing gauche et atteignit Klaus à la tempe, mais l'autre lui sauta immédiatement dessus et lui porta à la mâchoire un coup si violent que Dos se mordit la langue. Du sang emplit sa bouche et faillit l'étouffer. Il cracha, éclaboussant de rouge la chemise de son adversaire.

Le genou de Klaus s'enfonça brutalement dans son bas-ventre et il partit à la renverse, le souffle coupé par la douleur. Les filles glapirent et reculèrent contre l'estrade. Les joueurs de poker, ravis, crièrent des encouragements tout en faisant de la place aux combattants tandis que Lorna, pâle d'effroi, regardait Klaus bondir sur Dos et le jeter à terre. Il tomba à genoux sur sa poitrine et lui marleta la figure des deux poings, hurlant sa fureur à chaque coup :

— Tu ne vois pas ?... t'es aveugle ?... ta mère avec ses grands airs... elle a couché avec mon père... t'es pas un Cameron ! Tu ne vaux pas mieux que moi !... t'es mon foutu frère !

Dos crut qu'un feu d'artifice explosait dans son cerveau. Lui ! Un Stark ! Pas un Cameron ! Pas le fils d'Alex... Ainsi c'était donc cela, la raison de l'animosité ! Il reçut un choc terrible, mais pas un instant il ne douta. Et il ne l'avait jamais su ! Il n'était pas le fils d'Alex ! Il n'était que le sale bâtard d'Anne et de Rudy Stark !

D'un coup de reins, il se redressa en envoyant Klaus contre la table de poker. Des cartes et des jetons s'éparpillèrent sur le plancher et une bouteille de whisky débouchée tomba et se brisa. Dos l'empoigna par le goulot et la leva. Klaus ne vit pas son geste. Aveuglé par la rage, il se rua sur Dos et les bords aigus de la bouteille s'enfoncèrent dans sa gorge, tranchant la veine jugulaire aussi nettement qu'un rasoir. Du sang, si foncé qu'il paraissait noir, jaillit en fontaine sur la poitrine de Dos, chaud, épais, poisseux, pour se mêler à son propre sang.

Dos battit précipitamment en retraite, horrifié, comprenant que Klaus allait mourir et que c'était lui qui l'avait tué. Son expression était aussi douloureuse que celle de Klaus, et Lorna se dit que jamais elle n'avait vu de figure aussi tragique. Le beau prince doré s'était changé en argile; ses traits se convulsaient, ses épaules s'affaissaient, comme si par quelque magie le temps s'était accéléré et l'avait vieilli en un instant. L'horrible sang rouge vif coulait de sa bouche et tombait en lourdes gouttes de son menton. Mais c'étaient ses yeux qui hypnotisaient Lorna, ses yeux verts qui avaient scintillé comme des émeraudes la première fois qu'elle l'avait vu. Ils étaient alors vifs, pleins d'assurance et d'aplomb. Maintenant, presque vitreux, ils semblaient s'enfoncer dans le crâne, leur beauté voilée par le chagrin, la répulsion, la pitié et le désespoir.

Dos chancela et se mit à hurler. C'était une plainte infernale, plus effrayante que le cri d'une bête prise au piège, atroce dans sa férocité, qui affola davantage Lorna que l'agonie de Klaus.

Dos n'avait pas lâché la bouteille cassée. Poussant un nouveau cri, il la leva et la lança violemment, au hasard. Elle vola à travers le saloon et alla frapper une étagère au-dessus du bar, faisant tomber des verres contre une lampe à pétrole allumée. La lampe vacilla puis tomba et se brisa sur le plancher. Le pétrole se répandit très vite et s'enflamma d'un coup en mettant le feu aux lourds rideaux de velours tirés devant les fenêtres.

Fanny glapit et les autres filles la suivirent quand elle courut en pleine panique vers la porte de service. Les joueurs de poker, après un moment de stupéfaction, se hâtèrent d'étouffer les flammes à l'aide de leurs vestes pendant que Jack Lynch saisissait une bassine d'eau de vaisselle et la jetait sur le feu; mais cela ne fit qu'étaler le pétrole enflammé et bientôt des flammmèches se mirent à noircir les murs de sapin.

— Fichons le camp d'ici ! cria quelqu'un, et les hommes abandonnèrent leurs vestes fumantes pour suivre les femmes dans la ruelle.

Voyant que le salon était irrémédiablement condamné, Jack Lynch se précipita derrière eux et personne, dans la peur et l'affolement général, ne remarqua que Dos et Lorna restaient seuls.

Dos était pétrifié, l'air égaré, inconscient des flammes voraces qui léchaient les murs et craquelaient la peinture du plafond. Lorna, toujours fascinée par les yeux tragiques de Dos, se cramponnait au bar et ne pouvait bouger.

Soudain, tout le plafond s'embrasa et fit pleuvoir de grosses gouttes de peinture incandescente; d'épais nuages de fumée emplissaient la salle. Une étincelle mit le feu à une des manches de Dos, arrachant enfin Lorna à sa léthargie. Elle bondit du comptoir et alla battre les flammes sur la chemise de Dos avec ses seules mains nues, sans se soucier de la douleur, ne pensant qu'à le faire sortir avec elle de cet enfer.

Elle le tira par le bras, de ses mains couvertes de cloques, mais il était aussi inébranlable qu'un bloc de pierre. Elle leva vers lui des yeux suppliants.

— Venez ! Il faut sortir d'ici !

Il resta commotionné, paralysé, regardant sans ciller le cercle de feu entourant le corps inerte de Klaus. Lorna le lâcha d'une main, serra le poing et le frappa aussi fort qu'elle le put à la mâchoire. Dos sursauta et elle vit qu'elle l'avait arraché à sa transe. Il se tourna vers elle, les yeux encore voilés par le chagrin et le désespoir, mais il la regarda et comprit enfin ce qui se passait.

— Il faut sortir d'ici ! cria-t-elle en le reprenant par la main.

Cette fois il bougea. Il chancela avec elle dans la fumée suffocante et les gerbes d'étincelles tombant du plafond qui commençaient à s'affaisser. Lorna se mit à tousser, une main crispée sur sa poitrine en feu. La porte de service paraissait atrocement lointaine.

Enfin elle l'atteignit et tous deux se précipitèrent dans la ruelle, encore assourdis par le ronflement de l'incendie, aspirant à grandes goulées de l'air frais dans leurs poumons torturés.

Sur le devant du saloon, les autres survivants se serraient les uns contre les autres, encore trop commotionnés par la catastrophe pour réagir; mais bientôt le tocsin amena sur les lieux les rares habitants qui n'étaient pas allés au Lantana pour la fiesta. Une chaîne s'organisa, des cow-boys, des commerçants, des vagabonds et les filles du saloon en robe de taffetas. Des seaux d'eau passèrent de main en main pour tenter d'éteindre le feu. Ils ne comprenaient pas la vanité de leurs efforts. Ils continuèrent de vider des seaux d'eau sur les murs flambants du saloon bien après que des têtes plus lucides eurent compris que le bâtiment était perdu. Leur préoccupation les empêcha de remarquer les étincelles qui, comme un vol de lucioles, allaient se poser sur le toit de bois du magasin de nouveautés voisin. La plupart se consumaient en vol et retombaient en cendres, mais quelques-unes se ranimaient en touchant le bois sec du toit et il était déjà trop tard quand Fanny leva les yeux et s'écria :

— Mon Dieu ! Regardez !

Les maisons de Main Street se côtoyaient, avec des murs mitoyens, et tout le monde comprit alors que l'incendie allait se propager d'un bout de la ville à l'autre et que rien ne pourrait l'en empêcher.

Après s'être précipités dans la ruelle, Dos et Lorna mirent un moment à se ressaisir, encore suffoqués par la fumée, frappés de terreur, jusqu'à ce que le tocsin les fasse sortir de leur torpeur.

Le bâtiment flambait derrière eux et Lorna vit que le toit du magasin voisin prenait feu.

— Nous ne pouvons pas rester là, dit-elle. Venez avec moi.

Elle prit machinalement la main de Dos mais une plainte lui échappa; elle sentait enfin la douloureuse brûlure de ses doigts. Dos la suivit dans la ruelle sans savoir où elle le conduisait, sans même s'en soucier. Son cerveau était encore embrumé par le champagne et son état de choc l'empêchait de souffrir de sa langue coupée et des cloques qui se formaient sur son bras, sous les lambeaux noircis de sa chemise.

— Dépêchez-vous ! Vite ! Il faut nous en aller d'ici !

Comme des fantômes, épuisés, ils marchèrent dans l'obscurité jusqu'à l'écurie de louage, à l'extrémité de la ville. Elle était déserte, comme Lorna l'avait pensé, car tout le monde luttait contre l'incendie. Elle ouvrit la porte et traîna Dos à l'intérieur. Quatre chevaux soufflèrent et remuèrent la tête, avançant le cou hors des stalles avec curiosité. Lorna souleva le couvercle d'une boîte en fer et prit une poignée de sucre pour calmer les bêtes, les laissant mordiller les morceaux dans le creux de sa main brûlée.

— La sellerie est là-bas, dit-elle à Dos. Sellez les deux noirs, ils seront les plus difficiles à voir la nuit.

Mais Dos ne bougea pas et elle comprit qu'elle devait s'en

occuper elle-même. Elle brida les deux hongres noirs et dut faire un effort pour hisser les lourdes selles sur leur dos.

Dos la regardait faire d'un air vague, apathique, et elle vit bien qu'il était inutile de lui demander de l'aide. Quand elle eut serré la deuxième sous-ventrière, elle se glissa dans le bureau du patron et prit deux Winchester dans le râtelier d'armes. Dans le tiroir du dessous, elle trouva une boîte de munitions et une bouteille de tequila presque pleine. Retournant dans l'écurie, elle glissa les fusils dans les fontes de selle, et l'alcool et les munitions dans un portemanteau de cuir qu'elle fixa avec des courroies sur la croupe de son cheval.

— En selle, ordonna-t-elle, et Dos obéit passivement.

Lorna mit ensuite le pied à l'étrier et se hissa à califourchon. Sa robe de satin jaune l'embarrassait et les étriers lui paraissaient tout drôles, sans bottes. Elle se pencha sur l'encolure et saisit les rênes de la monture de Dos, pour guider le hongre hors de l'écurie et derrière le bâtiment.

— Je sais que vous savez monter, dit-elle. Je vous ai vu une fois caracoler dans Main Street. Mais est-ce que vous pouvez vous débrouiller, maintenant, ou faut-il que je vous conduise ?

— Je peux me débrouiller, répondit-il d'une voix morne, mais Lorna poussa un soupir de soulagement.

Avoir réussi à le faire parler lui semblait une véritable victoire.

— Bon, alors, au galop !

Elle partit la première, imposant une allure régulière qui les amena en une demi-heure au bord d'un ruisseau où ils s'arrêtèrent pour laisser boire les chevaux.

Le galop et l'air vif avaient arraché Dos à sa torpeur et quand ils furent assis côte à côte au bord de l'eau, il se tourna vers Lorna et lui demanda :

— Qui êtes-vous ?

— Je m'appelle Lorna Rivers.

Il secoua la tête. Ce nom ne lui disait rien.

— Vous feriez mieux de rentrer chez vous.

— Je n'ai pas de chez-moi.

Le hongre de Lorna avait assez bu et elle tira sur les rênes.

— Nous devons repartir, dit-elle.

— Vous êtes bien sûre de vouloir venir avec moi ?

— Absolument sûre.

Elle le regarda. C'était peut-être un assassin... peut-être ne valait-il rien... mais tout dépenaillé et ensanglanté qu'il fût, c'était quand même le plus bel homme qu'elle eût jamais vu.

— On va nous traquer. Nous allons être constamment en fuite.

— Je sais, répondit-elle avec simplicité, le cœur frémissant d'amour et de surexcitation.

Dos la contempla encore un moment, incapable de comprendre cette fille qu'il ne connaissait pas ni pourquoi elle tenait tant à lier son sort au sien. Enfin, acceptant sa décision, il prit une profonde aspiration.

— Dans ce cas, filons !

Ils traversèrent le ruisseau à gué et après avoir escaladé l'autre berge, ils éperonnèrent leurs chevaux et laissèrent derrière eux les flammes de Joëlsboro.

Anne s'était réfugiée dans son bureau de la tour, dans son « bougonnoir » où personne, pas même Alex, ne venait jamais sans en être prié.

Il était près de quatre heures du matin. Elle ouvrit son coffret à cigares en acajou et y prit un mince havane, en mordit le bout et craqua une allumette sur l'accoudoir de son fauteuil à bascule. Le cigare était son vice secret, connu seulement d'Alex et sans doute, pensait-elle, des enfants. Elle ne fumait que dans son bureau, et uniquement quand elle était seule.

Dehors, les nuages du matin se dispersaient et couraient vers le sud. Anne se redressa et attendit impatiemment les premiers rayons du soleil. Elle possédait tout ce qu'elle voyait de sa fenêtre de la tour et davantage, car déjà le soleil brillait sur ses terres de la côte, à l'est, alors que ses vaqueros des collines de l'ouest dormaient encore.

Mais ce matin-là, Anne manqua le lever du soleil car elle distingua une ombre dans la cour et reconnut Carlos qui revenait de Joëlsboro. Elle se précipita dans l'escalier en colimaçon pour en savoir davantage sur l'incendie dont ils avaient aperçu la fumée depuis le Lantana.

Elle le trouva dans la cuisine, buvant à la longue table de chêne le café que lui avait servi la vieille cuisinière, Azucena. Il avait la figure barbouillée de suie, ses cheveux noirs brillants étaient ternes et décoiffés, ses yeux bordés de rouge et bouffis par la fumée. Une fine couche de cendre recouvrait ses vêtements et une barbe de la veille assombrissait ses joues. Il releva la tête, croisa le regard de sa sœur et s'éclaircit la gorge.

— Tout le côté nord a disparu, mais l'autre côté a été épargné.

— Dieu soit loué ! murmura Anne. Il y a eu des blessés ?

Quelque chose, dans les yeux de Carlos, fit courir dans son dos un frisson glacé. Elle se jeta sur une chaise à côté de lui et lui prit les mains.

— Dos !

— Non ! Non, pas Dos, dit vivement Carlos, détestant ce qu'il avait à dire car, en voyant le soulagement instantané d'Anne, il craignit que ses révélations la brisent jusqu'à l'âme.

Il en finit le plus vite possible, disant tout avant qu'elle puisse réfléchir à ce qu'elle entendait.

Pendant un moment, elle resta figée, la figure blême, les pupilles contractées, les yeux fixes. Puis, soudain, elle hurla et sa voix se répercuta entre les murs de la cuisine comme si on venait de lui plonger une dague dans le cœur.

Carlos se leva immédiatement pour la prendre dans ses bras mais elle le frappa comme une folle, lui martelant la poitrine des deux poings sans cesser de crier d'une voix métamorphosée :

— Mon fils ! Mon fils ! Non ! C'est un mensonge ! Un foutu mensonge !

Il la secoua, lui saisit les bras et les lui maintint dans le dos et, enfin, elle se laissa aller contre lui, les épaules secouées de sanglots secs.

Il la berça, le cœur serré pour cette femme qu'il aimait plus que tout au monde. Anne l'indomptable, dont les solides épaules avaient porté le fardeau de tant de drames, de chagrins, de douleur... et qui jamais ne s'était laissé accabler... Jusqu'à présent ? Elle paraissait maintenant voûtée et fragile entre ses bras, vulnérable, privée de toute force...

Cependant, Anne le surprit. Alors qu'il la serrait contre lui, il la sentit frémir, pas de faiblesse tremblante, non, c'était un renouvellement de vitalité, puisée à cette mystérieuse source de son âme qui l'avait toujours secourue en temps de crise. Maintenant, à la stupéfaction de Carlos — mais comment avait-il pu en douter ? — la source n'était pas tarie.

Elle carra les épaules, un geste automatique qu'il lui avait vu faire mille fois, et se dégagea de ses bras pour aller à la porte.

— Il faut que je le dise à Alex... S'il fallait que ce soit quelqu'un, ajouta-t-elle en se retournant vers son frère, pourquoi un des Stark ? Cela ne va causer que des ennuis sans fin.

Le *quinceañera* de Maggie se termina presque avant d'avoir commencé, annulé pour cause de tragédie et de scandale. Alors qu'Alex se tenait sur le perron et regardait les invités quitter la maison en chariot et en voiture, un des vachers arriva au galop avec une affiche qu'il avait trouvée, clouée sur le portail du Lantana.

RECHERCHÉ POUR LE MEURTRE
DE KLAUS STARK
JOËL DOS CAMERON
Age : 18 ans. Cheveux blonds.
Quiconque peut donner des renseignements
SUR CE DANGEREUX ASSASSIN
a le devoir de les communiquer à
PETER STARK
Shérif du canton de Zamora

Dos et Lorna chevauchèrent toute la nuit et, à l'aube, alors que la lune s'attardait, blanche et spectrale dans le ciel mauve, ils avaient couvert près de quatre-vingts kilomètres. Mais ils étaient toujours sur les terres du Lantana, dans cette partie appelée l'Ebonal, non loin de la plus lointaine limite du ranch.

L'anesthésie de l'alcool et du choc s'était dissipée et Dos grimaçait de douleur à chaque secousse du hongre noir. Les rênes de Lorna entamaient ses paumes brûlées et se poissaient de sang.

— Il y a une cabane quelque part par ici, annonça Dos en clignant d'un œil dans le petit jour, l'autre étant noir et fermé par l'enflure, les cils argentés collés par le sang.

Ils continuèrent d'avancer, et comme le soleil devenait chaud Lorna aperçut ce toit à l'horizon. Quand ils s'approchèrent, Dos constata avec satisfaction que la cabane était déserte. Ce n'était qu'une construction délabrée, à demi écroulée, qui ne résisterait certainement pas à la violence d'une nouvelle tempête.

Quand ils eurent mis pied à terre et attaché les chevaux, ils allèrent au puits où Dos jeta une pierre; ils entendirent avec joie sa chute dans l'eau. Dos trouva un vieux seau et remplit une auge pour abreuver les chevaux. Ses mains étaient terriblement enflées, les phalanges à vif, et Lorna dut négliger ses propres brûlures pour l'aider à remonter du puits un seau après l'autre. Ils burent à tour de rôle puis, portant le seau dans la cabane, Lorna déchira une bande de son jupon pour laver le sang séché sur le visage de Dos.

Il avait la mâchoire douloureuse, sa langue mordue lui emplissait presque la bouche et même quand le sang coagulé fut nettoyé de ses cils, il ne put ouvrir son œil endolori.

Avec d'autres lambeaux de jupon, Lorna pansa ses propres mains en se demandant pourquoi elle n'y avait pas songé plus tôt.

Enfin ils s'étendirent sur une couverture de cheval et s'endormirent, pour ne se réveiller que lorsque le soleil fut une boule de feu à l'horizon, à l'ouest.

Les souffrances de Dos le harcelèrent, comme si le sommeil n'avait servi qu'à ranimer ses douleurs. Lorna tint sa tête sur ses genoux et caressa ses cheveux blonds.

Ce soir-là, à neuf heures, ils laissèrent le Lantana derrière eux et s'arrêtèrent pour permettre aux chevaux de souffler au sommet d'une éminence couverte de sauge.

— Nous devons avoir un plan, déclara Dos. Il faut voir ce que nous allons faire, où nous irons.

Lorna se tourna vers le sud.

— Nous pourrions aller au Mexique.

— Tu y es déjà allée ?

— Non.

— C'est un pays dangereux, plein de bandits et de desperados.

— Eh bien, nous sommes des desperados, n'est-ce pas ?

Dos la regarda, l'air surpris, comme si elle venait de lui faire une révélation.

— Ma foi, oui, sans doute.

— Alors, allons au Mexique où nous nous sentirons chez nous. Personne ne nous cherchera là-bas.

Il en fut décidé ainsi. Ils talonnèrent leurs chevaux et repartirent en direction du sud.

6

Anne ne cessait d'espérer des nouvelles de Dos. Trop inquiète et bouleversée pour s'occuper du ranch, elle en laissa la direction à Alex tandis qu'avec Carlos elle partait pour les plus lointaines marches de son empire afin d'interroger ses vaqueros, de savoir si l'un d'eux avait entendu parler de son fils. Ils passèrent une nuit à l'Ebonal et poussèrent ensuite vers le sud, à l'Hallelujah et au Cenizo. Au Lovelace, ils campèrent dehors et s'abritèrent dans un *jacal* abandonné à Piedras Blancas. Partout où ils allèrent — jusqu'à Casa Rosa et au Trevor — l'histoire était la même. Personne n'avait vu Dos. Personne n'avait entendu parler de lui.

Las et découragés, après plus de quinze jours à cheval dans la *brasada*, Anne et Carlos revinrent enfin à la grande maison dans les premiers jours d'octobre.

Alex les accueillit dans le vestibule et à son regard interrogateur, Anne secoua la tête et soupira.

— Rien à signaler.

Elle se tourna vers le grand escalier, dans l'intention de monter à son bureau de la tour où elle pourrait être seule et s'absorber dans ses pensées, puis elle s'arrêta et demanda des nouvelles de Maggie.

— Elle va bien, répondit Alex. Elle est là-haut dans sa chambre.

Anne fronça les sourcils.

— Pourquoi n'est-elle pas à l'école ?

— Tu devrais peut-être la voir et le lui demander toi-même.

— C'est ce que je vais faire, murmura Anne, et elle monta à la chambre de sa fille.

Elle la trouva assise près de la fenêtre, plongée dans la lecture des *Misérables*. En la voyant, Maggie abandonna son livre pour venir se jeter dans ses bras.

— Ah ! maman ! Je suis si heureuse que tu sois rentrée !

— Qu'est-ce qui se passe, ma chérie ? Qu'est-ce qui ne va pas ? s'exclama Anna en la voyant fondre en larmes. Pourquoi n'es-tu pas à l'école ?

— Jamais je n'y retournerai, sanglota Maggie.

— A cause de Dos ? demanda sa mère en devinant déjà la réponse.

— Oui. On ne parle que de ça. On l'appelle un assassin, on dit que je suis la sœur d'un assassin.

— Ma pauvre chérie !

— Je t'en supplie, maman, ne m'oblige pas à y retourner ! Je ne peux pas le supporter, je les déteste tous !

— Ça leur passera, Maggie.

— Non ! Non, je sais bien que non !

Anne resta un long moment silencieuse, sa fille dans ses bras. Enfin elle murmura :

— C'est bon, ma chérie. Je ne t'y obligerai pas si tu ne le veux pas. Il faut bien pourtant que tu poursuives tes études.

— Nous pourrions faire venir un précepteur ici ?

— Peut-être. Nous verrons. Maintenant je dois monter dans mon bureau.

— Ton « bougonnoir », dit Maggie en souriant à travers ses larmes.

— A mon « bougonnoir ». J'ai besoin de réfléchir.

Anne grimpa par l'escalier en colimaçon et s'enferma dans son domaine privé. Assise dans son fauteuil à bascule, elle alluma un cigare. Pour la première fois depuis des semaines, elle se sentait plus ou moins en paix. Ce début d'automne était doux et une brise légère soufflant du lointain golfe du Mexique entrait par la fenêtre ouverte. Anne resta là, à réfléchir en se balançant, jusqu'à ce que la cloche du dîner l'appelle.

Azucena, la vieille cuisinière qui apparaissait rarement dans la salle à manger, servit le repas elle-même en l'honneur d'Anne.

— Soyez la bienvenue, señora, dit-elle. Vous êtes restée trop longtemps loin de nous. Vous nous avez manqué.

— *Gracias*, Azucena, répondit Anne en serrant avec reconnaissance la main de la Mexicaine.

Alex versa du vin à tout le monde, y compris à Maggie, mais le dîner ne fut pas gai et ils mangèrent en silence. Au moment du dessert, Anne s'éclaircit la gorge et s'adressa à Alex.

— J'ai bien réfléchi. Maggie ne veut pas retourner à l'école de Joëlsboro et je la comprends. Mais il faut bien qu'elle étudie. Ce ne serait peut-être pas mauvais pour elle de partir.

— Oh ! maman, non ! s'écria Maggie en regardant sa mère avec consternation.

— Ma chérie, tu ne connais absolument rien en dehors du Lantana...

— Mais je l'adore !

— Moi aussi. Et nous tous. Mais ce n'est tout de même qu'une toute petite partie du monde.

— C'est assez grand pour moi.

— Ce le sera... plus tard, quand tu seras grande, quand tu seras mariée. Mais une jeune femme doit en savoir plus sur le monde que ce que tu peux apprendre ici au ranch.

— Tu n'en as pas eu besoin, toi, protesta Maggie qui redoutait de quitter le Lantana pour quelque ville lointaine.

— Je n'avais pas le choix, répliqua Anne. Demande à ton père combien il lui a été utile de connaître d'autres pays, l'Écosse, l'Angleterre, l'Italie, toutes les grandes villes des États-Unis.

— C'est vrai, Maggie chérie, intervint Alex. Ta mère sait de quoi elle parle.

— Et toi, Carlos ? demanda la jeune fille en cherchant du soutien auprès de son oncle. Tu n'es jamais allé étudier ailleurs ?

— Non... et je le regrette.

Anne le regarda avec étonnement.

— Je ne savais pas, Carlos, Tu ne me l'as jamais dit.

— Je pensais qu'on avait besoin de moi ici... pour vous aider, Alex et toi.

— Certes, et tu nous as été fort précieux, dit affectueusement Alex. Mais j'ose dire que nous aurions pu nous débrouiller sans toi, au moins un moment.

— Si seulement nous l'avions su ! murmura Anne en étreignant la main de son frère.

Maggie gardait le silence, espérant que la conversation ne reviendrait pas sur elle.

— Cela ne vaut plus la peine d'en parler, assura Carlos. Pour moi, le temps des études est bien révolu. J'aimerais bien pourtant avoir connu d'autres endroits que le Lantana et San Antonio

— Tu vois, Maggie, dit Anne. Écoute ton oncle.

Mais la jeune fille s'obstina.

— Je ne veux pas partir.

— Ce ne serait pas pour longtemps, promit Anne. Un an, deux ans peut-être. Tu devrais vraiment apprendre la peinture et la musique, les arts, toutes ces choses qui te donneraient le même vernis qu'aux autres jeunes filles de ton âge. Les bonnes manières, la littérature, comment recevoir... Tu as besoin de connaître tout cela. Le temps de la frontière est révolu, disparu aussi sûrement que le bétail à longues cornes est en voie de disparition. Nous allons bientôt entrer dans le xxe siècle et nous devons nous adapter aux changements de la vie moderne.

— Mais rien ne change jamais au Lantana !

— Comment peux-tu affirmer une chose pareille ? Nous sommes aussi modernes qu'il est possible de l'être. Nous avons le chemin de fer, l'éclairage au gaz et le chauffage central, et il paraît que bientôt nous aurons le téléphone. Pas de changements ! Tu aurais dû voir le pays quand j'y suis arrivée !

— Et puis tu reviendras, dit Alex, Tu auras des vacances, tu viendras passer tout l'été. Nous enverrons le train te chercher. N'est-ce pas, Anne ?

— Naturellement. Et nous irons te voir le plus souvent possible.

Maggie comprit que toute résistance serait vaine. Son dessert était pratiquement intact, mais elle avait perdu tout appétit.

— Où ? demanda-t-elle tristement. Où devrais-je aller ?

— Voyons... San Antonio est trop près, jugea Anne. Tu aurais les mêmes ennuis qu'à Joëlsboro. Il y a bien Galveston. Il y a là-bas une excellente institution. Et même La Nouvelle-Orléans ne serait pas trop loin.

— C'est bien assez loin, marmonna Maggie.

— Allons, rien ne presse, déclara Anne en repliant sa serviette pour mettre fin à cette discussion. Pour le moment, oublions l'école. Tu n'auras pas à retourner à Joëlsboro.

Les servantes commencèrent à desservir. Anne se leva et s'approcha de Maggie, lui caressa les cheveux et la prit par les épaules.

— Ne sois pas si affligée, ma chérie. Tu vas t'habituer à cette idée et bientôt tu penseras avec joie à ta nouvelle aventure. Mais si, je t'assure.

L'automne passa vite, bien trop vite pour Maggie qui voyait s'approcher le jour où ses malles seraient chargées dans la luxueuse voiture-salon et où Alex l'accompagnerait par le train jusqu'à La Nouvelle-Orléans. Les Ursulines et l'Institution du Sacré-Cœur l'avaient acceptée et un échange de correspondance avec la famille Laforêt avait persuadé Anne de confier sa fille aux religieuses du Sacré-Cœur.

— Elles vont essayer de me convertir, protesta Maggie.

— Mais non ! Et puis ce n'est pas si mal d'être catholique. Ton oncle Carlos l'est bien.

A mesure que la date du départ approchait, elle se surprit même à l'attendre avec une certaine impatience. Depuis quelque temps, en secret, elle fouillait dans la bibliothèque de son père, à la recherche de livres et d'encyclopédies décrivant La Nouvelle-Orléans. Elle était intriguée par tous ces noms qui lui semblaient exotiques, le Vieux Carré, la place d'Armes, le faubourg Marigny. Elle se penchait sur des plans de la vieille ville, suivait du doigt la courbe des avenues longeant la boucle du Mississippi, cherchait les limites du Garden District et du Quartier français, imaginant le premier comme une sorte d'Eden civilisé et le second comme une petite réplique de Paris.

Le dernier jour de l'année, Anne, qui n'avait toujours pas eu de nouvelles de Dos, se sépara de Maggie, le cœur lourd.

Elle resta là longtemps après que le train emmenant Maggie et Alex eut disparu et que sa fumée se fut fondue dans la brume voilant l'horizon. Puis elle remonta dans son cabriolet et retourna à la maison. Carlos la vit entrer, mais devina à son expression qu'elle voulait être seule. Plus tard, en traversant la cour pour aller d'un corral à un autre, il leva les yeux et l'aperçut à la fenêtre de la tour, là-haut sous les combles. Immobile, elle contemplait l'immense paysage vide.

1894

7

Fuyant Joëlsboro, Dos et Lorna pénétrèrent au Mexique à Mier, où ils demeurèrent jusqu'à la fin de l'année dans une chambre qu'ils avaient louée, derrière une cantina bruyante. Pour Lorna, les quelque cent dollars que Dos avait dans sa poche étaient une fortune ahurissante qui devrait à son avis les faire vivre pendant au moins un an. Mais ils avaient besoin de vêtements, un pantalon et des bottes pour Lorna, des chapeaux et des vestes pour eux deux, et en quelques jours la fortune diminua de moitié.

— Mais où est passé l'argent ? demanda-t-elle, sincèrement étonnée, en comptant le petit tas de pièces sur la commode bancale.

— A payer de méchants sombreros comme celui-là, répliqua Dos en montrant le cuir intérieur qui se détachait déjà. Je dois avoir une douzaine de chapeaux à la maison, et tous des Stetson !

— Donne, je vais te le recoudre.

Dos la regarda travailler, tirer la langue en même temps que l'aiguille, fronçant les sourcils avec application. Il savait qu'elle était amoureuse de lui, même si elle ne l'avait jamais dit. Il le voyait dans ses yeux, chaque fois qu'il relevait brusquement la tête et la surprenait en train de le contempler. Elle en était alors gênée, car elle se détournait vivement pour masquer sa rougeur subite.

Ils étaient devenus plus intimes. Il l'avait prise, la première nuit passée à Mier. Son inexpérience était évidente et quand Dos lui demanda si elle était vierge, elle répondit oui, sachant que si ce n'était pas vrai physiquement, dans son cœur elle n'avait jamais couché avec un homme.

Au début de janvier, il ne leur restait presque plus d'argent et Mier commençait à les ennuyer. Sans aucun projet défini, ils firent leurs paquets et repartirent à cheval vers le sud, cherchant surtout un climat plus chaud.

Ils errèrent au hasard, passant la nuit serrés l'un contre l'autre à la belle étoile, les sommets déchiquetés de la sierra Madre dressés comme de sombres sentinelles dans le ciel, les hurlements des coyotes rompant le silence presque palpable qui les entourait, sorte d'écho à la tristesse croissante de Dos.

— Nous devrions peut-être nous en retourner, dit-il un soir, alors qu'ils étaient couchés à côté de leur petit feu de camp.

— Ils te trouveront et t'arrêteront, souffla Lorna, le cœur glacé à l'idée de le perdre.

Les pensées de Dos se tournèrent vers l'avenir. Allait-il être un fugitif jusqu'à la fin de ses jours ? Ne jamais rentrer chez lui ? Ne jamais revoir le Lantana ?

Lorna sentit sa nostalgie et avança une main hésitante pour tracer du bout des doigts le contour de sa bouche.

— Nous nous arrangerons, promit-elle.

— Il ne me reste que dix pesos. Nous n'aurions pas dû tant dépenser à Mier.

— Il fallait bien que l'argent s'épuise tôt ou tard. Nous allons devoir chercher du travail.

— Où ça ? demanda Dos. Tout ce que je sais faire, c'est m'occuper de bétail et aucun *hacendado* mexicain ne va embaucher un gringo.

— Nous trouverons quelque chose, assura Lorna. N'y pense pas maintenant. Attendons le matin.

Quand le soleil se leva au-dessus des montagnes, ils mangèrent leurs dernières tortillas froides et sellèrent les chevaux.

— Je me demande où nous sommes, demanda Lorna.

— A environ cent cinquante kilomètres au sud du Rio Grande. Monterrey ne doit pas être bien loin.

— C'est là que nous allons ?

— Ça ne vaut rien d'arriver les poches vides dans une ville inconnue.

Lorna feignit de réfléchir mais elle savait déjà ce qu'elle allait dire. Longtemps après que Dos se fut endormi, elle resta éveillée, tournant et retournant toutes sortes de solutions dans sa tête.

— Dos, dit-elle enfin, si nous avons besoin d'argent, nous devrons le voler.

— Tu es folle !

— Non, pas du tout. Je parle très sérieusement. C'est ça ou crever de faim. Ou retourner au Texas...

Dos ferma les yeux et s'appuya contre son cheval.

— Dieu, Lorna ! Tu n'aurais pas dû me suivre. Vois un peu dans quel pétrin je t'ai fourrée !

Elle ne dit rien mais son cœur lui soufflait qu'elle préférait être avec lui, perdue dans les montagnes sauvages du Mexique, que n'importe où dans le monde.

Il ouvrit les yeux et la regarda.

— Je te demande pardon.

— Mais non. Il n'y a pas de quoi. J'ai pris ma décision moi-même, j'aurais pu partir si je l'avais désiré. Maintenant, en selle. Nous ferons des projets en marchant.

Par ce terrain difficile leur progression fut lente, et pendant les quelques premiers kilomètres, ils gardèrent le silence. De temps en temps Dos jetait un coup d'œil à Lorna et son cœur se gonflait de respect et d'admiration.

Il se sentait pénétré de reconnaissance et cherchait un moyen de l'en remercier. Elle lui avait sauvé la vie, elle avait pansé ses blessures et aujourd'hui, au matin le plus sombre de sa vie, elle le soutenait. Il comprit soudain qu'il ferait n'importe quoi pour elle, n'importe quoi, même...

— D'accord, dit-il. Nous attaquerons une banque.

Il surprit le bref regard de Lorna et crut voir dans ses yeux une lueur d'espoir... de joie, même.

— Une de ces petites banques mexicaines... ça ne devrait pas être trop difficile, ajouta-t-il.

Elle ne dit rien et se remit à regarder droit devant elle, mais un léger sourire frémit au coin de ses lèvres et son petit menton pointu se redressa.

Ils voyagèrent toute la journée, grimpant de plus en plus haut pour franchir un col et quand le soir tomba ils avaient à peine échangé quelques mots. Alors qu'ils cherchaient un endroit pour camper, ils aperçurent les lumières d'une ville clignotant dans la vallée.

— C'est Monterrey ? demanda Lorna.

— Sûrement pas. C'est bien trop petit.

Dos retomba dans son silence et Lorna prépara un feu de camp avant d'étaler leurs couvertures sur le sol rocailleux.

Dos se réveilla avant le jour, et quand Lorna ouvrit les yeux elle le vit accroupi près du feu. Le froid était vif, même si loin au sud, et le vent du nord qui balayait les montagnes les faisait claquer des dents.

— Je ne sais pas ce que je donnerais pour une bonne tasse de café, dit-elle en serrant la couverture autour d'elle. Je ne veux même pas penser à des œufs au bacon.

— Nous aurons du café, assura Dos. Et des œufs. Un grand plat de *huevos rancheros*. Nous allons descendre vers cette ville et nous commanderons tout ce que nous voudrons, car si les choses marchent bien, nous n'aurons pas de soucis d'argent.

Il se tourna vers elle en souriant et vit pétiller dans ses yeux le plaisir qu'elle ressentait à imaginer l'aventure.

Ils descendirent dans la vallée. Dos craignit un instant que la ville fût trop petite pour posséder une banque mais, quand ils firent le tour de la place, il aperçut en face de l'église un bâtiment de pierre jaune aux fenêtres garnies de barreaux, portant une enseigne : BANCO DE COAHUILA.

Ils mirent pied à terre devant une *lonchería* à l'autre coin de la place. Le petit café était ouvert et Dos et Lorna s'installèrent à l'une des trois tables disposées sur le trottoir. En attendant qu'on les serve, Dos laissa cirer ses bottes par un gamin et lui lança un de ses derniers pesos.

Lorna nettoya son assiette et réclama une nouvelle portion mais Dos était trop nerveux et inquiet; ce qu'il s'apprêtait à faire lui coupait l'appétit.

Il observait attentivement la rue, tout en projetant son action. La place commençait à s'animer, des commerçants installaient leurs éventaires en plein vent, des vieux qui n'avaient rien de mieux à faire retrouvaient leur place sur leurs bancs préférés et des femmes en mantille, sortant de la première messe, échangeaient des potins tout en faisant leur marché.

Un imposant cabriolet arriva et déposa devant la banque un homme élégant au costume foncé et sombrero noir. Tirant de sa poche un trousseau de clefs, il ouvrit et replia les grilles, puis la porte. Deux clients qui attendaient entrèrent avec lui.

— C'est maintenant ou jamais, marmonna Dos en posant ses dernières pièces sur la table.

Ils se levèrent et conduisirent leurs chevaux de l'autre côté de la rue.

— Laisse-moi faire, dit Dos. Je te demande simplement de me couvrir.

Il respira un grand coup dans l'espoir de calmer ses nerfs. Puis il arracha une Winchester des fontes de sa selle et bondit dans la banque, Lorna sur ses talons.

Le banquier se retourna avec un sourire aimable, sans remarquer tout de suite le fusil dans les mains de Dos.

— Haut les mains ! Vous, là-bas, ordonna-t-il aux clients, contre le mur !

La peur fit ouvrir des yeux ronds au banquier. Il poussa un petit cri et pâlit.

— L'argent ! rugit Dos. Par ici !

Le banquier se précipita. Avec des mains tremblantes, il prit un petit sac de toile et le remplit avec l'argent de la caisse.

— *Más !* cria Dos.

L'homme écarta les mains.

— *No hay más... !*

— Bien sûr que si, il y en a encore ! gronda Dos en désignant avec son arme le coffre-fort.

Il avait les paumes moites à présent, et le fusil glissait entre ses mains. Terrifié, le banquier se signa brusquement, ce qui alarma Dos et son doigt se crispa sur la détente. La balle alla ricocher contre le coffre d'acier et briser une lampe accrochée au plafond. Les clients plaqués contre le mur hurlèrent et se couvrirent la tête de leurs bras.

Un cri retentit dans la rue et Dos glissa son bras par le guichet pour s'emparer du sac d'argent. Lorna tourna les talons et sortit en courant avant lui. Sur le seuil elle s'arrêta pour brandir sa Winchester et menacer la foule. A cette vue, tout le monde se jeta à plat ventre. Dos se précipita dehors à son tour et tous deux sautèrent en selle.

Avant que la foule sur la place ait eu le temps de réagir, ils éperonnèrent leurs montures et s'enfuirent au grand galop pour ne ralentir qu'une fois sûrs de s'être perdus dans les contreforts des montagnes, au sud.

Leurs chevaux chancelaient de fatigue quand ils s'arrêtèrent au pied d'un rempart de rochers déchiquetés. Dos resta tassé sur sa selle, mais Lorna sauta à terre et courut vers lui.

— Dos ! Dos ! Nous avons réussi !

Son rire joyeux éveilla les échos de la montagne, clair comme celui d'un enfant au matin de Noël.

— Fais voir, Dos ! Montre-moi !

Il plongea une main sous sa chemise et en retira le sac de toile. Lorna le lui arracha pour dénouer fébrilement les cordons.

— Ah ! Dos, regarde ! s'exclama-t-elle, surexcitée. Il y a de l'or ! Des pesos d'or et d'argent !

Dos descendit de cheval et la rejoignit. Lorna plongeait la main dans le sac, faisait tinter les pièces.

— Comptons-les ! J'ai hâte de savoir combien nous avons !

Comme Dos ne répondait pas, elle le regarda et surprit dans ses yeux une lueur sauvage, presque féroce.

— Ça ne va pas, Dos ? Tu as l'air tout drôle.

Il secoua la tête et se mit à sourire. Accroupi à côté d'elle, il plongea à son tour les deux mains dans le sac. Des pièces d'or et d'argent ruisselèrent entre ses doigts. Elles brillaient au soleil et sonnaient sur la pierre comme mille petites clochettes.

— C'était merveilleux, Lorna, murmura-t-il d'une voix presque angoissée. Une sensation merveilleuse ! C'était amusant !

Étonnée, elle contempla son expression extasiée.

— Ça t'a plu, Lorna ?

— Oh ! oui ! Je me sentais forte...

— C'est une des choses les plus formidables que j'aie jamais faites ! J'ai l'impression d'avoir attendu toute ma vie d'éprouver cette sensation. J'avais peur, vraiment peur. Mes mains étaient moites, mon cœur battait, mais crois-moi, Lorna, c'était fantastique !

Elle le dévisagea, elle vit qu'il était excité et elle sentit s'embraser en elle les feux de la passion. Le danger et l'audace les avaient électrisés tous les deux, et sans un mot Dos la prit dans ses bras et la coucha sur la pierre, il déboutonna sa chemise et lui ôta son pantalon. Le rocher brûlé de soleil lui chauffa le dos et les fesses. Dos l'embrassa follement, comme s'il voulait la dévorer. Haletante, elle se tordit sous lui, rougissant de plaisir quand la barbe soyeuse de Dos lui caressa les joues. Elle l'enlaça, se serra contre lui.

Il la prit avec violence, la monta comme si elle était un cheval rétif, l'écrasa de tout son poids et enfin Lorna poussa un grand cri.

Elle crut perdre connaissance quand un grand frisson la parcourut, la secoua des pieds à la tête en faisant battre son cœur à se rompre et son âme frémir de joie et d'extase.

Pendant un long moment ils restèrent immobiles, côte à côte, laissant l'air pur de la montagne sécher leur corps en sueur. Lorna s'assoupit, la tête sur l'épaule de Dos. Plus tard, quand elle se réveilla, elle vit qu'il s'était rhabillé et que le soleil déclinait vers l'ouest.

— Est-ce que nous allons passer la nuit ici ? demanda-t-elle.

Sans répondre, Dos se redressa et regarda au loin. Lorna enfila son pantalon et boutonna sa chemise.

— Dos ?... Est-ce que nous allons...

— Chut, souffla-t-il, la plaquant tout doucement au sol.

— Qu'est-ce qu'il y a ?

— Ils nous ont suivis, chuchota-t-il. Je les ai entendus, ils sont au bas de la pente.

Lorna sentit la peur lui glacer le dos. Elle tourna la tête et leva les yeux vers le sommet rocheux qui se dressait à pic derrière eux. « Mon Dieu, pensa-t-elle, ils vont nous prendre au piège ici. Jamais nous ne pourrons leur échapper. »

Dos rampa vers les chevaux et tira les fusils des fontes. Revenant vers Lorna, il jeta entre eux une poignée de cartouches et lui tendit une arme.

— Ne tire pas avant que je te le dise.

Ils attendirent en silence; ils n'entendaient que le sifflement du vent au-dessus d'eux, sur les hauteurs.

— Dos, murmura Lorna. Tu en es sûr ? Je ne vois personne.

— Ils sont là, assura-t-il assez calmement. Ils attendent que le soleil se couche, le moment où nous l'aurons dans les yeux.

Soudain un cri retentit, la voix d'un homme invisible ordonna :

— Rendez-vous, amigos ! Vous êtes cernés.

Aussitôt, comme pour le démontrer, deux douzaines de fusils tirèrent l'un après l'autre, les détonations sèches régulièrement espacées, claquant et se répercutant entre les rochers, formant un cercle pour remonter d'un côté de la montagne, passer derrière Dos et Lorna et redescendre vers le rocher où elles avaient commencé.

Quand les échos se turent, la même voix reprit :

— Vous voyez, amigos ? Nous sommes tout autour de vous. Nous vous avons dans notre ligne de mire. Jetez vos armes !

Lorna regarda Dos. Il était crispé, la figure congestionnée.

— Ils nous tiennent, Lorna, souffla-t-il.

Puis, d'un geste résigné, il jeta son fusil au bas de la pente. Quand Lorna l'eut imité, il la prit par la main et ils se levèrent tous les deux.

Ils étaient exposés, vulnérables. La campagne paraissait toujours aussi déserte et sans vie mais au bout d'un moment, leurs adversaires se révélèrent, surgissant de derrière les rochers et les buissons.

— Vous avez bien fait de ne pas combattre, dit un homme.

Dos et Lorna se tournèrent dans sa direction et virent un grand individu vêtu de noir, une carabine à la main et une paire de Peacemaker 45 sur les hanches. Ce devait être le chef mais il resta éloigné, laissant ses hommes quitter leurs postes et converger vers leurs prisonniers. Comme lui, ils étaient vêtus de noir et gardaient leurs fusils braqués sur Dos et Lorna; deux d'entre eux s'avancèrent et leur lièrent les poignets dans le dos avec des courroies.

Quand ils furent solidement ligotés, le chef abaissa sa carabine et donna un ordre :

— *Vámonos !*

— Tu crois qu'ils vont nous pendre ? chuchota Lorna en trébuchant derrière Dos sur la pente jonchée de pierres.

— Je ne sais pas. Je ne comprends pas. Ils nous avaient cernés. S'ils avaient voulu nous tuer, pourquoi n'ont-ils pas simplement tiré ?

— Notre tête doit être mise à prix. Nous allons nous retrouver dans une prison mexicaine !

Dos ne répondit pas. Ils avaient atteint le pied de la montagne où le terrain s'aplanissait et s'étendait vers l'ouest. Le soleil se couchait et de longues ombres violettes s'allongeaient dans la plaine.

Le chef s'arrêta et siffla. Dans le flamboiement du couchant, un autre homme surgit, conduisant plusieurs chevaux.

— Mettez-les en selle, dit le chef, et Dos et Lorna furent hissés sur leurs propres hongres.

Quand tout le monde fut monté, le chef donna le signal du départ. Toute la troupe partit au trot en s'éloignant de la montagne.

Avant Lorna, Dos remarqua qu'au lieu de les ramener en ville, les hommes les conduisaient vers l'ouest, à travers la plaine.

— Tu as peur ? demanda-t-il.

— Je ne crois pas. Non... je sais ce que c'est que la peur. Ça c'est différent... C'est drôle, Dos, dit-elle, les joues rouges et le cœur battant. Je devrais avoir peur mais... mais non. Tu vas croire que je suis folle mais ce que j'éprouve c'est... c'est de l'excitation !

Ils trottèrent pendant une heure. Le ciel devint violet, puis étincelant d'étoiles. Enfin Dos et Lorna aperçurent des lumières au loin.

— Une hacienda, murmura-t-il.

On les conduisit jusqu'à la maison où on les aida assez brutalement à descendre de leurs montures. Le chef avait déjà mis pied à terre et les attendait sur la véranda, une étroite galerie au toit de tuiles rouges soutenu par des poutres grossièrement équarries dépassant du mur de pisé. La porte d'entrée était ouverte malgré le froid de la nuit et Dos put voir une petite pièce illuminée par le feu de bois dans la cheminée.

D'un geste courtois, presque aristocratique, le chef les invita à entrer. Il avait un corps mince et musclé, mais ses cheveux argentés trahissaient son âge. Sa figure était tannée comme du vieux cuir et Lorna remarqua en passant devant lui qu'il avait les yeux voilés, presque tristes, comme si durant sa vie il avait vu trop de douleurs et de chagrins.

Il ferma la porte et Lorna se retourna vers lui. Elle avait mal aux épaules et la courroie blessait ses poignets liés derrière son dos.

— Señor, dit-elle hardiment, est-ce un exemple de l'hospitalité mexicaine ?

Il haussa les sourcils sans comprendre.

— Vous pourriez au moins libérer nos mains !

239

Dos la regarda avec admiration, fier de son cran.

— Certainement, répondit l'homme.

Il tira un couteau de sa botte et, d'un geste prompt, il trancha le cuir qui les liait. Ils massèrent leurs poignets endoloris et en sang, en remuant les épaules pour soulager leurs muscles crispés.

L'homme leur désigna des chaises autour d'une table et resta debout, un coude sur la cheminée.

— Maintenant, dites-moi un peu. Qui êtes-vous et pourquoi êtes-vous ici à Coahuila ?

Dos ne vit pas la nécessité de mentir.

— Je suis Dos Cameron. Nous avons eu des ennuis au Texas et nous avons jugé utile de nous terrer un moment au Mexique.

Le nom de Cameron ne parut rien dire au chef de la bande.

— Moi, je suis Miguel Escobar, dit-il. Vous avez entendu parler de moi ?

— Non.

Escobar sourit ironiquement.

— Ainsi va la gloire. Par ici, même les nouveau-nés connaissent mon nom et le craignent.

Lorna se tourna vers Dos, et d'un regard lui conseilla la prudence. Il lui prit la main.

— Mais peut-être n'avez-vous jamais entendu parler de moi parce que je ne tiens pas à m'aventurer au nord du Rio Bravo.

— Quelle est votre profession ? demanda Dos.

— La même que la vôtre, señor. Je pille les banques... et aussi les voyageurs imprudents qui se hasardent dans ma région. C'est une vie précaire. Ce territoire est pauvre, et tout comme le chasseur quand le gibier est rare, on doit faire attention de ne pas prendre plus que la terre peut donner.

— Je crois comprendre. Nous avons empiété sur votre territoire... comme des braconniers.

Escobar sourit.

— Vous êtes un homme compréhensif, señor Cameron. La petite banque que vous avez attaquée est pauvre et il faut en prendre soin. Nous ne la volons qu'une ou deux fois par an. Si nous le faisions plus souvent, nous détruirions la confiance de la population et les gens iraient cacher leur argent dans des lieux plus sûrs. Pas d'argent, pas de banque... et notre vie serait encore plus difficile qu'elle ne l'est.

— Alors, quand vous avez appris que nous l'avions attaquée, vous nous avez pris en chasse.

Escobar hocha la tête.

— Comment avez-vous su où nous nous cachions ? demanda Dos.

— Où seriez-vous allés, sinon dans les montagnes, et où sinon au pied du Chipinque ? C'est la plus grande distance qu'un cheval puisse couvrir au galop sans être fourbu et c'est aussi un excellent abri pour se cacher. Vous n'êtes pas les premiers, vous savez. Il y en a eu d'autres qui ont volé la banque de Coahuila, un nom bien pompeux pour un aussi petit établissement ! Et ils se sont

240

toujours réfugiés au pied du Chipinque. Mais vous avez eu plus de chance qu'eux.

— Pourquoi ?

— Nous vous avons surpris pendant votre sommeil et nous avons pu vous cerner sans combat. Les autres, malheureusement pour eux, étaient sur le qui-vive.

Un silence tomba. Escobar soupira et Dos crut reconnaître sur son visage une expression de contrition réelle.

— Pourquoi ne nous avez-vous pas tiré dessus ? demanda Lorna.

Escobar parut surpris.

— Ce n'était pas nécessaire. Je suis un bandit, pas un assassin.

— Et qu'allez-vous faire de nous ? voulut savoir Dos.

— Vous laisser partir.

— Tout de suite ?

— Si vous voulez. Mais je vous conseille de passer la nuit ici et de partir dans la matinée, quand vos chevaux et vous serez reposés.

Dos considéra l'homme avec méfiance.

— Ça ne peut pas être aussi simple, señor. Vous devez avoir des conditions à poser.

Escobar poussa un nouveau soupir et sourit.

— Hélas, la vie n'est jamais simple. Il y a toujours des conditions.

— Quelles sont-elles ?

— Il n'y en a que deux. Premièrement, vous devez me laisser l'argent. Je le ferai rendre à la banque. Il serait imprudent de mettre le puits à sec.

— Et l'autre ?

— Vous devez quitter Coahuila. C'est mon territoire et il n'est pas assez riche pour nous deux.

— C'est tout ?

— C'est tout.

— Vous êtes un brave homme, Escobar.

Le compliment le fit sourire.

— Maintenant, si vous voulez venir avec moi, nous allons voir à la cuisine ce que ma femme a préparé pour souper.

Le lendemain matin, Escobar fit ses adieux aux jeunes gens.

— Voilà un peu d'argent, dit-il en glissant une pièce d'or dans la main de Dos. Ce n'est pas beaucoup, mais ça vous permettra de vivre pendant quelques jours.

— *Gracias, señor.*

— Savez-vous où vous allez maintenant ?

— Non... Nous allons partir au hasard. Mais nous quittons le territoire de Coahuila. Nous vous devons bien ça.

— Retournez chez vous, conseilla Escobar. Ce n'est pas bon d'être un intrus dans un pays étranger.

Dos et Lorna le remercièrent et lui dirent adieu. Ils talonnèrent leurs chevaux et, au bout de quelques instants, Dos se retourna. Escobar était encore sur le perron et les regardait partir. Dos le salua en portant une main à son chapeau. Escobar répondit par un geste du bras.

Alex resta une quinzaine de jours à La Nouvelle-Orléans pour veiller à l'installation de Maggie, puis Jeannette Laforêt-Drouet et sa fille les accompagnèrent toutes deux à la gare pour lui dire au revoir.

Les jeunes filles avaient à peu près le même âge, mais Maggie désespérait déjà de jamais atteindre le degré d'aisance et de sophistication d'Elise Drouet. Depuis son arrivée, il y avait eu des réceptions presque tous les soirs et elle n'avait cessé d'admirer Elise qui flirtait si facilement avec les garçons. Elle avait le don d'attirer un cercle d'admirateurs, de les séduire, de donner à chacun l'impression qu'elle le distinguait de la foule, alors que Maggie était prise de panique en leur présence. Ces beaux jeunes gens élégants dont la voix traînante dissimulait leur nature de feu l'intimidaient terriblement. Elise savait bavarder avec eux et les garder sous le charme; Maggie bredouillait lamentablement, en espérant qu'ils prendraient sa rougeur pour un signe de vivacité plutôt que d'embarras.

Maggie soupira et se demanda si elle s'y habituerait jamais. Jeannette et Elise respectaient son silence, pensant que son esprit accompagnait Alex vers le Lantana.

Leur voiture longea St. Charles Avenue dans le Garden District, qui n'était pas l'Eden civilisé que Maggie avait imaginé, mais un quartier de belles demeures nichées sous les magnolias, les chênes immenses, le lierre et les azalées. Le cocher s'arrêta enfin devant la grande maison de Jeannette, entourée d'un portique à colonnes avec une tour ronde qui rappelait à Maggie le bougonnoir de sa mère.

Sa chambre était au premier étage, en face de celle d'Elise. Les murs étaient tendus de soie jaune citron, un feu de bois pétillait dans la cheminée et, entre les deux hautes fenêtres donnant sur le jardin, trônait un grand lit à colonnes drapé d'organdi jaune qui traînait jusque sur le tapis d'Aubusson. Lavella, la femme de chambre, avait rabattu la courtepointe et Maggie se mit au lit pour la sieste.

Deux heures plus tard, Lavella vint la réveiller et lui annonça que son bain était déjà prêt. Maggie reprit conscience lentement, à peine reposée.

— Il faut vous dépêcher, mademoiselle Maggie, insista Lavella. Il est temps de vous habiller. N'oubliez pas le dîner chez M. Emile, ce soir.

Maggie gémit. Elle l'avait effectivement oublié. Encore une

réception ! Elle se dit qu'elle serait heureuse quand l'école reprendrait, qu'elle aurait au moins un peu de repos. Elle se traîna hors du lit et alla prendre son bain. Quand elle revint, enveloppée dans un peignoir, elle trouva son linge déjà disposé sur le lit refait.

A peine s'était-elle assise à sa coiffeuse, en corset, chemise et jupon qu'on gratta à la porte. Elise entra, déjà habillée et coiffée.

— Je ne sais pas pourquoi je n'arrive jamais à être à l'heure, s'excusa Maggie en jetant un coup d'œil à la pendule sur la cheminée. Il me faut des heures pour me préparer.

— Je vais t'aider. Qu'est-ce que tu vas mettre ?

— La mauve, je crois.

Elise la retira de l'armoire et la considéra d'un œil critique.

— Elle ne te plaît pas ? demanda Maggie.

— Ma foi, elle t'ira très bien quand tu auras quarante ans... Voyons un peu ce que tu as d'autre... Hum ! pas mal. Ah ! En voilà une qui sera idéale, le bleu est parfaitement assorti à tes yeux.

Elise plaqua la robe contre elle et se tourna à droite et à gauche devant la glace.

— Elle est affreusement décolletée, murmura Maggie tout en se battant contre une mèche rebelle.

— C'est justement ce qu'elle a de mieux ! affirma Elise.

— Si j'avais une silhouette comme la tienne, Elise, je n'hésiterais pas, mais j'ai bien peur de ne pas avoir assez de poitrine pour la retenir.

— Nous allons facilement arranger ça.

— Comment ?

— Avec des bas, bien sûr. Ils ne sont pas uniquement faits pour les jambes !

D'un pas décidé, elle alla ouvrir un tiroir de la commode et y prit une paire de bas de soie.

— Tu vois, dit-elle en les roulant en deux petites boules. Fourre ça dans ton corset.

Maggie obéit et s'examina dans la glace.

— Alors ? dit Élise. Maintenant tu es aussi grosse que moi !

— Élise ! Tu veux dire... C'est comme ça que tu...

— Bien sûr, grosse bête ! Toutes les filles le font !

Maggie continua d'étudier son reflet.

— Tu ne trouves pas que les miens font des bosses ?

— Mais non, pas une fois que tu auras ta robe.

Élise reprit la toilette bleue sur le lit et aida Maggie à l'enfiler.

— Là... Comme ça... Tu vois ? Ça te va très bien. Et c'est délicieusement audacieux ! Maintenant, attends...

Elle alla fouiller dans son petit sac du soir perlé et brandit un flacon de cristal à bouchon d'argent.

— Tu t'en mets une goutte derrière chaque oreille et sur les poignets.

— Je ne me suis jamais parfumée ! protesta Maggie.

— Eh bien, il est grand temps. Tout le monde se parfume, à La

Nouvelle-Orléans... Voilà, c'est bien. Et puis encore une goutte entre tes seins.

Maggie essaya de ne pas paraître trop choquée.

— Mais qui va le sentir là, en bas ?

— On ne sait jamais, ma chérie, pouffa Élise.

Se sentant très scandaleuse et terriblement femme, Maggie humecta son doigt de parfum et le frotta dans l'échancrure de son décolleté.

— Maintenant, tu es magnifique et tu sens divinement bon, déclara Élise. Et tu t'en féliciteras parce que Victor sera là ce soir.

— Victor ? Je ne me souviens pas... Mais j'ai fait la connaissance de tant de monde depuis quinze jours !

— Tu ne l'as pas encore rencontré, sinon tu ne l'aurais pas oublié, je t'assure. C'est l'homme le plus excitant de La Nouvelle-Orléans. Il s'appelle Victor Durand et c'est un artiste. Un grand peintre qui vit à Paris. Mais il vient tous les ans pour exécuter des portraits.

— C'est lui qui a peint le tien, celui du salon ?

— Oui, et celui de maman au-dessus de la cheminée. Ah ! Maggie, tu ne peux pas savoir ce que c'était, de poser pour lui et de le regarder peindre ! Mon cœur battait si fort que je suis sûre qu'il l'entendait !

— Tu es amoureuse de lui ?

— Tout le monde l'est, assura Élise en soupirant et elle baissa la voix pour confier : Je rêve de lui, Maggie. Je rêve qu'un jour il me serrera dans ses bras et m'embrassera.

— Élise !

— C'est vrai, Maggie ! Tu me comprendras quand tu le verras.

Jeannette appela les jeunes filles, d'en bas, en les priant de se dépêcher car la voiture attendait devant la porte.

Elles se regardèrent une dernière fois dans la glace et dévalèrent l'escalier.

Émile Laforêt habitait le Vieux Carré, dans un vaste hôtel particulier de Royal Street, juste derrière la cathédrale.

Maggie connaissait tous les invités, car c'étaient toujours les mêmes qui se rendaient aux soirées. Elle suivit Élise autour de la pièce, mais fut bientôt harponnée par une tante douairière qui tenait absolument à savoir tout ce qu'elle pensait de La Nouvelle-Orléans en général et de la famille Laforêt en particulier.

Maggie avait à peine commencé à s'extasier sur les beautés de la ville, au grand plaisir de la vieille dame, quand Élise vint les interrompre.

— Pardonnez-moi, tante Virginie, mais il faut que je dise quelque chose à Maggie.

La tante Virginie toisa sa petite-nièce d'un air fâché, mais heureusement Jeannette apparut avec une coupe d'amandes fumées et un potin qu'elle venait d'apprendre et jugeait trop épicé pour les oreilles des jeunes filles. Élise put donc entraîner son amie dans un coin.

— Qu'est-ce qu'il y a ? demanda Maggie.

— C'est lui ! chuchota Élise. Victor ! Il est là !

Maggie se tourna vers la porte. Victor Durand leur tournait le dos et remettait au valet de chambre sa canne et son huit-reflets.

— Ne sois pas surprise si je m'évanouis, souffla Élise, et Maggie ne put réprimer un sourire amusé car elle était bien certaine que son amie, hardie comme elle l'était, n'était jamais tombée en pâmoison pour un homme.

A ce moment, Victor se retourna et Maggie fut déçue. Il était assez beau, dans un genre pâle et romantique, mais depuis son arrivée à La Nouvelle-Orléans, elle avait vu des hommes beaucoup plus séduisants. Elle ne voyait pas du tout ce qui pouvait enthousiasmer Élise à ce point. Ses yeux ? Ils étaient profondément enfoncés et lumineux sous des sourcils fins et droits. Il avait un large front lisse, mais si blanc qu'elle était sûre qu'il ne l'exposait jamais au soleil. Sa bouche était rouge avec une lèvre inférieure sensuelle qui lui donnait un air boudeur. Peut-être était-ce cela, pensa-t-elle. Il ressemblait un peu à lord Byron, avec un petit aspect bohème. Ce devait être son attrait.

Au bout d'un moment, il lui fut présenté. Il lui prit la main et l'effleura de ses lèvres, ce qui ne se faisait pas avec une jeune fille. Maggie rougit violemment, mais il avait accompli ce geste avec tant de grâce que personne ne pouvait s'en offusquer. Elle sentit ses doigts presser les siens et quand il lâcha sa main elle eut l'impression gênante qu'il lui avait dérobé quelque chose.

A table, il fut placé en face d'elle, avec Élise à sa droite. A peine étaient-ils assis qu'il déplaça un grand vase de roses de serre qui l'empêchait de voir Maggie.

— Les fleurs sont belles, dit-il, mais vous êtes plus intéressante à regarder.

Maggie rougit de nouveau et Élise intercéda pour elle.

— Voyons, Victor ! Vous gênez Maggie. Les filles de la campagne ne sont pas habituées aux flatteries des beaux esprits.

Maggie comprit qu'Élise voulait simplement l'aider, mais s'irrita d'être traitée de fille de la campagne, même si elle l'était, et elle regretta de ne pas avoir l'aplomb de remettre le vase en place. Elle dit simplement :

— Oh ! vous savez, là d'où je viens, les cow-boys ont la langue bien pendue. J'ai l'habitude de ce genre de choses.

Puis, s'apercevant de l'effet que pourrait faire cette dernière déclaration, elle essaya de se rattraper.

— Je veux dire... Je n'en ai pas vraiment l'habitude... ils ne me font pas sans arrêt des compliments de ce genre mais je... ils...

Elle pataugea lamentablement, s'embrouilla et ne fut sauvée que par le premier service. Elle attaqua son consommé avec rage, en concentrant toute son attention sur son assiette et en s'efforçant de ne pas trembler. Elle était sûre que Victor la dévisageait, riait et devait la prendre pour une idiote.

Mais quand elle eut enfin le courage de lever les yeux, elle vit qu'il la contemplait avec grand intérêt et une certaine admiration, sans aucune ironie.

Elle lui adressa un sourire hésitant, reconnaissante qu'il ne se moque pas d'elle et il répondit par un autre sourire chaleureux et sincère.

Le repas se poursuivit. Victor fut entraîné dans une longue conversation avec Jeannette et la tante Virginie, et Maggie put se détendre un peu. Mais elle sentait constamment les yeux de Victor qui revenaient vers elle. Chaque fois qu'elle le surprenait en train de la regarder, son cœur faisait un petit bond et elle s'en voulut de se laisser attirer par son charme. Enfin le café remplaça la glace au citron, on servit les liqueurs au salon et, bien après minuit, les invités prirent congé.

Jeannette vint chercher Élise et Maggie.

— Allons, mes enfants, il est temps de rentrer.

Victor se leva et les suivit jusqu'à la porte. Il retint un moment Jeannette et lui murmura quelques mots. Élise, qui se trouvait près de sa mère, entendit sa réponse :

— Ma foi, je ne sais pas, Victor. C'est elle que cela regarde.

— Voudriez-vous lui en parler ?

— Je ne vois aucun mal à cela.

— Je vous en prie !

— Nous verrons. Bonsoir, Victor.

— Bonsoir, Jeannette.

Tandis que leur voiture roulait dans les rues obscures, Élise ne put contenir plus longtemps sa curiosité.

— Maman, qu'est-ce que Victor t'a dit, au moment où nous partions ?

— Il me parlait de Maggie.

— De moi ? s'exclama la jeune fille.

— Il t'a trouvée ravissante, ma chérie, ce qui est bien vrai. Et il m'a demandé s'il pourrait faire ton portrait.

— Qu'est-ce que vous avez répondu ?

— Je lui ai dit que c'était toi que cela regardait. Qu'en penses-tu ? Aimerais-tu avoir ton portrait ?

— Euh... je ne sais pas... Il faudrait demander à papa et maman. Ça doit être affreusement cher.

— Sûrement pas au-dessus de leurs moyens. Et puis ils en seraient peut-être heureux ?

— Il faudra que je réfléchisse.

— Prends ton temps, ma petite fille, rien ne presse.

Le reste du trajet se fit en silence. Maggie se sentait curieusement troublée, Élise avait hâte d'être seule avec elle et Jeannette ne pensait qu'à son lit.

Dès leur arrivée, les filles montèrent et Élise suivit Maggie dans sa chambre.

— Il est fou de toi ! chuchota-t-elle.

— Tu es folle, Élise ! Il a deux fois mon âge.

Elise rit et se jeta dans le fauteuil près de la cheminée.

— Ah ! je devrais être jalouse mais je ne le suis pas. C'est trop amusant à observer !

— Je croyais que tu étais amoureuse de lui ?

— Bien sûr, mais tout le monde l'est. On ne peut pas prendre ça au sérieux. Mais toi, Maggie ! Ça, c'est une autre histoire. Il ne pouvait pas te quitter des yeux. Je l'ai bien observé.

Maggie s'allongea sur son lit.

— Il m'intimide affreusement. J'ai l'impression que ses yeux me transpercent.

— Tu vas le laisser faire ton portrait ?

— Je ne sais pas.

— Tu devrais. Après tout, il l'a demandé. Et Victor ne demande *jamais* ! Il a des commandes à ne savoir que faire.

— Ça doit être terriblement ennuyeux de poser.

— Non, non, pas du tout ! Du moins, pas pour Victor. Tu restes simplement assise là en regardant au fond de ses yeux rêveurs. C'est divin !

— Tu sais, Élise, je ne le trouve pas si séduisant.

Élise haussa les épaules d'un air exaspéré et se leva. Sur le seuil, elle se retourna.

— Tu dois bien te douter qu'il va tenter de te séduire.

Maggie parut horrifiée.

— Comment peux-tu dire une chose pareille ?

— Ça se voit. Tu le laisseras faire ?

— Jamais de la vie !

— Bon, mais si ça arrive, tu me raconteras ?

— Élise !

Élise sourit malicieusement.

— Ah ! que tu as de la chance !

Maggie empoigna son oreiller, mais Élise s'esquiva alors qu'il volait vers la porte.

9

Depuis la mort de Klaus, Anne s'attendait à la visite de Peter Stark. C'était inévitable et elle avait donné des ordres au portail pour qu'on le laisse passer. Mais pourquoi fallait-il qu'il vienne justement quand Alex était absent ? Elle ne voulait pas le voir seule, et son sang se glaça quand elle pensa à ce qu'il pourrait avoir à dire.

Au bout d'un moment, elle entendit frapper à sa porte.

— Qui est là ?

— Dolores, señora, répondit une des femmes de chambre. Il y a là un homme qui veut vous voir.

— Dis-lui que je ne suis pas là.

— Il dit que c'est important. Il a des nouvelles du señor Dos.

247

Anne retint sa respiration et se dit : « Je dois savoir ! » Elle ouvrit la porte.

— Je descends, dit-elle à la bonne.

Quand elle entra dans le salon, elle trouva Peter Stark à la fenêtre, qui lui tournait le dos.

— Bonjour, Peter.

Il se retourna et le cœur d'Anne fit un bond puis se mit à battre follement. Si la lumière avait été moins vive, elle aurait juré que c'était Dos. Comme ils se ressemblaient ! Comme ils ressemblaient à Rudy !

— Bonjour, madame Cameron.

« Mon Dieu, pensa-t-elle, même la voix ! »

— Le ranch a l'air superbe, reprit-il sans paraître remarquer sa pâleur. Bien sûr, j'ai un peu oublié comment il était autrefois. J'étais encore petit quand papa est mort et que maman nous a emmenés.

— Naturellement, dit sèchement Anne qui voulait plus que tout au monde éviter de parler de Rudy et d'Emma.

— Je n'étais pas sûr que vos hommes me laissent franchir le portail. Mais ils ne m'ont pas fait d'ennuis.

— Ils avaient l'ordre de vous laisser entrer. Je vous attendais, mais je dois avouer que je pensais vous voir plus tôt.

— J'ai jugé qu'il valait mieux nous donner le temps, à tous les deux, de... de nous habituer à ce qui s'est passé.

Anne lui tendit une main, de l'autre côté de la pièce, dans un geste dont il reconnut la sincérité et il sentit sa tension se dissiper un peu.

— Ah ! Peter, croyez-moi, s'il était en mon pouvoir de défaire...

— Je sais, madame. C'est ce que j'éprouve aussi.

Un long silence s'établit, qu'Anne rompit enfin :

— Dolores me dit que vous avez des nouvelles de Dos.

— Rien qu'une rumeur. Je suis venu voir si vous en aviez eu des échos. Ou... si vous en saviez plus.

— Je ne sais rien de lui. Je n'ai eu aucune nouvelle depuis...

Elle s'interrompit, incapable d'évoquer le drame. Peter comprit.

— On m'a dit qu'il pourrait revenir par ici.

— Par ici ? D'où ?

— Du Mexique, madame. D'après ce que j'ai entendu dire, un homme qui ressemble beaucoup à Dos a attaqué une banque à Coahuila.

— Dos est incapable d'une pareille action !

— Il y a des gens qui pensaient qu'il ne tuerait jamais un homme.

Ces mots chuchotés cinglèrent Anne comme un fouet et elle dut se cramponner au dossier d'une chaise pour ne pas chanceler.

Elle se remit vite, carra ses épaules, redressa son menton et dit :

— Je suis navrée, Peter. Je pense à Dos comme le ferait n'importe quelle mère. Et bien entendu, vous pensez à Klaus et à ce que vous devez faire.

— C'est la raison de ma visite, madame. C'est mon travail... et j'espérais que vous m'aideriez.

— Vous aider ? En quel sens ?

— Si vous aviez des nouvelles de Dos, vous pourriez lui donner un petit conseil.

— Lequel ?

— Lui dire qu'il ferait mieux de se constituer prisonnier.

— Vous croyez sincèrement que je dirai à mon propre fils de se constituer prisonnier ?

— Oui, madame, parce que vous êtes une femme intelligente. Et vous savez que si Dos est bien dans le Lantana, il est à l'abri d'une arrestation. Le Lantana est vaste, c'est certain, mais pas assez grand pour garder éternellement Dos. Tôt ou tard, il aspirera aux plaisirs de la ville et il s'en ira vagabonder. Et alors ce ne sera qu'une question de temps avant que je le rattrape.

Il vit la peur flamber dans les yeux d'Anne et se demanda si c'était la première fois de sa vie qu'elle tremblait.

— Ne vous inquiétez pas, madame Cameron. Je ne l'abattrai pas. Je veillerai à ce qu'il soit jugé en toute justice ?

— Vous avez une grande confiance en la justice.

— Oui, madame, très grande.

Il boutonna sa veste et se dirigea vers la porte.

— Peter ! cria Anne. Me donnez-vous votre parole ?

— A quel sujet ?

— Que vous ne l'abattrez pas.

— Ma parole d'honneur.

Anne le regarda dans les yeux et vit qu'il ne mentait pas.

— Alors je vous donne la mienne. Si Dos revient ici, je vous le remettrai.

Dos et Lorna étaient bien dans le ranch, terrés dans la partie du domaine appelée Casa Rosa à cause de la petite maison de pisé où ils s'abritaient. Elle avait été jadis peinte en rose mais les années de soleil et de vent l'avaient décapée, et maintenant les briques de torchis avaient la couleur d'os blanchis.

Ils grelottaient mais évitaient de faire du feu, de peur que la fumée n'attire l'attention d'un vaquero errant.

— Est-ce qu'ils te dénonceraient ? demanda Lorna.

— Non. Mais ils le diraient à ma mère et elle voudrait me retrouver. Je ne veux pas lui imposer ça.

Ce sentiment surprit Lorna. C'était la première fois qu'il révélait quelque chose qui ressemblait à du remords.

— Tu dois beaucoup aimer ta mère.

Dos se détourna et ne répondit pas.

— Nous ne pouvons pas rester ici éternellement, dit-il enfin. Quelqu'un va fatalement passer et voir les chevaux.

— Où irons-nous ?

Il haussa les épaules avec indifférence.

— Nous pourrions aller vers l'ouest, suggéra Lorna.

— En Californie ?

— Pourquoi pas ? C'est loin.

Il réfléchit un moment. Elle l'observa attentivement, mourant d'envie de tendre les mains vers lui, de caresser son visage, de passer les doigts dans ses cheveux, de le serrer contre elle.

Mais comme elle levait les bras, il se dressa et enfila ses gants.

— Eh bien, si nous devons partir, autant y aller maintenant. Nous aurons froid, mais au moins la nuit nous couvrira.

— Est-ce que nous pouvons quitter le ranch avant le lever du jour ?

— Sans doute pas. Mais nous ne serons pas loin des limites.

Ils voyagèrent toute la nuit, laissant Casa Rosa et traversant les trois quarts de l'Ebonal avant que le soleil qui se levait derrière eux projette sur la *brasada* leurs ombres démesurées.

Vers le milieu de la matinée, ils franchirent la limite la plus lointaine. Dos tira sur les rênes et se retourna. Cette partie de l'Ebonal était un vaste plateau moutonnant, parsemé de sauge et de touffes hérissées d'herbe sèche. Le vent du nord s'était heurté à l'air chaud venant du golfe du Mexique et il était repoussé, divisant le ciel par une ligne de nuages traînant leurs lambeaux gris le long de l'horizon. Ils apporteraient peut-être la pluie. Dos espéra que non, car il faisait un froid abominable et il savait qu'ils ne trouveraient pas d'abri dans cette région désolée.

Lorna l'observait et devinait ses pensées. Leur fuite au Mexique ne lui avait pas paru définitive, cela avait été une impulsion, une retraite précipitée avec Lorna pour le guider. Mais à présent, en quittant le Lantana pour la seconde fois, il comprenait que ce serait sans doute pour toujours. Jamais plus il ne dormirait dans son lit de la grande maison, il ne conduirait le cabriolet d'Anne, il ne s'attablerait devant un repas préparé par Azucena. Jamais il n'irait nager à Bitter Creek, il ne monterait de mustangs dans un rodéo du Lantana.

C'était fini désormais... ou cela le serait s'il ne rebroussait pas chemin.

Ils progressaient lentement. A chaque pas des chevaux, le terrain s'élevait et il se passa plus de cinq jours avant que les sommets poudrés de neige des monts Davis apparussent à l'horizon.

— Où sommes-nous maintenant, Dos ? demanda Lorna.

— Je ne sais pas.

— C'est beau. Je ne savais pas qu'il y avait des montagnes comme ça au Texas.

Ils faisaient alors reposer les chevaux sous un éperon rocheux au bord d'un escarpement. Le premier soleil qu'ils voyaient depuis une semaine perça les nuages et emplit la vallée à leurs pieds. Un vent froid, annonciateur de neige, hurlait autour d'eux et transperçait leurs vêtements. Ils étaient épuisés, ils avaient les cuisses et les reins meurtris et le cuir de leurs bottes était devenu dur comme du fer en se desséchant.

Le soir tombait quand ils entrèrent dans la petite ville d'Alpine.

— Ce n'est qu'une méchante bourgade, dit Lorna.

— Oui, mais il y a un hôtel. Ça va nous sembler bon de dormir à l'abri.

— Ah ! Un lit ! Et un bain !

L'hôtelier ne broncha pas quand ils lui demandèrent une chambre. Il avait vu des voyageurs plus dépenaillés, mais il se fit judicieusement payer d'avance. Lorna se prélassa avec bonheur dans l'unique baignoire de l'hôtel pendant que Dos conduisait les chevaux à l'écurie municipale, en face. Quand il remonta, il la trouva assise devant la coiffeuse en train de s'examiner dans la glace.

— Les voyages ne sont pas tendres pour une fille, dit-elle en caressant ses joues creuses. J'aurais bien besoin d'un peu du rouge parfumé de Guadalupe.

Dos la contempla en silence. Sans rien pour la soutenir que de la viande séchée et de l'eau de pluie, elle avait tellement maigri que sa figure était pincée et son corps aussi décharné que le soir de son arrivée au Liberty Saloon.

Il éprouva pour elle comme une bouffée de tendresse et, s'approchant derrière elle, il glissa ses bras autour de ses épaules. Un frisson parcourut Lorna quand il posa les lèvres sur ses cheveux encore humides.

Il huma le léger parfum de la savonnette au lilas et murmura :

— Mmmm, tu sens bon.

— Oui, eh bien pas toi, taquina-t-elle.

— Tu crois que l'eau est encore chaude ?

— Tiède, au moins.

Dos s'empara de la serviette et sortit de la chambre.

Une heure plus tard, aussi soignés qu'ils pouvaient l'être dans leur tenue de voyage défraîchie, ils traversèrent la rue et entrèrent au Bighorn Saloon. Un groupe de cow-boys les avisa et, trouvant Lorna trop jolie pour passer inaperçue, ils commencèrent à rivaliser pour l'honneur de leur offrir un verre.

— Personnellement, je ne touche à rien de plus fort que le cidre doux, minauda-t-elle, mais mon ami apprécierait sans doute quelque chose de plus alcoolisé.

— Sers-nous une tournée, Tom, dit un des hommes en plaquant une pièce d'or de cinq dollars sur le comptoir de cuivre avant de se tourner vers les nouveaux venus. Moi, je m'appelle John Stoney. Ce vilain coco, c'est Jake. Et ceux-là, c'est Willy, Gene, Buster et Nick.

— Enchantée de vous connaître, dit aimablement Lorna. Et moi je suis Belle Starr.

Les hommes éclatèrent de rire et Stoney demanda :

— Et le monsieur avec vous ? Je parie que c'est Jim July en personne.

— En chair et en os, assura Lorna, ravie de ce jeu.

— Allez, ah ! vous n'êtes pas Belle Starr, dit Buster. Tout le monde sait que July l'Indien lui a réglé son compte voilà quatre, cinq ans.

— Eh bien, est-ce que je ne suis pas le plus joli cadavre que vous ayez jamais vu ?

Leurs rires rendirent Lorna expansive et très gaie.

— Nous sommes des fugitifs, avoua-t-elle dans un chuchotement complice qui alarma Dos, mais avant qu'il puisse la faire taire, elle poursuivit : Mon ami que voici a tué un homme pour sauver mon honneur et ensuite nous avons été mêlés à une petite histoire au Mexique.

Les hommes sourirent largement, ne croyant pas un mot de son bavardage.

— On peut dire que vous êtes un numéro, madame, déclara Jake en prenant la bouteille pour remplir le verre de Dos. Une sacrée joueuse.

— On a parlé de jeu ? demanda innocemment Lorna en battant des cils. J'adore jouer aux cartes. Qui connaît le mistigri ?

Un jeu de cartes graisseux apparut et Lorna les battit avec une habile maladresse.

— Attendez une minute, messieurs ! dit-elle en le reposant. Nous n'avons même pas commencé et j'ai déjà tout perdu. Mon ami et moi nous sommes tellement fauchés que nous sommes sur le point de vendre nos selles.

— Je serais plus qu'heureux de vous faire une avance, madame, proposa Buster, follement séduit par Lorna.

— Oh ! non, je ne pourrais accepter. Nous payons toujours, nous avons toujours payé rubis sur l'ongle, affirma-t-elle en se redressant fièrement. Mais nous avons deux chevaux que nous serions prêts à vendre si quelqu'un avait envie de deux beaux étalons noirs.

— Permettez que j'aille les voir, dit Buster. J'aurais besoin de deux chevaux de plus.

— Lorna ! Tu deviens folle ? protesta Dos.

— Allez donc, déclara Lorna à Buster sans se soucier de Dos. Ils sont juste à côté, à l'écurie.

Dos l'entraîna à l'écart et lui gronda à l'oreille :

— Bon Dieu, qu'est-ce que tu fabriques ?

Elle le fit taire d'un regard éloquent : *Ne t'en mêle pas, Dos ! laisse-moi faire.*

Il la lâcha et recula. Lorna se tourna vers les autres et reprit le jeu de cartes.

— J'adore le mistigri, mais si vous voulez m'enseigner un nouveau jeu, je serai ravie de l'apprendre.

Dos la contemplait avec stupéfaction. Jamais il ne l'avait vue minauder ainsi. Elle jouait en même temps la coquette et l'ingénue, et les cow-boys buvaient du petit lait. Dos remarqua aussi qu'elle avait pris un accent du Sud roucoulant, évocateur du clair de lune et des magnolias.

— Nous, nous jouons plutôt au poker, dit Jake.

— Eh bien, vous allez m'apprendre.

Buster revint dans le saloon.

— C'est pas des étalons, ces chevaux, c'est des hongres !

Lorna ouvrit ses yeux immenses et battit des paupières.

— Ma foi, je ne puis certainement pas être au courant de questions aussi délicates.

— Allez, ah ! ça n'a pas d'importance. C'est des belles bêtes. Tenez, je vous en donne vingt dollars chacun, ça va ?

— Marché conclu ! déclara Lorna en tendant un bras sur la table pour sceller l'affaire d'une poignée de main.

— Lorna ! avertit Dos.

— Donnez vingt dollars à mon ami Jim July, et à moi les vingt autres en jetons. Maintenant, quelqu'un aurait-il l'amabilité de m'expliquer les règles de ce jeu ?

Dos se laissa tomber sur une chaise avec un soupir résigné, persuadé que Lorna avait perdu la raison. Elle venait de vendre leurs seuls chevaux et s'apprêtait à rendre l'argent à ces hommes.

— Souhaite-moi bonne chance, Dos ! lança-t-elle gaiement, et elle ramassa ses cartes.

A minuit, ses vingt dollars étaient devenus plus de cent. Elle bluffait les autres joueurs à chaque coup et elle gagnait avec une telle surprise apparente, une telle grâce que les cow-boys finissaient par être ravis de perdre. Dos la regarda avec ahurissement, et non sans admiration, triompher avec une paire de six en forçant Buster, le nouveau propriétaire des hongres, à renoncer avec un brelan de valets.

— Full, mentit Lorna en glissant ses cartes dans le jeu qu'elle battait toujours aussi maladroitement.

Les cow-boys regardèrent Dos qui s'arrangea pour paraître coupable.

— Continuez sans moi, dit enfin Buster.

— Je prendrai les chevaux comme garantie, proposa Lorna.

— Ma foi, je veux bien en jouer un.

Lorna sourit délicieusement et poussa vers lui vingt dollars de jetons.

— Vous êtes sûr que vous ne voulez pas plutôt jouer au mistigri ?

Le lendemain matin, Dos et Lorna quittèrent Alpine sur leurs deux chevaux et dans le bagage de Lorna il y avait de l'or et des billets de la valeur de plus de deux cents dollars.

— Tu m'as flanqué une peur bleue, tu sais, dit Dos. C'était un sacré risque. Comment est-ce que tu savais que tu gagnerais ?

— Ils avaient bu, et pas moi. Je me suis dit qu'ils allaient boire encore et commettre des fautes. Et j'ai pensé aussi qu'en jouant contre une fille, ils perdraient très gentiment leurs moyens.

— Mais le poker, ce n'est pas facile... et tu savais ce que tu faisais. Comment est-ce que tu as appris ?

Un amer souvenir voila le regard de Lorna.

— En regardant mon père perdre, j'ai appris à gagner, murmura-t-elle.

10

A la fin de l'année scolaire, quand Maggie retourna au Lantana, elle fut bouleversée d'apprendre qu'Alex avait eu une très grave pneumonie au printemps et que sa convalescence évoluait très lentement.

— Tu aurais dû me prévenir ! dit-elle à sa mère.

— Cela n'aurait servi qu'à t'inquiéter, et tu ne pouvais rien y faire.

— Je serais revenue.

— Ton père ne le voulait pas. Maintenant, va vite le voir, il t'attend.

Le retour de sa fille fit des merveilles sur Alex et il parut se remettre miraculeusement. Il fallut toutes les supplications et les cajoleries d'Anne pour l'empêcher de reprendre son travail exténuant. Néanmoins, il avait maintenant assez de force pour soulager Carlos d'une partie du fardeau qu'il avait assumé pendant la maladie de son beau-frère.

Le travail de deux hommes avait fatigué Carlos et cela se voyait. Il avait mauvaise mine, dormait mal et ses épaules se voûtaient comme si la charge avait été trop lourde.

De jour en jour, Maggie se sentait plus seule. Anne travaillait presque toute la journée dans son bureau à la tour. Alex retrouva des couleurs et de la vigueur, et à mesure que sa santé s'améliorait il passait de plus en plus de temps éloigné de la maison. Et lorsque Carlos rentrait le soir, il était si fatigué qu'il mangeait à peine, sans prendre garde à ce qu'on lui servait, et montait immédiatement se coucher.

Tout le monde était si occupé que personne ne remarquait l'ennui de Maggie. Elle commença à attendre impatiemment la lettre hebdomadaire d'Élise qui lui racontait tous les événements de l'été.

En voyant Alex se remettre tout à fait, la résolution de Maggie de rester au Lantana s'estompa et elle se mit à compter les jours qui la séparaient de l'automne et de son retour à La Nouvelle-Orléans.

L'incessante ronde de réceptions des Laforêt lui manquait, de même que le Sacré-Cœur, aussi étonnant que cela parût ! Elle se promit vertueusement de ne plus grommeler contre le catéchisme et de ne plus imiter la démarche de canard de la mère Mathilde.

Carlos sortit du corral et Maggie l'appela. Il traversa la cour en ôtant ses gants et vint s'accouder à la balustrade du perron. Une

254

fine poussière, blanche comme de la farine, poudrait ses cils noirs et il était pâle de fatigue sous son hâle.

— Ce n'est pas ton travail préféré, on dirait, n'est-ce pas, Carlos !

— J'aimerais mieux faire n'importe quoi plutôt que de dresser des chevaux, avoua-t-il avec un soupir de lassitude.

— Dos adorait ça.

— Je regrette bien qu'il ne soit pas là en ce moment. Cette petite pouliche deviendrait docile en un rien de temps.

— Tu crois qu'il reviendra ?

— Je l'espère. Nous avons besoin de lui.

— A cause de papa ?

— Oui...

Un des vaqueros appela Carlos du corral et il soupira en remettant ses gants.

— Il faut que je retourne travailler.

— Carlos...

— Oui ?

— Pourquoi est-ce que tu ne viendrais pas avec moi ?

— A La Nouvelle-Orléans ?

— Oui. Une semaine... Quinze jours. Tu t'amuserais follement. Et tu auras bien besoin de vacances un jour ou l'autre.

— J'en ai besoin tout de suite.

— Alors, c'est décidé ?

— Laisse-moi y réfléchir.

— Non, ne réfléchis pas ! insista Maggie. Dis simplement que tu viendras. Nous prendrons le train, tu feras la connaissance de mes amis, nous nous amuserons bien. Et pendant une quinzaine de jours tu n'auras plus à penser au ranch, ni au bétail, ni... ni au dressage des pouliches.

Carlos sourit.

— C'est rudement tentant.

— Promets que tu viendras avec moi !

Carlos cligna de l'œil.

— C'est d'accord.

Maggie dévala les marches pour lui sauter au cou.

A la fin du mois d'août, Alex avait repris presque toutes ses anciennes responsabilités. Carlos et Maggie purent quitter le Lantana, la conscience tranquille.

Ils avaient averti de leur arrivée par télégramme et Jeannette Drouet les attendait à la gare.

— Je suis si heureuse de vous connaître enfin, Carlos, dit-elle en les conduisant à sa voiture. Anne et Alex m'ont tellement parlé de vous !

— Où est Élise ? demanda Maggie.

— Toujours à Bay St Louis, répondit Jeannette avec un soupir exaspéré. Je n'arrive pas à faire rentrer cette petite. Tu sais comme elle aime la plage ! Mais je lui ai écrit que tu revenais aujourd'hui et je suis sûre qu'elle va se précipiter.

La voiture roula lentement et Carlos contempla la ville avec émerveillement. Jamais il n'avait vu autant de monde, une telle circulation. St Charles Avenue était embouteillée de cabriolets, de fiacres, de landaus, de tramways bruyants bringuebalant le long des trottoirs. Des arbres immenses ombrageaient la chaussée et les hôtels particuliers lui paraissaient plus grandioses que toutes les demeures qu'il avait pu voir à San Antonio.

Le tourbillon des soirées commença le soir même par un grand dîner chez Émile et Catherine dans le Vieux Carré. Dès son arrivée, Carlos fit battre tous les cœurs féminins et Maggie nota avec fierté qu'il n'avait rien d'un campagnard. Il causa et flirta avec autant d'aisance que s'il était né à Audubon Place, et la vieille tante Virginie fut si charmée qu'elle changea subrepticement les cartons de la table pour être auprès de lui.

Le dîner fut gai et animé et Maggie écouta avidement toutes les nouvelles de l'été. Soudain elle entendit Catherine Laforêt, au bout de la table, prononcer le nom de Victor Durand. Elle feignit d'écouter l'histoire que racontait Émile sur une cousine vieille fille qui avait fait scandale en s'enfuyant avec un prêtre défroqué, mais elle tendit une oreille vers ce que disait Catherine :

— ... arrivé la semaine dernière. Je l'ai invité ce soir mais il était pris. Si j'ai bien compris, sa visite sera brève cette année, deux mois au plus. Il a dû refuser je ne sais combien de commandes.

A quoi Jeannette répondit :

— J'ai eu plus de chance que toi, Catherine. Je l'ai harponné pour samedi.

Samedi ! pensa Maggie. Victor et elle allaient se retrouver et elle ne savait pas si cela lui faisait plaisir ou non.

La réception de Jeannette était commencée depuis plus d'une demi-heure quand Maggie fut enfin habillée et prête à descendre. Élise l'attendait impatiemment.

— Dieu ! je suis tellement énervée, marmonna Maggie en passant un sautoir de perles à son cou et en s'examinant une dernière fois dans la glace. Un de ces jours, je vais apprendre à me préparer aussi vite que toi.

— Tu fais déjà des progrès, assura Élise en la prenant par le bras pour descendre. Si tu vis assez longtemps, tu arriveras peut-être à assister au début d'une soirée.

Elles étaient en haut de l'escalier quand Maggie entendit Élise pousser un cri étouffé et sentit sa main se crisper sur son bras et la tirer en arrière.

— Mon Dieu, qui est-ce ? souffla-t-elle entre ses dents.

Maggie suivit son regard et aperçut Carlos en grande conversation avec Virginie et Catherine.

— Tu veux parler de mon oncle ?

— Ton oncle ? C'est lui, Carlos ?

— Mais oui. Pourquoi ?

Maggie regarda Élise et devina aussitôt la réponse. Son amie était pâle comme de l'ivoire. Elle portait une main à sa poitrine comme si elle avait du mal à respirer et ses pupilles s'étaient tellement dilatées que ses yeux ressemblaient à des agates noires étincelantes.

— Élise ! Tu ne te sens pas bien ? demanda-t-elle, très alarmée.

— Non... Remontons vite !

Elle chancela contre Maggie qui dut la soutenir sur les marches.

— Élise, chérie ! Tu as une tête épouvantable !

— Je sais, gémit Élise. Je ne peux pas descendre comme ça ! Vite ! Maggie ! Aide-moi à me changer. J'ai une robe neuve, en satin rose pâle que je n'ai encore jamais mise. Elle m'ira beaucoup mieux. Et... Ah ! mes cheveux ! Mais pourquoi est-ce que je suis restée au soleil tout l'été ? J'aurais dû écouter maman !

Elle ne cessa de s'agiter et de se tourmenter jusqu'à sa chambre, où elle serait sans doute restée toute la soirée si Jeannette ne s'était inquiétée et n'était montée pour savoir ce qui la retenait.

— Allons, venez. Si vous ne descendez pas tout de suite, vous manquerez complètement la soirée.

— Oooh ! gémit Élise en s'aspergeant généreusement d'eau de Lubin à la rose.

— Et si tu remets encore de ce parfum, l'avertit Jeannette, tu vas attirer les mouches !

Le rire de Maggie lui valut un regard noir de son amie.

Ah ! c'est trop drôle ! pensait Maggie. Élise la coquette, réduite à l'état de loque ! Et à cause de Carlos !

Mais une surprise plus grande encore attendait la jeune fille, car lorsqu'elles descendirent elle vit sur le visage de Carlos une expression qu'elle ne lui avait jamais connue.

Il était au fond du salon, entouré de jeunes femmes. Il leva les yeux, les détourna et regarda encore une fois. Sa bouche s'ouvrit comme si on venait de le frapper et Maggie crut entendre sa respiration rapide en voyant sa poitrine se soulever. Il s'excusa auprès des dames et traversa le salon sans quitter Élise des yeux.

— Voici mon oncle, Carlos Trevor, dit Maggie d'une voix qui parut bizarre à ses propres oreilles. Elle comprenait qu'il se passait quelque chose de capital, un événement échappant totalement à son contrôle, comme la collision de deux étoiles. Mon amie Élise Drouet.

Carlos s'inclina avec grâce, et quand il se redressa, sa nièce vit briller des flammes dans ses yeux.

— *Encantado, señorita.*

— Enchantée, monsieur.

Carlos tendit la main et entraîna Élise, laissant Maggie et

Jeannette se regarder, médusées. La jeune fille fut la première à se ressaisir.

— Maman dit que le coup de foudre n'existe pas...

Jeannette secoua la tête.

— Je crois bien que nous pouvons témoigner du contraire !

11

Victor observait Maggie depuis cinq minutes. Il vit Carlos et Élise partir ensemble et s'étonna du curieux regard échangé par Jeannette et Maggie. Puis, quand un invité vint accaparer la maîtresse de maison, il quitta brusquement les personnes qui l'entouraient pour traverser le salon.

— Ah ! Victor, bonsoir. On m'avait dit que vous étiez de retour à La Nouvelle-Orléans.

— C'est merveilleux de vous revoir, Maggie, murmura-t-il d'une voix sourde, intime, comme s'ils étaient seuls tous les deux.

Il était évident qu'il avait découvert le soleil pendant l'été car sa pâleur avait fait place à un hâle sain. Ses lèvres paraissaient plus rouges et ses boucles en désordre tombaient élégamment sur son front romantique.

« A-t-il embelli ? se demanda Maggie. Ou bien ma mémoire me joue-t-elle des tours ? »

Victor se tourna vers un valet muni d'un plateau et offrit à Maggie une flûte de champagne.

— Il paraît que vous n'allez pas rester longtemps, dit-elle.

— Deux mois.

— Cela semble à peine valoir le voyage.

Il ne répondit pas, mais glissa une main sous le coude de Maggie et l'entraîna à l'écart des invités, sur le balcon. La nuit était chaude malgré la brise qui faisait bruisser le feuillage, et dans le silence la sonnette d'un tramway passant au bas de l'avenue parut incongrue.

Victor fit face à Maggie, si près d'elle qu'elle sentait le parfum de sa lotion.

— Maggie, je ne suis revenu que pour une seule raison. Je prépare une exposition à Paris, mais il a fallu que je revienne.

— Pourquoi, Victor ? demanda-t-elle. Mais elle connaissait, elle devinait la réponse.

— Je veux absolument que vous posiez pour moi. L'hiver dernier vous n'avez pu vous décider, mais cette fois j'y tiens.

Elle soupira et tenta de lui échapper mais il la ramena vers lui et la regarda au fond des yeux. Gênée, mal à l'aise, elle se détourna.

— Je crois que nous devrions rentrer.

— Certainement, dit-il en poussant la porte-fenêtre, mais

quand Maggie passa devant lui, il lui prit la main : Dites que vous acceptez, Maggie. Promettez-moi de poser pour moi. Je veux présenter votre portrait à mon exposition de Paris. Cela ne vous coûtera rien.

— Non... Je ne crois pas, Victor.

Il la regarda d'un air absolument désolé et ses épaules s'affaissèrent.

— Alors j'aurai fait ce voyage pour rien, murmura-t-il.

Maggie s'en voulut de se sentir coupable. Elle savait que c'était déraisonnable, elle ne devait rien à Victor, et cependant elle ne pouvait s'en défendre. Il demandait si peu, après tout... quelques heures de son temps, rien de plus.

— J'y réfléchirai, concéda-t-elle.

C'était plus un apaisement qu'une promesse, mais elle vit l'espoir illuminer ses yeux.

En se retournant, elle aperçut alors Carlos et Élise dans le jardin. Élise s'arrêta sous un chêne et laissa Carlos l'enlacer. Leurs deux silhouettes se fondirent en une seule ombre. Carlos pencha la tête et embrassa Élise.

Maggie, le cœur serré, les envia. Victor semblait attendre qu'elle parle. Elle tourna les talons et, sans le regarder en face, elle lui dit :

— D'accord, Victor, j'accepte.

Tard dans la nuit, Maggie était couchée, mais sa lampe restait allumée car elle attendait une visite. Élise traverserait sûrement le couloir pour venir lui faire part de son dernier secret.

Bientôt elle entendit des pas, puis un léger grattement à la porte.

— Tu peux entrer, Élise ! s'écria-t-elle en se redressant vivement dans son lit.

Mais ce fut Carlos qui apparut. Il était encore en tenue de soirée, le col de sa chemise ouvert et sa cravate dénouée.

— Tu dormais ? murmura-t-il.

Surprise de le voir, Maggie secoua la tête.

— Tu t'es bien amusée ?

— Oui, et toi ?

Il ne répondit pas tout de suite, mais traîna un fauteuil crapaud près du lit et s'y laissa tomber. Prenant un mince cigare dans son étui d'argent, il l'alluma et tandis que la fumée s'élevait autour de sa tête il ferma les yeux.

Pendant un instant, Maggie crut qu'il s'assoupissait mais elle vit un sourire errer sur ses lèvres. Elle se pencha vers lui, en souriant à son tour.

— Tu es amoureux, n'est-ce pas, Carlos ?

Il ouvrit les yeux, ces prunelles d'un gris surprenant qui brillaient plus que jamais.

— Tu es amoureux d'Élise !

— Tu me connais bien... Et elle, la connais-tu ?

— Elle est comme une sœur pour moi.

— Alors, tu aimerais qu'elle fasse partie de la famille ?

Maggie rejeta les couvertures et se jeta au cou de son oncle.

— Ah ! Carlos ! C'est bien vrai ? Est-ce qu'elle t'aime aussi ?

— Elle le dit, répondit-il en riant de bonheur.

Maggie se percha sur l'accoudoir du fauteuil, le cœur battant si vite qu'elle en avait le souffle coupé.

— Je savais bien que le coup de foudre existait ! Maman se trompait !

— Anne... Tu crois qu'elle m'approuvera ?

— Bien sûr ! Et papa aussi ! Ah ! Carlos, raconte ! Comment as-tu compris que c'était de l'amour ?

— Je ne sais pas. Je l'ai su tout de suite, avoua-t-il, encore tout émerveillé. Quand je me suis tourné vers l'entrée du salon, quand j'ai vu Élise, j'ai eu l'impression que je l'avais cherchée toute ma vie. Je l'aurais reconnue n'importe où. Tu sais ce que c'est quand on a fait un rêve qu'on a oublié... et puis dans la journée quelque chose que l'on perçoit, que l'on entend vous le remet soudainement en mémoire ?

— Oui ! Je vois très bien ce que tu veux dire.

— C'était comme si j'avais aimé Élise dans une autre vie et que je la retrouvais brusquement dans celle-ci.

Ils restèrent assis un moment en silence, puis Maggie demanda :

— Tu lui as fait ta déclaration ?

— Ce ne fut pas nécessaire.

— Tu veux dire que tous les deux, vous *saviez* ?

— Nous nous sommes mis à parler de nos enfants... aussi naturellement que si nous étions déjà mariés.

— Ah, Carlos ! Je suis si heureuse pour toi, pour elle ! Et tu veux que je te dise ?

— Quoi donc ?

— Vous aurez des enfants superbes !

Trop amoureux d'Élise pour s'arracher à La Nouvelle-Orléans, Carlos renvoya le train au Lantana sans lui. A l'arrivée, un des convoyeurs monta à la grande maison avec une lettre. Anne la lut et alla voir Alex.

— Carlos ne le dit pas, mais je crois qu'il est tombé amoureux.

— Est-ce que tu n'es pas un peu trop romanesque ? Un jeune homme peut avoir envie de s'attarder à La Nouvelle-Orléans pour mille raisons.

— C'est possible, mais j'en doute. Écoute un peu...

Elle déplia la lettre et la lut à haute voix :

« Il y a eu une merveilleuse garden-party à La Rivière dimanche dernier. Élise Drouet et moi nous sommes promenés sur les berges d'un bayou... Élise m'a promené dans le Quartier français et nous avons déjeuné dans le jardin d'un restaurant, sous des arbres enguirlandés de mousse... »

— Il faut bien qu'ils se nourrissent.

Anne leva les yeux au ciel.

— Alex ! Tu ne sais donc pas lire entre les lignes ? Tiens ! Lis cette lettre. Élise a dit. Élise a fait, Élise et moi sommes allés ici et là... A chaque phrase, il est question d'Élise !

Alex jeta un coup d'œil sur les feuillets.

— Il ne parle pas de Maggie ?

— Pas un mot ! Alors, si cela ne te semble pas révélateur. je ne sais vraiment pas ce qu'il te faut... !

Alex sourit.

— Ainsi, Carlos a enfin trouvé quelqu'un.

Anne s'assit contre lui sur le canapé.

— Je l'espère. Il est grand temps qu'il se marie.

— Et Élise est une fille merveilleuse.

— Hum ! murmura Anne, soudain songeuse. Je me demande comment elle supportera la vie au Lantana. Ça va lui paraître bien rustique, après La Nouvelle-Orléans.

— Certes, reconnut Alex. Elle aimerait bien mieux San Antonio.

Anne regarda son mari.

— Tu envisages toujours d'y ouvrir un bureau, n'est-ce pas ?

— Nous le devrions. Beaucoup de nos affaires se traitent là-bas. Ce serait beaucoup plus commode... et plus efficace. Et Carlos pourrait le diriger.

— Ce serait idéal. Je suis sûre qu'Élise se plairait immédiatement à San Antonio.

— En somme, tu les as déjà mariés.

Anne se mit à rire.

— Tu as raison, je suis romanesque. Enfin... attendons et voyons ce qui va se passer. Ce n'est peut-être qu'un engouement passager.

Mais à La Nouvelle-Orléans, Maggie et Jeannette étaient bien persuadées du contraire. Carlos reculait sans cesse son départ et bientôt il devint évident pour tout le monde que les intentions du jeune homme étaient très sérieuses.

Jeannette était assez avisée pour accepter l'inévitable. Elle commença déjà à projeter le mariage de sa fille.

Au cours des semaines affairées qui suivirent, en apprenant à mieux connaître Carlos, elle accepta non seulement l'idée de ce mariage mais l'accueillit avec joie.

Elle n'avait que deux regrets. Elle redoutait de voir Élise quitter la maison et aller vivre si loin. Et elle souhaitait, vainement, que les jeunes gens attendent au moins Noël. Mais Carlos était pressé. On avait besoin de lui au Texas et Élise ne pouvait supporter de le voir partir sans elle.

Les bans furent donc rapidement publiés et, après un échange de télégrammes, Anne et Alex firent leurs bagages et partirent pour La Nouvelle-Orléans.

Quand le grand jour arriva, il sembla que toute la ville prenait la route de la plus grande plantation des Laforêt. La Rivière n'avait jamais paru plus belle. La belle maison à colonnes étincelait au soleil de l'après-midi et la roseraie était encore en fleur. Un orchestre alternait avec un quatuor à cordes pour donner un concert ininterrompu, et les bouchons de champagne sautaient comme les pétards d'un feu d'artifice.

Dans sa longue robe de satin blanc, radieuse, Élise allait et venait parmi les invités, s'arrêtant ici et là pour accepter un toast, et si elle était parfois séparée de Carlos, elle ne le perdait jamais des yeux.

Juste avant le coucher du soleil, Carlos et Élise se préparèrent à quitter La Rivière. Anne embrassa sa nouvelle belle-sœur et se tourna vers Carlos.

— Je suis si heureuse pour toi, mon chéri.

Il glissa un bras autour de la taille de sa jeune femme.

— Notre bonheur ne fait que commencer.

Ils montèrent en voiture sous les acclamations et les bons vœux des invités et s'éloignèrent par la longue allée en fer à cheval.

Les joues ruisselantes de larmes, Maggie les suivit des yeux en agitant la main et en envoyant des baisers jusqu'à ce qu'ils eussent disparu sous les arbres.

Alex se tourna vers Jeannette qui pleurait aussi de joie et de tristesse à la fois.

— J'aurai voulu que votre père puisse vivre pour voir ce jour. Il aurait été comblé par cette union de deux dynasties, comme il aurait dit.

— Dynastie... Oui. C'était un mot qu'il aimait. Un concept auquel il croyait. Il aurait été extrêmement heureux.

— Il ne reste plus que toi, Maggie, dit Alex en prenant la main de sa fille. Mais ne va pas te faire des idées folles. Nous voulons te garder encore un peu.

Maggie renifla et s'essuya les yeux.

— Ne t'inquiète pas, papa.

Malgré tous les efforts de Maggie pour persuader ses parents de prolonger leur séjour, Anne avait assez vu La Nouvelle-Orléans et Alex était impatient de retrouver le Lantana. Le lendemain à midi, ils reprirent leur train.

12

Le lendemain après-midi, chaperonnée par Clarisse, une des femmes de chambre de Jeannette, Maggie prit le tramway pour se rendre à l'atelier de Victor, dans le Quartier français.

Elles entrèrent dans une cour, et furent accueillies par l'artiste au sommet d'un charmant escalier de fer forgé.

— Je ne savais pas que nous aurions un public, dit-il en voyant Clarisse.

— Vous ne pensiez tout de même pas que j'allais venir seule !
Il ne répondit pas mais les fit entrer et referma la porte.

— Ainsi, c'est là que vous travaillez, murmura Maggie.

— Et que je vis. J'ai renoncé à mon appartement la dernière
fois que je suis reparti pour Paris.

— Où faites-vous la cuisine ?

— J'en fais rarement. Mes amis sont plus qu'hospitaliers. Mais
si cela m'arrive, je me sers de ce vieux fourneau que vous voyez
dans le fond, répondit-il en indiquant un poêle à bois tout rouillé
dont le tuyau disparaissait dans le plafond.

Les yeux de Maggie firent le tour de l'atelier. C'était une grande
salle rectangulaire avec six portes-fenêtres donnant sur un balcon
dominant Chartres Street. L'atmosphère était imprégnée d'une
agréable odeur d'huile de lin, de térébenthine et de peinture. Des
dizaines de toiles reposaient les unes sur les autres, tournées
contre les murs qui s'ornaient d'une multitude de dessins à
l'encre, au crayon, au fusain ou au pastel. Au centre, une longue
table était jonchée de carnets de croquis, de tubes tordus et de
vases pleins de brosses et de pinceaux.

Elle s'arrêta un instant devant un rideau de peluche fanée qui
fermait le fond de l'atelier.

— Qu'est-ce qu'il y a là, derrière ?

— Mon lit.

Elle se détourna en rougissant.

Victor plaça une grande toile sur son chevalet.

— J'ai déjà fait des esquisses, de mémoire. Le temps presse,
alors nous allons commencer tout de suite. Votre bonne peut
s'asseoir sur cette chaise contre le mur.

— Et où voulez-vous que je me mette ?

— Sur ce canapé, dit-il en désignant une méridienne Récamier
recouverte d'un tissu élimé. Ne faites pas attention à son éclat.
Sur le tableau, il sera recouvert d'un splendide brocart d'or.
Étendez-vous... Je vais arranger votre pose.

Il se pencha sur Maggie en se demandant si son expression
trahissait le plaisir qu'il avait à la toucher. Quand il lui leva le
bras pour l'étendre le long du dossier incurvé, il laissa sa main
s'attarder sur le poignet pour prolonger le contact de la peau
tiède et satinée. Il lui souleva les jambes, sentant au creux de ses
mains les muscles souples des mollets à travers la soie de la robe,
lui croisa les chevilles et lui plaça son autre main sur ses cuisses,
détendue, dans une pose abandonnée.

— La tête, maintenant. Tournez-la vers moi et regardez-moi.
Je veux vous peindre de face... Voilà. Vous êtes à l'aise ?

— Oui.

— Parfait. Nous pouvons commencer.

Il prit un pinceau et le frotta sur sa palette.

La séance dura trois heures.

Maggie s'ennuyait. Victor ne lui permettait pas de bouger ni
même de parler, sauf pendant les rares instants de repos qu'il lui
accordait pour s'étirer.

Enfin il jeta son pinceau sur la table et déclara :

— Ça suffit pour aujourd'hui. Je vous attends demain à la même heure.

— Vous n'allez pas me montrer ce que vous avez fait ?

— Pas avant que ce soit fini.

Elles s'en allèrent et Victor attendit un instant avant de passer sur son balcon. Il l'avait regardée sans arrêt pendant trois heures et pourtant son cœur fit un bond quand il la vit apparaître dans la rue.

Il la suivit des yeux avec passion tandis qu'elle longeait le trottoir, jusqu'à ce qu'elle tourne au coin de Canal Street.

Puis il rentra dans l'atelier et contempla la toile. Là, au moins, il pouvait préserver Maggie au moment le plus parfait de sa vie, l'enfant au bord de la féminité... l'innocente au seuil de la révélation. Sous ses yeux, le tableau parut s'achever et l'image fit courir dans son dos un frisson d'extase.

— Allons, Clarisse, dépêchons-nous, dit Maggie. Vous savez comme il se fâche quand nous avons seulement une minute de retard.

Elle leva les yeux et aperçut Victor au balcon. Leurs yeux se croisèrent dans un long regard, et elle éprouva une sensation bizarre dans la poitrine, une sorte d'essoufflement.

— Ouf ! s'exclama-t-elle en ralentissant le pas. Je crois que j'ai lacé mon corset trop serré.

Dès leur arrivée, Victor se mit au travail, sans un mot à Maggie ou presque. Mais au bout de vingt minutes, il posa son pinceau et la laissa se reposer.

— J'ai besoin de diverses choses, dit-il. Croyez-vous que Clarisse pourrait aller les acheter ? Cela m'ennuierait d'écourter la séance.

— Oui, certainement, assura Maggie.

Il se tourna vers la bonne.

— Savez-vous lire ?

— Oui, monsieur.

Il arracha une feuille d'un carnet de croquis et griffonna une longue liste qu'il tendit à Clarisse avec de l'argent.

— Inutile de vous presser, dit-il comme elle allait à la porte. Nous serons ici tout l'après-midi.

Clarisse partie, il retourna à son chevalet et travailla pendant quelques minutes encore. Puis, posant de nouveau le pinceau, il sourit à Maggie.

— Vous voulez voir le portrait ?

— Il est fini ?

— Oh ! non, il s'en faut de beaucoup !

— Mais je croyais... Vous disiez que jamais vous ne montriez...

— En général, non. Mais j'ai besoin de savoir ce que vous en pensez.

Maggie se leva vivement et contourna le chevalet. Elle fut trop suffoquée pour chercher la ressemblance des traits, car tout ce qu'elle pouvait voir était son corps nu, langoureusement étendu en travers de la toile.

— Oh ! Victor ! s'écria-t-elle et elle rit, croyant à une plaisanterie. Dépêchez-vous de me peindre une robe !

— Il n'y en aura pas !

— Quoi !

Elle se tourna vers lui, choquée.

— C'est un nu, Maggie, murmura-t-il.

— Mais... mais...

— Et je ne peux pas aller plus loin sans que vous... que vous posiez correctement pour moi.

— Correc... Vous voulez dire... Sans mes vêtements ?

Il hocha la tête.

— Vous êtes fou !

— Non, Maggie ! Écoutez ! Cela se fait tout le temps. Les plus grands, les plus beaux tableaux du monde sont des nus. Il n'y a rien de plus merveilleux que le corps humain.

— Mais, Victor ! Ce sont des peintures de dieux et de déesses, pas de vraies personnes !

— Les modèles étaient bien réels. Allons, Maggie, faites ça pour moi.

Elle faillit lui rire au nez mais il la prit par le bras et elle ressentit cette même sensation curieuse qu'elle avait éprouvée en le voyant sur le balcon. Elle haleta et son cœur lui parut battre irrégulièrement.

Elle tenta de se libérer mais ses jambes étaient molles et elle vacilla contre lui. Aussitôt il l'enlaça, la soutint, la serra fortement. Et puis sa bouche s'avança et se posa sur celle de Maggie.

Un vertige la saisit, ses idées se brouillèrent. Elle voulait s'arracher à cet homme, sentant qu'elle flanchait, mais son corps semblait paralysé. La peur et l'étonnement la glaçaient, et tout en voulant le repousser, elle se cramponnait à lui tandis que des vagues d'un plaisir inconnu déferlaient sur elle.

De nouveau les lèvres chaudes cherchèrent sa bouche. Elle détourna la tête mais la langue de Victor caressa son oreille et elle eut l'impression que son sang se changeait en feu liquide dans ses veines.

Elle eut un sursaut de terreur, tout en se sentant étrangement en sécurité entre ses bras. Sa tête tournait et dans le chaos de ses pensées, Victor lui apparaissait à la fois comme une menace et une protection.

Il la souleva et la porta jusqu'au lit derrière le rideau. Elle tomba sur les coussins et il se pencha sur elle, si près que sa figure devenait indistincte. Elle sentit son haleine contre son cou et puis ses lèvres sur sa gorge. Elle voulait se débattre, mais elle était sans force. D'une main, il traça le contour de sa joue pendant que l'autre glissait sur la gorge et se posait sur les seins.

Maggie sentit quelque chose céder en elle et son corps

s'embrasa de passion. Elle noua ses bras autour de lui et poussa un cri. Il la réduisit au silence d'un baiser brûlant.

Victor la souleva et déboutonna prestement sa robe dans le dos, la déshabilla et jeta ses vêtements par terre.

Tremblant d'excitation, il contempla le corps nubile, la peau sans défaut, les épaules rondes, les petits seins juvéniles, pâles comme de l'ivoire.

Il gémit presque douloureusement, et la reposa sur les coussins.

Un coup de tonnerre retentit et la pluie d'orage crépita brusquement sur les carreaux.

Plus le tramway se rapprochait de la maison, plus Maggie était nerveuse et incapable de maîtriser son agitation. Ses yeux allaient-ils révéler ce qu'elle avait fait ? Est-ce que Jeannette le verrait ? Les religieuses et ses camarades de classe... allaient-elles deviner rien qu'en la regardant ?

« Mais pourquoi est-ce que je n'ai pas pu me retenir ? se demandait-elle piteusement. Pourquoi n'ai-je pas simplement dit non et quitté cet atelier à jamais ? Pourquoi a-t-il fallu que je m'abandonne et que je laisse faire à Victor ce qu'il voulait ? »

Elle avait toujours cru qu'elle resterait vierge jusqu'à son mariage. Et maintenant, en un bref après-midi, elle avait jeté tout cela. Elle avait changé... elle était tremblante de remords et de regret.

Maggie monta directement dans sa chambre en prétextant un malaise. Quand Jeannette rentra et alla voir comment elle allait, elle tira les couvertures sur elle et feignit de dormir.

Mais elle passa toute la nuit sans trouver le sommeil, à pleurer et à se lamenter sur ce qu'elle avait fait. Le lendemain matin, ses yeux rouges, sa figure pâle et ses traits tirés persuadèrent Jeannette qu'elle était vraiment malade et il fut décidé qu'elle n'irait pas en classe.

Maggie passa cette journée et la suivante au lit. Elle resta couchée pendant tout le week-end et tandis que s'écoulaient les heures solitaires, la terreur et la détresse de cet après-midi avec Victor s'estompèrent et elle ne garda plus que le souvenir d'un plaisir qu'elle n'avait jamais connu, dont elle n'avait même jamais soupçonné l'existence. Elle découvrit que ce simple souvenir était assez fort pour chasser les démons du remords qui la visitaient quand la maison était sombre et silencieuse.

Le lundi, elle se leva et s'habilla. Elle vit Jeannette au petit déjeuner et déclara qu'elle se sentait mieux. Elle alla au cours dans la matinée et, l'après-midi elle prit le tramway avec Clarisse et retourna au Quartier français.

Victor parut reconnaissant en la voyant mais elle discerna chez lui une expression différente, qui semblait indiquer quelque chagrin secret ou des regrets.

Comme l'autre fois, Victor griffonna une liste d'achats et la tendit à Clarisse. La femme de chambre parut butée et méfiante, mais elle obéit et dès que la porte se fut refermée sur elle, Victor prit Maggie dans ses bras.

— J'avais peur que tu ne reviennes jamais !

— Ah ! Victor ! gémit Maggie.

Sa voix frémissait et, comme l'autre fois, ses jambes se dérobaient.

Puis il l'entraîna vers le lit. Après, alanguie et satisfaite, Maggie voulut s'attarder entre les bras de Victor mais il paraissait déborder d'énergie. Il la cajola, la fit lever et lui fit prendre la pose, nue, sur la méridienne. Ensuite, il se mit à la peindre, avec une intensité nouvelle.

Il travailla avec frénésie et ne s'interrompit qu'en entendant les pas de Clarisse dans l'escalier de fer.

— Mon Dieu ! s'exclama Maggie en bondissant du canapé.

— Tiens, dit Victor en lui lançant sa robe de chambre.

Elle eut tout juste le temps de l'enfiler à la hâte avant que Clarisse entre. La femme de chambre lui jeta un simple coup d'œil et comprit tout. Sans un mot, elle posa le sac à provisions sur la table en désordre et resta debout, les bras croisés.

Maggie disparut derrière le rideau de peluche et se rhabilla précipitamment. Elle s'arrangea tant bien que mal, en faisant un effort surhumain pour paraître aussi naturelle que possible.

— Je suis prête, Clarisse, annonça-t-elle en allant à la porte.

Dans la rue, Clarisse marcha derrière elle. Elles étaient presque arrivées à Canal Street quand Maggie s'arrêta et se retourna.

— Vous allez le dire ?

La figure de Clarisse était fermée, glacée, mais elle regarda Maggie dans les yeux.

— Non, Mademoiselle Maggie. J'ai appris depuis longtemps à me taire.

Maggie poussa un soupir de soulagement. Elle voulut effleurer le bras de la bonne, par gratitude, mais l'autre s'écarta.

— J'ai dit que je me tairai, Mademoiselle Maggie. Je n'ai pas dit que j'approuvais.

Plus tard, quand elles descendirent du tramway et traversèrent l'avenue devant la maison de Jeannette, Clarisse proposa :

— Ma sœur habite Rampart Street. Désormais, si vous voulez, j'irai la voir pendant que vous serez chez M. Victor.

Maggie hocha simplement la tête.

Un mois s'écoula et les premiers froids de la saison firent grelotter la ville. Quand Maggie pénétra dans la cour de Victor et commença à monter par l'escalier de fer, elle sentit l'odeur de peinture et d'huile de lin, des senteurs qu'elle en était venue à associer à Victor car elles imprégnaient sa peau et ses cheveux et étaient aussi douces pour elle qu'un parfum. Et quand il lui ouvrit, elle savoura l'atmosphère de l'atelier et la lumière du nord se reflétant sur les murs et sur le plancher ciré.

Victor la prit dans ses bras et elle goûta le vin sur ses lèvres avant qu'il lui en serve un verre. Puis ils se déshabillèrent et se jetèrent sur le lit.

Victor lui avait appris l'amour, tendrement et avec prévenance, au début, en la guidant lentement et habilement jusqu'à ce qu'elle devienne une partenaire avide, joyeuse et ardente qui le satisfaisait plus que toute autre femme.

Ensuite il se leva et s'habilla pendant qu'elle allait prendre la pose en frissonnant.

— Je vais faire du feu, dit-il.

— Oh ! oui, ce sera bon !

Déjà la chaleur du corps de Victor contre le sien lui manquait. Il bourra le vieux poêle de petit bois et de journaux et craqua une allumette. Maggie poussa un cri.

Des étincelles venaient de jaillir de la porte mal jointe du poêle et grésillaient sur le plancher. Il les éteignit avec les pieds et se servit du tisonnier pour taper sur la porte et la fermer solidement.

— Ce vieux fourneau est dangereux, mon chéri, dit-elle. Il risque de provoquer un incendie.

— Je n'aurais pas besoin de l'allumer si tu n'étais pas si frileuse.

— Tu exagères ! Tu es tout habillé, mais moi je dois poser nue comme un ver !

Il lui sourit.

— Il n'y en a plus pour longtemps. Encore deux ou trois séances et le tableau sera fini. Et puis je partirai pour Paris.

Il avait déjà retenu son passage pour la France et quitterait La Nouvelle-Orléans avant huit jours.

Cette nouvelle glaça Maggie. Elle courut se jeter dans ses bras et pressa sa joue contre sa poitrine.

— Ah ! Victor ! Je ne veux pas que tu partes !

Il embrassa son épaule nue.

— Il le faut, ma chérie. J'ai déjà remis mon départ deux fois. J'ai beaucoup de travail en perspective à Paris. Il y a l'exposition. Si je ne pars pas tout de suite, il sera trop tard.

— Mais nous ?

— Je reviendrai.

— Je vais être si seule, sans toi !

Il la contempla, de cet air curieusement triste qu'il avait parfois et qu'elle ne comprenait pas.

— Je t'aime, Victor.

Il lui baisa le front et chassa une larme, comme le ferait un père disant bonsoir à une enfant malheureuse. Puis il la ramena vers la méridienne pour la faire poser. Elle s'allongea, silencieuse et désolée, soutenue par un monceau de coussins et ne portant rien d'autre qu'un rang de perles.

Ce soir-là, au dîner, Jeannette reposa brusquement sa fourchette et déclara :

— Maggie, ça ne me plaît pas beaucoup que tu passes tellement de temps chez Victor. Je sais que Clarisse est avec toi, mais je ne crois pas que ce soit bon pour une jeune fille de ton âge. Il y a tant d'autres choses que tu devrais faire. Tu vas oublier toute la musique que tu as étudiée si tu ne reprends pas tes leçons de piano, et puis il y a ce cours de danse où tu voulais aller.

Maggie baissa les yeux. Elle avait horreur de mentir à Jeannette mais elle savait bien qu'elle ne pouvait se confier à elle.

— J'apprends merveilleusement le français. Victor et moi, nous causons tout le temps.

— Je suis sûre que tu l'apprendrais aussi bien avec les religieuses... sans l'aide de Victor.

Maggie releva les paupières, essayant de paraître nonchalante. Jeannette avait-elle des soupçons ? Clarisse avait-elle manqué à sa promesse et parlé ?

Mais l'expression de Jeannette était paisible et Maggie se sentit soulagée.

— Il me semble que ce portrait devrait être fini depuis longtemps. Cet homme accapare tout ton temps, dit encore Jeannette, puis elle posa sa serviette sur la table. Nous devons nous dépêcher de nous habiller. Émile nous a invitées à prendre le champagne chez lui avant l'opéra.

Maggie redoutait cette soirée. Elle aurait préféré se pelotonner avec un livre, plutôt que d'avoir à revêtir une robe du soir et subir trois heures de Rossini. Mais elle avait peur d'irriter plus encore Jeannette en refusant de l'accompagner. Alors, docilement, elle monta se préparer.

Ils assistaient au troisième acte quand des voitures de pompiers passèrent au galop devant l'Opéra, la clameur de panique de leurs cloches faisant courir un frisson dans le public.

Un bourdonnement nerveux emplit la salle. Plus d'une fois, les flammes avaient dévoré le Vieux Carré, s'étaient frayé un chemin entre les maisons serrées les unes contre les autres, prenant leur tribut de vies humaines et détruisant certains des plus ravissants bâtiments de la ville. Rien — ni l'inondation, ni les cyclones, ni les fièvres — n'était aussi redouté que l'incendie dans le Quartier français.

Les chanteurs restaient en scène mais, ici et là, des spectateurs inquiets se levaient et se hâtaient dans les travées obscures. Émile prit la main de Jeannette et lui chuchota :

— Nous allons partir, Catherine et moi. C'est peut-être chez nous qu'il y a le feu.

— Nous vous accompagnons, répondit Jeannette et elle se leva en faisant signe à Maggie de la suivre.

Ils se hâtèrent dans la rue tous les quatre, parmi la foule attirée par la lueur rougeoyante dans le ciel.

— Ce n'est pas à Royal Street, jugea Émile. C'est plus loin. On dirait que c'est à Chartres.

Le cœur de Maggie se mit à battre la chamade. Victor !

Ils coururent le long des trottoirs étroits et quand ils tournèrent devant la cathédrale, Maggie plaqua ses mains sur sa bouche et cria :

— Oh ! mon Dieu ! C'est chez Victor !

Des flammes jaillissaient du toit et de la fumée se déversait en tourbillons par les portes-fenêtres du balcon. Dans la rue, les pompiers avaient sauté de leurs voitures et traînaient des tuyaux vers les bornes d'incendie.

Soudain Victor apparut au balcon du deuxième étage. Il avait les bras chargés et il se pencha en les écartant. Des carnets de croquis et des toiles sans cadre tombèrent dans la rue où des gens se dépêchèrent de les ramasser pour les mettre à l'abri.

— Victor ! glapit Maggie mais il rentra dans l'atelier. Victor !

Émile dut la saisir pour qu'elle ne se précipite pas dans la maison en flammes.

— Lâchez-moi ! Lâchez-moi !

Il la secoua, si fort que sa tête ballotta.

— Ne faites pas l'idiote ! hurla-t-il.

Elle s'abandonna et retomba contre lui en sanglotant. Victor reparut, traînant un grand tableau qu'il fit basculer sur la balustrade de fer forgé. Le vent s'empara de la toile qui dériva, se retourna et glissa sur le trottoir au moment où les lances commençaient à cracher de l'eau. Jeannette fendit la foule, se saisit d'un coin de la toile pour la préserver des flammes.

Victor enjamba la balustrade, tendit les bras vers une descente de gouttière et se laissa glisser au sol. Le tuyau grinça et un cri monta de la foule quand il parut se détacher du mur. Victor lâcha prise et tomba de près d'un étage, mais quand les badauds se précipitèrent vers lui, il se releva, étourdi, mais sain et sauf.

Maggie s'arracha aux mains d'Émile et courut vers lui, l'enlaça et le serra contre elle en sanglotant dans son cou.

— Le tableau ? marmonna-t-il. Où est le tableau ?

Emmenant Maggie toujours cramponnée à lui, il se fraya un passage jusqu'à l'endroit où se tenaient Jeannette, Émile et Catherine.

— Le tableau ! demanda-t-il. Vous l'avez sauvé ?

La figure de Jeannette était dure comme de la pierre. A ses pieds gisait le portrait fini de Maggie, entièrement nue sur la méridienne.

— C'est une bonne chose qu'il s'en aille, déclara Jeannette en arpentant la chambre de Maggie, les dents serrées et les joues congestionnées. Je t'aurais interdit de le revoir ! Tes parents seraient scandalisés. Je te renverrais chez eux immédiatement s'il était possible de le faire sans aucune explication !

— Mais je l'aime, Jeannette, gémit Maggie.

— Tu es trop jeune pour comprendre ce que cela veut dire.

Jeannette regarda la jeune fille au cœur brisé et eut soudain pitié d'elle. Elle vint s'agenouiller au pied de son fauteuil et glissa un bras autour de sa taille.

— Ma chérie, ma petite fille, je sais ce que tu éprouves. Mon cœur saigne pour toi, mais c'est pour le mieux. Tu ne peux pas me croire maintenant, bien sûr. Mais d'ici un an, peut-être avant, tu sauras me remercier.

— Jamais ! sanglota Maggie. Je vous déteste. Je vous détesterai toujours pour ce que vous avez dit et fait !

Jeannette ne se vexa pas de ces paroles. Elle serra la jeune fille dans ses bras et la berça doucement, tout en sachant que rien ne pourrait la consoler :

— Pauvre Maggie... Pauvre Maggie... Pauvre petite...

13

Depuis leur départ du Lantana, Dos et Lorna avaient parcouru en zigzag les territoires du Nouveau-Mexique et de l'Arizona, évaluant chaque nouvelle ville quand ils en longeaient la rue principale, jugeant du temps qu'il leur faudrait pour presser complètement le citron. Leur but était toujours la Californie mais ils ne se précipitaient pas, attendant leur heure.

Partant de Prescott vers le nord, le couple campa une semaine au bord du Grand Canyon du Colorado puis tourna vers l'ouest dans le Nevada, en remontant vers Carson City pour traverser les sierras avant les grosses chutes de neige.

Les fonds étaient plutôt bas et Lorna décida qu'il était temps de rechercher une autre partie de poker. Ils s'arrêtèrent dans une localité du nom de Parrita, une ancienne ville de la ruée vers l'or nichée au pied des montagnes, avec une population décroissante de mineurs endurcis, de femmes à la figure dure et d'une poignée de filles de saloon plus musclées que Dos.

Quand ils sortirent de leur garni et traversèrent la rue pour aller au saloon, Lorna regarda autour d'elle et annonça :

— Cette ville devrait être bonne pour deux cents dollars au moins. Assez pour nous amener à San Francisco en grande pompe.

— Tu deviens bien assurée, on dirait.

Lorna lança à Dos un coup d'œil aigu.

— En tout cas, grâce à moi, nous ne sommes pas morts de faim.

Dos dut le reconnaître. Il avait travaillé de temps en temps, comme vacher pour des ranchers à court de main-d'œuvre, mais les gains de Lorna au poker avaient surtout assuré leur subsistance. Elle connaissait malgré tout des revers de fortune, quand les cartes se dérobaient, et une ou deux fois ils en avaient été à leur dernière pièce d'or de vingt dollars. Mais la malchance ne durait jamais. Juste au moment où ils croyaient qu'ils allaient devoir vendre leurs chevaux — pour de bon cette fois — Lorna se remettait à gagner et ils quittaient la ville les poches pleines.

Ils entrèrent dans le saloon de Parrita, une sombre taverne sinistre avec une demi-douzaine de tables et un long comptoir. Il n'y avait pas de musique ce soir-là et les entraîneuses à l'air maussade étaient assises ensemble et bâillaient d'ennui.

Dos et Lorna se lancèrent dans leur numéro bien mis au point. Lorna flirta avec les mineurs, les cajola et les persuada de jouer aux cartes pendant que Dos restait en retrait, avec l'air penaud d'un homme qui se laisse dominer par sa femme.

— Je suppose que vous allez me mettre à sec, minauda-t-elle en battant maladroitement les cartes. De riches mineurs comme vous, tout cousus d'or.

Les hommes rirent avec bonne humeur et un nommé Stu, monstrueusement barbu, coupa pour la donne de Lorna. Elle gagna le premier coup, le deuxième et le troisième. Puis son carré fut battu par une suite de Stu. Lorna sifflota d'admiration et augmenta sa mise.

Dos regarda les six donnes suivantes grignoter presque tous ses gains. Puis elle gagna encore, modestement, et il la vit sourire avec confiance.

Mais Stu causa sa perte et le reste de la soirée fut une catastrophe. Chaque fois qu'elle avait une paire, il tenait un brelan. Quand elle montait sur un full, il avait une suite, et quand elle avait une suite, il étalait une suite couleur.

Dos essaya de la persuader de quitter la table mais elle serra les dents et frappa pour réclamer ses cartes. Et elle fut encore battue par Stu.

Ils s'en allèrent enfin. Dos la prit à l'écart pendant que les mineurs les observaient avec amusement.

— Ce n'est pas ton soir. Tirons-nous d'ici, grinça-t-il entre ses dents.

Mais Lorna refusa d'écouter.

— J'ai connu pire.

— Partons, Lorna. Encore deux minutes, et nous serons complètement à sec.

Elle se hérissa.

— Ce serait bien la première fois !

Il était plus de minuit quand ils regagnèrent leur chambre d'un pas lourd. Dos était furieux.

— Eh bien, tu es finalement arrivée à tes fins. Tu ne nous as pas seulement mis à sec mais à pied !

Lorna fondit en larmes.

— Jamais plus je ne jouerai avec un barbu !

— Tu aurais dû savoir t'arrêter, Lorna. Enfin quoi, quand l'argent commence à filer, il est temps de quitter la table. Bon Dieu ! tu as perdu nos selles, nos chevaux... si je ne t'avais pas obligée à partir, tu aurais joué nos frusques !

Elle se jeta dans ses bras.

— Je suis désolée, Dos ! Pardon ! J'aurais tant voulu gagner !

Il se radoucit, lui caressa la tête et la laissa pleurer sur son épaule.

— J'ai tellement honte, sanglota-t-elle. Je me suis laissée emporter. Je n'arrivais pas à croire que la chance m'avait complètement abandonnée. Une donne de plus... si seulement j'avais pu tenir une donne de plus...

— Oui, et rien à nous mettre sur le dos !

Elle releva la tête et vit qu'il souriait.

— Tu ne me détestes pas ?

— Mais non.

— Tu en aurais le droit.

— Je ne te déteste pas.

Il n'avait jamais été aussi près de lui dire qu'il l'aimait. Elle enfouit sa figure contre sa poitrine et se remit à pleurer.

— Allons, sèche tes larmes, Lorna. Ce n'est pas la fin du monde. Nous avons connu bien pis. Souviens-toi du Mexique, quand nous avons été capturés par Escobar et sa bande. Pense à l'incendie.

Elle renifla, peu convaincue.

— Mais qu'est-ce que nous allons faire ? Nous n'avons même pas un cheval à nous deux !

Il resta silencieux un moment, la serrant contre lui, lui passant une main dans les cheveux.

— Nous allons faire ce qui nous réussit le mieux.

Lorna releva la tête, une lueur d'espoir dans les yeux.

— Quoi donc ?

— Est-ce que tu n'aurais pas remarqué par hasard, en entrant en ville, une petite banque au coin de la rue ? demanda Dos en souriant.

— Nous avons encore nos fusils ! s'exclama-t-elle, et elle se mit à rire.

— Qu'est-ce qu'il y a de drôle ?

— Je les avais complètement oubliés. Sinon, je les aurais également joués...

Le lendemain matin, Dos et Lorna volèrent de sang-froid près de trois mille dollars à la banque de Parrita. S'emparant de deux chevaux attachés dans la rue, ils s'enfuirent au galop avant que le caissier puisse se délivrer de ses liens et appeler au secours.

Ils voyagèrent toute la journée, laissant les montagnes derrière eux pour pénétrer dans une magnifique vallée paisible. L'hiver s'annoncerait dans quelques semaines, mais il faisait un temps splendide, d'une fraîcheur vivifiante, avec un ciel sans nuages aussi bleu que celui du Texas.

Quand ils laissèrent enfin souffler les chevaux, Dos écarta les bras, renversa la tête en arrière et cria :

— Dieu ! ça fait du bien d'être riche !

Lorna rit et lui prit la main. Il la serra contre lui et l'embrassa.

— Nous allons t'acheter des robes, Lorna. Et des vêtements

pour moi aussi. Nous ne pouvons pas nous présenter à Frisco comme des vagabonds sortant d'une meule de foin.

— Nous devons faire attention, Dos. La police va nous rechercher.

Dos réfléchit un moment, mâchonnant un brin d'herbe sèche, le regard tourné vers l'ouest, et finit par concevoir un plan.

Le lendemain, de bonne heure, sous le regard inquiet de Lorna, il affûta son couteau du mieux qu'il put et se rasa la barbe.

— Ça me fait de la peine que tu t'en sépares, murmura-t-elle.

— J'avoue que je m'y étais un peu habitué.

— Elle était toute douce et j'aimais bien qu'elle me chatouille quand tu m'embrassais.

Dos s'interrompit un instant et sourit.

— Quand les choses se seront tassées, je la laisserai repousser.

Lorsqu'il eut fini, il rengaina son couteau et sella son cheval.

— Tu vas m'attendre ici, Lorna, et tâche de ne pas avoir peur. Je vais aller à Sacramento et revenir le plus vite possible. Nous aurons alors de beaux habits et nous n'aurons plus rien de commun avec ces deux vauriens qui ont pillé la banque de Parrita.

— Achète-moi quelque chose de joli.

— C'est bien mon intention !

— Eh ! Dos... Rapporte-moi une boîte de poudre de riz et un pot de rouge.

Dos fit la grimace.

— Tu crois, Lorna ! Je vais me sentir ridicule, en achetant des trucs comme ça !

— Et du parfum !

Il soupira, sachant qu'elle arriverait à ses fins.

— Quel genre de parfum ?

— Tu choisiras. C'est toi qui le sentiras.

Il talonna son alezan et partit au grand trot vers Sacramento.

Lorna passa la journée dans le petit bois où ils avaient campé la veille au soir. Vers le début de l'après-midi, le ciel se couvrit, et bien avant le coucher du soleil il s'assombrit comme au crépuscule. Elle avait promis à Dos de ne pas avoir peur mais quand la nuit tomba, elle commença à s'inquiéter. Elle imaginait des ours autour d'elle, des loups, même !

Un bruit lointain la fit sursauter. Elle tendit l'oreille et s'efforça de percer les ténèbres. Rien... Puis elle distingua un point lumineux, une lueur jaune qui dansait au loin et bientôt elle perçut un faible martèlement de sabots. Et autre chose, un grincement de roues de chariot.

Le grincement se tut, la lanterne s'immobilisa. Lorna entendit alors un léger sifflement, deux notes brèves et une longue, le cri de l'engoulevent. Elle se figea. Le cri se répéta.

Elle leva son fusil et le braqua sur la lanterne.

— Pour l'amour de Dieu, Lorna, c'est moi ! Dos. Où est-ce que tu te caches ?

— Tu as failli me faire mourir de peur ! lui cria-t-elle, et elle courut se jeter dans ses bras.

Il la souleva et la fit tournoyer en riant.

— Ainsi, tu as fini par avoir peur quand même !

— A ma place, tu aurais été terrifié aussi ! Toute seule dans le noir avec tous ces loups !

— Des loups ?

— Une horde ! Je n'en ai jamais vu autant.

Dos ne la crut pas un instant, mais il la garda dans ses bras et murmura à son oreille jusqu'à ce qu'elle se calme.

— Tu vois ce que j'ai acheté ? demanda-t-il.

Elle cligna des yeux dans l'ombre.

— Un chariot ?

— Un chariot ! protesta-t-il, outré. Jamais de la vie ! Nous sommes trop riches pour un chariot. Je nous ai acheté un cabriolet flambant neuf, à capote de cuir et à quatre places, exactement comme celui de maman !

Ils passèrent encore une nuit sous les arbres, à s'étreindre et à dormir enlacés. Au lever du soleil, Lorna se tourna et prit la tête de Dos entre ses mains.

— Tu as l'air tout nu sans ta barbe, dit-elle en embrassant ses joues piquantes. Mais tu es encore rudement beau.

Dos sourit avec bonheur et la serra contre lui, le nez dans ses cheveux qui conservaient des traces du parfum de lilas qu'il lui avait rapporté.

Plus tard, quand ils furent revêtus de leurs habits neufs, Dos se rappela quelque chose. Il retourna au cabriolet, fouilla un moment et revint avec un numéro du *Sacramento Bee*.

— Nous avons fait la une, Lorna, annonça-t-il en dépliant le journal.

— Lis-le-moi !

Elle s'assit à côté de lui et regarda par-dessus son épaule, bien qu'elle ne pût lire un mot du texte.

« Banque volée à Parrita, lut-il. Une paire d'individus de mauvaise mine, armés de fusils, s'est emparée à la banque de Parrita de plus de quatre mille dollars hier, au cours d'un raid matinal audacieux... »

Il s'interrompit et se tourna vers Lorna.

— Quatre mille dollars ! Je te demande un peu, est-ce que nous irions confier notre argent à une banque qui ne sait pas mieux compter que ça ?

Lorna pouffa.

— Qu'est-ce qu'ils disent encore ? Est-ce qu'ils parlent de nous ?

— Ils n'y sont pas du tout. Écoute ça : « L'homme, un desperado à la barbe blonde et aux yeux fous, a ligoté le caissier pendant que sa compagne, une petite Indienne de douze ans à peine, braquait un fusil Remington... » D'abord, je n'ai pas les yeux fous !

— Mais tu es un desperado.

— Ma foi... là, ils n'ont fait que deviner. Pour les gens de Parrita, nous n'étions qu'un couple de vagabonds de passage. D'ailleurs, tu n'es pas une Indienne et tu as bien plus de douze ans.

— Et c'était une Winchester que je braquais.

— Tu vois, on ne peut pas croire ce qu'on lit dans les journaux. Ils racontent n'importe quoi, si tu veux mon avis. J'ai presque envie de leur écrire pour mettre les choses au point.

— Oh ! oui, Dos, fais-le ! Dès que nous serons à Sacramento, envoie une lettre à ce journal !

Deux jours plus tard, la missive suivante parut dans le *Bee*.

Monsieur le rédacteur en chef,

Dans l'intérêt de la vérité, je tiens à soumettre les rectifications suivantes : j'ai attaqué la banque de Parrita en compagnie de mon jeune frère, qui est fâché qu'on le décrive comme une petite Indienne de douze ans. C'est un jeune homme de seize ans qui a choisi de se déguiser en fille. De plus, nous n'avons emporté que cinq cents dollars. Si vous vous demandez où est passé le reste, je vous suggère d'avoir une bonne conversation avec le caissier.

Nous sommes des immigrants de fraîche date dans la région et nous nous attendons à ce qu'on parle souvent de nous dans vos colonnes.

Nous espérons qu'à l'avenir vous rapporterez les faits sans les déformer.

Avec mes sincères salutations,

Le Loup

— Le Loup ! s'écria Lorna quand Dos relut sa lettre. Où est-ce que tu as trouvé un nom pareil ?

— Dans cette horde de loups qui a failli te dévorer.

Elle rit joyeusement en serrant la feuille de papier contre sa poitrine.

— Ah ! que je regrette de n'être jamais allée à l'école ! J'aurais tant voulu lire cette lettre moi-même !

Pendant deux mois, Dos et Lorna vécurent dans le luxe, dans le plus bel appartement du Hayden House de Sacramento.

Toutes les deux ou trois semaines, une nouvelle lettre paraissait dans le *Sacramento Bee*, pour rectifier les erreurs à propos du dernier vol d'une petite banque de la région. Et toutes étaient signées : « Le Loup ».

— Nous devenons célèbres, dit un soir Lorna après avoir entendu des voisins de table parler de la « Horde des loups », comme on les appelait tous les deux.

— Trop célèbres, grogna Dos. Je crois qu'il est temps de repartir.

— Oh ! non, Dos ! Je me sens tellement chez moi au Hayden House. C'est ma première vraie maison !

— Un hôtel n'est pas une maison, voyons.

— Oui, mais jamais je ne suis restée si longtemps dans le même endroit.

— Il n'empêche. Nous allons nous faire repérer si nous nous attardons trop. Et n'oublie pas ce qu'Escobar nous a dit...

— De ne pas pomper le puits jusqu'à ce qu'il soit à sec ?

Dos hocha la tête.

— Je crois que nous avons soutiré le maximum à ce territoire.

Lorna fit grise mine et laissa sa tranche napolitaine fondre dans son assiette.

— Tu ne crois pas qu'il serait enfin temps d'aller voir Frisco ? insista-t-il.

Elle retrouva aussitôt son sourire.

— Nous pourrons acheter une maison ?

— Pourquoi pas ? Nous sommes si riches que je m'étonne de ne pas avoir mal à la tête.

— Une vraie maison ? Avec un jardin et une clôture ?

— Aussi haute que tu voudras.

Elle battit des mains.

— Alors, partons vite !

14

Maggie inquiétait beaucoup Jeannette Drouet. Elle avait remarqué, depuis quelques semaines, que la jeune fille volait de l'argent dans son sac... de petites sommes, mais qui finissaient par s'accumuler et l'ensemble se montait maintenant à plus de cinquante dollars.

Et puis, un matin, elle s'aperçut de la disparition d'une bague en topaze de sa boîte à bijoux. Angoissée, perplexe, elle comprit qu'elle ne pouvait laisser passer cela. Il lui fallait parler à Maggie. Elle redoutait cependant cette confrontation.

Quand Maggie revint de ses cours, Jeannette prit son courage à deux mains et monta la voir dans sa chambre. Elle la trouva très pâle, mais guère plus que depuis quelques semaines. Jeannette croisa les mains et fit un effort pour se maîtriser.

— Maggie chérie, je pense que nous devrions avoir une petite conversation.

Maggie ouvrit de grands yeux et ne répondit pas.

— Tu sais que je t'aime autant que si tu étais ma propre fille. Et rien de ce que tu peux faire n'y changera quoi que ce soit.

La jeune fille hocha imperceptiblement la tête.

— Maggie chérie, est-ce que tu n'as pas quelque chose à me dire ?

Maggie eut soudain l'air effrayé et sa voix chevrota quand elle répondit :

— Non, Jeannette.

— Tu en es sûre... absolument sûre ?

Maggie répliqua d'un nouveau hochement de tête.

— Ce serait plus facile si tu me le disais... Plus facile pour toutes les deux.

— Il n'y a rien, Jeannette, je vous le promets.

Jeannette regarda Maggie dans les yeux. Il était évident qu'elle mentait, mais soudain Jeannette perdit son courage et ne put se résoudre à révéler sa découverte. Poussant un profond soupir, elle retourna vers la porte.

— Chérie, je crois qu'il y a vraiment quelque chose que tu as besoin de me confier. Je sais déjà ce que c'est. Mais si tu ne tiens pas à me le dire maintenant, j'attendrai. Quand tu auras envie que nous en parlions, viens me voir.

Maggie la laissa sortir de la chambre sans dire un mot. Mais dès que la porte se fut refermée, elle se jeta sur son lit et s'abandonna à son désespoir, le corps secoué de sanglots déchirants. Comment Jeannette peut-elle savoir ? se demandait-elle. Comment peut-elle savoir alors que je viens à peine de l'apprendre ?

Une voix se répercutait dans sa tête, celle du médecin qu'elle était allée voir dans son petit cabinet sinistre d'Irish Channel. « Cela ne fait aucun doute, ma petite dame, avait-il dit presque jovialement. Vous êtes enceinte. D'au moins trois mois. Ça va bientôt se voir. »

Quand elle avait fondu en larmes, il s'était levé pour venir se pencher sur elle et lui parler à mi-voix :

— Si vous ne voulez pas du bébé, je peux vous aider.

— Mais comment ? gémit Maggie.

— Je pourrais vous en débarrasser.

— Mais qu'est-ce qui m'arrivera en attendant ?

— Non, vous ne comprenez pas. Je peux vous en débarrasser tout de suite.

Maggie vit enfin ce qu'il voulait dire.

— Vous êtes jeune, insista-t-il, il n'y aurait pas de danger. Je puis vous l'affirmer. Cependant, cela coûtera gros.

— Combien ?

— Je ne pourrais pas le faire pour moins de cent dollars, dit le médecin en jugeant, d'après les vêtements élégants de Maggie, qu'elle pourrait payer ce tarif exorbitant. Si vous pouvez trouver l'argent, revenez me voir. Mais je vous préviens, n'attendez pas trop.

Maggie était sortie en chancelant, trop accablée pour se soucier des passants qui se retournaient en la voyant remonter St. Charles Avenue en pleurant. Et le lendemain matin, elle avait volé pour la première fois de l'argent dans le sac de Jeannette.

A présent, croyant que celle-ci avait découvert sa grossesse, Maggie était certaine que ce ne serait qu'une question de quelques jours avant qu'elle avertisse Anne et Alex ! Jamais ! Anne serait scandalisée, elle ne le lui pardonnerait pas. Et Alex ! Il aurait le cœur brisé...

Après l'incendie de l'atelier de Victor, où Jeannette avait vu le portrait, Maggie s'était attendue à ce qu'elle écrive immédiatement à ses parents. Mais elles avaient conclu une sorte de trêve, un accord tacite, et la question demeura un délicat secret. Maintenant Jeannette n'aurait plus le choix ! Elle révélerait tout, fatalement !

Maggie se dressa soudain sur son lit, en proie à l'exaltation. « Je vais rejoindre Victor ! C'est le seul moyen. Il s'occupera de moi, il m'épousera et je pourrai garder mon bébé. » Cette résolution lui donna des forces. Elle quitta le lit et sécha ses pleurs. Prenant une petite valise sur le dessus de l'armoire, elle la remplit le plus possible et la cacha dans le meuble.

Ce soir-là, quand Lavella vint frapper à sa porte pour lui

annoncer le dîner, Maggie la renvoya en disant qu'elle n'avait pas faim. Puis ce fut Jeannette qui monta et entra, l'air soucieux.

— Maggie, ma chérie, nous devons aller au fond de cette affaire.

Maggie la considéra avec méfiance et garda le silence. Jeannette secoua la tête.

— Je crois que le mieux serait de consulter un médecin. Je vais prendre rendez-vous dès demain.

Maggie parvint à se maîtriser mais elle savait maintenant qu'elle n'avait plus le choix. Le médecin confirmerait certainement le diagnostic, et alors le pire risquerait d'arriver !

Elle attendit que Jeannette fût couchée puis, laissant un mot griffonné à la hâte sur son oreiller, elle s'enveloppa dans son manteau le plus chaud, retira sa valise de l'armoire et descendit sans bruit.

En bas, elle se dirigea vers la porte de service, près des chambres de domestiques. Une latte grinça sous ses pas et elle entendit la voix ensommeillée de Lavella qui grognait :

— Qui se promène dans le couloir ?

Maggie se glissa dehors, à l'instant où la porte de Lavella s'ouvrit, et traversa rapidement le jardin.

La nuit était froide et humide, la brume formait des halos autour des réverbères. Au bas de l'avenue, Maggie attendit impatiemment un tramway.

Une heure plus tard, elle était dans le train de nuit, en route pour New York où elle s'embarquerait pour la France.

Le wagon bringuebalait bruyamment dans la campagne normande, mais Maggie ne s'intéressait pas au paysage. Le balancement l'avait endormie et quand elle ouvrit les yeux, le train entrait dans la gare Saint-Lazare, à Paris.

Traînant sa petite valise, elle se fraya un passage dans la foule et trouva dehors une rangée de fiacres. Elle donna au cocher l'adresse de Victor.

Le fiacre s'arrêta dans l'île Saint-Louis, devant l'hôtel particulier de Victor, une demeure ancienne en pierre grise. En se penchant, Maggie vit une plaque de cuivre sur la porte, portant son nom : VICTOR DURAND.

Le cocher l'aida à descendre et elle gravit lourdement les marches du perron, hésitant un moment avant de soulever le heurtoir. Enfin elle se décida et bientôt elle entendit des pas dans un vestibule et la porte fut ouverte par la bonne de Victor, une grosse femme d'un certain âge au grand tablier blanc amidonné.

— Oui, mademoiselle ?

— Je voudrais voir M. Durand.

— C'est de la part de qui ?

— Maggie Cameron.

La bonne la laissa sur le seuil et disparut. Une minute plus tard, Victor fit irruption dans le vestibule.

— Victor ! s'écria-t-elle en courant se jeter à son cou.

Mais il recula et la maintint à bout de bras. Il était très pâle, ses yeux sombres avaient une expression hagarde et il la dévisageait fixement.

— Mon Dieu ! Ce n'est pas possible !

Le cœur de Maggie se serra.

— Victor, dis-moi que tu es heureux de me voir !

— Ah ! Maggie, souffla-t-il. Comment as-tu pu faire une chose pareille ? Ça pourrait être un désastre !

Le fiacre commençait à s'éloigner et Victor, repoussant Maggie, bondit sur le trottoir en criant :

— Cocher ! Attendez !

Empoignant Maggie par le bras, il la traîna hors de la maison et la fit monter en voiture puis, après un mot marmonné au cocher, il sauta à côté d'elle.

— Mais que se passe-t-il, Victor ? Où allons-nous ? s'étonna-t-elle en le regardant, lui trouvant l'air plus effrayé que fâché. J'aurais dû t'avertir de mon arrivée mais je n'ai pas eu le temps. Je suis partie avant qu'on puisse m'en empêcher.

— Tu ne l'as dit à personne ?

— J'ai laissé un billet, mais je n'ai pas dit où j'allais.

— Alors tu dois câbler immédiatement et dire que tu reprends tout de suite le bateau.

Maggie poussa un cri. Elle s'était préparée à la colère de Victor, elle avait compris son choc, mais l'idée ne lui était jamais venue qu'il pourrait la renvoyer.

— Je... je ne peux pas repartir, Victor, murmura-t-elle entre deux sanglots.

Victor parut se radoucir. Il lui glissa un bras autour de la taille et l'attira contre son épaule. Comme dans un rêve, elle sentit de nouveau l'odeur de peinture et d'huile qui imprégnait ses cheveux, cette senteur particulière qu'elle avait appris à aimer.

Le fiacre s'arrêta.

— Où sommes-nous ? demanda Maggie en ravalant ses larmes.

— C'est l'hôtel où tu vas demeurer.

— Pourquoi est-ce que nous ne pouvons pas être ensemble ?

— Il n'en est pas question, Maggie. Je ne peux pas te l'expliquer pour le moment. Tiens, dit-il en lui tendant son mouchoir, essuie-toi les yeux. Je vais aller te prendre une chambre.

La chambre du premier étage donnant sur la rue était triste et froide et le vent d'hiver gonflait les rideaux devant la fenêtre mal fermée. Manquant d'énergie et de volonté pour défaire sa valise, Maggie s'assit dans un fauteuil avachi, attendant en vain le retour de Victor.

Victor ne reparut que le lendemain vers midi. Le petit déjeuner de Maggie, un bol de café au lait et un croissant, était intact sur la table de chevet.

— Je n'avais pas faim, murmura-t-elle en réponse à son regard interrogateur.

— Il faut que tu manges quelque chose, Maggie ! Je connais un petit café au coin de la rue...

— Victor, j'ai besoin de te parler.

Il regarda par la fenêtre, signifiant clairement qu'il préférait éviter cette conversation.

— Tu es si mystérieux, Victor... si froid. Pas du tout comme l'homme que j'ai connu à La Nouvelle-Orléans.

Quand il se retourna, elle surprit son expression agacée.

— C'était une telle surprise de te trouver là, Maggie.

— Tu devrais en être revenu.

— ... et puis je suis si occupé.

— Trop occupé pour avoir du temps à me consacrer ?

Il parut presque soulagé que Maggie le dise elle-même.

— Je savais que tu comprendrais ! Tu vois maintenant quelle fâcheuse idée tu as eue de me suivre jusqu'ici. Je n'ai de temps que pour mon travail.

— Tu travaillais bien, à La Nouvelle-Orléans, mais tu prenais quand même sur ton temps.

— Ah ! mais La Nouvelle-Orléans, c'est différent, c'est une petite ville. La vie y est lente. On travaille peu et on s'amuse beaucoup. Paris est plutôt comme New York. Il faut aller vite pour s'y défendre.

— Et je te gênerais, s'écria Maggie en rougissant de colère.

Il traversa vivement la pièce pour venir lui prendre les mains.

— Tu ne peux pas rester ici, Maggie, je n'aurais pas une minute à te consacrer. Tu resterais seule la plupart du temps et Paris est un endroit terrible pour une jeune femme seule, surtout une étrangère. Tu risquerais de t'égarer dans des quartiers mal famés où n'importe quoi pourrait...

— Alors, tu veux que je retourne à la Nouvelle-Orléans.

Victor sourit, visiblement soulagé.

— Pour ton bien, ma chérie ! Je vais prendre ton billet cet après-midi.

— Et si je te disais que je ne peux pas ?

— Comment donc, tu ne peux pas ? Bien sûr que si ! Naturellement tes parents seront fâchés, Jeannette aussi. Mais ils le seraient encore plus si tu restais.

— Ce n'est pas ce que je voulais dire.

Il la dévisagea en silence.

— Je suis enceinte, Victor.

Elle l'observa avec attention. Elle vit ses traits s'affaisser et dans ses yeux une curieuse tristesse qu'elle y avait si souvent surprise. Il s'approcha et la prit dans ses bras, en la berçant comme une enfant.

— Je comprends, murmura-t-il. Non, je suppose que tu ne peux pas t'en retourner maintenant.

Quand Victor l'eut quittée précipitamment en promettant vaguement de trouver une solution, Maggie resta dans la chambre. L'après-midi passa et quand la nuit arriva la pluie se remit à tomber derrière la fenêtre où elle guettait le retour de Victor. Il avait promis de revenir mais n'avait pas dit quand.

Finalement, incapable de supporter plus longtemps l'affreuse solitude, Maggie enfila son manteau et descendit, bien résolue à aller retrouver Victor. Elle demanda au concierge comment se rendre dans l'île Saint-Louis.

— Je vais vous faire chercher un fiacre, mademoiselle.

— Non, merci, répondit-elle en songeant à sa bourse plate. J'ai envie de marcher.

— Mais il pleut, mademoiselle... il fait froid.

Elle ne répondit pas. Elle attendit les explications, tourna les talons et quitta l'hôtel. Le froid piquant lui coupa le souffle et elle resserra autour de son cou le col de son manteau. Au début, la pluie se réduisait à un simple crachin, mais au bout d'un moment il se transforma en un grésil qui lui cingla les joues et rendit les trottoirs glissants. Elle marchait lentement, avec prudence, et s'abritait de temps en temps sous une porte cochère.

Elle se sentait fiévreuse, les jambes lourdes, grelottante, et devait s'arrêter de plus en plus souvent pour se reposer. Quand elle atteignit la Seine, la pluie redoubla. Elle se força à franchir le pont sous l'averse et quand elle atteignit enfin l'hôtel particulier de Victor, elle eut du mal à soulever le heurtoir une fois, deux fois, avant de laisser retomber son bras d'un geste las.

Elle attendit une éternité, lui sembla-t-il, avant que la bonne vienne lui ouvrir.

— Durand, bredouilla-t-elle en claquant des dents.

La domestique la toisa avec méfiance. Les cheveux de Maggie, trempés de sueur et de pluie, se plaquaient sur ses joues. Elle était pâle comme une morte, ce qui faisait paraître ses yeux plus brillants et les cernes plus sombres ?

— Attendez là, grommela la bonne.

— Qui est-ce, Yvette ? demanda une voix lointaine.

— Quelqu'un qui demande après Monsieur, répondit Yvette en s'écartant.

Maggie vit une femme entrer dans le vestibule. Elle était brune, très belle, avec un visage d'un ovale parfait encadré de boucles soyeuses. Sa robe de soie bruissait doucement; elle s'avança vers la porte et sa broche de brillants étincela à la lumière du plafonnier.

Maggie regarda fixement cette ravissante jeune femme. Elle ouvrit la bouche pour parler mais la voix lui manqua.

— Vous êtes un des modèles de Victor ? demanda l'inconnue. Vous avez posé pour mon mari ?

Maggie chancela comme si elle avait reçu une gifle et se cramponna à la balustrade du perron pour ne pas tomber.

Ainsi il était marié ! Il l'était déjà, là-bas, à La Nouvelle-Orléans !

Mme Durand la considérait avec étonnement, en se demandant si cette jeune femme avait bu. La plupart des filles qui posaient pour son mari étaient de pauvres créatures des faubourgs, guère mieux que des prostituées, et elle savait que beaucoup noyaient leurs malheurs dans l'absinthe. Elle avait toujours eu pitié d'elles, sans pour autant comprendre leur manière de vivre. Il était évident pour elle que celle-ci avait des ennuis, car elle tremblait violemment et avait le front moite de sueur.

— Vous êtes un des modèles de mon mari ? répéta-t-elle.

Maggie songea à La Nouvelle-Orléans, aux après-midi passés dans l'atelier de Victor, nue sur la méridienne...

— Oui, souffla-t-elle, j'ai posé pour lui.

— Êtes-vous malade ?

Maggie hocha vaguement la tête.

— Donnez-moi votre nom, dit gentiment Mme Durand. J'enverrai Yvette chercher mon mari.

Mais Maggie ne répondit pas. La figure hagarde, elle recula sur les marches et s'enfuit aussi vite qu'elle le put. A ce moment, Victor rejoignit sa femme et la bonne à la porte. Il suivit leurs regards et aperçut Maggie alors qu'elle tournait au coin de la rue dans la lueur d'un réverbère.

— C'est un de tes modèles, lui dit sa femme. Tu devrais courir après elle. Elle est malade.

Sans prendre la peine d'aller chercher son manteau, Victor se précipita. Arrivé au coin de la rue, il regarda de tous côtés dans l'obscurité.

— Maggie !

Il n'entendit aucune réponse mais il distingua une petite silhouette qui se traînait un peu plus loin. Quand il arriva à la rue suivante, elle avait disparu.

— Maggie !

Il choisit au hasard une rue descendant vers la Seine et se mit à courir.

Comme Maggie arrivait sur le pont, elle fut saisie d'une violente quinte de toux et s'appuya contre le parapet, les mains crispées sur sa poitrine en feu. Vacillante, le souffle court, elle avança en s'appuyant lourdement sur la pierre froide.

Victor arriva au coin du quai au moment où Maggie se hissait pour enjamber le parapet.

— Non, Maggie ! Attends !

Mais elle ne l'entendit pas. Le fleuve était beau, accueillant. Elle prit appui sur ses deux mains et, avec ses dernières forces, elle se repoussa du pont.

Pendant quelques instants, elle se sentit planer dans les airs. Puis, plongeant les pieds en avant, elle tomba dans l'eau. Elle refit surface, roula sur le dos et se laissa emporter par le courant. Elle ne ressentait dans son cœur que de la reconnaissance et une grande délivrance.

Victor dévala les marches du quai en scrutant fébrilement des yeux le fleuve baigné de brouillard.

Les vêtements alourdis de Maggie commençaient à l'entraîner vers le fond et seule sa figure maigre et blême émergeait au-dessus de l'eau tourbillonnante. Victor courut le long du quai,

285

devança le corps qui dérivait et plongea pour nager avec force dans l'espoir de l'atteindre avant qu'elle ne coule. Il la perdit de vue un moment quand une petite vague la recouvrit. Quand elle reparut, il redoubla d'efforts et la saisit au moment où elle sombrait de nouveau.

Il posa le menton de Maggie au creux de son coude et, nageant sur le dos, il regagna la berge. Haletant, épuisé, il parvint à la hisser sur les marches du quai avant de s'écrouler à côté d'elle. Le froid l'engourdissait et il mit un long moment à se remettre assez pour se redresser et examiner la jeune femme.

Elle était inerte, exsangue, ses longs cheveux auburn plaqués sur sa figure et ses épaules. Une exclamation d'horreur et de remords lui échappa; il était certain d'être arrivé trop tard mais à ce moment elle bougea la tête et poussa un soupir rauque. Il se releva lentement, la souleva dans ses bras et la porta sur le quai, puis monta jusqu'à la rue.

Le premier fiacre qui passa ne s'arrêta pas; le cocher jeta un coup d'œil à ce couple ruisselant et fit claquer son fouet sur la croupe de sa haridelle. Mais Victor parvint à héler le suivant et, en payant d'avance, persuada le cocher de les prendre en charge. A eux deux, ils allongèrent Maggie sur la banquette et Victor monta à côté d'elle.

— A la Maison Dollois, dit-il. La porte de service.

Le cocher le regarda d'un air entendu et remonta sur son siège.

Babette, la cuisinière de la Maison Dollois, ouvrit dès que Victor frappa et s'exclama, affolée :

— Monsieur Durand ! Mon Dieu, vous êtes trempé ! Qu'est-il arrivé ?

— Appelez tout de suite madame, s'il vous plaît.

— J'y vais, monsieur, répondit Babette en se précipitant.

Quelques instants plus tard, Marie Dollois apparut dans la cuisine. C'était une grande femme svelte, d'un certain âge mais encore très belle, avec des cheveux flamboyants et des yeux bleus pleins de vivacité. Sa robe de satin lavande était profondément décolletée et sa gorge à demi dénudée couverte de plusieurs rangs de perles fines.

— Mon Dieu, Victor ?

— J'ai besoin de ton aide, Marie.

— Certainement ! Qu'est-ce que je peux faire ?

Une demi-heure plus tard, Maggie était couchée sous des édredons dans un lit immense et un médecin achevait de l'ausculter.

— Ma foi, madame, dit-il en se redressant et en ôtant le stéthoscope de ses oreilles, cette petite est gravement malade. C'est une pneumonie.

Victor ferma les yeux et se prit la tête dans les mains.

— Qu'est-ce que je peux faire, docteur ? demanda Marie.

— Cataplasmes à la moutarde, bains de pieds chauds, et tâchez de lui faire prendre du bouillon, gardez-la le plus longtemps possible au chaud. Sa jeunesse la sauvera peut-être.

Oui, dès qu'elle aura repris connaissance, un potage, un bouillon de viande.

— Très bien, docteur.

Victor se leva du fauteuil où il était assis depuis qu'on avait installé Maggie dans le lit.

— Il faut que je rentre, Marie. Ma femme va s'inquiéter.

— Je comprends. Je m'occuperai de la petite, promit Marie.

— Je reviendrai dans un jour ou deux, pour voir comment elle va.

— Et au cas où...

Marie Dollois laissa sa phrase en suspens, mais Victor secoua la tête.

— Quoi qu'il arrive, il n'est pas question d'envoyer un message chez moi.

— Oui, bien sûr.

— Merci, Marie, dit-il, et il partit rapidement.

Le médecin examina une dernière fois le corps inerte de Maggie. Puis il soupira et commença à ranger ses instruments dans sa trousse.

— Je repasserai demain.

— Merci, docteur, murmura Marie.

Sur le seuil il se retourna, l'air hésitant.

— Je pensais... Puisque je suis ici... Vous croyez que je pourrais... ?

Marie sourit chaleureusement.

— Mais naturellement, mon cher docteur ! Descendez au salon. Les petites y sont, prenez celle qui vous plaira. Et c'est offert par la maison !

Le médecin sourit avec reconnaissance et se hâta de descendre.

Maggie avait ouvert les yeux et la regardait.

Marie courut vers le lit et prit sa main, toute sèche et molle.

— Ah ! ma pauvre petite... ma petite fille ! Vous avez passé la nuit ! Vous êtes sauvée !

Maggie entrouvrit les lèvres mais elle était encore trop malade pour parler. Elle n'avait que la peau sur les os et ses yeux creux luisaient de fièvre.

Marie tira violemment sur le cordon de sonnette et à la bonne ensommeillée qui se présenta, elle cria :

— Vite ! Un bol de café au lait, un grand bol avec beaucoup, beaucoup, beaucoup de sucre !

La bonne revint avec un bol, elle souleva le dos de Maggie et la soutint pendant que Marie la faisait boire à la cuiller.

— Buvez, ma chérie... buvez, ça vous fera du bien, ça vous rendra des forces.

Anxieuse, elle regardait Maggie avaler docilement et, sans trop savoir si elle ne se faisait pas des idées, elle crut voir revenir un peu de couleurs à ses joues creuses.

— Je savais que vous vous en sortiriez. J'étais sûre que si vous passiez la nuit, ça irait !

Tard dans l'après-midi, Victor passa à la Maison Dollois et prit le thé avec Marie dans son salon privé.

— Elle est lucide, mais encore très malade, annonça Marie. Je ne crois pas que vous puissiez la voir en ce moment.

Victor parut soulagé. Il n'était pas du tout certain d'avoir le courage d'affronter Maggie et il redoutait le moment où il la reverrait.

— Qui est-ce, Victor ?

— Maggie Cameron, une jeune Américaine... un de mes anciens modèles.

— Et vous savez pourquoi elle s'est jetée dans la Seine ?

— Elle est enceinte.

— De vous ?

Le silence de Victor fut assez éloquent. Marie lui jeta un regard sévère, lourd de reproches.

— Mais, Victor, ce n'est qu'une enfant !

Il secoua très légèrement la tête.

— Non, Marie, plus maintenant... Est-ce qu'elle sait où elle est ? Dans quel genre de maison ?

— Non, Victor, répliqua très froidement Marie Dollois. Elle croit qu'elle est chez une femme riche, c'est tout.

Il se leva, prit son chapeau et se dirigea vers la porte, mais Marie le retint.

— Victor... Je vous soulage du fardeau. Je prendrai soin d'elle moi-même. Il n'y a aucune raison que vous reveniez ici.

— Merci, Marie, murmura-t-il d'une voix si éperdue de reconnaissance que la patronne de la maison close le toisa avec mépris.

Quand la porte se fut refermée sur lui, elle se leva et s'abandonna à sa colère.

— Salaud ! s'écria-t-elle. Lâche... comme tous les hommes !

15

Quand Jeannette découvrit le petit mot de Maggie, elle songea au portrait nu et soupçonna immédiatement la jeune fille d'être partie pour Paris.

Elle expédia un télégramme affolé à Élise et Carlos, les suppliant de venir immédiatement à La Nouvelle-Orléans. Quand ils arrivèrent deux jours plus tard, ils la trouvèrent folle d'angoisse. Elle leur montra le billet et leur dit tout ce qu'elle savait.

Élise arpenta le salon en se tordant les mains et en se couvrant de reproches.

— C'est ma faute ! Je les ai jetés dans les bras l'un de l'autre. Sur le moment, ça paraissait amusant... inoffensif ! Jamais je n'aurais pensé que ça finirait comme ça ! Jamais !

— Anne et Alex seront horrifiés quand ils sauront, gémit Jeannette.

Carlos sortit de sa torpeur et se redressa.

— Nous allons le leur cacher... au moins jusqu'à ce que nous ayons découvert le fin mot de l'affaire. Anne est forte et elle pourra le supporter mais Alex est très malade. Le choc risque de le tuer. Nous irons la chercher et la ramener à la maison, déclara-t-il calmement. C'est le seul moyen. Je vais aller tout de suite aux bureaux de la compagnie maritime pour retenir une cabine.

Ils s'embarquèrent dès le lendemain, deux passagers sombres et solitaires dans la foule joyeuse en partance pour la France.

La traversée dura quinze jours et pendant ce temps, à la Maison Dollois, Maggie récupérait lentement. Quand Marie la jugea suffisamment remise pour connaître la vérité, elle lui raconta comment elle avait été sauvée par Victor et lui confirma qu'il était effectivement marié depuis des années.

Maggie gémit, se retourna dans le lit et enfouit sa figure dans l'oreiller.

— Quand vous serez assez forte pour voyager, ma petite fille, je vous renverrai chez vous.

Carlos et Élise arrivèrent à Paris cet après-midi-là. Moins d'une heure après avoir pris une chambre dans un grand hôtel, ils apprirent l'adresse de Victor et se rendirent en fiacre dans l'île Saint-Louis.

— Je vais rester dans la voiture, suggéra Élise qui n'était pas sûre de pouvoir garder son calme devant Victor.

Carlos gravit seul le perron et quand Victor lui-même vint ouvrir, Élise recula dans l'ombre du fiacre. Elle ne voulait pas le voir.

— Bonjour, Carlos, dit calmement le peintre, comme s'il s'était attendu à cette visite.

— Je viens chercher Maggie. Faites-la descendre immédiatement.

— Elle n'est pas ici.

— Vous mentez !

— Non ! Je vous le jure.

En voyant le visage durci de Carlos et ses poings crispés, il recula, ferma à demi la porte et murmura :

— Dites à votre cocher de vous conduire à la Maison Dollois. Il sait sûrement où c'est.

Sans un mot de plus, Carlos tourna les talons et remonta en voiture, en criant au cocher :

— A la Maison Dollois !

Carlos s'installa à côté d'Élise et lui expliqua :

— Il l'a installée dans un hôtel, ou elle a eu assez de bon sens pour y aller d'elle-même. Quoi qu'il en soit, nous allons la voir dans quelques minutes.

Le fiacre passa sur la rive droite et s'arrêta enfin devant une imposante maison de quatre étages.

— La Maison Dollois, annonça le cocher.

— On ne dirait pas un hôtel, Carlos...

— Ça doit en être un. Regarde... il y a le nom à côté de la porte. Tu viens avec moi ?

— Bien sûr, dit Élise en descendant. Elle doit avoir besoin d'un soutien.

La bonne qui leur ouvrit les regarda d'un air curieux.

— Nous voulons voir Maggie Cameron, dit Élise.

— Je vais prévenir Madame, murmura la fille en s'apprêtant à refermer la porte.

— Nous ne pouvons pas attendre à l'intérieur ?

La bonne hésita, puis elle leur permit d'entrer dans le vestibule avant de monter à la recherche de Marie Dollois. Élise et Carlos regardèrent autour d'eux et virent que les murs étaient ornés de tableaux, des nus aux chairs opulentes, aux joues roses, aux lèvres brillantes et rouges. Au pied de l'escalier, il y avait un nègre vénitien grandeur nature portant une torchère et d'un côté une porte à double battant donnant dans un grand salon, d'où provenaient des voix masculines et des rires de femmes.

— Carlos ! souffla Élise, comprenant enfin. Mais... c'est un... un bordel !

Quand Marie Dollois arriva au pied de l'escalier, Carlos se rua sur elle en criant :

— Où est ma nièce ? Où est Maggie ?

— Suivez-moi, monsieur. Elle est en haut. Elle a été très malade.

Carlos la repoussa et monta quatre à quatre.

— Monsieur ! Attendez, monsieur ! Je vais vous conduire.

Mais Carlos était déjà au premier et, en montant derrière lui, Élise l'entendit crier :

— Maggie ! Maggie ! Où es-tu ?

Maggie était couchée et dormait, mais le tumulte dans le couloir la réveilla. Quelqu'un courait en tambourinant à toutes les portes tandis qu'une des bonnes, affolée, protestait :

— Qu'est-ce que vous voulez, monsieur ? Que se passe-t-il ?

Et puis Maggie entendit son nom. Elle se redressa, le cœur battant, et cria :

— Carlos !

Sa porte s'ouvrit à la volée et son oncle bondit dans la chambre. En la voyant ainsi, si pâle, si maigre, sans défense, il sentit toute sa colère l'abandonner et il se précipita vers le lit pour la prendre dans ses bras.

— Ah ! Carlos ! Grâce à Dieu, tu es venu ! Emmène-moi, je t'en supplie ! Ramène-moi à la maison !

— Comment as-tu échoué ici, Maggie ?

Elle voulut tout expliquer mais ses sanglots l'en empêchèrent. Carlos la souleva vite du lit, et sans prendre la peine de chercher ses pantoufles ou de l'envelopper dans un manteau, il sortit de la chambre tout en la portant.

Élise arrivait au fond du couloir. En voyant Maggie, elle poussa un cri et accourut pour l'enlacer à son tour.

— Ah ! Maggie, ma chérie ! Viens avec nous ! Quittons cet endroit !

Maggie était assez forte pour marcher seule, mais Carlos et Élise la portèrent à demi dans l'escalier, passèrent devant Marie Dollois et coururent dans la rue vers leur fiacre.

Jusqu'à l'hôtel, Maggie ne cessa de pleurer.

Tard dans la soirée, quand elle fut relativement calmée, elle raconta son histoire, par bribes; elle ne cacha rien et ne remarqua pas que chaque révélation donnait à son oncle une expression chaque fois plus farouche.

Élise était effondrée. Elle prit tout sur elle, se culpabilisant, et elle supplia Maggie de lui pardonner, mais Maggie secoua la tête.

— Non, c'est ma faute. J'étais folle... idiote... Et je l'aimais tant !

— Il va répondre de cela, gronda Carlos entre ses dents.

— Non, dit Maggie. Il n'en vaut pas la peine. Oublions-le et partons dès que possible.

Élise ne lâchait pas la main de Maggie.

— Je t'achèterai des vêtements dès demain, ma chérie. Et nous partirons par le premier vapeur à destination de l'Amérique.

Maggie se laissa retomber sur son oreiller et ferma les yeux.

— La maison... Tu crois que papa et maman me reprendront ?

Élise se tourna vers Carlos.

— Mais bien sûr. Maintenant dors, ma chérie. Plus de conversation ce soir !

Quand la respiration de Maggie devint régulière, Élise et Carlos se retirèrent dans la chambre voisine. Ils se couchèrent, mais à minuit Élise se réveilla et vit Carlos assis devant la fenêtre, scrutant l'obscurité de la rue.

— A quoi penses-tu, mon cœur ? murmura-t-elle dans un demi-sommeil.

Sans se retourner, il répondit :

— Ne te fais pas de souci, Élise. Rendors-toi.

Au petit jour, elle vit que le fauteuil était vide et qu'à côté d'elle l'oreiller n'était pas froissé. Carlos ne s'était pas couché.

Pensant qu'il était auprès de Maggie, elle alla voir dans l'autre chambre, mais il n'y était pas non plus. En revenant dans la sienne, perplexe, elle aperçut une lettre sur la cheminée. Elle se hâta de l'ouvrir et lut :

Élise chérie,
Si tout va bien, tu ne verras jamais cette lettre. Tu t'éveilleras et tu me trouveras couché à côté de toi. Cependant, si le pire arrivait, n'en veux pas à Maggie, essaie de trouver dans ton cœur la générosité de

me pardonner d'avoir accompli ce que je juge nécessaire pour venger
son honneur. Il me semble que c'est le seul moyen de faire payer à
Victor le mal qu'il a fait.

Rappelle-toi ceci : jamais aucun homme n'a aimé une femme
comme je t'aime.

Carlos

Élise poussa un cri d'effroi. Saisissant sa robe de chambre, elle courut en bas et réveilla le concierge par ses cris affolés.

— Où est-ce que les hommes se battent en duel ? glapit-elle.

— Madame ! s'exclama le concierge en reculant, pensant qu'elle était devenue folle.

— Dites-le-moi ! Vite ! Mon mari est en danger de mort !

— Eh bien, normalement au bois de Boulogne, au Pré Catelan, mais...

Elle tourna les talons sans écouter la suite, se rua dehors et courut vers un fiacre qui justement passait.

— Cocher ! Conduisez-moi au Pré Catelan aussi vite que possible ! Vite ! Il n'y a pas un instant à perdre !

Le cocher fit claquer son fouet et le cheval s'élança au trot.

— Plus vite ! Plus vite ! cria Élise en tapant sur la paroi.

Le cheval avait contourné le lac quand Élise entendit claquer un coup de pistolet. Elle sursauta et ferma les yeux quand il y eut une seconde détonation.

Le fiacre s'arrêta. Élise en sauta et partit en courant dans la direction des coups de feu. Une brume légère enveloppait les arbres dans le petit matin glacé et elle trébuchait souvent dans l'herbe humide. Enfin elle aperçut plusieurs hommes dans une clairière, formant deux groupes.

— Carlos ! hurla-t-elle.

Un des hommes se détacha et accourut vers elle. Elle se figea. Elle voulait lui poser des questions, l'interroger sur son mari, mais sa gorge était paralysée.

— Madame Trevor ? dit-il.

Elle ne put que hocher la tête. Il lui prit le bras et l'entraîna.

— Vite, madame ! Avant qu'il ne soit trop tard !

Carlos gisait sur la terre mouillée, baignant dans son sang, une blessure en pleine poitrine.

Élise tomba à genoux et lui souleva la tête pour la poser sur ses cuisses. Ses yeux — ces diamants gris qu'elle avait aimés dès le premier jour — devenaient vitreux. Sa figure était déjà cireuse, ses lèvres aussi pâles que la brume du matin.

— Élise, souffla-t-il, puis ses paupières battirent et se fermèrent.

Elle releva la tête vers le ciel et hurla.

Le claquement de la porte réveilla Maggie en sursaut. Elle vit Élise, les cheveux tombant en mèches folles autour de sa figure, son déshabillé sale, taché de vert par l'herbe et la mousse, trempé de sang. Ses yeux fulguraient et ses mains tremblantes se tendaient comme des griffes, comme si elle voulait saisir Maggie et la mettre en pièces.

— Putain ! glapit-elle. Espèce de... de putain !

— Élise ! Qu'est-ce que tu dis ! Carlos ! Carlos, viens vite !

— Inutile d'appeler Carlos ! Tu l'as tué !

Maggie porta les mains à sa bouche, comme pour étouffer un cri d'horreur.

— Il a provoqué Victor en duel... pour venger ton honneur ou le peu qu'il en reste ! Maintenant il est mort ! Et Victor aussi. Tu les as tués tous les deux !

— Non ! Ce n'est pas vrai ! Ce n'est pas vrai ! cria Maggie en sautant du lit pour courir vers Élise, mais celle-ci la repoussa et la gifla à toute volée.

— Ne me touche pas ! Ne t'approche pas de moi... plus jamais ! Par ta faute l'homme le meilleur de la terre, le plus tendre, est mort ! Tu l'as tué aussi sûrement que si tu avais tiré le coup de pistolet.

Maggie recula peureusement contre le lit.

— Je ne veux plus jamais te revoir, dit Élise d'une voix maintenant sourde et menaçante. Anne et Alex éprouveront la même répulsion. Ils auraient pu te pardonner d'être une putain. Mais pour avoir tué Carlos... Jamais !

Elle sortit et claqua violemment la porte qui séparait les deux chambres.

Maggie se sentit défaillir. Elle tendit la main vers le montant du lit pour se soutenir, et puis elle s'affala de tout son long, sans connaissance.

Élise partit quelques jours plus tard avec le cercueil de Carlos. Il fut enterré au Lantana, par une froide matinée de février, dans le petit cimetière où reposaient déjà Joël, Martha et Sofia. Puis elle retourna chez sa mère, à La Nouvelle-Orléans.

Un mois après, une lettre de Maggie arriva au Lantana. Anne la garda toute la nuit sur son bureau sans l'ouvrir. Le lendemain matin, toujours sans l'avoir décachetée, elle la glissa dans une autre enveloppe et la renvoya.

QUATRIÈME PARTIE

1903-1922

1903

1

San Francisco convenait admirablement à Dos et à Lorna. Ils achetèrent une confortable maison à un étage, dans Green Street, d'où ils jouissaient d'une vue spectaculaire sur la baie et les collines dorées de Marin, et Dos veilla à ce qu'une haute grille de fer encercle leur petit jardin. Au bout d'un an ou deux, les barreaux disparurent sous les fleurs grimpantes.

Ils se lancèrent dans la vie nocturne et tumultueuse de la ville avec un entrain effréné, allant de restaurant en music-hall et en saloon, rentrant rarement se coucher avant l'aube.

Dos les présentait sous le nom de M. et Mme Joël Rivers, et dès qu'ils furent installés ils renoncèrent à leurs vols. Au grand amusement de Lorna, cependant, il aimait à dire à toute personne nouvellement rencontrée et assez indiscrète pour l'interroger sur son passé qu'il avait « fait des affaires avec des banques ». Et si la personne en question insistait et demandait : « Des banques, ah ! vraiment ? Et où ça ? » Dos levait les yeux au ciel et répliquait d'un air blasé : « Seigneur ! Partout ! Bien trop nombreuses pour les compter ! »

Tout cela ne servait qu'à bien asseoir sa réputation de jeune homme immensément riche « de l'Est » qui n'avait pas à se soucier de travailler.

En réalité, peu après leur arrivée à San Francisco, Dos s'était lié avec un Irlandais dans la dèche nommé Malloy, dont les rêves d'un saloon dans le quartier du port étaient contrecarrés par un sérieux manque de fonds. Dos, les poches pleines d'argent volé et ne sachant où l'investir, commandita l'Irlandais, et en moins de six mois la Boîte de Pandore fut renommée comme le saloon le plus débridé et le plus excitant de San Francisco.

Dos restait dans l'ombre, s'y montrait rarement, mais l'établissement était si rentable qu'il permettait au couple de vivre dans le luxe.

Il aurait dû être parfaitement heureux — comme l'était Lorna — mais il lui arrivait à l'occasion d'éprouver la douloureuse nostalgie du Texas et du Lantana. Il se demandait ce que devenaient Anne, Maggie et Carlos. Et même Alex... car ces années d'exil avaient émoussé son ressentiment. Une ou deux fois, il avait essayé d'écrire à Anne mais il ne pouvait trouver ses mots et la lettre finissait en boule dans la corbeille à papiers.

Malloy l'inquiétait. Enchanté et reconnaissant au début de leur accord, l'Irlandais réclamait une part chaque fois plus importante que les trente pour cent que lui accordait Dos et qui ne le contentaient plus.

Dos aurait bien aimé pouvoir se débarrasser de lui, mais Malloy détenait un atout que Dos lui-même lui avait stupidement fourni. Peu de temps après l'avoir rencontré — dans un moment d'ivresse qu'il ne se pardonnerait jamais et qui l'avait rendu expansif —, Dos s'était vanté de l'origine de l'argent qui avait servi à fonder la Boîte de Pandore. Il avait tout raconté à l'Irlandais, en citant les banques que Lorna et lui avaient pillées, en décrivant les lettres signées « le Loup » qu'il envoyait aux journaux. Malloy avait fort bien écouté et tout retenu. Et quand Dos s'était réveillé, le lendemain matin, avec une migraine atroce, quand il s'était remémoré la soirée, il avait maudit son indiscrétion.

Dos et Lorna s'attablèrent pour le petit déjeuner, bien qu'il fût plus de midi. Elle versa le café et poussa vers lui le journal du matin.

Il prit sa tasse, but distraitement quelques gorgées, puis il déplia le journal, et après avoir parcouru la première page, il passa à la deuxième. Lorna le vit changer d'expression et il posa sa tasse si brusquement qu'il faillit la casser.

— Dos ! Qu'est-ce que tu as ?

— Mon Dieu ! murmura-t-il en portant une main à son front.

Le titre était bref; il y avait à peine jeté un coup d'œil mais il savait instinctivement ce que lui apprendraient les deux paragraphes de l'article.

— Dos ! Dis-moi !

— C'est mon père. Il est mort.

— Oh, non ! Dos !

Il respira profondément et lut à haute voix :

« Mort d'un célèbre rancher. M. Alex Cameron, propriétaire du fameux ranch Lantana, au Texas, est décédé mardi à San Antonio d'une pneumonie. Écossais de naissance, M. Cameron en était venu à posséder le plus grand élevage de bétail des États-Unis et on lui doit la vache du Lantana, une race solide provenant de croisements entre les Brahmas, les Angus et les long-horns indigènes. Il était âgé de soixante-trois ans. M. Cameron laisse une veuve, Mme Anne Trevor Cameron, une pionnière du Texas. »

Dos ferma les yeux et Lorna garda le silence, attendant ses commentaires. Il se leva et alla jusqu'à la fenêtre.

— Je crois que je vais aller faire un tour. J'ai besoin d'être seul un moment.

Pascal Chareau pénétra à l'aide de sa clef dans l'élégant petit hôtel particulier du faubourg Saint-Germain, proche de l'église Saint-Germain-des-Prés. Il avait dans les bras un grand bouquet de roses jaunes et, à la main, une boîte de chocolats enrubannée.

— C'est toi, Pascal ?

— Oui, Maggie. Je suis navré d'être en retard.

Maggie apparut dans le vestibule. A vingt-cinq ans elle était, pour beaucoup, la plus belle femme de Paris. Ses cheveux acajou, épais et lustrés, brillaient de mille reflets, ses yeux bleus et sa taille élancée attiraient tous les regards.

Elle sourit chaleureusement à son visiteur.

— Voyons, Pascal ! J'ai encore les fleurs de l'autre soir et si je mangeais tous les chocolats que tu m'apportes, je serais aussi grosse que les tours de Notre-Dame.

— Ne me gronde pas pour le plaisir que je me donne, dit-il gaiement en lui tendant le bouquet avant de porter les chocolats au salon. Tu sais à quel point j'en suis heureux, alors ne m'en prive pas. Après tout, je suis un vieux monsieur.

— Tu n'es pas si vieux, Pascal.

— Hé hé, j'aurai soixante-sept ans en octobre, ma chère.

Pascal était un des plus petits hommes qu'elle eût jamais vus. Même avec des talons hauts, il n'arrivait qu'à la poitrine de Maggie, et elle était sûre qu'il ne devait pas peser plus de cinquante kilos. Il avait des cheveux tout blancs et mousseux, des yeux brillant d'intelligence et d'esprit et son rire était aussi retentissant que celui d'un cow-boy.

Ils avaient fait connaissance huit ans plus tôt, grâce aux bons offices de Marie Dollois, et Pascal avait immédiatement installé Maggie dans ce ravissant hôtel où elle se sentait chez elle.

Au début de leurs relations, il s'était montré plutôt timide avec elle, il se perchait sur le bord d'un canapé comme s'il allait prendre la fuite à tout instant, il parlait de sa femme et de ses quatre fils qui étaient comme lui au service du gouvernement, mais aucun n'approchait de son rang de ministre.

Maggie s'attendait naturellement à ce qu'il la prît pour maîtresse. Marie Dollois lui avait tout expliqué à l'avance et Maggie, seule, sans un sou, exilée, à la fois loin de sa famille et de son pays, avait tristement consenti. Il ne semblait pas y avoir d'autre solution.

Mais Pascal la surprit. Il payait ses factures, lui faisait des cadeaux et venait la voir au moins une fois par semaine. Après avoir surmonté sa première timidité, il s'assit à côté d'elle et lui prit la main.

— Ma chère, je ne veux pas d'une maîtresse. J'ai une femme qui me suffit amplement. Mais je n'ai jamais... je n'ai jamais eu de fille. C'est le drame de ma vie. Alors, s'il vous plaît, voulez-vous être ma fille ?

Dès ce moment, Maggie l'adora. Il lui rendait visite chaque fois que sa présence n'était pas nécessaire chez lui, il n'arrivait jamais les mains vides, il était toujours gai, lui contant les derniers potins qui circulaient au gouvernement, il ne cessait de la complimenter sur sa beauté et se sentait heureux en sa compagnie.

Les soirées suivaient le même rituel. Ils buvaient un verre de champagne, dînaient ensemble, puis Maggie apportait l'échiquier et ils jouaient en silence jusqu'à ce que Pascal tire sa montre de son gousset et déclare qu'il était temps de rentrer chez lui.

Le reste du temps, Maggie était libre de faire ce qui lui plaisait. Elle se découvrit une passion pour l'art et visita tous les musées de fond en comble. Elle fit la connaissance de jeunes peintres et les accompagna souvent dans les cafés de Montmartre. Quand Pascal apprit cet engouement, il mit de côté une pension pour qu'elle puisse acheter leurs toiles, et bientôt les murs de l'hôtel du faubourg Saint-Germain se couvrirent de peintures de Degas, Renoir, Cézanne et autres novateurs.

Pascal les regardait avec détresse, en secouant la tête et en se lamentant :

— Quel gaspillage d'argent, ma chère ! Ces tableaux sont horribles, je n'ai jamais rien vu de plus laid. Enfin... s'ils te font plaisir...

— Oh ! oui, Pascal !

— Je ne comprendrai jamais pourquoi.

Ce soir-là, alors qu'il prenait encore un chocolat, elle lui annonça :

— Regarde ! J'ai un cadeau pour toi.

Le visage de Pascal s'illumina. Maggie plongea le bras derrière un fauteuil et exhiba un portrait d'elle.

— C'est d'un artiste nommé Bonnard.

La perplexité et l'affliction de Pascal furent si évidentes que Maggie éclata de rire.

— Je t'en prie ! Crois-moi... Un de ces jours, tu apprendras à apprécier ces artistes.

— Jamais ! Ils ne savent même pas dessiner. Et ces couleurs ! Horribles ! Ah ! parle-moi plutôt d'Ingres, de David, de Bouguereau !

— Tu n'aimes pas mon petit cadeau ?

Il sourit sans conviction.

— Mais si, ma chérie, parce que c'est toi. Du moins, je crois que c'est toi. Mais pourquoi est-ce qu'il n'a pas su peindre de manière... plus réaliste ?

Maggie baissa les yeux.

— Une fois, un peintre a fait de moi un portrait réaliste. Ce fut un désastre. Je préfère celui-là.

— Alors je l'aimerai aussi. Mais, naturellement, tu comprends bien qu'il te faut le garder ici. Je ne peux absolument pas l'emporter chez moi. Ma femme poserait des questions.

Maggie chassa ses souvenirs et sourit.

— Je serai très heureuse de le garder. Après tout, c'est aussi ta maison, n'est-ce pas ?

Le lendemain, vêtue d'une robe noire, Maggie emporta les roses jaunes de Pascal et prit un fiacre pour se faire conduire au cimetière du Père-Lachaise. Elle s'y rendait toutes les semaines, quels que soient le temps ou ses occupations. Elle remontait la grande allée bordée de marronniers et allait se recueillir devant une petite tombe surmontée d'un ange de marbre, portant une plaque sur laquelle on pouvait lire :

ALEXIA CAMERON

MORTE A SA NAISSANCE

12 AOÛT 1895

Maggie déposa les roses aux pieds de l'angelot et resta un moment les mains jointes, la tête baissée. Il y avait longtemps que toutes les larmes avaient été versées, mais elle ne pouvait jamais visiter cette tombe sans un chagrin lancinant, le regret de cette enfant qu'elle n'avait jamais portée à son sein, le bébé qui n'avait jamais grandi, la petite-fille qu'Anne et Alex ignoreraient toujours.

Maggie resta encore quelques minutes au pied de la tombe, puis elle alla reprendre son fiacre.

Le samedi matin, Maggie fut réveillé par la sonnerie du téléphone. C'était Pascal.

— Comment ? Tu n'es pas levée ? Pas encore habillée ? Dépêche-toi, Maggie ! Je passe te prendre dans une demi-heure.

Trente minutes plus tard, très précisément, la voiture de Pascal s'arrêta devant l'hôtel et Maggie se précipita vers lui, ses gants, son chapeau et son manteau à la main.

— Tu sais qu'il me faut plus d'une demi-heure pour m'habiller, gémit-elle en montant à côté de lui. Tu veux bien finir de me boutonner ?

Elle lui tourna le dos et Pascal, en riant, s'efforça de faire passer les minuscules boutons dans les boutonnières pendant que Maggie épinglait son chapeau sur sa tête.

— Maintenant, aide-moi à enfiler mon manteau. Ouf... Quel tracas d'être une femme ! Un de ces jours, on va nous faciliter la vie, j'espère, une robe d'une seule pièce et pas de corset. Alors j'arriverai peut-être à l'heure.

— Je doute que tu y parviennes, Maggie. Ça n'a d'ailleurs aucune importance. Tes retards perpétuels font partie de ton charme.

— Je suis heureuse que tu sois si patient, Pascal. Maintenant, dis-moi ! Quelle est ta petite surprise, cette fois ?

— Tu vas faire un court voyage... un voyage comme tu n'en as jamais fait. C'est absolument unique. Tu verras !

Maggie brûlait de curiosité, mais plus elle suppliait Pascal d'élucider le mystère, plus il se cantonnait dans un silence satisfait.

Enfin ils laissèrent la ville derrière eux et se trouvèrent dans la campagne, en plein champ. Le cheval se mit au pas, s'arrêta, et le cocher annonça qu'ils étaient arrivés.

Pascal descendit le premier et tendit une main à Maggie. Elle regarda autour d'elle et aperçut un groupe d'hommes autour d'une grande bâche rouge et jaune étalée sur le sol parmi un enchevêtrement de cordages.

— Que diable... ? marmonna-t-elle.

Mais déjà Pascal agitait le bras et criait.

— Bryan ! Nous voilà !

Un des hommes se détacha du groupe et traversa le champ à leur rencontre.

— Bonjour, Pascal, ça va ? Une journée parfaite pour cette promenade, n'est-ce pas ?

Maggie examina l'inconnu. Il n'avait pas de veste et elle put voir qu'il était bâti comme les statues des athlètes grecs qu'elle avait vues au musée du Louvre. Ses cheveux châtain foncé étaient bouclés et coupés court, et quand il fut plus près, elle remarqua que ses traits classiques évoquaient les bustes des jeunes Romains qu'elle admirait tant. Il était anglais, car bien qu'il se fût adressé à Pascal dans un français parfait, elle avait reconnu l'accent.

Pascal fit les présentations.

— Maggie, permets-moi de te présenter Bryan Carrington.

Bryan s'inclina pour lui baiser la main en murmurant :

— Enchanté de faire votre connaissance.

Il avait une voix grave et mélodieuse, et quand il se redressa elle vit qu'il lui souriait chaleureusement.

— Nous serons prêts à partir dans quelques minutes, ajouta-t-il.

— Pascal a été si mystérieux. Où diable allons-nous ? demanda Maggie.

— Pas au diable, répondit Bryan en riant. Et nulle part sur terre. Nous allons là-haut.

Il renversa la tête en arrière et leva une main vers le ciel.

— C'est un ballon, Maggie, expliqua Pascal tout joyeux en désignant l'objet sur le sol. Je me suis arrangé avec Bryan pour qu'il t'emmène faire une promenade dans les airs, à bord de ce magnifique ballon.

Maggie resta bouche bée. Elle n'était pas du tout sûre d'avoir envie de voler. Cela lui paraissait terriblement dangereux et tout à fait contre nature, mais elle ravala son appréhension. Pascal était bien trop enchanté par sa « petite surprise » pour qu'elle ait le cœur de le décevoir.

— C'est merveilleux, bredouilla-t-elle en espérant avoir l'air suffisamment enthousiaste.

Bryan les quitta pour veiller aux derniers préparatifs. Enfin, quand le ballon fut entièrement gonflé, majestueusement déployé dans les airs et tirant impatiemment sur ses amarres, Bryan revint annoncer :

— Voilà, nous sommes prêts.

Il tendit une main à Maggie pour l'aider à monter dans la nacelle.

— Vous êtes sûr que c'est assez solide ? demanda-t-elle avec méfiance en tâtant l'osier mince.

— Absolument, affirma Bryan, et il prit deux épais manteaux des mains d'un de ses assistants. Il va faire froid là-haut.

Maggie grelottait déjà.

— Ça va ! cria Bryan. Larguez les amarres !

— Pascal ! s'exclama Maggie. Tu ne viens pas ?

— Il n'y a pas de place pour moi. Je vais vous suivre en voiture. Bon voyage !

Le ballon fut agité d'une petite secousse puis il s'éleva comme une bulle de savon. En voyant la terre s'éloigner, Maggie sentit son estomac lui descendre dans les talons et elle ferma vivement les yeux.

— Ah ! mon Dieu ! Je ne veux pas faire ça ! Laissez-moi descendre !

Bryan rit tout bas.

— N'ayez pas peur, Maggie. Je m'occuperai de vous. J'ai fait cela plus de cent fois. Il n'y a aucun danger. Maintenant, ouvrez les yeux et regardez autour de vous. C'est un spectacle que la plupart des gens n'ont encore jamais vu.

Elle se cramponna au rebord de la nacelle qui se balançait doucement et se força à écarquiller un œil.

— Je ne vois rien que du ciel.

— Regardez en bas, Maggie. Penchez-vous.

Rassemblant tout son courage, elle obéit et poussa un cri de surprise émerveillée. Ils survolaient une ferme, une ferme miniature avec une minuscule maison de pierre grise, des vaches semblables à des jouets d'enfant, des petits points blancs qui devaient être des poules et un paysan nain qui les salua de sa fourche. Puis un petit chien courut dans la cour et aboya.

Maggie éclata d'un rire joyeux.

— Je l'entends ! J'aurais cru que tout serait absolument silencieux, de si haut !

Le ballon s'éleva plus haut et le panorama de Paris se déploya à leurs yeux. Maggie s'abandonna à son enchantement. Elle poussa des cris en reconnaissant des monuments, la Tour Eiffel, l'Arc de Triomphe, la basilique inachevée du Sacré-Cœur, et naturellement, la boucle de la Seine partageant la ville.

Ils passèrent lentement au-dessus du bois de Boulogne, des hippodromes de Longchamp et d'Auteuil. Ils flottèrent au-dessus des Invalides et planèrent un moment à la hauteur des jardins des Tuileries avant qu'un souffle de vent contraire ne les repousse vers la Seine.

— Ah ! regardez, Bryan, s'écria Maggie. Je vois Saint-Germain-des-Prés et ma maison ! Comme elle est petite !

Sa joie faisait celle de Bryan et sa beauté l'émerveillait. S'il n'avait pas dit à Pascal d'aller les attendre au bois de Vincennes, il serait resté en l'air pendant des heures, pour le plaisir de contempler Maggie, de partager sa joie et d'être auprès d'elle. Il croyait bien n'avoir jamais vu de femme aussi belle et il était charmé par sa fraîcheur et sa spontanéité.

— Nous sommes libres comme des oiseaux ! cria-t-elle dans le vent. Comme des aigles.

Mais les aigles eux-mêmes doivent redescendre sur terre et Bryan commença à tirer sur la corde de soupape pour libérer l'hydrogène.

Il sourit gentiment et posa une main sur celle de Maggie, cramponnée à la nacelle. Elle se tourna vers lui, vit ses yeux pétillants et comprit que ses battements de cœur n'avaient rien à voir avec les oscillations de la descente.

Il était parfaitement beau, franc et amical, sans complications. Elle lui rendit son sourire, puis elle se mit à rire en se demandant si c'était bien l'altitude qui lui donnait le vertige. Bryan rit aussi, d'un rire jeune et communicatif.

Notre-Dame glissa sur leur gauche, puis ils retraversèrent la Seine en plongeant vers le bois de Vincennes au moment où la voiture de Pascal franchissait la porte de Reuilly.

La nacelle parut frôler la cime des arbres et alla enfin se poser avec une secousse dans une clairière proche du lac Daumesnil.

Alors que l'immense sphère se dégonflait et s'affaissait derrière eux, Pascal arriva en courant. De la nacelle, Maggie lui cria :

— Pascal ! Il faut que tu essayes un jour ! Il le faut ! C'est un spectacle extraordinaire, tu ne peux l'imaginer. Jamais je ne pourrai considérer la terre de la même façon.

Pascal éclatait de joie.

— Alors, ça t'a plu ?

— J'ai adoré ça ! assura-t-elle en l'embrassant sur le front. Ah ! Pascal ! Merci pour ma petite surprise !

Maggie se tourna vers Bryan.

— Merci pour le voyage le plus fantastique de ma vie. Jamais je ne l'oublierai.

Dans la voiture, Maggie fut trop surexcitée pour parler d'autre chose que de sa promenade dans les airs, mais plus tard, quand Pascal et elle s'attablèrent pour déjeuner, elle demanda :

— Au fait, qui est Bryan Carrington ? J'étais tellement occupée à tout regarder que je lui ai à peine dit deux mots.

— C'est le fils de lord Carrington, le banquier londonien. Nous sommes de vieux amis. J'ai chassé sur ses terres quand j'étais en Angleterre et quand il est venu à Paris je lui ai fait faire la tournée des grands-ducs. Bryan est un sacré viveur, je dois dire... mais il n'y a pas de mal à ça, quand on est jeune et riche. Je l'étais dans ma jeunesse, tu peux m'en croire. Mais Bryan a aussi une réputation de casse-cou. Tu as vu ses prouesses avec les aéronefs, eh bien, l'année dernière, il a conduit une automobile à plus de cent à l'heure.

— Mon Dieu !

— ... et à dix-huit ans, il a fait la traversée de la Manche à la nage. Lord Carrington et moi l'attendions sur la plage de Calais avec une bouteille de Dom Pérignon. Cependant, quand le moment viendra pour lui de prendre la succession et le titre de son père, ce gamin s'assagira. Il aura la charge d'une des plus grandes banques du monde.

— Il me fait un peu penser à mon frère Dos, murmura Maggie, mais la violence en moins.

— Oh ! non. Il n'y a rien de violent chez Bryan. Dans l'ensemble, c'est un garçon charmant.

« Oui, charmant, pensait Maggie. Ah ! Pascal, se dit-elle, te rends-tu compte de ce que tu as fait ? J'aime beaucoup Bryan Carrington. J'espère que je lui plais... et j'espère le revoir bientôt ! »

Elle éprouvait un pincement de remords en présence de Pascal et se demandait ce qu'il dirait si elle lui confiait son trouble. Elle l'observa, alors qu'il remplissait leurs verres, et vit combien il était heureux en sa compagnie.

Non, elle ne pouvait rien dire qui risquât de troubler son bonheur. Il avait été infiniment bon pour elle, en exigeant bien peu en échange. Le moins qu'elle pût faire était de lui rester loyale.

Mais en dépit du serment qu'elle s'était fait, Maggie ne pouvait chasser Bryan Carrington de son esprit. Ce mois-là, elle le rencontra par hasard au polo de Bagatelle et quand il lui demanda s'il pourrait lui rendre visite, elle ne put se retenir d'acquiescer. Par la suite, il se présenta souvent à l'hôtel du faubourg Saint-Germain et, bientôt, les soirs où Pascal était retenu par ses obligations ou sa famille, Maggie et Bryan se retrouvèrent régulièrement pour dîner.

Maggie tenait à ce qu'il n'eût aucune illusion et, très tôt, elle lui révéla son passé sans rien lui cacher. Mais cela ne changea rien pour lui et il lui avoua qu'il possédait un tableau de Victor Durand, qui lui plaisait beaucoup.

Et puis, un jour, il lui fit la surprise d'arriver chez elle avec le portrait que Victor avait fait d'elle.

— Mon Dieu ! soupira-t-elle. Je ne sais pas comment vous avez trouvé ça mais il faut vous en débarrasser ! Je vous en prie ! Brûlez-le ! Je ne veux jamais le revoir !

— Mais il est magnifique, Maggie ! Ne m'en veuillez pas, mais je tiens à le conserver.

Avec le temps, elle finit par s'habituer à cette idée et ne frémit plus en se rendant dans l'appartement de Bryan, faubourg Saint-Honoré, où elle voyait le portrait accroché au mur.

Grâce à Bryan, elle fut introduite dans la colonie anglaise de

Paris qu'elle charma par ses manières franches du Texas sous son mince vernis français.

Bryan l'adora avant qu'elle ne tombe vraiment amoureuse de lui. Maggie avait vécu trop longtemps dans la méfiance des hommes pour s'avouer ses sentiments. Sans se le dire formellement, elle s'était juré qu'aucun homme ne la blesserait comme l'avait fait Victor.

Mais, un soir, alors que Bryan la ramenait chez elle de Longchamp, il lui prit la main et lui dit avec simplicité :

— Je comprends vos craintes. Je ne vous harcellerai pas. Mais j'attendrai.

A ces mots, les défenses de Maggie s'écroulèrent. Elle se laissa enlacer et embrasser, sentant fondre ses dernières résistances.

Il monta avec elle. Ils burent du champagne dans la chambre. Maggie, aussi nerveuse qu'une jeune mariée, se déshabilla et s'allongea sur le lit. Bryan s'assit à côté d'elle, il caressa du bout des doigts les rondeurs de son corps jusqu'à ce qu'elle sente sa peau s'enflammer, le désir la gagner. Elle le prit par la nuque et l'attira vers elle.

Maggie cacha sa liaison à Pascal mais elle ne permit jamais à Bryan d'intervenir dans ses rapports avec le vieux monsieur. Elle continuait de le recevoir chaque fois qu'il était libre de venir à l'hôtel de Saint-Germain-des-Prés. Ils dînaient et jouaient aux échecs comme avant, et Pascal conservait l'habitude de ses « petites surprises », la dernière en date étant non pas un voyage au fond de la mer mais un manteau de zibeline long jusqu'aux chevilles.

Puis, vers la fin de l'automne, le père de Bryan mourut et il devint le sixième lord Carrington. Il se rendit à Londres pour les obsèques et revint dans la semaine auprès de Maggie.

— Mon séjour à Paris est terminé, annonça-t-il. Je dois retourner en Angleterre pour reprendre les affaires de mon père.

Maggie ne dit rien. Bryan la regarda avec une curieuse intensité.

— Maggie... Veux-tu venir avec moi ?

Elle avait redouté cette question. Elle savait depuis longtemps qu'elle lui serait posée un jour et s'était demandé mille fois quelle serait sa réponse. Maintenant... elle savait.

— Non, Bryan, je ne peux pas.

Il ne comprit pas son refus.

— Je ne veux pas dire comme ma maîtresse, Maggie. Mais comme ma femme. Je veux t'épouser.

— Je comprends, Bryan, murmura-t-elle, mais je ne peux pas. Du moins... pas pour le moment.

Le cœur de Bryan se serra. Il ne s'était pas attendu à ce refus, l'attitude de Maggie le dépassait. Il savait qu'elle l'aimait, elle le lui avait dit si souvent !

— Pourquoi, Maggie ?

— A cause de Pascal. Je sais que tu auras du mal à comprendre cela, Bryan, mais je ne peux pas le quitter... pas maintenant. Il est âgé, vois-tu, et à sa façon il m'aime beaucoup. Et il a besoin de moi.

— Non, je ne comprends pas ! Et justement pour les mêmes raisons... envisagées d'un autre point de vue. Nous sommes jeunes, nous avons toute la vie devant nous. Nous nous aimons et nous avons besoin l'un de l'autre.

Maggie se força à garder les yeux secs malgré l'atroce douleur qu'elle ressentait.

— C'est tout à fait vrai, Bryan. Mais, cependant... je ne peux pas quitter Pascal et, d'une certaine façon qui n'a rien à voir avec mes sentiments pour toi, je ne le veux pas. J'avais espéré ne jamais avoir à faire ce choix, mais maintenant qu'il m'est imposé je sais que je dois rester ici avec lui. Je le lui dois, Bryan... cela et bien plus encore. Il a été comme un père pour moi.

Bryan secoua la tête, perplexe et malheureux.

Peu après le départ de Bryan, le téléphone sonna et Maggie décrocha.

— Maggie, ma chérie, dit Pascal, je ne me sens pas très bien ce soir et je crois qu'il vaut mieux que je ne sorte pas sous la pluie. Est-ce que nous pourrions remettre notre dîner de ce soir ?

— Naturellement, Pascal. Prends bien soin de toi.

— J'irai sûrement mieux d'ici un à deux jours. Veux-tu que nous déjeunions ? Vendredi, peut-être ? Cela te conviendrait ?

— D'accord pour vendredi.

— Parfait. Je passerai te prendre à midi.

Maggie raccrocha et se prit la tête entre les mains.

3

Dos et Lorna n'avaient pas quitté San Francisco les mains vides. Ils avaient vidé leur coffre, emportant plus de huit mille dollars en espèces.

Lorna savait alors qu'elle était enceinte mais elle n'en avait pas parlé tout de suite à Dos, pensant qu'il avait déjà bien assez de soucis.

Cependant, comme elle était petite et très mince, son état ne put rester longtemps secret. Ils étaient couchés dans leur chambre d'hôtel, et elle sentit Dos poser doucement une main sur son ventre.

— C'est pour quand ? demanda-t-il tout bas.

— Encore cinq mois, murmura-t-elle en regrettant de ne pas voir son expression dans le noir. Tu es fâché ?

— Non.

Elle soupira de soulagement. De son côté, elle était folle de joie.

Quand elle avait su qu'elle portait l'enfant de Dos, toute crainte l'avait quittée de perdre le foyer dont elle avait toujours rêvé.

Il repoussa les couvertures et se leva. Dans l'obscurité, elle vit sa silhouette passer et repasser devant la fenêtre. Enfin, il lui dit :

— Ça veut dire que si nous devons partir d'ici, il faut le faire tout de suite, alors que tu peux encore voyager.

— Où veux-tu aller ?

— N'importe où, plutôt que rester ici. J'ai horreur de cette ville.

Il passa près du lit et elle lui saisit la main, le tira et le fit asseoir à côté d'elle.

— Allons à Denver, alors. J'y ai déjà vécu quand j'étais gosse. C'est une grande ville. Tu trouveras quelque chose à faire.

Il s'allongea, enfouit sa tête dans son oreiller et parla d'une voix étouffée et lasse.

— Une grande ville risque d'être dangereuse pour nous. Un mandat d'amener a été lancé. Ils ont des photos. Quelqu'un finira par nous reconnaître.

Elle lui caressa la tête.

— Laisse repousser ta barbe. Elle te change beaucoup.

— Et toi ?

— Je ne me montrerai pas.

— Tu ne peux pas te cacher éternellement.

— Nous ne pouvons pas fuir éternellement non plus. Dormons, va. Nous nous déciderons demain.

Le lendemain à midi, ils étaient dans le train de Denver. Mais Dos était nerveux, inquiet. Il voulut descendre à Grand Junction et ils y passèrent deux mois, le temps que sa barbe soit bien fournie. La veille de leur nouveau départ pour Denver, il alla prendre les billets à la gare et revint à l'hôtel.

— Qu'est-ce que tu as ? demanda Lorna.

Il vint s'asseoir à côté d'elle.

— J'ai réfléchi, Lorna... A toi, à moi et au bébé.

Elle retint sa respiration.

— Je sais ce que c'est que d'être un fils bâtard. Je ne veux pas que ça arrive à notre enfant. Tu ne crois pas... Enfin, je veux dire... Qu'est-ce que tu dirais si on se mariait ?

Lorna lâcha son ouvrage et serra Dos dans ses bras à l'étouffer.

— Ah ! Dos ! Dos ! Je...

Elle faillit dire « je t'aime » mais les mots se bloquèrent dans sa gorge.

— Je suis si heureuse !

Le juge de paix ferma poliment les yeux sur l'état de Lorna et une heure plus tard, avec un employé du greffe comme témoin, Dos et Lorna devinrent mari et femme.

— Je suis navré pour l'alliance, dit Dos quand ils sortirent, au soleil de l'après-midi. C'est ce que j'ai trouvé de mieux à Grand Junction. Dès que nous serons à Denver, je t'en achèterai une vraie. Avec des diamants.

— Je ne veux pas de diamants, répondit Lorna en étendant la

main pour admirer le simple anneau d'or. Celle-ci est bien assez belle pour moi... et je la porterai jusqu'à ma mort.

Dos sourit et l'embrassa.

A Denver, ils louèrent une petite maison aux abords de la ville, d'où ils avaient une vue superbe sur les montagnes de l'ouest, et Lorna s'installa pour attendre le bébé.

Mais Dos paraissait agité. Il semblait avoir les nerfs à fleur de peau et si Lorna le persuadait souvent de sortir seul, il rentrait tôt et elle l'entendait marcher de long en large, tard dans la nuit, comme un fauve en cage.

Un matin, quand Lorna se réveilla, elle le trouva assis, les traits tirés, à la table de la cuisine.

— J'ai pris une décision, Lorna... c'est-à-dire, si tu es d'accord,

— Dis-moi, Dos.

— Je veux rentrer chez moi.

— Au Texas ?

— Oui. Au Lantana. Ça ne va pas être facile. Nous pourrions probablement nous cacher dans le ranch pour l'éternité, il est tellement vaste... Mais j'en ai assez de me cacher. Au début, c'était un jeu. Tu sais, un jeu de cache-cache. Mais je dois être trop vieux pour jouer maintenant...

— Peter Stark viendra te traquer.

— Je sais. Il me fera inculper pour meurtre. Mais il faut que j'affronte ça, que veux-tu ! Et puis, si j'arrive à retrouver les gens qui étaient dans le saloon ce soir-là, j'arriverai à plaider la légitime défense.

— Si c'est vraiment ce que tu veux, Dos, nous le ferons.

Il poussa un grand soupir, comme si un terrible fardeau avait été ôté de ses épaules.

— Quand veux-tu partir ? demanda-t-elle.

— Tout de suite, si tu te sens en état de voyager.

Lorna en était à son huitième mois, mais elle répondit sans hésiter :

— Je peux très bien voyager.

Dos prit les billets dans l'après-midi et le lendemain, alors que la neige commençait à tomber, ils montèrent dans le train et s'installèrent dans leur compartiment couchette.

— Oh ! comme c'est douillet ici ! s'exclama Lorna.

Dos ôta son manteau.

— Je ne veux plus jamais revoir la neige. Je ne veux plus jamais avoir froid. Il ne neige presque jamais au Lantana.

Le train démarra dans une secousse et sortit lentement de la gare. Dos s'assit et ferma les yeux. Une expression sereine remplaça sur son visage la tension inquiète qui l'avait trop fréquemment crispé depuis les derniers mois.

Lorna, tournée vers la vitre, regardait tourbillonner la neige. Au bout d'un moment, la nuit tomba sur la campagne et un contrôleur traversa la voiture en agitant la sonnette du dîner.

Dos et Lorna allèrent au wagon-restaurant. Le train était bondé et ils durent attendre un moment avant d'être placés à une table, en face d'un gros homme d'un certain âge, au type irlandais, dont la figure rougeaude était barrée par une moustache rousse en guidon de vélo. Il leur sourit aimablement et se présenta :

— Alfred Beaty, de Dallas.

— John Williams, répondit Dos en choisissant un nom au hasard. Et voici ma femme, Laura.

Tout en parlant, il pensait avec soulagement que c'était la dernière fois qu'il aurait à mentir sur leur identité.

— Qu'est-ce que vous faites dans la vie, monsieur Williams ?

Beaty avait un regard franc, un côté expansif et jovial, et Lorna pensa que ce devait être un voyageur de commerce grégaire, qui avait appris à se lier facilement avec des inconnus pour meubler la solitude de ses voyages.

— Je suis dans le bétail, répondit Dos.

— Un rancher ?

— Oui. J'ai un petit élevage dans le sud du Texas.

— Je ne connais pas très bien cette partie-là, avoua Beaty.

— C'est le pays du bon Dieu, assura Dos. Jamais vous ne verriez une tempête de neige comme ça, là-bas.

— Et vous, monsieur Beaty, que faites-vous ? demanda Lorna.

— Je suis voyageur de commerce, madame.

Elle sourit, heureuse d'avoir deviné juste.

— Ouais, reprit l'homme, je fais ce trajet environ deux fois par mois. Mais maintenant je rentre chez moi pour Noël. Ça va me paraître bon, moi, je vous le dis, de retrouver la maison.

— Je comprends ça, reconnut Dos.

Ils bavardèrent ainsi pendant tout le repas et quand Dos et Lorna regagnèrent leur compartiment, ils laissèrent Beaty s'attarder devant son café.

— Bien indiscret, marmonna Dos en quittant le wagon-restaurant.

— Je l'ai trouvé plutôt gentil. Il s'ennuie, le pauvre homme, toujours loin de sa famille.

Dos secoua la tête.

— Il y a quelque chose chez lui qui ne me paraît pas très franc. Par exemple, cette façon de me demander tout de suite ce que je faisais.

— Mais tout le monde fait ça, Dos. Tu es nerveux, c'est tout. Ne te mets pas dans tous tes états. Tu vas voir que tout se passera bien et que d'ici peu nous serons arrivés.

Le lendemain matin, elle sortit dans le couloir pour se rendre au cabinet de toilette des dames et quand elle revint elle rencontra Beaty.

— Ah, bonjour, madame... euh... Excusez-moi, mais j'ai un mal fou à me rappeler les noms.

Lorna perdit soudain contenance. Mon Dieu ! quel nom avait donné Dos ? Elle hésita une seconde, crut se souvenir et bafouilla :

— Wilson... madame Wilson.

— Bien sûr ! s'écria Beaty avec un grand sourire. Wilson, c'est ça. Eh bien, madame Wilson, nous n'allons pas tarder à arriver à Boise City. D'après le contrôleur, nous avons du retard à cause de la neige.

Quand elle retourna dans le compartiment, elle ferma la porte et demanda aussitôt :

— Dos, quel nom as-tu donné à Beaty ?

Il releva brusquement la tête, l'air alarmé.

— Pourquoi ?

— C'était Wilson ?

— Non, Williams.

— Ah, zut ! je viens de le rencontrer dans le couloir et je lui ai dit Wilson. Ça ne veut probablement rien dire, mais j'ai trouvé qu'il me regardait d'un drôle d'air.

— La question est réglée, Lorna. Dès le début, je me suis méfié de ce Beaty. J'ai dans l'idée que c'est un inspecteur des chemins de fer et je crois qu'il nous a repérés. Il faut quitter ce train.

Lorna garda le silence un moment puis elle murmura :

— Dos, ça veut dire que nous allons recommencer à courir. Je croyais que c'était terminé. Je croyais que tu en avais assez. Qu'est-ce que ça peut faire, si nous sommes pris maintenant ou plus tard ? Rendons-nous à M. Beaty et finissons-en.

— Tu ne comprends donc pas, Lorna ? Si Beaty nous arrête, ce sera pour des vols en Californie. Ça veut dire toi aussi bien que moi. Si nous arrivons à passer au Texas, je me rendrai pour le meurtre de Klaus à Joëlsboro. Tu seras libre, hors de cause. C'est ça que nous devons faire... pour toi... et pour le bébé.

Lorna comprenait enfin le plan de Dos. Elle l'enlaça, l'embrassa tendrement et, sans réfléchir, elle murmura :

— Ah, Dos ! Maintenant je vois pourquoi tu fais tout ça. Quoi qu'il arrive, souviens-toi que je t'aime. Je t'ai aimé dès le moment où je t'ai vu pour la première fois et je t'aimerai toujours !

Le convoi ralentissait et commençait à aborder la gare de Boise City. Par la fenêtre, ils virent Beaty, engoncé dans son pardessus, qui sautait du train en marche et courait sur le quai vers le bureau télégraphe.

— Quand allons-nous descendre ? demanda Lorna.

— Je crois que c'est le moment.

Ils abandonnèrent le compartiment et longèrent le train, vers l'avant, aussi loin que possible du bureau du télégraphe. Quand ils arrivèrent à la première voiture, le contrôleur les avertit.

— Il fait rudement froid, dehors, vous savez.

— Ma femme a besoin de prendre un peu l'air, marmonna nonchalamment Dos en prenant le bras de Lorna.

Ils descendirent sur le quai et Dos se crut sauvé, mais pas pour longtemps. La voix de Beaty retentit dans les hurlements du vent :

— Ne bougez pas ! Haut les mains ! Je vous tiens en joue !

Dos crut qu'il allait s'évanouir. Lorna le sentit défaillir contre elle et lui glissa vivement un bras autour de la taille. Ils se retournèrent.

— Haut les mains, j'ai dit ! Vous aussi, la petite dame.

Beaty tenait l'autre extrémité du quai, les pans de son manteau claquant au vent, un colt 32 braqué sur eux.

— Vous êtes fait, Rivers. Vous et la petite dame vous n'allez nulle part, sauf en Californie !

— Beaty, cria Dos, j'irai avec vous. Mais laissez ma femme continuer jusqu'au Texas.

— J'ai l'ordre de vous arrêter tous les deux, gronda Beaty. Maintenant, allons-y.

Du canon de son arme, il désigna la gare et Dos et Lorna obéirent.

Ils étaient seuls tous les trois dans la salle d'attente.

— Asseyez-vous sur ce banc où je pourrai vous surveiller.

Dehors, le train siffla et s'ébranla.

— Nous avons presque réussi, souffla Dos. Au moins, nous avons essayé.

Adossé au mur, son colt armé, Beaty ne les quittait pas des yeux.

— Il y a un express pour le nord qui va passer d'ici une demi-heure. J'ai télégraphié pour qu'il s'arrête et nous prenne.

Les aiguilles de la grosse pendule au mur de la gare tournaient lentement et, après ce qui leur parut une éternité, ils entendirent siffler le train du nord.

— C'est bon, pas d'histoires, avertit Beaty. Je vous tiens en joue. Nous allons monter à bord et nous asseoir, et vous allez faire exactement ce que je vous dis.

Le train s'arrêta moins d'une minute à Boise City, juste le temps de prendre le trio, puis avec un nouveau coup de sifflet strident il sortit lentement de la gare.

Soudain Lorna poussa un cri et crispa les mains sur son ventre.

— Ah ! mon Dieu ! Le bébé ! Le bébé va naître ! Aide-moi, Joël !

Dos remarqua tout comme Beaty qu'elle l'appelait Joël. Et il vit son coup d'œil secret. Beaty ouvrit la bouche. Il soupçonnait une ruse, mais la figure de Lorna était affreusement convulsée et elle hurlait de douleur.

— Faites quelque chose ! lui cria Dos.

— Joël ! Joël ! Aide-moi !

— Elle va accoucher là ! glapit Dos d'un air affolé.

Beaty se leva vivement.

— Emmenez-la aux toilettes des dames. Mais attention... je suis derrière vous.

Le train traversait encore la ville lentement mais commençait à prendre un peu de vitesse. Dos savait qu'ils devaient agir vite. Soudain Lorna trébucha et tomba à genoux. Dos s'accroupit à côté d'elle mais pas avant d'avoir noté la position du revolver de Beaty.

Il se tourna comme pour aider Lorna à se relever et puis, avec la grâce d'un chat, il pivota et écrasa son gros poing sur le poignet de Beaty. Le colt sauta et s'en alla retomber dans le couloir. Derrière eux, une femme glapit et s'aplatit contre son dossier.

Avec une agilité surprenante, Lorna se releva d'un bond et courut ramasser l'arme. Beaty, beuglant de rage, se rua sur Dos. Il était fort pour un homme de son âge et il avait presque cloué Dos au plancher quand la voix de Lorna, froide comme de la glace, mit fin à la lutte :

— Lâchez-le, salaud, sinon je vous fais sauter la cervelle.

Beaty vit le canon pointé vers sa tête. Il leva les mains et recula précipitamment. Dos bondit au côté de Lorna et ouvrit la portière. Le train accélérait, les hautes congères commençaient à défiler rapidement.

Lorna regarda dehors, de la frayeur dans les yeux.

— Nous devons sauter, Dos ! C'est maintenant ou jamais.

Dos tira une balle dans le plancher pour tenir Beaty en respect et, les cris des voyageurs à ses oreilles, il mit ses deux bras autour de Lorna et ils sautèrent du train tous les deux.

Les congères amortirent leur chute mais Lorna fut arrachée à l'étreinte de Dos. Ils roulèrent sur eux-mêmes, les bras et les jambes jetés dans tous les sens comme des poupées de chiffons. Dos vint s'arrêter contre la voie, mais Lorna avait atterri au sommet du talus et gisait maintenant de l'autre côté, dans le champ couvert de neige.

Il escalada le talus et alla aider Lorna à se mettre debout.

— Ça va ? Tu n'es pas blessée ?

Elle secoua la tête et s'appuya lourdement sur Dos.

— Nous ne pouvons pas rester là. Ils arrêtent le train. Ils vont nous chercher partout.

Ils arrivèrent au petit bois et continuèrent d'avancer, n'osant s'arrêter pour se reposer malgré leur épuisement. Et puis Lorna tomba et ne put se relever. Dos la souleva dans ses bras et la porta, en s'enfonçant de plus en plus dans les fourrés. Le vent lui sifflait aux oreilles et son haleine gelait sur sa barbe.

Enfin ils atteignirent une clôture et en la longeant ils trouvèrent un petit corral presque enfoui sous la neige. Il y avait là une vieille cabane délabrée. Dos s'y dirigea. La porte était fermée par du fil de fer mais il parvint à l'ouvrir et ils se jetèrent à l'intérieur, à l'abri du blizzard.

— Il faudra nous en contenter, marmonna Dos. Nous ne trouverions pas mieux. Nous nous terrerons ici jusqu'à ce que la tempête se calme.

Lorna s'était laissée glisser contre le mur et avait posé sa tête sur ses genoux levés, entre ses bras repliés. Dos s'accroupit à côté d'elle.

— Lorna ? Ça va ?

Quand elle releva la tête vers lui, il vit que cela n'allait pas du tout.

— Dos... Dos, souffla-t-elle faiblement, ses grands yeux terrifiés. Je crois que je me suis fait mal... salement mal...

313

Il la vit glisser une main sous sa robe et la retirer luisante de sang.

— Mon Dieu !

— Le bébé arrive, gémit-elle. Cette fois c'est vrai. Et j'ai mal, Dos, j'ai mal !

Dos ôta son manteau et l'étala sur la terre battue pour que Lorna s'y allonge.

Avec précaution, il releva sa robe jusqu'à la taille. Son linge était rouge de sang. Il coupa les dessous avec son couteau et les jeta d'un côté.

Lorna enfonça ses poings dans sa bouche et poussa encore un grand cri. Dos essaya de lui essuyer les cuisses mais le flot de sang continuait de couler, plus abondant que jamais.

— Dos, je ne peux pas... Je ne peux pas le supporter ! sanglota-t-elle. Je vais mourir !

— Mais non, Lorna ! Non ! Ce n'est que le bébé ! Ce sera fini dans une minute !

Mais il se demandait quelle quantité de sang elle allait perdre. Le crâne du bébé apparaissait et il savait que le moment était venu.

Lorna se tordait sur le manteau et criait de temps en temps, mais chaque fois sa voix était plus faible.

Soudain, la tête du bébé se dégagea, puis ses étroites épaules et quelques secondes plus tard, Dos le tint entre ses mains. Il tira sa chemise de son pantalon et essuya le sang poisseux de la petite figure. Le bébé parut haleter, sa petite poitrine se souleva et son premier cri emplit la cabane.

Dos coupa le cordon et le noua avec un lambeau du jupon de Lorna.

— C'est fini, Lorna. Nous avons un beau petit garçon !

Elle resta inerte, la figure blanche, les yeux vitreux. Mais il l'entendit respirer doucement et vit un faible sourire se former sur ses lèvres.

— Prends-le, Lorna, serre-le contre toi, tiens-lui chaud, murmura Dos en déposant le bébé sur le sein de Lorna.

Elle referma les bras et souffla :

— Mon bébé... mon petit garçon...

Dos vit qu'elle saignait encore plus abondamment. Il déchira encore de longues bandes du jupon, les roula en boule et les pressa entre les jambes de la jeune femme.

— Je saigne encore ?

— Beaucoup moins, mentit Dos, ne t'inquiète pas. Tout ira bien.

Il s'allongea à côté d'elle, le bébé dans le berceau formé par leurs corps rapprochés.

— Il est beau, n'est-ce pas, Dos ?

Il essaya de regarder le bébé, mais des larmes brûlantes lui brouillaient la vue. Soudain, Lorna poussa un nouveau cri.

— Ah, Dos ! La douleur ! Elle est toujours là !

Il se leva et vit que le jupon était trempé. Il comprit alors que

Lorna allait mourir, qu'il ne pourrait pas la sauver. Soudain, un grand calme l'envahit, une sorte de torpeur, quand il comprit que Lorna était perdue pour lui. Il se recoucha contre elle, un bras sur le bébé pour lui tenir chaud, sa main caressante contre la joue de Lorna.

— Tout va s'arranger, tout ira bien, Lorna. Tu n'as pas à t'inquiéter. Tu vas aller très bien.

— Mais la douleur...

— Chut... Ça va passer. Attends. Tu verras.

Ils se turent un moment. Seuls les petits vagissements du nouveau-né rompaient le silence. Et puis Lorna annonça :

— Tu as raison, Dos, ça passe. J'ai beaucoup moins mal.

Il se mordit la lèvre pour ne pas sangloter.

— Tu vois... tu vois. Tout va s'arranger.

— J'ai sommeil, Dos.

— Eh bien, dors... Je vais vous veiller tous les deux.

Elle souleva les paupières et le regarda.

— Ne rase plus jamais ta barbe, Dos. Ça te donne un air... si... Sa voix faiblissait.

— Je la garderai toujours, Lorna, chuchota-t-il. Pour toi.

— Est-ce que tu lui diras que sa maman a eu le temps de le voir ? Qu'elle l'a tenu dans ses bras ? Et qu'elle a pensé qu'il était le plus beau bébé du monde ?

— Chut, Lorna... Tais-toi. Ne parle pas comme ça.

— Je meurs, Dos. Je le sens...

— Non, rugit-il en tournant la tête vers le plafond de bois. Tu ne peux pas mourir ! Tu ne peux pas me laisser ! Comment est-ce que je vais vivre sans toi ! Lorna ! Lorna !

Elle parut s'assoupir.

— Lorna ! ne me quitte pas ! J'ai besoin de toi ! Je t'aime !

Elle entendit les mots comme un écho tournant inlassablement dans sa tête. Je t'aime... je t'aime... je t'aime...

4

Par sa lunette d'approche en cuivre braquée d'une des fenêtres de la tour, Anne distingua un homme avec un paquet dans les bras qui se dirigeait vers la maison. Il avait l'air d'un vagabond avec une barbe en broussaille et une capote crasseuse, et la rosse qu'il montait semblait sur le point de s'écrouler de fatigue.

Elle savait que ce n'était pas un de ses hommes et elle se demanda comment un inconnu avait pu franchir le portail gardé.

Anne se hâta dans l'escalier en colimaçon, prit un fusil chargé à canons jumelés d'un des râteliers du vestibule et ouvrit la porte d'entrée.

— Qui êtes-vous et qu'est-ce que vous voulez ? cria-t-elle au cavalier.

Il ne répondit pas mais continua de pousser son cheval fourbu vers la grande maison.

Surprise, elle entendit soudain le cri d'un nouveau-né et l'homme baissa les yeux sur le paquet qu'il serrait au creux de son bras.

Anne sentit un frisson lui parcourir le dos et le fusil trembla dans sa main. Soudain l'homme releva la tête et la regarda.

— Je suis revenu, maman.

Elle reconnut immédiatement la voix mais ne put y croire. Tout son sang reflua de ses joues.

Dos mit pied à terre à l'instant où Anne le rejoignait. Elle se jeta contre lui et le serra convulsivement, trop émue pour parler.

Elle leva les mains et caressa maladroitement la figure de Dos.

— C'est toi... C'est bien toi !

Il voulut sourire à sa mère, mais il éclata en sanglots.

— Ah, maman ! Est-ce que tu veux bien de moi ? Est-ce que tu pourras jamais me pardonner ?

— Dos ! Tu sais bien que je veux te reprendre ! Toutes ces années, j'ai eu si peur de te voir revenir dans une caisse en sapin... si jamais tu me revenais ! Mon fils... mon fils... C'est si bon de t'avoir à la maison.

— Il va falloir que tu m'aides à l'élever. C'est un petit orphelin. Sa... sa maman est morte.

Anne prit l'enfant dans ses bras en battant des paupières pour chasser ses larmes afin de l'examiner.

— Il est exactement comme toi, Dos.

— C'était ce que sa maman voulait.

Dos et Anne se couchèrent tard dans la nuit, après avoir tenté pendant de longues heures de combler le fossé de dix ans de séparation. Leur conversation engendra plus de larmes que de rires. La nouvelle de la mort de Carlos porta un coup terrible à Dos et l'histoire de Maggie, ce qu'en savait Anne, l'emplit de chagrin et de pitié sans qu'il puisse éprouver pour sa sœur la même rancœur qu'elle. Il aurait voulu lui écrire mais quand il demanda à Anne où elle vivait, elle lui répondit qu'elle n'en avait aucune idée et ne parut même pas s'en soucier.

— Comment allons-nous appeler ton petit-fils ? demanda Dos.

— Nous devrions lui donner ton nom.

— Non, j'aime mieux pas. Je voudrais qu'il parte d'un bon pied.

— Mais ce serait bien de lui donner un nom qui évoque une certaine continuité... qui signifie quelque chose pour la famille.

Dos réfléchit un moment puis il se décida :

— Appelons-le Trevor.

— Trevor... Cela sonne bien. Et, de plus, ce nom me plaît beaucoup.

— Il va falloir que tu t'en occupes toute seule pendant un moment, murmura Dos.

Anne se tourna vers son fils et l'examina. Elle savait bien ce qu'il voulait dire.

— Quand comptes-tu le faire ?

— Je pensais prendre un cheval et aller à Joëlsboro dans la soirée.

Anne se mordit la lèvre pour l'empêcher de trembler.

— Si tôt ? Tu ne peux pas attendre un peu ?

— Peter Stark va découvrir que je suis de retour et il viendra me chercher. Je pense que ce serait plus simple si je me constituais prisonnier. Je suis las de fuir, las de me cacher. Tout ce que je veux, maintenant, c'est en finir une bonne fois pour toutes.

Anne hocha la tête sans mot dire.

— J'aurai peut-être de la chance, dit-il avec une bonne humeur forcée. Ils ne me condamneront peut-être qu'à deux ou trois ans. Ça passera vite.

— Quel que soit le nombre des années, Dos, n'oublie pas un instant ceci : Trev et moi, nous serons là pour attendre ton retour.

1907

5

Au début de 1907, la santé de Pascal commença à décliner, et depuis le début du printemps jusqu'au milieu de l'été il ne put rendre visite à Maggie que deux fois dans le petit hôtel du faubourg Saint-Germain. Mais il téléphonait presque tous les jours et Maggie devinait, à sa voix de plus en plus faible, que son état empirait. Enfin, à la fin de juillet, une semaine s'écoula sans qu'il se manifeste une seule fois.

Maggie attendit, morte d'inquiétude, prête à se précipiter au chevet de Pascal, mais hélas ! une telle initiative scandaliserait la famille.

Finalement, un après-midi, Marie Dollois sonna à la porte.

— Marie ! s'exclama Maggie en la faisant entrer au salon. Ça fait un siècle ! Quel bon vent vous amène ?

Marie soupira et tendit la main pour la poser affectueusement sur le bras de Maggie.

— Un mauvais vent, ma petite fille. J'aurais aimé que nos retrouvailles soient plus heureuses mais j'apporte de mauvaises nouvelles. Pascal s'est éteint paisiblement dans son sommeil, la nuit dernière.

Les yeux de Maggie s'embuèrent de larmes, mais elle prit la nouvelle assez calmement car il y avait un moment qu'elle s'y attendait. C'était malgré tout un choc et elle serra les bras autour d'elle, soudainement glacée.

— Il a été si bon pour moi, Marie !

— Je sais, ma chérie.

Le ton de Marie semblait plus éloquent que ses mots et Maggie la regarda avec curiosité.

— Malgré votre chagrin, ma chérie, il va vous falloir affronter certaines conséquences pratiques. Pascal était votre bienfaiteur. Maintenant qu'il n'est plus là, vous n'aurez plus les moyens de maintenir votre train de vie. Tout comme je vous ai fait connaître Pascal, je pourrais organiser une rencontre avec un autre homme fortuné qui, j'en suis sûre, ne demanderait pas mieux que de vous entretenir dans cette jolie maison. Ce serait dommage de la quitter.

— Ah, Marie ! J'en ai assez de cette vie de demi-mondaine ! Je veux être quelqu'un d'autre qu'une femme entretenue. J'aimerais devenir enfin respectable.

Marie haussa les sourcils.

— Mais, ma chère petite, vous n'êtes pas respectable ! Vous avez un passé.

Les épaules de Maggie s'affaissèrent. Marie avait raison, naturellement, et elle comprenait soudain qu'il en serait toujours ainsi.

— Je vous en prie, Marie, je vous demande de m'excuser. J'ai besoin d'être seule en ce moment. Nous causerons plus tard.

— Certainement, ma chérie. Vous savez où me joindre.

Restée seule avec ses pensées, Maggie ne put que se souvenir de Bryan. Il avait voulu l'épouser, il lui avait offert l'occasion de s'arracher au demi-monde et de refaire sa vie. Si seulement elle était allée le rejoindre à la gare Saint-Lazare, ce vendredi à midi... il y avait de cela quatre ans... comme son existence serait différente à présent... Lady Carrington, châtelaine du manoir de Carrington...

Mais sa loyauté envers Pascal avait tout primé. Son cœur avait toujours regretté cette décision et pourtant elle savait qu'elle avait bien agi.

Mais à présent qu'elle était libre de retrouver son amour, elle s'apercevait qu'elle n'en avait pas le droit. En permettant à Bryan de quitter Paris sans elle, elle avait fait un choix. Elle ne pouvait courir vers lui maintenant, après toutes ces années de silence. Comment pouvait-elle être sûre qu'il l'aimait, qu'il la désirait encore ? Il s'était sans doute épris d'une autre.

Cependant, elle se décida à écrire à Bryan. Cinq jours plus tard, elle reçut la réponse :

Voici de l'argent pour payer ton voyage à Londres et la clef d'une maison située 83, Hedlington Row à Hampstead. Va là-bas et installe-toi comme chez toi. Je viendrai te voir.

Maggie regarda la petite clef de bronze au creux de sa main et, avec un soupir de soulagement, elle la serra dans son poing.

Elle arriva à Londres le lendemain, tard dans la soirée. Elle prit un fiacre et se fit conduire à l'adresse de Hampstead. Malgré la nuit obscure, elle put voir que c'était une charmante maison, en retrait de la rue, avec un petit jardin sur le devant qui embaumait les roses.

Elle s'était un peu attendue à y trouver Bryan, mais la maison était déserte. Tout était parfaitement meublé et dans chaque pièce des bouquets ornaient les tables. Le salon était charmant et douillet et quand elle s'aventura jusqu'à la cuisine elle trouva les placards pleins de provisions et de bouteilles de vin. En se retournant, elle aperçut un mot de Bryan sur un meuble.

Mon amour, lut-elle, *je viendrai dès que je pourrai. En attendant, dis-toi que je t'aime.*

Toutes les craintes de Maggie s'envolèrent.

Le lendemain matin, un peu avant onze heures, elle entendit une automobile s'arrêter dans la rue, puis le grincement de la grille et des pas dans l'allée du jardin. Elle courut à la porte, l'ouvrit et

Bryan la souleva dans ses bras. Quand leurs lèvres s'unirent, elle éprouva un immense soulagement. Il lui suffisait d'être près de Bryan pour que tous ses ennuis, tous ses soucis disparaissent.

— Je croyais ne jamais te revoir, Maggie. Le temps a été terriblement long.

— Trop long, Bryan... Jamais plus je ne veux être loin de toi.

Elle pressa sa joue contre le revers de sa veste et ils restèrent longtemps debout, cramponnés l'un à l'autre, avant d'entrer dans la maison, enlacés.

— Tu aimes la maison ? demanda-t-il.

— Elle est adorable !

— Je l'ai louée dès que j'ai reçu ta lettre. Elle est à toi, aussi longtemps que tu la voudras.

Elle lui prit une main et la pressa contre ses lèvres.

— Ah ! Bryan, je t'aime tant !

— Moi aussi, Maggie. Mais les choses ne sont plus aussi simples.

Elle leva les yeux, pressentant un malheur.

— Je l'ai compris à ta lettre... Je le vois en te regardant, maintenant, que tu ne sais pas.

— Qu'est-ce que je ne sais pas, Bryan ?

Il respira profondément.

— Je suis marié, Maggie. Je me suis marié il y a un peu plus d'un an.

Cette nouvelle frappa singulièrement Maggie. Elle eut comme un vertige. Elle crut qu'elle allait être prise d'un fou rire nerveux et dut se mordre la lèvre pour se maîtriser. Portant une main à son front, elle se leva et marcha un peu avant d'être sûre de pouvoir parler posément.

— Non... Je l'ignorais, naturellement, sinon je n'aurais pas écrit, mais j'aurais dû m'en douter. Cela fait quatre ans, après tout...

— Tu as simplement fait ce que tu jugeais honnête. J'ai compris ta loyauté envers Pascal. Mais je t'avoue qu'en apprenant sa mort, j'ai espéré recevoir de tes nouvelles. Si tu n'avais pas écrit, je t'aurais envoyé une lettre.

— Mais, Bryan... pourquoi ? Tu es marié, maintenant.

— Je n'aime pas ma femme. Je ne l'ai jamais aimée. Tu es la seule de qui je sois épris, Maggie, et mon cœur t'appartient pour toujours. Tu le crois, au moins ?

— Oui, Bryan.

— Comme je te l'ai expliqué, je n'espérais plus te revoir, pas vraiment. Comment pouvais-je savoir qu'un jour tu reviendrais ? J'ai attendu trois ans, et puis j'ai fait la connaissance de Germaine... Son père est un gros banquier de Bruxelles.

— Un mariage d'affaires.

— En partie seulement. Il y avait aussi la solitude.

Il la reprit dans ses bras.

— Alors, qu'allons-nous devenir ?

— C'est à toi de le dire, Maggie. Je ne peux rien exiger de toi, je n'en ai pas le droit.

321

— Tu as tous les droits, Bryan... sur moi tout au moins. Quand Pascal est mort, je ne désirais rien de plus au monde que d'être avec toi mais je ne voyais pas de quelle manière, après t'avoir repoussé à Paris, et à cause d'un sot orgueil et de fausses convenances, je ne t'aurais probablement jamais fait signe.

— L'orgueil... les convenances, murmura Bryan. Dans quel monde à l'envers vivons-nous !

— Ainsi... Si je reste ici, Bryan, je devrai être ta maîtresse. Nos rapports seront clandestins, je ne te verrai que lorsque tes obligations t'en laisseront le loisir, tu viendras le soir mais je saurai que tu ne seras pas à côté de moi à mon réveil, nous ne nous montrerons jamais en public ensemble.

Bryan baissa tristement la tête. Maggie soupira, puis se tourna vers lui.

— Eh bien, dans ce cas, j'accepte ! Mon passé n'a été qu'un gâchis et ce qui est fait ne peut être défait. Mais c'est bien le diable si je vais saboter aussi mon avenir ! Je refuse catégoriquement de passer le restant de ma vie séparée de l'homme que j'aime !

Le cœur de Bryan déborda de bonheur. Il tendit les bras et Maggie s'y jeta en pleurant de joie car si elle savait qu'elle n'était pas entièrement libre, et ne le serait peut-être jamais, elle avait par sa décision entrouvert la porte de sa prison.

— Maintenant, souffla-t-elle, maintenant que nous nous sommes engagés... Embrasse-moi, et allons nous coucher.

6

Une semaine avant Noël, Maggie furetait dans Burlington Arcade, à la recherche d'un cadeau pour Bryan. Elle voulait quelque chose d'unique, de personnel mais aussi de modeste pour ne pas éveiller les soupçons de Germaine.

L'Arcade était bondée de gens et Maggie faillit rater le petit presse-papiers de cristal sur un coussin de velours, dans le coin d'une vitrine.

Elle entra vivement, demanda à l'examiner et, en le retournant dans sa main, elle murmura :

— Parfait, absolument parfait.

C'était une boule de cristal avec au centre (comment cela pouvait se trouver là, Maggie ne l'imaginait pas) un minuscule ballon sphérique en or, précis dans ses moindres détails, exactement comme celui qui l'avait transportée avec Bryan au-dessus des toits de Paris le jour où ils s'étaient connus.

Elle l'acheta, certaine de ne rien trouver qui fît plus plaisir à Bryan.

Son achat fait, Maggie sortit presque en dansant de l'Arcade. Elle n'avait fait que quelques pas quand elle s'arrêta net en voyant

Bryan avancer dans sa direction. Elle faillit l'appeler mais se retint à temps en remarquant la femme qui l'accompagnait.

Elle n'eut pas le temps de battre en retraite, car Bryan l'avait aperçue et il l'appelait.

Maggie se dit que cela devait arriver tôt ou tard. Il fallait bien qu'elle rencontrât un jour sa femme et mieux valait que ce fût dans la foule qu'au cours d'une réception intime.

— Maggie ! Maggie Cameron, dit Bryan sur un ton protocolaire, puis il se tourna vers Germaine. Ma chère, j'aimerais te présenter une de mes amies, Maggie Cameron. Maggie... ma femme.

— C'est un plaisir de faire votre connaissance, lady Carrington.

Germaine répondit par une amabilité, puis elle hésita et demanda :

— Mais ne nous sommes-nous pas déjà vues, mademoiselle Cameron ?

— Je ne le crois pas, milady. Je suis à Londres depuis peu.

— Cependant... votre visage m'est familier.

— Je suis sûre que nous ne nous sommes jamais rencontrées.

Maggie pensait qu'elle s'en serait souvenue. Sans être belle, Germaine retenait l'attention; elle aurait pu servir de modèle à Renoir avec ses cheveux dorés et mousseux, son teint couleur de rose et délicatement crémeux.

— Vous faites des achats pour Noël ? demanda Bryan.

— Oh ! juste quelques petits souvenirs. Et vous ?

— Nous venons de terminer, dit Germaine. Une petite boîte à musique ancienne pour ma mère.

— Nous partons demain pour le manoir de Carrington, annonça Bryan.

— Il faudra venir nous voir, dit Germaine. Je vous enverrai un mot dès que nous serons rentrés à Londres.

— Cela me ferait grand plaisir, lady Carrington.

Bryan et Germaine s'éloignèrent et au bout d'un moment elle dit à son mari :

— C'est une femme ravissante. Elle me plaît. Mais je persiste à penser que nous nous sommes déjà rencontrées.

Bryan savait où, mais il ne dit rien.

Ce soir-là, à cinq heures, il sonna à la porte du cottage de Hampstead. Maggie l'attendait. Il y avait un feu de bois dans la cheminée et du champagne dans un seau à glace. Ce devait être leur dernière soirée avant quinze jours.

— Tu lui as plu, Maggie.

— Moi aussi, je l'ai trouvée très bien. Mais je ne la plains pas, elle connaît le bonheur de vivre avec toi.

Bryan l'embrassa tendrement.

— Et pourtant, tu m'as comme elle ne m'aura jamais.

— C'est vrai. Si j'avais à choisir, je ne voudrais rien changer. Ton amour est plus précieux pour moi que ton nom.

Ils échangèrent des vœux au champagne, ils montèrent dans la chambre de Maggie aux rideaux tirés; puis ils s'habillèrent, redescendirent et s'offrirent leurs cadeaux.

Maggie ouvrit le sien la première. C'était un bracelet florentin en or, incrusté de diamants d'une eau admirable et à l'intérieur une phrase était gravée : « Ceux qui s'aiment plus que le monde ne peuvent être séparés par lui. »

— Bryan ! Que c'est beau !

— C'était le conseil que William Penn donnait à ses enfants. Je crois qu'il est bon de s'en souvenir.

— Je ne l'oublierai jamais.

Elle l'embrassa et lui remit alors son cadeau. La figure de Bryan s'illumina quand il le vit. Il retourna la boule brillante entre ses mains, laissant la lumière scintiller sur le minuscule ballon planant pour l'éternité dans son atmosphère de cristal. Avec une joie d'enfant, il s'écria :

— Maggie, je t'adore ! C'est la perfection même ! Quel adorable souvenir !

Ils s'enlacèrent et se laissèrent tomber sur le tapis devant le feu de bois. Bryan embrassa Maggie à lui faire perdre le souffle et il sentit son corps s'embraser plus encore que les flammes. Ils s'aimèrent encore, lentement, prolongeant chaque caresse.

Mais finalement, alors qu'ils étaient détendus et heureux devant les braises, la pendule de la cheminée sonna neuf heures. Bryan gémit et se releva en soupirant. Maggie l'embrassa une dernière fois et murmura :

— Ce ne sera pas long, mon amour. Nous avons supporté de vivre quatre ans loin l'un de l'autre... deux semaines passeront en un clin d'œil.

— Tu vas me manquer à chaque seconde.

Maggie écouta le bruit de la voiture s'éloigner, puis elle fit le tour de la maison pour éteindre la lumière. Dans sa chambre, l'oreiller gardait encore l'empreinte de la tête de Bryan. Elle s'allongea et le prit dans ses bras, le porta à ses lèvres.

1908

7

Maggie avait connu bien trop d'Anglais à Paris pour que sa vie à
Londres demeurât un livre fermé; et ce ne fut qu'une question de
temps avant que Germaine soit mise au courant.

Elle prenait le thé avec Ivy Wingate, une commère invétérée qui
serait morte plutôt que de garder un secret. Germaine l'écouta
d'une oreille sceptique car Ivy n'avait pas la réputation de beaucoup respecter la vérité.

— Je le sais de source sûre, affirma-t-elle, un peu agacée par la
mine dubitative de Germaine. Elle a été une femme entretenue
pendant des années.

— Cela n'a pas grande importance, au fond, répliqua paisiblement Germaine. Une personne ne peut changer son passé. Tout
cela est fini. Ce qui compte, c'est le présent et l'avenir. Je l'ai
rencontrée et elle m'a plu, et je continuerai de l'inviter chez moi.
Nous sommes au XXe siècle, que diable ! On n'est plus collet monté
comme au temps de la vieille reine. D'ailleurs, Maggie Cameron
est une vieille amie de Bryan.

Ivy attendait avidement ce moment. Elle se pencha sur la table,
les yeux brillant d'un plaisir non dissimulé.

— Il est évident, ma chère amie, que vous ignorez jusqu'où
allait cette amitié.

— Que voulez-vous dire ?

Ivy ménagea ses effets en prenant le temps de se verser une autre
tasse de thé et d'y goûter avant de répondre :

— Eh bien, selon la rumeur publique, Bryan et Mlle Cameron
entretenaient une liaison à Paris.

Germaine pinça à peine les lèvres mais elle crut entendre
comme un coup de tonnerre à ses oreilles.

— Continuez...

— Ma foi, c'est tout. Une aventure ancienne, sans aucun doute...
longtemps avant que Bryan ne vous connaisse.

Bryan et Maggie ! pensa Germaine. Et soudain l'énigme qui la
troublait depuis des mois fut résolue. Elle n'avait jamais pu chasser l'impression d'avoir déjà vu Maggie quelque part; ses traits
étaient trop familiers. Maintenant elle se souvenait. C'était le
portrait que Bryan avait dans son appartement de célibataire,

avant leur mariage, le nu étendu sur un canapé Récamier. Bien sûr ! C'était Maggie !

La semaine suivante, Germaine donna un dîner et invita Maggie pour servir de partenaire à un de ses cousins de Bruxelles en visite à Londres. Maggie était resplendissante dans une robe printanière de soie bleue dénudant les épaules, un collier de chien en saphirs scintillant à son cou. Elle était certainement la plus belle des convives et aurait pu jouir des attentions de tous les hommes présents mais elle ne quitta pas le cousin, un célibataire timide qu'elle charma par sa conversation en français.

Pendant toute la soirée, Germaine l'observa discrètement, guettant un signe de communication secrète entre Bryan et elle. Mais Maggie joua son rôle à la perfection et quand le moment vint pour les invités de prendre congé, Germaine poussa un soupir de soulagement. Même si ce que la venimeuse Ivy avait dit de Bryan et de Maggie à Paris était vrai, elle était certaine qu'il n'y avait plus rien entre eux. « Une braise éteinte, pensa-t-elle, une passade oubliée. » Et si ce n'était que cela, elle n'avait aucune raison de s'opposer à leur amitié.

En retrouvant enfin sa maison de Hampstead, Maggie poussa un soupir de soulagement.

Elle savait pourtant qu'elle était condamnée. Derrière la porte fermée de son cottage, elle était libre, oui, mais dès qu'elle mettait le pied dehors, elle retombait dans le piège des faux-semblants. La mystérieuse Maggie Cameron, la femme avec un passé, la femme dont le présent était soigneusement voilé...

Alors, quand Bryan vint la voir le lendemain, Maggie lui annonça qu'elle allait s'éloigner un moment, qu'elle avait envie d'aller en Écosse voir s'il restait des Cameron là-bas. Il proposa d'aller la rejoindre à Édimbourg mais elle refusa.

— Non, mon chéri. Je tiens à ce que nous nous séparions quelque temps. Je n'en ai pas la moindre envie, crois-moi, mais si je parais indépendante, il y aura moins de risques que les gens associent nos deux noms.

La semaine suivante, Maggie prit le train pour l'Écosse et s'installa dans un appartement du George Hotel à Édimbourg. Les premiers jours, elle visita la ville toute seule, la trouva charmante, alla se promener dans les roseraies au pied de Prince's Street, admira le château noirci de suie au sommet du Mound, descendit jusqu'à Holyrood House et retrouva dans l'accent rocailleux des habitants un écho de la voix de son père.

Enfin, elle se décida à rechercher sa famille écossaise. Elle écrivit une lettre, et trois jours plus tard reçut une réponse d'une autre Margaret Cameron l'invitant dans la demeure ancestrale des Highlands.

Elle quitta Édimbourg un vendredi matin et arriva dans la soirée. Margaret et Ian Cameron l'attendaient à la gare. Ils l'embrassèrent et l'accueillirent avec une telle affection qu'elle eut l'impression de les avoir toujours connus.

En arrivant au manoir, il lui parut que tous les Cameron d'Écosse s'étaient réunis pour l'accueillir et elle fut pilotée de groupe en groupe avant qu'un banquet en son honneur soit servi, auquel ne manquait même pas l'accompagnement des joueurs de cornemuse en kilt et tartan du clan Cameron. A la fin du repas, Ian Cameron se leva.

— Nous formons un clan heureux, dit-il, plus heureux encore grâce à cette visite de notre cousine américaine. Nous sommes nombreux ici à nous rappeler le père de Maggie. Alex Cameron était le plus vaillant de nous tous. Il est parti à l'aventure pour affronter le Nouveau Monde, sans s'arrêter à New York ou à Boston où la vie était facile, mais poussant jusque dans les déserts sauvages du Texas...

Le choix des mots fit sourire Maggie.

— Et Alex a su conquérir ce pays sauvage et terrible, il est devenu le plus grand seigneur de l'élevage de bétail que ce pays ait jamais connu. Ah ! oui, c'était un brave... le meilleur qu'on puisse connaître ! Notre seul regret est qu'il n'ait pas vécu assez longtemps pour revenir nous voir.

Le sourire de Maggie se figea sur ses lèvres et son sang se glaça. Quoi ? Pas vécu assez longtemps ? Papa ! Papa ! pensa-t-elle avant d'être prise d'un vertige. Elle tendit une main vers la table pour s'y appuyer mais les ténèbres déferlèrent et elle glissa de sa chaise, sans connaissance.

Quand Maggie revint à elle, elle était couchée, Margaret Cameron à son chevet. Elle ouvrit les yeux et battit des paupières en se demandant où elle se trouvait. Et puis les paroles d'Ian lui revinrent à l'esprit et elle éclata en sanglots. Elle pleurait son père dont elle avait brisé le cœur; elle pleurait pour sa mère dont la colère froide la cinglait encore aujourd'hui. Et elle pleurait le Lantana qu'elle savait ne jamais revoir.

Margaret la prit dans ses bras pour la consoler, sans comprendre encore la raison de ce brusque évanouissement.

— Je ne savais pas, gémit Maggie. Il y a si longtemps que je suis partie... je ne savais pas que papa...

— Oh ! ma pauvre enfant...

— C'est arrivé quand ?

— Il y a plusieurs années. Quatre ou cinq ans, je crois. Nous avons reçu une lettre de votre mère. Mais comment se fait-il que vous n'ayez pas été avertie, Maggie ?

Elle secoua la tête et pleura plus amèrement. Il lui était impossible de s'expliquer. Comment pouvait-on dire, même à une parente, que votre mère vous renvoyait vos lettres sans les avoir décachetées, que vous étiez responsable de la mort d'un oncle bien-aimé et d'un amant, que le passé et le présent faisaient de vous une femme de mauvaise vie ?

Le lendemain, malgré l'insistance de ses cousins qui voulaient la garder, Maggie fit ses bagages et repartit pour Londres. Le long voyage en chemin de fer lui donna le temps de réfléchir, de se faire à la mort d'Alex et quand elle arriva chez elle, elle comprit que

Bryan était le seul homme qui restât dans sa vie... et pourtant elle ne le possédait qu'à moitié.

Ce retour soudain le surprit.

— J'ai eu tort d'aller là-bas, dit-elle simplement, manquant de courage pour lui révéler ce qu'elle avait appris.

Avec bonheur, elle se laissa étreindre et embrasser.

— Serre-moi dans tes bras, Bryan, murmura-t-elle. Serre-moi fort. J'ai besoin de toi.

Plus tard, alors qu'ils étaient au lit, Bryan annonça :

— J'ai de bonnes nouvelles. Germaine va passer un mois à Bruxelles. Je pensais que nous pourrions aller à Carrington et y être enfin seuls.

— Mais... Les domestiques ? Est-ce que ce ne serait pas dangereux ?

— Il n'y a personne que le gardien et sa femme, et d'ailleurs je n'avais pas l'intention de nous installer au château. Il y a un petit cottage où habitait autrefois un garde-chasse. Il est abandonné maintenant mais en excellent état malgré tout, c'est une petite retraite discrète, isolée. Personne ne nous y dérangerait. Dis-moi que tu viendras, Maggie !

Elle se blottit contre lui en souriant.

— Naturellement, Bryan ! Ce sera merveilleux de t'avoir tout à moi, ne serait-ce que pour un petit moment.

Le lendemain suivant le départ de Germaine pour la Belgique, Bryan vint chercher Maggie et ils partirent dans sa Daimler vers le Sussex. Ils s'arrêtèrent en chemin pour manger des sandwiches et boire une bière dans un pub de campagne, et à Reading pour y faire des provisions.

Ce soir-là, pendant que Bryan buvait un verre de porto et lisait le journal, Maggie s'affaira dans la petite cuisine du cottage, en essayant de s'imaginer qu'ils étaient mari et femme, que cette maison isolée était leur foyer, que ces instants idylliques allaient durer éternellement.

8

Bryan et Maggie étaient au cottage depuis une huitaine de jours quand il suggéra une promenade en voiture jusqu'à Newbury. Il voulait acheter du tabac et les journaux du jour. Ils partirent de bon matin sous un ciel clair et bleu, s'attardèrent pour déjeuner dans un petit restaurant, firent des achats et s'apprêtèrent à rentrer avant la tombée de la nuit.

Le temps avait changé, de gros nuages gris s'amoncelaient, poussés par un vent d'ouest, et alors que la Daimler quittait la ville en trombe les premières gouttes de pluie s'écrasèrent sur le pare-brise. Au bout de quelques kilomètres, les nuages crevèrent et ce fut un déluge si violent que Bryan avait du mal à voir la route.

Il se gara sur le bas-côté, à l'abri d'un grand chêne, et ils attendirent plus d'une heure, en grignotant du pain et du fromage, que l'averse se calme. Enfin Bryan redémarra et prit la route.

Le ciel n'était toujours pas dégagé et il faisait plus sombre qu'au crépuscule. La route serpentait devant eux comme un ruban de soie. Maggie s'efforçait de dissimuler son appréhension quand la Daimler prenait les virages sur les chapeaux de roues et en voyant défiler à toute allure la végétation ruisselante de pluie de part et d'autre de la chaussée.

La route contournait une colline boisée et plongeait ensuite dans une vallée étroite, faisant un coude brusque sur la droite. Maggie trouva qu'ils abordaient ce virage trop vite et elle allait protester quand Bryan laissa échapper une exclamation inquiète.

Tout se passa très vite. La voiture dérapa sur la chaussée glissante, fit un tête-à-queue et quitta la route. Maggie vit des arbres se ruer vers eux, se sentit basculer et se cramponna à la portière en hurlant.

Moins de cinq minutes plus tard, un paysan et son fils découvrirent, en revenant des champs, les corps inertes de Bryan et de Maggie, gisant au bord de la route à quelques mètres de leur voiture retournée.

Le fermier se pencha sur Bryan et le reconnut pour l'avoir vu trois ans plus tôt à un comice agricole.

— C'est le Lord, dit-il à son fils. Il est vivant mais bien amoché. Et Milady ?

Il se releva et alla rejoindre son garçon.

— Elle respire, annonça ce dernier, mais elle est évanouie.

Les blessés ne reprirent connaissance que le lendemain et dès qu'il revint à lui, Bryan appela le médecin à son chevet et lui dit :

— Il ne doit y avoir aucune publicité sur cet accident.

— Je crains qu'il ne soit trop tard pour ça, milord. Les journaux du matin ont déjà annoncé que lady Carrington et vous aviez été blessés...

Bryan ferma les yeux. Le mal était fait, leur secret éventé et Germaine l'apprendrait. Malgré ses multiples douleurs il souffrait plus encore pour elle, car il savait combien sa femme l'aimait et il s'en voulait atrocement du chagrin et de la honte qu'il allait lui causer.

Germaine arriva le lendemain après-midi. Elle alla tout droit à la chambre de Bryan et se tint très droite au pied du lit, la figure ravagée par la douleur.

— Ainsi, c'était vrai !

— Germaine... laisse-moi t'expliquer...

— C'est inutile... Tu n'as rien à me dire. C'est clair comme le jour. Je ne demanderai pas le divorce, Bryan, et tu n'as rien à me reprocher. J'ai été une épouse fidèle. Il me plaît d'être lady Carrington et j'entends le rester. Désormais, quoi que tu fasses de ta vie, cela ne me regarde plus, et pas davantage les femmes que tu choisis de fréquenter. Vis à ta guise. Mais je ne veux plus te voir.

Elle tourna les talons en refoulant ses larmes. En sortant de la clinique, elle s'arrêta sur le seuil de la chambre de Maggie.

Le cœur de Maggie s'arrêta un instant de battre et la honte lui brûla les joues. Germaine la considéra un moment en silence puis, d'une voix sifflante de haine, elle lui lança :

— Vous étiez mon amie, maintenant vous êtes Judas ! Je regrette que vous ne soyez pas morte !

Maggie détourna la tête et pleura...

Au bout d'une semaine, Bryan et Maggie purent quitter la clinique et retourner au cottage de Hampstead.

— Qu'allons-nous devenir, Maggie ? demanda-t-il. Tu as dit une fois que tu me quitterais plutôt que de faire du mal à Germaine. Mais le mal est fait. Alors, maintenant ?

— J'y ai réfléchi, Bryan, murmura-t-elle. Je n'ai d'ailleurs pas pu penser à autre chose. Je ne pourrais pas supporter de te quitter. J'aimerais mieux mourir. Je suis prête à subir n'importe quoi du moment que cela me permet de vivre avec toi... Mais seulement si c'est ce que tu veux.

Il vint se jeter à ses pieds.

— Mon amour !

— Je me moque de ce que les gens pensent ou disent. Le mensonge est fini pour moi, il a compliqué pendant trop longtemps ma vie. Je vais marcher la tête haute, fière d'être ta maîtresse. Et si ça gêne quelqu'un, qu'il aille au diable ! C'est toi seul qui m'importes. Si je dois pour cela vivre au ban de la société, j'y vivrai heureuse. Si je dois être bannie de l'Enclos Royal, j'assisterai volontiers aux courses avec le public, à la pelouse. J'accepterai tout à condition de t'avoir près de moi.

— Et j'y serai toujours, promit Bryan avec ferveur. Je t'aime, Maggie.

Le scandale émoustilla Londres pendant un moment, d'abord la nouvelle que Germaine s'était séparée de Bryan, ensuite quand on apprit qu'il s'était installé dans le cottage de Hampstead et vivait ouvertement avec Maggie. Au début, les vieux amis de Bryan gardèrent leurs distances. Bientôt cependant, les financiers du continent aux idées plus libérales avec qui Bryan traitait dans la City commencèrent à visiter Hampstead et à inviter le couple chez eux. Puis aux régates de Cowes le roi qui, malgré son âge avancé, avait encore un œil pour les jolies femmes, remarqua Maggie et se souvint de l'avoir rencontrée autrefois, un soir à Montmartre. On ne tarda pas à murmurer dans Londres que Sa Majesté avait rendu visite à Bryan et Maggie, pour une soirée de bridge et de whisky, et qu'en partant bien après minuit, Edouard VII avait invité le couple à la chasse à Balmoral.

La bénédiction royale dissipa le nuage de scandale et les vieux amis de Bryan revinrent comme par enchantement. Maggie reçut enfin un carton d'Ivy Wingate sollicitant « l'honneur de votre présence ainsi que de celle de lord Carrington » à sa garden-party annuelle.

Maggie éclata de rire et montra l'invitation à Bryan.

— Eh bien, on dirait que nous sommes absous !

— Tu veux que nous y allions ? demanda-t-il.

— Mais naturellement, mon amour ! J'imagine que nous serons la principale attraction. Si nous refusions, cette vieille langue de vipère ne s'en remettrait jamais !

1915

9

Malgré les espoirs de Dos, sa chance l'abandonna à son procès et il fut condamné à vingt ans de réclusion dans la prison de Huntsville. Une fois par mois, pendant plus de dix ans, Anne fit le voyage du Lantana pour aller le voir bien qu'à présent, à soixante-sept ans bientôt, le trajet lui parût de plus en plus long et fatigant.

Elle apportait à son fils des douceurs, des livres, des magazines, et naturellement les derniers instantanés Kodak de Trev. Elle savait que cela brisait le cœur de Dos que son fils grandît loin de lui, mais il avait été catégorique : l'enfant ne devait pas voir son père en prison, jamais.

Lors des élections au poste de gouverneur, elle soutint avec finesse la campagne de James Ferguson en l'encourageant avec une somme extravagante, et, maintenant que son candidat était bien installé au Capitole d'Austin, la capitale du Texas, elle attendait impatiemment sa récompense. Elle arriva un mois plus tard sous forme d'une grâce pour Dos. Il pourrait rentrer chez lui, le 1er mars !

Quand Dos franchit les grilles de la prison, des journalistes l'entourèrent.

— Quelques mots, monsieur Cameron !

— Quels sont vos projets, monsieur Cameron ? Vous retournez au ranch ?

— Je n'ai rien à dire, murmura-t-il en essayant de se dégager.

— Monsieur Cameron ! cria une autre voix, derrière le groupe.

— Je n'ai aucune déclaration à faire.

L'homme joua des coudes et s'approcha.

— Je ne suis pas journaliste. Jim Watts, je vends des voitures.

Dos le regarda, étonné. Jim Watts leva une main en faisant tinter un petit trousseau de clefs.

— Vous voyez cette automobile, de l'autre côté de la rue ? Elle est à vous. Un cadeau de Mme Anne Cameron. Elle m'a téléphoné ce matin pour que je vous la livre.

Sans un mot, Dos prit les clefs, planta là les journalistes et monta dans la superbe Packard rouge vif flambant neuve. Sur le tableau de bord il y avait un petit mot, de la main de Jim Watts, mais dicté par Anne : *Rentre vite. Roule toute la nuit s'il le faut. Je t'aime, maman.*

Il était deux heures du matin quand Dos arriva au portail du Lantana. Le garde se mit au garde-à-vous et le fit passer.

Il était attendu.

La route montant à la grande maison était maintenant goudronnée, une longue avenue toute droite bordée de palmiers. Dos accéléra, pressé de voir le ranch. Tout à coup, il l'aperçut. La maison était encore à huit kilomètres, mais toutes les fenêtres sans exception étaient illuminées. Il fonça à tombeau ouvert.

En atteignant enfin l'allée en fer à cheval passant devant la maison, il entendit de la musique. Une foule de vachers était assemblée sur le perron et dans la cour. Anne avait prévu un orchestre, des accordéons, des guitares, des trompettes qui jouaient un air mexicain entraînant. Et elle était là, entourée de ses hommes mais plus grande qu'eux tous, les bras tendus, des larmes de bonheur ruisselant sur ses joues.

Soudain, une bannière se déroula du haut de la tour, tombant presque jusqu'au sol. Le vent la souleva, la fit claquer et la plaqua contre la façade. On pouvait lire, de haut en bas : Bienvenue a la maison, papa !

Dos leva les yeux et vit un jeune garçon aux cheveux de paille qui agitait un bras, à une fenêtre du bureau d'Anne. Debout sur le marchepied, il leva la main et cria :

— Trev ! Trevor Cameron ! Ton papa est rentré à la maison pour de bon !

Anne dévala les marches pour serrer son fils dans ses bras, ne sachant que répéter :

— Dieu bénisse « Pa » Ferguson ! Tu es enfin là !

Pendant une semaine, Dos s'occupa uniquement de faire connaissance avec son fils. Il était stupéfait de tout ce que Trev savait du ranch et du bétail, et en prenait même des leçons.

— Tant de choses ont changé en vingt-deux ans, murmura-t-il. Est-ce que les cow-boys travaillent toujours à cheval ?

— Bien sûr, répondit Trev, ravi de pouvoir instruire son père. Mais ils ont aussi des voitures et des camions.

— Et vous avez le téléphone...

— Ben tiens ! s'exclama l'enfant, surpris que Dos remarque une chose aussi banale. Nous avons notre propre standard au sous-sol de la grande maison. On me permet de le faire marcher des fois. Ce n'est pas compliqué. Je te montrerai. Il faut savoir quelle fiche va dans quel trou. Tu sais... par exemple si quelqu'un appelle de l'Ebonal ou du Casa Rosa...

Dos sourit, émerveillé et stupéfait. Téléphoner de l'Ebonal ou du Casa Rosa ! Il se rappelait le temps où il fallait une journée de cheval sinon plus pour y aller !

Un soir, à la nuit tombée, Dos était assis avec Trev sur le perron de la grande maison.

— J'ai quelque chose à te dire, mon garçon.

— Quoi donc, papa ?

— Quelque chose que j'ai promis à ta mère... Elle voulait que tu saches qu'elle avait vécu assez longtemps pour te tenir dans ses bras et qu'elle t'avait trouvé très beau, le plus beau bébé du monde. Et elle voulait que je te dise qu'elle t'aimait.

Trevor se tortilla, gêné et embarrassé. Dos comprit et lui ébouriffa les cheveux.

— Allez, au lit, il est tard. Et demain nous devons aller à Joëlsboro pour m'acheter des frusques. Comment veux-tu que je dirige le ranch si je n'ai pas un jean, des bottes et un grand Stetson ?

Le lendemain après-midi, quand ils revinrent de la ville, Dos s'habilla de neuf. Anne le regarda et se mit à rire.

— Hé ! te voilà bien déguisé, mon garçon !

— Donne-moi huit jours, maman, et tout ça sera assoupli. Ces foutues bottes ne vont pas craquer éternellement.

Elle l'embrassa sur la joue et proposa :

— Viens, montons à mon « bougonnoir ».

Le « bougonnoir » ! Dos pensa aussitôt à Maggie.

— Tu n'as pas eu de ses nouvelles, je suppose ?

Anne savait bien de qui il parlait, mais elle feignit de ne pas comprendre.

— Je veux dire Maggie, maman. C'était elle qui appelait ton bureau le « bougonnoir ».

— Non, murmura Anne. Je n'ai jamais eu de nouvelles.

Ils s'engagèrent dans l'escalier de fer en colimaçon.

— J'aimerais bien la revoir, dit Dos.

Anne répondit sans se retourner.

— Après toutes ces années, je ne pense pas...

— Tu ne le voudrais pas, toi, tout au fond de ton cœur ?

Elle se retourna alors. Sa figure était tragique et trahissait son âge.

— J'ai commis une erreur avec elle, Dos. Je m'étais toujours flattée de ne jamais nourrir de griefs contre ceux que j'aimais. Mais avec Maggie, c'était plus qu'un grief, sans doute. Je l'ai vraiment haïe pour ce qu'elle a fait à Carlos... et à Alex. Elle lui a brisé le cœur, tu sais, et il ne s'en est jamais remis. Je ne voulais plus jamais la revoir. Mais maintenant... ma foi, je suppose que si je savais où elle se trouve, j'irais la retrouver. Après tout ce temps, cependant, j'imagine qu'elle n'a plus envie de me rencontrer.

Elle se remit à monter, si lentement que Dos crut voir son âge peser lourdement sur ses épaules.

Ils entrèrent dans le bureau et il fut surpris de le trouver beaucoup plus petit qu'il lui avait paru autrefois, aux rares occasions où il avait eu le droit d'y pénétrer, enfant.

Anne lui désigna le fauteuil devant le bureau à cylindre et s'installa dans le rocking-chair. Elle prit un coffret d'argent gravé de la couronne d'épines du Lantana et y choisit un mince cigare.

Puis, grattant une allumette sur l'accoudoir du fauteuil à

335

bascule, elle l'alluma et souffla un rond de fumée parfait. Dos sourit.

— Tu ne nous laissais jamais te voir fumer.

— Mais vous l'avez toujours su, n'est-ce pas ?

— Bien sûr.

— Et je bois aussi.

— Tu n'en as jamais fait mystère...

— Je veux dire qu'il m'arrive de boire ici, parfois. Non, ne va pas t'inquiéter, je ne suis pas alcoolique. Je veux dire simplement que si tu ouvres ce tiroir près de ton genou, tu y trouveras une bouteille de whisky et deux verres. Buvons un toast à ton retour.

Dos remplit les deux verres et en tendit un à Anne. Elle le leva vers son fils.

— A toi... et au Lantana.

Il la regarda d'un air étonné. Elle vida son verre d'un trait puis, consultant sa montre, elle prit sa boîte de cigares et se leva.

— C'est ton bureau désormais, Dos. Je te le cède. Je fais ce métier depuis l'âge de douze ans. Tu ne crois pas que j'ai mérité un peu de repos ?

— Mais, maman... Je n'y connais rien. Je ne peux pas diriger le ranch sans toi !

— Mais si, Dos. Tu n'as qu'à te mettre à lire. Tout ce que tu trouveras dans ce bureau... cela te prendra des semaines. Quand tu auras fini, tu en sauras autant que moi.

Elle quitta le « bougonnoir » de la tour et ferma la porte. Depuis des années, elle songeait à ce moment, elle avait préparé avec soin tout ce qu'elle dirait, mais elle ne s'était pas doutée du mal que cela lui ferait. Elle n'était pas vraiment fatiguée, elle n'avait aucun besoin de repos. Compte tenu de son âge, elle se sentait même en pleine forme. Mais là, au sommet de l'escalier, elle comprit que plus jamais elle n'entrerait dans ce bureau.

10

L'année précédente, Maggie avait vu les nuages de la guerre s'amonceler au-dessus de l'Europe et, tout en sachant que c'était fou et égoïste, elle avait eu l'impression que les dieux les envoyaient pour la faire expier, pour lui faire payer les dernières années du seul vrai bonheur qu'elle avait jamais connu.

Comme elle l'avait craint, dès que la Grande-Bretagne déclara la guerre à l'Allemagne, Bryan s'engagea, tout naturellement volontaire dans le Royal Flying Corps. Il alla suivre l'entraînement et les cours de pilotage dans la plaine de Salisbury et, pendant que Maggie essayait de faire bonne figure avec courage, il se prépara à partir pour la France. Toutefois, lors de leur dernière nuit avant la mobilisation de son escadrille, elle s'effondra, éclata en sanglots et fut inconsolable.

— Ah ! Bryan, j'ai si peur pour toi !

— Ne te fais pas de souci, Maggie. Nous allons repousser les Boches à Berlin et je te reviendrai vite, sain et sauf, je te le promets. Et sois heureuse que je serve dans le R.F.C. Si je me battais dans les tranchées, ils me tireraient dessus. Dans les airs, je ne risquerai rien. Ce n'est que de la reconnaissance... aucun danger.

Mais il ne put la consoler et elle pleura dans ses bras toute la nuit. Le lendemain, certaine de ne pouvoir se maîtriser en public, elle lui dit adieu sur le seuil du cottage. Il se pencha pour l'embrasser et chuchota :

— Garde une lampe allumée à la fenêtre, je reviendrai bientôt.

Cependant, son escadrille resta absente plus de six mois et ne revint en Angleterre qu'au printemps de 1915 et uniquement pour prendre possession des nouveaux chasseurs Vickers deux places armés de mitrailleuses Lewis.

— Ainsi ce n'est plus de la reconnaissance maintenant, dit Maggie. Vous allez vous tirer dessus dans les airs.

— Le Vickers est le meilleur chasseur au monde, affirma Bryan pour la rassurer. Je ne risquerai absolument rien.

Mais il avait déjà entendu parler au War Office d'un nouvel appareil allemand, le monoplan Fokker qui, d'après les rapports de l'Intelligence Service, était supérieur au britannique, à tout point de vue.

A la fin d'août, Bryan revint à l'improviste.

— Promets-moi que tu ne dois pas y retourner ! sanglota-t-elle dans ses bras. Dis-moi que tu n'auras jamais à y aller !

— Pas pour l'instant, en tout cas. On m'envoie à Washington. L'armée américaine nous demande une mise au point sur la guerre aérienne. Le War Office m'a désigné.

— Quand pars-tu ?

— Dans quinze jours.

— Emmène-moi, Bryan !

Il hésita.

— L'Atlantique est dangereux, Maggie. Les sous-marins...

Maggie le savait bien, car le *Lusitania* avait été torpillé et coulé trois mois plus tôt.

— Je m'en moque, Bryan ! Je veux aller avec toi quand même.

— Tu n'as pas peur ?

— Avec toi, jamais.

Il sourit et la reprit dans ses bras.

— J'espérais que tu voudrais venir. Je ne peux te dire à quel point je souffre d'être séparé de toi.

Maggie se prépara au voyage pendant que Bryan travaillait jour et nuit au War Office pour mettre au point la conférence destinée aux généraux américains.

A la mi-septembre, ils embarquèrent sur un vapeur à Liverpool et partirent pour New York.

Les États-Unis étaient pour Maggie un pays étranger. L'accent américain sonnait bizarrement à ses oreilles et elle était stupéfaite de voir combien sa patrie s'était modernisée. Les rues de Washington étaient embouteillées, il y avait encore plus d'automobiles qu'à Londres et elles faisaient un bruit assourdissant.

La prospérité régnait partout, semblait-il, car la guerre en Europe avait donné un souffle nouveau à l'économie américaine. Pendant que Bryan conférait avec l'armée, Maggie se promenait, s'émerveillait de l'abondance, s'étonnait de toutes les nouveautés qu'elle découvrait et dépensait beaucoup plus qu'elle n'avait prévu pour des articles qu'on n'avait encore jamais vus en Angleterre.

Elle tomba amoureuse de la ville en se disant que si elle n'habitait pas Londres, c'était là qu'elle aimerait vivre.

Enfin, alors qu'ils étaient là depuis huit jours, elle rencontra le président Wilson à une réception à l'ambassade britannique.

Le lendemain matin, alors que Bryan s'habillait, elle parcourait le *Washington Post* dans son lit quand elle s'exclama :

— Écoute ça, Bryan ! Je suis dans le journal... « assistaient à la réception Mlle Maggie Cameron, de Londres » et puis ils citent d'autres personnes.

— Est-ce qu'ils parlent de moi ?

— Oh ! ne t'inquiète pas, tu as droit à tout le premier paragraphe. Mais comment diable est-ce qu'ils ont appris mon nom ?

— L'ambassade a fourni une liste. Ça se fait toujours, dit-il en souriant.

Ce même matin, dans la grande maison du Lantana, Anne descendit pour le petit déjeuner. Dos venait de finir quand elle entra et Trev était penché sur la table, plongé dans le *Corpus Christi Caller* et négligeant ses *huevos rancheros*.

— Mange ton déjeuner, Trev. Tu vas être en retard à l'école, gronda-t-elle. D'ailleurs, qu'est-ce que tu fais avec ce journal ? Les enfants de ton âge n'ont pas à se soucier de tout ce qui se passe sur la terre.

— J'aime bien lire les nouvelles de la guerre, grand-maman. Je déteste les Boches.

— Ton grand-père aurait été heureux de t'entendre.

— Je sais, parce qu'il était britannique.

— Il l'était, oui, mais il est devenu texan. Il était un Texan, comme toi et moi. Maintenant donne-moi la première page et mange tes œufs.

A contrecœur, Trevor donna le journal à Anne et commença à manger, l'air bougon. Elle plia le *Caller*, l'accota contre un chandelier d'argent, mit ses lunettes et parcourut les titres en beurrant un toast. Soudain, Trev l'entendit pousser une exclamation étouffée.

— Qu'est-ce qu'il y a, grand-maman ?

Il leva les yeux et vit qu'elle était très pâle.

— Papa ! appela-t-il, mais sa voix fut couverte par les cris d'Anne :

— Dos ! Dos ! Viens vite !

Il était déjà sur le seuil mais il fit demi-tour et revint en courant dans la petite salle à manger.

Anne avait le journal à la main, maintenant, et le brandissait.

— Regarde ! Regarde ! Lis ça ! Là !

Son index tremblant souligna le nom de Maggie Cameron.

— Ah ! Dos, est-ce que tu crois... ?

Il lut rapidement l'article... « réception en l'honneur du président à l'ambassade britannique... Lord Carrington, colonel dans le Royal Flying Corps... assistaient à la réception Mlle Maggie Cameron... »

Dos regarda Anne qui, la tête levée vers lui, l'implorait des yeux.

— Je vais la voir, dit Anne.

Elle était dans sa chambre et jetait fébrilement des vêtements dans une malle.

— Laisse-moi d'abord lui écrire, supplia Dos. Laisse-moi lui téléphoner. Je pourrais savoir par l'ambassade britannique où elle est descendue.

— Elle risque de tourner les talons et de s'enfuir, répliqua Anne en lançant une poignée de bas dans la malle. Je le découvrirai moi-même en arrivant à Washington. Ne courons pas de risques, Dos. Il faut que je la voie.

Dos recula contre le mur et laissa sa mère terminer ses bagages. Enfin elle ferma la malle et déclara.

— Maintenant, appelons Gregory. Dis-lui qu'il chauffe la locomotive. Je partirai après déjeuner.

Le travail de Bryan à Washington était fini et Maggie et lui comptaient passer leurs deux dernières journées en Amérique à se détendre et à profiter du séjour. Maggie le conduisit à Mount Vernon et en se promenant avec lui dans les jardins, elle demanda :

— Qu'est-ce qu'on apprend à l'école aux petits Anglais sur notre révolution contre la Couronne ?

Bryan sourit.

— Eh bien, on dit... on dit que la pomme pourrie est tombée de l'arbre.

Maggie éclata de rire.

— Ah ! ça ne m'étonne pas d'eux !

Quand ils revinrent à l'hôtel, l'employé de la réception remit un télégramme à Maggie. Perplexe, elle l'ouvrit. Bryan la vit pâlir.

— Qu'est-ce que c'est, Maggie ?

Elle lui tendit la dépêche sans un mot, d'une main tremblante.

MAMAN PART TE VOIR STOP JE T'EN PRIE NE PARS PAS STOP NE LUI DIS PAS QUE J'AI TÉLÉGRAPHIÉ STOP TENDREMENT DOS.

— Tu dois rester, déclara Bryan.

— Chéri ! Et te laisser partir sans moi ?

— Tu peux prendre le paquebot suivant... ce ne sera qu'une question de jours.

— Tu ne peux pas retarder...

— Il faut que je sois à Londres lundi en huit.

— Mais, Bryan...

— Maggie, tu ne peux pas être partie quand elle arrivera !

— J'ai peur de la rencontrer...

— Tu as tort. Elle a appris, je ne sais comment, que tu étais ici et elle vient te voir. C'est sûrement parce qu'elle veut refermer la blessure, Maggie, combler le vide qui vous sépare.

Maggie se laissa tomber sur le canapé, la tête dans ses mains.

— Je ne l'ai pas revue depuis vingt ans. J'étais une enfant. Maintenant je suis une femme et elle est vieille... Ah, Bryan ! Je ne peux même pas me l'imaginer vieille ! Elle était la plus belle...

La voix de Maggie se brisa et des sanglots secouèrent ses épaules. Bryan s'assit à côté d'elle et la serra contre lui.

— Sois bonne, Maggie... sois généreuse. Reste ici et attends-la. Cela vous mettra du baume au cœur à toutes les deux. Il est grand temps que vous fassiez la paix.

Maggie se débattit contre elle-même et finit par capituler.

— Bon... Je vais rester. Pour quelques jours. Mais je ne retournerai pas au Texas avec elle. Je prendrai le prochain paquebot pour l'Angleterre. Je veux être encore avec toi avant que tu repartes pour la France.

— Je t'attendrai.

Il l'embrassa et lui essuya les yeux.

11

Bryan partit pour New York le lendemain après-midi, laissant Maggie au Willard Hotel pour y attendre nerveusement l'arrivée d'Anne. Elle dormit ce soir-là d'un sommeil agité et dans la matinée elle aurait fait ses bagages et suivi Bryan si elle avait pensé avoir une chance d'arriver à New York avant le départ du bateau.

Elle meubla les longues heures de la journée en allant à pied jusqu'à Georgetown, sans prendre garde à ce qu'elle voyait, sans remarquer où ses pas la conduisaient, sans cesser de se demander : « Qu'est-ce que je vais lui dire ? Comment vais-je pouvoir l'affronter ? »

Le brillant soleil d'automne se couchait et il commençait à faire froid. Frissonnante, Maggie héla un taxi pour rentrer à l'hôtel. Elle trouva un mot dans sa case, au bureau de la réception, mais elle attendit d'être dans sa chambre pour le lire.

Maggie chérie,

Je suis à Washington et je désire désespérément te voir. Je pourrais te rencontrer à l'heure que tu veux, où tu veux. Ou, si tu préfères, tu pourrais venir à mon appartement au Mayflower Hotel ce soir à neuf heures.
Tendrement,

Maman

Maintenant, il était trop tard pour fuir. Maggie s'assit au bord de son lit, le billet à la main, elle décida d'aller voir Anne dans la soirée.

Soudain, sa vieille panique s'empara d'elle. Elle passa une main dans ses cheveux en regrettant de n'avoir pas pensé à aller chez le coiffeur dans la journée. Et qu'allait-elle mettre ? Elle ouvrit la penderie, fouilla parmi ses robes, en prit une, puis une autre. La bleue... mais je n'aime pas le chapeau. La grise est jolie... ou la beige...

Incapable de choisir, elle abandonna les robes et alla prendre un bain. Une heure plus tard, portant la robe grise avec un sautoir de perles, sa zibeline préparée sur le lit, elle s'assit à sa coiffeuse pour apporter les dernières touches à sa parure. Elle mit un peu de parfum derrière ses oreilles, tapota sa coiffure et épingla sur son chignon l'élégant chapeau acheté quelques jours plus tôt.

— Pas mal, murmura-t-elle en s'examinant d'un œil critique.

Elle fit claquer le fermoir de son bracelet d'or à son poignet droit et tendit la main vers sa montre.

Sept heures et demie !

« Mon Dieu ! Pour la première fois de ma vie, je suis en avance ! Ma foi, si rien d'autre ne ressort de cette entrevue, la visite de maman aura accompli l'impossible », pensa-t-elle en riant, et pendant un moment sa tension se dissipa.

Mais à mesure que les minutes s'égrenaient, son appréhension revint et elle sonna pour commander une bouteille de champagne. Elle en but trois verres, en arpentant la chambre, et renonça au reste en sentant la tête lui tourner un peu. Enfin, incapable de rester là plus longtemps, elle enfila son manteau et descendit.

Une domestique qu'Anne avait emmenée avec elle ouvrit à Maggie quand elle frappa. C'était une jolie fille aux cheveux noirs tressés en une seule lourde natte descendant dans son dos jusqu'à la taille.

— Ma mère est là ? demanda Maggie d'une voix mal assurée.

— *Si, señorita Cameron. Pase usted, por favor.*

Elle conduisit Maggie dans le petit salon et, d'un geste gracieux, désigna un buffet préparé... du poulet froid et du homard, des canapés et des petits fours, un choix de vins et deux bouteilles de Dom Pérignon dans des seaux d'argent.

Maggie sourit. Ainsi ! Sa mère était sûre qu'elle viendrait ce soir... La petite bonne avait quitté la pièce et Maggie tendait la main vers un verre quand elle entendit une porte s'ouvrir derrière elle. Un frisson lui parcourut le dos et elle respira un grand coup avant de se retourner.

Anne venait d'entrer. Elle était vêtue de vert, grande et majestueuse, ses cheveux relevés en un élégant chignon, un collier de chien en émeraudes et diamants autour du cou.

Pendant quelques instants, ni l'une ni l'autre ne parla. La tension semblait crépiter entre elles comme de l'électricité. Enfin Anne sourit.

— Est-ce que tu reconnais ta vieille mère ?

Un barrage se rompit dans le cœur de Maggie. Elle courut à travers la pièce et Anne tendit les bras pour la recevoir. Elles s'étreignirent et leurs larmes soudaines se mêlèrent.

— Maman ! Ah ! maman !

— Maggie... ma chérie ! Cela fait si longtemps !

Il leur fallut une demi-heure pour qu'elles se calment assez et parlent posément. Maggie ouvrit une bouteille de champagne et elles s'assirent toutes deux sur le canapé.

— Je suis heureuse que tu sois venue, maman. Et tu as réussi l'impossible. J'ai été en avance !

Le riche buffet resta intact. Elles n'avaient aucun appétit, mais elles finirent la première bouteille de champagne et Maggie déboucha l'autre.

Par un accord tacite, le passé qui les avait déchirées et séparées il y avait si longtemps ne fut pas évoqué. Ce fut inutile. Mais Maggie raconta tout de même à Anne qu'elle vivait à Londres et qu'elle était amoureuse d'un homme merveilleux.

Et Anne parla de Dos et de Trev.

— Ainsi, j'ai un neveu !

— Un garçon superbe, Maggie. il te plairait.

— Je suis sûre que je l'adorerais.

— Tu pourrais le connaître, Maggie... si tu voulais revenir au Lantana avec moi.

Maggie s'était attendue à cela et elle voyait une lueur d'espoir dans les yeux de sa mère. Elle lui prit la main et la serra entre les siennes.

— Je ne peux pas maintenant. Il faut que je retourne auprès de Bryan. il se bat en France et... eh bien, tout est si incertain. Chaque fois que je le vois, cela risque d'être la dernière.

— Je comprends, ma chérie. Je ferais la même chose.

— L'année prochaine, peut-être... si la guerre est finie.

— Oui, attendons la fin de la guerre. J'ai peur en pensant que tu vas traverser l'Atlantique.

Elles gardèrent un moment le silence, puis Anne se leva.

— Eh bien, ma chérie, il se fait tard. Je suis une femme de la campagne, je me couche avec les poules. Nous nous reverrons demain. Tu veux m'emmener faire des emplettes ? Je voudrais acheter de petites choses, des cadeaux pour Dos et Trev.

— Bien sûr, maman, avec joie.

— Et j'ai quelque chose pour toi. Je te le donnerai demain.

Elles prirent rendez-vous pour le lendemain matin à dix heures et Maggie s'étonna encore de sa ponctualité. Elles coururent les magasins, déjeunèrent dans un restaurant élégant et retournèrent à l'hôtel d'Anne; il fallut quatre chasseurs pour porter les paquets.

— Tu as dit que tu voulais acheter quelques petites choses, dit Maggie en riant devant la pile de cartons. Tu ne m'as pas dit que tu avais l'intention derapporter la moitié de Washington !

— Je n'ai pas pu résister, avoua gaiement Anne qui paraissait plus détendue et plus jeune que son âge. Demain, je ferai transporter tout ça au train, et puis je partirai. Je n'aime pas laisser Trev seul trop longtemps.

— Moi aussi, je vais partir. Je prendrai le prochain paquebot pour l'Angleterre.

Anne embrassa sa fille et murmura :

— Ma chérie... Je ne peux pas te dire à quel point je suis heureuse que nous nous soyons retrouvées.

— Ah ! maman ! J'avais si peur que...

— Chut. C'est fini, Maggie. Inutile de regarder en arrière.

— Merci, maman... Merci d'être si bonne.

— J'ai dit que j'avais quelque chose pour toi, dit Anne. Attends, je reviens de suite.

Elle alla dans sa chambre et reparut avec un écrin de velours noir à la main.

— Je te l'ai toujours destiné. Je te le donne un peu plus tard que prévu, c'est tout.

Maggie ouvrit l'écrin et vit la chaîne d'or d'Anne ornée du rubis. Elle en trembla d'émotion.

— Maman ! Ton collier !

— Le tien maintenant, ma chérie.

— Chaque fois que je pense à toi, maman, je te revois avec ce collier. Tu l'avais sur cette vieille photo de famille.

— Oui, j'y tenais beaucoup. Il a appartenu à ma grand-mère, que je n'ai pas connue, puis à ma mère qui me l'a donné juste avant de mourir. Tu es la quatrième à l'avoir. Mets-le, ma chérie, que je le voie à ton cou.

Tremblante, Maggie l'agrafa sur sa nuque. Le rubis brillait sur sa gorge comme une goutte de sang.

— Si jamais tu as une fille, promets de le lui donner.

Les lèvres de Maggie frémirent. Elle songea à la petite tombe sous l'angelot de marbre du Père-Lachaise.

— Ah ! maman... maman...

Anne la prit dans ses bras et la berça tendrement.

Le lendemain à midi, elles se dirent au revoir à la gare. Le train du Lantana dont Maggie se souvenait avait été remplacé par une locomotive plus moderne et des voitures plus élégantes et confortables mais peintes du même bleu nuit et portant sur leurs flancs la couronne d'épines dorée.

Le mécanicien dit à Anne qu'il était prêt à partir et elle se tourna vers sa fille. Maggie la trouva soudain pâle, les traits tirés.

— Ça ne va pas, maman ?

— Mais si.

Cependant, malgré la fraîcheur de l'automne, des gouttes de sueur perlaient à son front. Maggie lui toucha la joue.

— Tu es fiévreuse.

— Je vais très bien, Maggie. Un peu de fatigue. C'est dur de voyager à mon âge. Et si je suis fiévreuse, c'est de joie.

Elles s'embrassèrent une dernière fois et Anne monta dans son wagon-salon. Elle contempla Maggie comme si elle voulait apprendre par cœur son visage. Ses yeux brillaient et ses joues étaient aussi blanches que la dentelle autour de son cou. La locomotive siffla, le train s'ébranla et Anne se pencha à la portière pour agiter la main.

Maggie attendit sur le quai que le train disparaisse puis elle retourna à son hôtel.

Peu avant minuit, la sonnerie du téléphone arracha Maggie à un profond sommeil. Elle chercha l'appareil à tâtons sur la table de chevet et marmonna un vague « Allô ».

— C'est John Gregory, madame, le mécanicien du train du Lantana.

Maggie, instantanément réveillée, se redressa.

— Qu'est-il arrivé ? Vous avez eu un accident ?

— Non, madame, pas d'accident mais c'est votre maman. Elle est malade. Bien malade. J'ai pensé que je devais vous prévenir.

— Où êtes-vous ?

— A Cincinnati.

— Qu'est-ce qu'elle a ?

— Je ne sais pas trop. Nous avons appelé un médecin dès que nous sommes arrivés en gare. Il est avec elle en ce moment.

— Allez le chercher, je veux lui parler.

Elle attendit très longtemps, mais ce fut le mécanicien qui revint.

— Le docteur dit qu'il n'a pas le temps. Il faut que vous veniez le plus vite possible.

— J'arrive ! Je prends le premier train, s'écria Maggie en rejetant les couvertures. Attendez-moi à la gare.

Le voyage jusqu'à Cincinnati lui parut interminable. Il faisait

344

nuit quand elle arriva et elle chercha sur les voies de garage le train bleu du Lantana. Le mécanicien, Gregory, était assis sur un des marchepieds.

— Comment va ma mère ? cria Maggie en courant vers lui.

Il se leva et prit sa valise.

— On l'a transportée à l'hôpital. Venez, je vais vous trouver un taxi.

A l'hôpital, Maggie trouva la bonne d'Anne en larmes dans le couloir, devant la chambre.

— Comment va la señora ?

— *Muy mal, muy mal !*

Maggie la repoussa et entra dans la chambre. Anne était couchée dans un lit étroit, pâle comme la mort. Une infirmière venait de placer une compresse fraîche sur son front.

— Je suis sa fille. Qu'est-ce qu'elle a ?

— La grippe espagnole, hélas !

Le cœur de Maggie se serra douloureusement.

— C'est... c'est grave ?

L'infirmière baissa la tête.

— Répondez-moi !

— Vous êtes arrivée à temps.

Maggie réprima un cri. Elle se laissa tomber sur la chaise à côté du lit et prit une des mains d'Anne entre les siennes, une main brûlante et sèche. La poitrine d'Anne se soulevait à peine, ses cheveux s'étalaient autour de son visage cireux, ses yeux étaient fermés.

— Maman, chuchota Maggie en se penchant à son oreille. Maman... C'est Maggie, je suis là.

A travers ses larmes, elle crut voir que sa mère essayait de sourire.

— Je suis là, maman, je suis près de toi, tout ira bien, tu verras.

Anne dégagea faiblement sa main, la leva et toucha la chaîne d'or que Maggie avait au cou. Cette fois elle sourit vraiment et souffla :

— Maggie... Maggie, ma chérie, je t'aime.

Et sa main retomba lourdement sur sa poitrine.

— Maman !

Anne n'entendait plus, elle avait cessé de respirer.

12

Dos attendait à la petite gare quand le train du Lantana arriva. A côté de lui, Trev refoulait ses larmes. Dès que le convoi s'arrêta, Maggie apparut sur le marchepied.

Elle regarda autour d'elle, clignant des yeux dans le soleil éblouissant. Le vent soufflant sur la *brasada* était plus chaud que l'Angleterre en plein été et la terre plate comme la mer. Le Lantana ! Elle avait cru ne jamais le revoir.

Dos avança.

— Tu dois être Maggie...

— Ah ! Dos ! Toi, je te reconnaîtrais n'importe où ! s'écria-t-elle en tombant dans ses bras.

— Tu as changé, Maggie. Tu n'es plus la petite fille que je connaissais.

— Non... Oh ! non ! Plus du tout.

— Voici mon fils, Trevor.

Elle se baissa et l'embrassa. Derrière eux, quatre vaqueros déchargeaient le cercueil de bronze. Dos et Maggie se détournèrent vivement.

— A-t-elle souffert ? demanda-t-il.

— Elle est morte avec un sourire. Je sais qu'on dit toujours ça, mais cette fois c'est vrai.

Dos ne chercha pas à retenir ses larmes. Il serra Maggie contre lui et ils pleurèrent ensemble.

Le lendemain, les trois derniers Cameron ensevelirent Anne dans cette terre qu'elle avait tant aimée. Des gens arrivèrent de partout, à cheval, en carriole, en automobile. Les journaux publièrent son histoire en première page. Des télégrammes et des lettres de condoléances s'entassèrent sur la table ovale de la salle de réunion. Dans tous les cantons au sud de la Nueces, les drapeaux furent mis en berne. A Austin, le gouverneur publia une déclaration rendant hommage à Anne, « une femme de l'avenir, une grande citoyenne, une vraie pionnière du Texas ».

Quand Dos et Maggie quittèrent le petit cimetière pour reprendre leur voiture, ils entendirent un vieillard dire à son petit-fils qu'il tenait par la main :

— Souviens-toi de ce jour, Jimmy. Tu viens d'assister à la fin d'une époque, celle de la frontière. Elle ne reviendra jamais.

Maggie se mordit la lèvre et fondit en larmes. Dos attendit pour pleurer d'être rentré à la maison.

Deux jours après, un câble de Bryan arriva.

PARS DEMAIN POUR LA FRANCE — STOP — RESTE EN AMÉRIQUE — STOP — AUCUNE RAISON RISQUER TRAVERSÉE ATLANTIQUE — STOP — CABLERAI DÈS MON RETOUR EN ANGLETERRE — STOP — SOUVIENS-TOI QUE JE T'AIME PLUS QUE LA VIE — STOP — BRYAN

Maggie ne voulait pas rester, mais à vrai dire elle ne serait pas plus près de lui à Londres qu'au Lantana. La guerre les séparait mieux qu'aucun océan. Cependant, elle aurait désobéi, elle aurait bravé les sous-marins allemands et serait repartie s'il n'y avait pas eu Trev.

Sans Anne, qui l'avait élevé et adoré, il n'était plus qu'un enfant perdu et malheureux qui ne semblait plus s'intéresser à rien. Même Dos, qu'il vénérait, ne pouvait apaiser son chagrin. Toutes les nuits, Maggie l'entendait sangloter et traversait le couloir pour aller s'asseoir sur son lit, le consoler et lui caresser le front jusqu'à ce qu'il se rendorme.

Ce fut donc Trev qui la retint. Elle avait peur de le quitter, peur qu'il ne surmonte jamais sa tristesse.

— Tu ne crois pas qu'il serait temps de retourner à l'école ? lui demanda-t-elle un matin au petit déjeuner.

— Je ne veux plus y aller. Tout le monde va savoir que grand-maman est morte.

— Bien sûr, voyons. Tout le monde le sait.

— Mais je ne veux pas qu'on me regarde comme si on savait.

Maggie le comprit. Elle se rappela le jour où elle avait supplié Anne et Alex de ne pas la renvoyer à l'école de Joëlsboro. Elle sourit à l'enfant.

— Oui, je vois. Bon, ne t'inquiète pas. Je ne t'y forcerai pas.

— Tu promets ?

— Mais oui.

— Tante Maggie, tu vas rester ici, toujours ?

— Je vais rester un moment. Mais il faudra bien qu'un jour je retourne en Angleterre.

— Je ne veux pas que tu partes.

— Allons, n'y pense pas.

— Dis-moi que tu ne partiras pas.

— Je t'emmènerai peut-être avec moi.

Mais, plus tard, debout sur la véranda et contemplant cette terre où elle était née, Maggie souhaita n'être jamais revenue. Chaque jour qui passait, il lui était plus difficile de songer à l'abandonner de nouveau. « Quel est donc le pouvoir du Lantana ? se demanda-t-elle. Comment peut-il nous retenir ainsi ? Comment peut-on aimer à ce point cette terre aride ? » Et elle comprit que seul Bryan comptait à ses yeux davantage que le Lantana.

Une semaine plus tard, Maggie se rendit à Joëlsboro. Dos faisait construire une piscine près de la grande maison et elle lui avait promis d'aller chercher les plans. Elle n'avait pas vu le village depuis plus de vingt ans et fut surprise de découvrir une petite ville. Elle reconnut plusieurs bâtiments du côté sud, mais le nord, qui avait été complètement incendié la nuit où Dos avait tué Klaus Stark, paraissait relativement neuf. Elle se promena lentement, en regardant avec curiosité le drugstore, le magasin de modes, le saloon reconstruit, des bureaux d'avocats dont elle ne connaissait pas les noms. Et puis, au coin de Main Street et de Guadalupe, elle crut reconnaître Dos et l'appela.

— Qu'est-ce que tu fais là ? Je te croyais au Casa Rosa.

L'homme se retourna et elle vit qu'elle s'était trompée. Mais il ressemblait tant à Dos... la même carrure, les mêmes cheveux blonds.

— Excusez-moi, je vous prenais pour quelqu'un d'autre, dit-elle.

Elle remarqua l'étoile de shérif sur son gilet.

— Il n'y a pas de mal, dit-il. Je suis Peter Stark.

Maggie se figea. Bien sûr ! Maintenant elle se souvenait. Elle se détourna mais Peter la retint.

— Attendez... Il me semble que je vous connais. Vous... Mais oui ! Vous êtes Maggie Cameron, n'est-ce pas ?

— Vous vous souvenez de moi...

— Oui... Ce sont vos yeux. Ce bleu... Exactement ceux de votre papa. Il y a bien longtemps que vous n'êtes pas revenue, mademoiselle Cameron... à moins que ce ne soit madame ?

— Non.

— Eh bien, je vous souhaite la bienvenue à Joëlsboro, dit-il avec un sourire sincère qui mit Maggie plus à l'aise puis, en s'approchant, il prit un air plus grave. Permettez-moi de vous dire que le décès de votre maman m'a fait beaucoup de peine. Il y a eu de l'animosité entre nos deux familles mais j'ai toujours eu un grand respect pour elle. Je regrette de ne pas l'avoir mieux connue. Vous savez que je suis né au Lantana, tout comme vous. Nous l'avons quitté quand j'étais tout petit et je n'ai bien connu Mme Cameron que plus tard... après l'affaire. Mais c'est loin, tout ça. C'est oublié. Dos a purgé sa peine. Nous nous parlons quand nous nous rencontrons dans la rue. On ne peut guère exiger davantage.

— Non, en effet.

— Enfin, ça me fait plaisir de vous revoir.

— Merci, monsieur Stark.

— Appelez-moi Peter.

— Si vous m'appelez Maggie.

— Je ne demande pas mieux, dit-il avec un nouveau sourire qu'elle lui rendit.

— Ainsi, vous êtes toujours shérif.

— Je vais être maire.

— Ah ! vraiment ?

— Du moins je le serai après les élections.

— Vous paraissez bien sûr de vous. Vous devez avoir beaucoup de partisans.

— Il y aura une réunion électorale sur la plaza, samedi soir. Venez donc avec moi, vous verrez par vous-même.

Maggie accepta et le lendemain, quand Dos revint du Casa Rosa, elle lui parla de cette rencontre.

— Il dit qu'il sera le prochain maire.

— C'est sûr. Son frère Davey et lui sont en train de monter une puissante organisation politique par ici.

— Tiens ? Je me demande bien pourquoi. Il me semble que le canton de Zamora ne vaut guère qu'on se donne tant de mal.

— L'argent, expliqua Dos. Davey est intendant municipal, et avec Peter comme maire, ils tiendront à eux deux les cordons de la bourse. La région est en pleine expansion, Maggie. Des tas d'investissements affluent et il est question de pétrole. On construit un nouveau palais de Justice et on trace des routes dans tous les sens. Et d'ailleurs... Les Stark ne s'intéressent pas qu'au canton de Zamora. Leur organisation s'étend à quatre ou cinq autres.

— Cela veut sans doute dire que le Lantana devra traiter avec eux.

— Pas tout de suite, je pense. Pour le moment, nous sommes assez puissants. Mais un jour ou l'autre...

— C'est drôle, comme les Stark et les Cameron se retrouvent toujours.

Dos la regarda.

— Tu sais que j'en suis un, non ? De sang.

— Je n'y avais jamais pensé, Dos... pas avant de prendre Peter pour toi l'autre jour.

— Alors... tu l'as vu ?

— C'était clair comme le jour.

— Oui... Moi, j'étais aveugle, il a fallu qu'on me le dise.

— Maman ?

— Non... Klaus.

— Oh ! Dos !

— Ça n'a plus d'importance. Je suis quand même un Cameron, de cœur.

Le samedi, Maggie prit la voiture et se rendit à Joëlsboro où elle retrouva Peter. Il l'accueillit dans sa grande maison de style espagnol, avec un patio, des grilles de fer forgé aux fenêtres et un toit de tuiles rouges.

— Vous m'avez l'air de ne manquer de rien, Peter, dit-elle en regardant autour d'elle, remarquant le nombre de domestiques, les meubles chers, pas tous de son goût, mais qui s'harmonisaient avec l'ensemble de la maison.

— Oui, on peut dire que j'ai réussi, répondit-il sans dissimuler sa fierté. Et ça ne fait que commencer.

Ils avaient encore une heure avant la réunion, alors il lui offrit un verre et ils s'assirent dans des fauteuils à bascule sur la véranda. Sur un côté, un petit bâtiment du même style était plein d'hommes, tant américains que mexicains, qui parlaient fort, avec assurance. Maggie pouvait saisir un mot de temps en temps; elle remarqua qu'ils parlaient autant l'espagnol que l'anglais.

— Qui sont-ils ? demanda-t-elle.

— Ma foi, je les appelle mes amis, mais la plupart des gens les considèrent comme mes séides. Ils m'aident tous, d'une façon ou d'une autre. Il y en a qui vont me recueillir des voix, d'autres qui cherchent à savoir ce que manigancent les adversaires, enfin ce genre de choses. Et trois sont des gardes du corps.

— Des gardes du corps ?

— Nous sommes encore plutôt turbulents par ici, Maggie, dit Peter en riant.

Elle but quelques gorgées.

— Vous ne vous êtes jamais marié, Peter ?

— Jamais eu le temps. Et vous ?

— J'ai eu le temps... mais pas l'occasion.

Assis dans son fauteuil, une jambe sur un accoudoir, il l'observait à la dérobée. Il la trouvait très belle, grande comme sa mère mais avec le teint d'Alex. Il se demanda l'effet que cela ferait de la tenir dans ses bras et de l'embrasser, il essaya d'imaginer comment elle était au lit.

Maggie avait l'habitude d'être détaillée par les hommes et le regard de Peter ne la troubla pas. Elle lui sourit en le regardant dans les yeux.

— N'y pensez même pas, Peter.

Il se mit à rire.

— Comment savez-vous ce que je pense ?

— Vous le pensez si fort que je l'entends.

— Allons, dit-il en se levant, il est temps d'aller à la plaza. La foule devrait déjà se rassembler... Miguel ! Roy ! Sanchez ! cria-t-il en se tournant vers le petit pavillon. Il est temps d'y aller !

La plaza était illuminée par des centaines d'ampoules électriques sur des câbles tendus d'un arbre à l'autre. Dans un kiosque à musique, un orchestre jouait des airs mexicains. Les bancs du square étaient tous occupés et les retardataires s'installaient sur des couvertures étalées sur l'herbe. Au-delà, dans l'obscurité, se dressait le palais de Justice en construction.

Peter prit le bras de Maggie pour la conduire vers l'estrade, mais elle résista.

— Je préfère regarder d'ici.

— Vous voulez dire que je n'ai pas le soutien du Lantana ?

Il avait posé la question légèrement, presque en plaisantant, mais Maggie comprit soudain qu'il avait eu l'intention de se servir d'elle. Le Lantana était une puissance, tous ces gens dépendaient du ranch d'une manière ou d'une autre et sa présence à côté de lui aurait certainement un grand poids.

— D'après ce que j'entends dire, vous n'avez besoin du soutien de personne, répliqua-t-elle.

Il rit et sauta sur les marches.

La réunion amusa Maggie. C'était un mélange de politique brutale, de fiesta débridée et de prêche enflammé. La foule était venue pour se donner du bon temps et ne s'en privait pas. Maggie ne savait pas si ces gens croyaient aux discours, ni même s'ils les écoutaient, mais ils poussaient des cris et applaudissaient avec frénésie. Et quand tout fut terminé, ils se relevèrent et se dispersèrent en riant et en bavardant comme après une fête.

En rentrant, Maggie but un verre avec Dos dans le salon de la grande maison.

— Eh bien, annonça-t-elle, je viens de voir la démocratie en pleine action.

— La démocratie du Sud Texas. C'est une autre affaire.

— C'est sûr. Si j'étais un homme, je me présenterais contre Peter Stark, rien que pour le principe.

— Tu serais battue.

— Il tient le canton dans sa main, hein ?

— On dirait. Mais il n'aura pas besoin de truquer les élections. Son équipe et lui vont gagner quand même, honnêtement. Les gens les aiment bien.

— Pourquoi ?

— Parce qu'ils font beaucoup de bien, surtout pour les pauvres. Ils pavent les rues, ils installent les égouts, ils construisent un lycée avec un terrain de sport. Alors, qu'est-ce que ça peut faire s'ils se sucrent au passage ? Ce n'est un secret pour personne. Les Stark considèrent ça comme une commission et le peuple aussi. D'ailleurs, il n'y a pas un péon dans le canton de Zamora qui ne vienne frapper à la porte de Peter et obtenir un prêt qu'il n'aura pas besoin de rembourser. Tu aurais du mal à trouver par ici un pauvre qui ne doit rien à Peter.

— Ainsi, il est un véritable *patrón*.

— Eh oui ! C'est comme ça qu'on l'appelle, *el Patrón*.

Les élections eurent lieu la semaine suivante et Peter fut élu, comme il l'avait prédit, avec une majorité écrasante.

1917

13

Enfin, les États-Unis entrèrent en guerre. Les mains crispées sur la balustrade de la véranda, Maggie regarda le cow-boy surexcité sonner la grosse cloche de la cour et annoncer la nouvelle qu'elle attendait depuis si longtemps. Enfin ! Enfin les Américains allaient participer à la lutte et elle était convaincue qu'ils mettraient fin à la guerre. Et alors elle pourrait rentrer chez elle et retrouver Bryan !

— Dieu soit loué que tu sois trop vieux, dit-elle à Dos qui la rejoignait. Je ne pourrais pas supporter d'avoir à me faire aussi du souci pour toi.

Dos la regarda tendrement.

— Quelles sont les dernières nouvelles de Bryan ?

— Rien depuis sa dernière lettre, il y a quinze jours. Je sais que je dois être patiente, mais je deviens folle.

— Tu dois tout de même être fière de lui.

— Ah ! Dos, je ne puis voir aucune gloire dans la guerre. Même si Bryan m'écrivait qu'il est devenu un as, je n'en éprouverais aucune joie.

Une troupe de cow-boys enthousiastes envahit la cour aux cris de « la Guerre ! », « On les aura ! », « On va battre le Kaiser ! ». Et Trev, treize ans à peine, était parmi eux et agitait son chapeau en se livrant à une danse guerrière impromptue. Maggie soupira.

— Pourquoi les hommes sont-ils si avides de se battre ? Regarde-les ! On dirait qu'ils partent pour un rodéo !

Le lendemain eut lieu un grand rassemblement de recrutement sur la plaza et plus d'une centaine de vachers du Lantana s'y rendirent pour s'engager.

— Ce sont nos hommes, dit Maggie à son frère. Je veux aller avec eux pour leur dire au revoir.

Une atmosphère de fête régnait en ville. Un orchestre jouait sur la place et des drapeaux claquaient partout. Il y avait si longtemps que les Texans rêvaient de partir et un mois plus tôt, à la publication de la dépêche de Zimmerman, leur fièvre était brutalement montée. Le message du ministre allemand des Affaires étrangères à son ambassade au Mexique proposait une alliance entre les deux pays et prévoyait une invasion de la frontière du Rio Grande dans le but de rendre le Texas et le reste du Sud-Ouest à la domination mexicaine.

La note diplomatique ravivait de vieilles craintes et une haine raciale, et il devenait soudain dangereux d'avoir un patronyme espagnol ou allemand. Un millier de rangers patrouillaient dans la vallée et l'on racontait qu'ils tiraient d'abord et posaient des questions ensuite. Selon des rapports confirmés, des centaines de Mexicains, simplement coupables d'avoir un revolver à six coups à la ceinture, avaient été rassemblés, conduits dans des fourrés et abattus. Dos ordonna à tous ses vaqueros de laisser leurs armes chez eux chaque fois qu'ils devaient franchir les limites du Lantana.

Maggie se mêla à la foule sur la place et se fraya un passage jusqu'au kiosque. L'orchestre entamait une nouvelle marche militaire. En entendant son nom, elle se retourna et vit Peter Stark qui cherchait à la rejoindre.

— Quel monde ! s'exclama-t-il. Beaucoup plus que prévu !

— Oui, et quelle ironie ! dit Maggie en regardant autour d'elle. Presque tous ces engagés volontaires sont des Mexicains, alors que dans la vallée les rangers abattent leurs *compadres*.

Un lieutenant, dépêché en hâte de Fort Sam Houston, avait installé un petit bureau de recrutement à côté du kiosque et faisait prêter serment aux hommes, par groupes d'une dizaine. Chaque fois que l'un d'eux levait la main et disait « Je le jure », les cuivres entonnaient une sonnerie martiale et la foule l'acclamait.

— Et vous, Peter ? demanda Maggie. Votre famille est allemande. Vous n'avez pas eu d'ennuis ?

— Je suis américain, Maggie, texan de la deuxième génération.

— Les Kœnig aussi, et pourtant leur vitrine est brisée toutes les semaines, malgré le drapeau qu'ils ont accroché devant.

— Ça passera, assura Peter avec confiance.

Puis il s'excusa et monta dans le kiosque. L'orchestre se tut. Il s'adressa à la foule.

— Mes amis ! Quel jour glorieux ! Tout Joëlsboro est fier de ses fils qui se portent volontaires pour défendre la démocratie. La guerre d'Europe est arrivée à notre porte. Nous sommes tous au courant des plans néfastes destinés à arracher notre État bien-aimé à l'Union pour le remettre aux mains de nos ennemis...

— T'es bien placé pour le savoir, Stark ! cria un homme dans les derniers rangs de la foule.

Peter se tut et un silence tomba. Maggie se redressa pour voir qui avait parlé. Et puis quelqu'un d'autre glapit :

— De quels ennemis parlez-vous, Stark ? Des nôtres, ou des vôtres ?

Un murmure menaçant courut dans la place.

— Hé là, une minute, protesta Peter en se forçant à sourire et levant les mains pour imposer silence.

Mais l'humeur avait changé, elle devenait mauvaise et il sentit que le contrôle lui échappait.

— Je suis un Américain... aussi patriote que vous... Je suis né ici, au Lantana !

La foule parut se calmer un peu, mais alors une nouvelle voix cria :

— Les Stark sont allemands ! On ne peut pas avoir confiance en eux !

— Qui a dit ça ? hurla Peter, rouge de colère. Montez un peu ici ! Ayez le courage de me dire ça en face !

Ses gardes du corps sautèrent sur les marches et l'encadrèrent en prenant soin d'exhiber leurs armes.

— Boche ! lança une voix.

— A mort le Boche !

Maggie écoutait avec une horreur croissante. Elle détecta de la peur dans les yeux de Peter et, pis encore, elle vit ses gardes du corps hésiter et reculer. Il resta ferme, isolé et vulnérable. Elle ne put y tenir plus longtemps. Jouant des coudes, elle se rapprocha du kiosque et monta à côté de lui.

Le silence retomba. Tout le monde la connaissait. Elle dominait les hommes, plus grande que la plupart, la tête haute, le menton résolu.

— Écoutez-moi ! glapit-elle d'une voix qui porta jusqu'au fond de la place. Vous me connaissez ! Et vous connaissez tous le Lantana, ce qu'il représente. Sans le Lantana, cette ville n'existerait pas. Aujourd'hui, plus d'une centaine de nos hommes se mettent au service de notre pays... *notre* patrie ! Les États-Unis d'Amérique ! La plupart sont mexicains, il y a quelques Anglais et certains ont des noms allemands. Qui oserait dire qu'ils ne sont pas des patriotes ? Allez... Que je vous entende !

Elle s'interrompit et défia la foule. Personne ne dit mot. Elle ne put réprimer un ricanement.

— Où sont ces braves qui criaient il y a cinq minutes ? Allons, montez ici... parlons-en un peu !

Personne ne releva son défi. Elle reprit, d'une voix frémissante :

— Je suis fière de ces hommes qui se sont portés volontaires aujourd'hui. Et je ne peux pas en dire autant des lâches qui se cachent dans la foule et accusent Peter Stark de collusion avec l'ennemi. Je puis vous assurer que Peter Stark est aussi américain que moi, que vous tous ! Et vous le savez au fond de votre cœur !

Un marmonnement parcourut la plaza. Les gens se regardèrent entre eux d'un air penaud. Les braillards se taisaient et cherchaient à se fondre discrètement dans la foule. Maggie fit un signe à l'orchestre et la musique reprit.

En se retournant, elle vit de la gratitude dans les yeux de Peter et, seulement alors, elle sentit ses jambes trembler. Tout à coup, elle prit conscience de ce qu'elle avait fait et fut prise de panique, mais il était trop tard pour avoir le trac. Tout était fini. Elle s'appuya contre une colonnette du kiosque et s'efforça de reprendre haleine.

— Merci, Maggie, murmura Peter.

— Ne me remerciez pas. Je ne savais même pas ce que je

faisais. Je ne sais pas ce qui m'a pris, je n'ai pas pu me retenir, avoua-t-elle. Si j'avais réfléchi, jamais je n'aurais pu prononcer un mot.

— Je peux vous raccompagner chez vous ?

— J'ai la voiture de Dos. Mais partons d'ici ensemble pour que tout le monde puisse voir que je parlais sincèrement.

Le vent hurlait comme mille démons et toutes les deux ou trois minutes les ampoules clignotaient et la lumière baissait. Dos se précipita dans son bureau pour fermer les fenêtres et vit les phares d'une voiture danser dans l'allée. Il claqua le dernier volet et dévala l'escalier en colimaçon, en se demandant qui pouvait venir au milieu d'un tel orage.

Quand il arriva dans le vestibule, Maggie avait déjà ouvert la porte. Dos reconnut l'homme sur le seuil, le messager de la Western Union.

— J'ai essayé de téléphoner, dit-il, mais les lignes sont coupées. J'ai pensé que je devais apporter ça tout de suite.

Maggie le regardait bizarrement, les yeux fixés sur l'enveloppe jaune qu'il tendait.

— Si vous voulez bien signer là, dit-il en présentant son carnet.

— Non, souffla Maggie en reculant.

L'homme aperçut Dos et s'adressa à lui.

— Il me faut une signature.

Dos griffonna son nom et prit le télégramme.

— Non, répéta Maggie. Non, ne l'accepte pas. Je sais ce qu'il contient.

Soudain, Dos partagea sa peur.

— Ne l'ouvre pas ! Ne le lis pas !

Trev apparut dans le vestibule et l'expression de Maggie l'effraya. Elle se rua sur Dos et tenta de lui arracher la dépêche.

— Je t'ai dit de ne pas le prendre ! Je sais ce qu'il annonce !

L'homme de la Western Union battit en retraite et courut à sa voiture.

— Maggie ! Maggie ! cria Dos en s'efforçant de la calmer. Ressaisis-toi ! Ce n'est qu'un télégramme.

— Oh ! non, c'est plus que ça, dit-elle, et sa voix se brisa.

Dos déchira l'enveloppe. Ce qu'il lut le glaça. Il détourna la tête, n'ayant pas le cœur d'affronter Maggie.

En voyant sa réaction elle recula, les mains sur la bouche pour étouffer un hurlement, et avant que Dos ou Trev puissent réagir, elle bondit hors de la maison.

— Papa ! Qu'est-ce que c'est ?

— Bryan, murmura Dos. Il a été tué en France.

— Comment est-ce que tante Maggie le sait ?

— Elle le sait... parfois on sait ces choses-là, sans qu'on ait besoin de vous les dire.

Trev voulut courir après sa tante mais Dos le retint.

— Non ! Laisse-la.

356

Le petit garçon se mit à pleurer et se cramponna à son père. Dehors, Maggie brandissait ses deux poings vers les cieux.

Puis elle s'affala et tomba la tête la première dans la boue. Dos se secoua enfin et courut sous l'orage. Il enlaça Maggie et la releva. Elle tremblait violemment. Ses cheveux et ses vêtements étaient couverts de terre. Il la porta sur les marches et dans le salon où il l'étendit sur un canapé. Trev s'agenouilla à côté d'elle, si horrifié par ce qu'il venait de voir qu'il ne pouvait parler.

Des sanglots silencieux secouaient les épaules de Maggie et des larmes traçaient des rigoles dans la boue qui maculait son visage. Dos lui prit la main et la serra fortement.

1919-1922

14

L'été suivant l'Armistice, Maggie retourna en Angleterre et emmena Trev. Elle passa plus d'une semaine à Londres, dans un appartement du Savoy, avant d'avoir le courage d'aller au cottage de Hampstead.

— C'est là que j'habitais, dit-elle à son neveu en descendant du taxi.

Le ravissant petit jardin de roses était envahi par les mauvaises herbes, la rouille recouvrait la grille de fer et la suie les fenêtres aux rideaux tirés.

Elle hésita un instant sur le seuil avant de prendre sa clef de bronze pour ouvrir. A l'intérieur, tout était comme elle l'avait laissé trois ans plus tôt, mais pour elle ce n'était plus qu'un spectre de maison, une coquille vide.

Elle passa de pièce en pièce, en silence. Le commissaire-priseur auquel elle s'était adressée avait estimé tous les meubles car elle comptait ne rien garder, à part les tableaux. Ils étaient déjà emballés et les caisses attendaient dans le salon. Maggie ne resta que dix minutes et quand elle dit à Trev qu'il était temps de partir, il hésita et demanda :

— Tante Maggie... Est-ce que tu veux bien me donner ça ?

— Qu'est-ce que c'est ?

Il tendit la main et lui montra le presse-papiers de cristal avec le ballon doré. Les souvenirs assaillirent Maggie et elle ferma un instant les yeux, mais elle se ressaisit et réussit à parler d'une voix posée :

— Mais naturellement. Ça me ferait plaisir que tu l'aies.

Il sourit de joie et serra son trésor dans la main. Ils sortirent, Maggie referma la porte à clef, ils remontèrent en taxi et s'éloignèrent sans qu'elle se retourne.

Pendant un mois, elle fit faire à son neveu le tour de l'Angleterre et de l'Écosse et quand ils rentrèrent au ranch, les tableaux étaient déjà arrivés. Maggie les fit déballer et commença à les accrocher aux murs du rez-de-chaussée.

— Ne me dis pas que tu as payé du bel argent pour ça ! s'exclama Dos avec stupéfaction, à mesure que chaque toile apparaissait.

— Ah ! Comme tu t'y connais. Je les ai eus pour trois fois rien et maintenant ils valent une fortune.

— Ahurissant... absolument ahurissant...

Dos secoua la tête en essayant de deviner ce que représentaient une guitare cassée, quelques taches de couleur et des bandes discordantes en zigzag.

Puis on ouvrit la dernière caisse et Maggie haussa les sourcils en murmurant :

— Ah ! mon Dieu ! J'avais oublié celui-là !

C'était son portrait, nue sur le canapé.

— Tante Maggie ! s'écria Trev. C'est *toi* ?

— Vraiment, Maggie ! protesta Dos, tu ne vas tout de même pas accrocher ça !

Elle sourit. Envolées, l'amertume et la haine. Elle contempla le portrait de la jeune fille au corps ravissant et aux yeux bleus innocents comme si c'était celui d'une inconnue.

— Mais certainement ! J'ai l'intention de l'accrocher là... au-dessus de la cheminée !

— Mais les gens le verront !

— Justement, j'y tiens. Je veux qu'ils voient comme j'étais belle.

Le tableau prit donc place au-dessus de la cheminée du grand salon, à la vue de tous, et chaque fois qu'un visiteur le voyait pour la première fois et réagissait en regardant à tour de rôle Maggie et la toile, elle éprouvait une certaine exaltation à la pensée qu'elle était enfin totalement libérée de la prison du passé.

La visite en Angleterre avait fixé un but à Trev. Il était décidé à faire ses études à Cambridge, comme Alex. Il s'appliqua à l'école avec un entrain qui fit plaisir à Dos et Maggie et devint le premier de sa classe. Il jouait au football et au base-ball, il faisait de l'athlétisme et bien qu'il eût toujours été fort, le sport développa ses muscles et quand il sortit du lycée, en mai 1921, il était aussi grand et massif que Dos, et certainement aussi beau.

Sachant que la petite école de Joëlsboro n'avait pu le préparer pour Cambridge, il projetait de passer deux ans à l'université du Texas avant de partir pour l'Angleterre.

Le jour où Trev jeta ses valises à l'arrière de sa Ford et s'apprêta à partir pour Austin, Dos le prit par l'épaule et lui dit.

— J'espère que tu ne nous quittes pas pour de bon.

— Ne t'inquiète pas. J'adore le ranch. J'ai le Lantana dans le sang, tu sais, papa.

— C'est ce que nous pensions quand nous avions ton âge, Maggie et moi. Et puis nous sommes partis, et nous avons bien failli ne jamais revenir.

— Vous ne l'aimiez peut-être pas autant que moi.

Dos contempla longuement son fils, le cœur gonflé de fierté et d'amour.

— Tu as sans doute raison, Trev... Oui, sûrement.

Il voulait prendre son fils dans ses bras et l'embrasser mais il était trop intimidé pour faire le premier pas et ce fut Trev qui l'étreignit.

— Au revoir, papa. J'écrirai, promit-il.

A l'instant où ils s'embrassèrent, Dos regretta que Lorna ne puisse les voir. Elle aurait été si fière ! Et puis Trev se dégagea, sauta dans sa voiture et démarra en trombe.

Maggie les avait observés. Elle vint glisser un bras sous celui de son frère.

— Il est rudement mieux que nous, n'est-ce pas ?

Dos était trop ému pour répondre. Ils rentrèrent dans la grande maison et se retrouvèrent au salon, devant les photographies qui avaient été prises dans leur enfance.

— Regarde-nous, Dos. Comme nous étions jeunes. Et innocents...

— Nous avions le monde entier à nos pieds.

— Ma foi, à nous deux, nous en avons couvert une bonne partie.

— Et nous avons fini par nous retrouver ici.

— J'en suis heureuse.

Dos la regarda dans les yeux.

— C'est vrai, Maggie ? Pas de regrets ?

— Aucun. Jamais je ne cesserai de pleurer Bryan. Je ne le voudrais pas. Mais je peux continuer à vivre.

— Je suppose que nous n'avons pas le choix.

Elle devina sa pensée.

— Tu songes à Lorna, non ?

Il hocha la tête.

— J'aurais bien aimé la connaître.

— Vous vous seriez adorées.

— Quel dommage que tu n'aies pas une photo !

Il eut l'air bizarre pendant quelques instants, puis il sourit presque timidement.

— Mais j'en ai une.

— Ah ! Dos ! Montre-la-moi!

Il conduisit Maggie dans l'escalier en colimaçon jusqu'au « bougonnoir », ouvrit avec une clef un tiroir du bureau et y prit une feuille de papier fort qu'il tendit à sa sœur.

— C'est la seule photo que j'aie.

Au début, elle ne put voir que les énormes lettres noires : Recherchée pour vol.

— Oh ! mon Dieu ! s'écria-t-elle involontairement.

— N'est-ce pas affreux ? murmura Dos. Ma femme... la mère de Trev... Et notre seule photo est un avis de recherche.

Maggie plaqua une main sur sa bouche.

— Dos ! Excuse-moi mais je ne peux pas m'empêcher de rire ! Un avis de recherche ! C'est affreux, vraiment horrible !

Dos riait aussi, maintenant.

— Mais elle est belle, Dos ! Même sur cette photo abominable, on voit qu'elle était très belle !

— Ah ! Seigneur, s'écria-t-il soudain, pris de fou rire. C'est exactement le genre de chose que Lorna aurait adoré ! Elle rirait plus fort que nous !

— Dos ! Ne cache pas ça ! Si j'ai accroché mon portrait nu au-dessus de la cheminée, tu peux bien encadrer cette affiche et la mettre dans le salon. Je ne crois pas que Lorna aurait honte de son passé... pas plus que moi.

Dos s'essuya les yeux d'un revers de main.

— Tu as raison. Il y a longtemps que Lorna l'aurait exposée.

— Alors tu vas l'accrocher ?

— Pourquoi pas ? Qu'est-ce que ça peut nous faire ce que pensent les gens ?

— Absolument rien, Dos ! Plus maintenant ! Jamais !

Ainsi, la photo de Lorna prit fièrement place parmi les autres portraits de famille et désormais, quand Dos voyait l'expression d'un invité qui la découvrait pour la première fois, il croyait entendre le rire clair de Lorna se répercuter dans la pièce.

Peter Stark venait voir Maggie de temps en temps, il l'invitait parfois en ville à une réception. Elle y allait de bon cœur, avouant franchement qu'elle appréciait sa compagnie malgré les avertissements de Dos qui lui répétait que Peter agissait sûrement avec des arrière-pensées.

— Je le sais parfaitement mais je sais me défendre, assura-t-elle encore une fois, alors qu'elle se préparait à aller assister à une soirée que donnait Peter en l'honneur de son candidat au Congrès. Nous avons un accord.

— J'espère que Peter le sait.

— Il devrait, depuis le temps.

Elle quitta Dos, puis partit pour Joëlsboro et trouva à son arrivée la belle maison neuve de Peter déjà bondée.

Un garde armé examinait tous les cartons d'invitation avant d'ouvrir les grilles du portail mais quand Maggie apparut, il sourit de toutes ses dents et la salua en l'appelant *doña*.

— Bonsoir, Ricardo, dit-elle en lui serrant la main. Comment va votre femme ?

— Beaucoup mieux, *doña* Maggie. Elle m'a dit de vous remercier encore de l'avoir conduite chez le médecin la semaine dernière.

— C'était bien naturel, Ricardo. Je suis heureuse d'apprendre qu'elle est remise. Dites-lui que j'irai la voir dans un jour ou deux.

— *Gracias*, *doña* Maggie.

Maggie se dirigea vers le buffet installé dans le patio et y rencontra Jack Kendall, du ranch Agarita.

— Bonsoir, Maggie. Comment ça marche, au Lantana ?

— Tout doux, répondit-elle, obéissant à la loi tacite de la région de ne jamais révéler que les affaires marchaient bien.

— Ouais, reconnut-il de même. Encore deux années comme celle-ci et nous serons tous les deux à l'asile des pauvres.

Les yeux de Maggie passèrent sur l'accumulation de bouteilles d'alcool sur le buffet.

— Regardez-moi ça ! Jamais on ne croirait que la prohibition existe.

— Allons, Maggie, le Congrès ne fait pas de lois pour Peter

Stark ! Si les Stark avaient été là au temps de Moïse, le bon Dieu aurait demandé conseil à Peter avant de lui remettre les Dix Commandements.

Maggie éclata de rire, sachant que Jack Kendall n'avait que faire de la machine politique des Stark.

— Surtout « Tu ne voleras point ».

— Ouais. Celui-là aurait été modifié : « Tu ne voleras point sauf dans les caisses du canton. » Enfin, bon Dieu ! Maggie, regardez un peu cette foutue maison, un vrai château, une forteresse, et c'est les contribuables comme vous et moi qui l'avons payée.

— Nous avons bien dû acheter chacun deux pièces.

— Disons plutôt tout le rez-de-chaussée.

Maggie prit le verre de whisky que lui tendait un barman.

— Ce n'est pas très poli de dire du mal de notre hôte.

— Je ne serais sûrement pas venu si je n'avais pas envie de voir un peu ce type qu'il envoie au Congrès, grommela Kendall.

— Qui est-ce, au fait ? Je n'ai jamais entendu parler de lui.

— Un nommé Curtis Hankins. Un rien du tout, un prof d'histoire de ce collège presbytérien, mais il a une femme ambitieuse et une brosse à reluire à l'usage de Peter Stark. Ce sera une marionnette docile... Tiens, quand on parle du loup, ou des deux loups, les voilà, Peter et lui.

Maggie se retourna et vit Peter qui entraînait Curtis Hankins vers elle. Le candidat était grand et maigre, avec une mèche de cheveux noirs qui lui retombait sur le front; il ressemblait très vaguement à Abraham Lincoln. Son costume fripé en serge bleue était affreux et faisait ressortir l'élégance de Peter en costume gris clair, chemise de soie et large cravate bordeaux retenue par une épingle ornée d'un diamant trop gros pour être vrai... à cela près que Maggie savait qu'il l'était.

Peter était radieux, en pleine forme dans son rôle d'éminence grise, de tireur de ficelles. Hankins le suivait comme une ombre dégingandée.

— Je vous présente notre nouveau représentant, annonça Peter en s'approchant du buffet.

Maggie sourit poliment mais dit :

— Ah ? Les élections ont déjà eu lieu ?

Hankins parut déconcerté mais Peter éclata de rire.

— Il a ma voix.. et c'est celle qui compte vraiment.

— Enchantée de vous connaître, monsieur Hankins. Je suis Maggie Cameron et voici Jack Kendall.

— A eux deux, ils possèdent presque tout le sud du Texas, déclara Peter à son candidat, inutilement car Hankins connaissait bien ces noms et ses yeux s'illuminèrent.

Kendall resta juste assez de temps pour ne pas paraître grossier mais Maggie s'attarda pour causer avec Hankins, le sonder. Elle en conclut qu'il était assez sympathique, presque puéril dans son désir de plaire, malléable bien entendu, et, pour le moment, probablement honnête. Elle se demanda quand cette vertu l'abandonnerait. Cela ne tarderait pas... avec Peter à son côté.

Au bout d'un moment, Maggie voulut s'excuser mais Stark la retint.

— Ne partez pas encore. Laissez-moi mettre Curtis entre les mains de gens que je veux lui présenter et je reviens tout de suite.

Il ne fut pas long et, après avoir demandé un nouveau whisky pour Maggie, il l'invita dans son bureau. Il ferma la porte sur le brouhaha de la réception. La pièce était faiblement éclairée, petite et agréable avec ses poutres apparentes, son dallage de carreaux espagnols et ses murs blancs couverts de cartes des cinq cantons sur lesquels régnait Peter.

Maggie attendit qu'il parle mais comme il gardait le silence, elle demanda :

— Pourquoi cette entrevue particulière ?

— Je voulais simplement bavarder un peu, seul avec vous. Il semble que nous ne nous rencontrions jamais que dans la foule.

— C'est plus sûr, répliqua-t-elle en souriant.

Elle traversa la pièce et alla s'asseoir dans un canapé de cuir.

— C'est de l'excellent scotch, constata-t-elle après avoir bu une gorgée. Qui est votre bootlegger ?

— Je le fais venir de l'autre côté de la frontière. Vous en voulez une caisse ? Du scotch, ou bien du rhum ou du cognac ? Ce que vous voulez.

Maggie haussa les sourcils.

— Aussi facilement ? Nous devons nous contenter de gin maison, et, à l'occasion, d'une bouteille de bourbon quand nous pouvons persuader le docteur Rogers d'en prescrire... pour des besoins médicaux, naturellement.

— Naturellement, ironisa Peter. Ma foi, il y a certaines choses que je peux mieux faire que les Cameron.

Il était resté debout près de la porte, puis il s'approcha et s'assit à côté d'elle. Dans la rue obscure, un réverbère projetait sa lumière entre les barreaux de la fenêtre, allumant des reflets dans les cheveux acajou de Maggie et dessinant la courbe délicate de sa joue.

Peter vida son verre, mais ses lèvres et sa gorge demeurèrent sèches et il sentit son cœur battre irrégulièrement.

Maggie fut distraite par le roucoulement d'une colombe sur le toit. Elle entendit cependant le tintement du verre de Peter quand il le posa lourdement sur la table de marbre et le sentit se rapprocher d'elle, l'emprisonnant dans le coin du canapé.

— Maggie, j'ai près de cinquante ans. Le temps semble passer de plus en plus vite et de jour en jour je deviens plus impatient. Je n'aime pas avoir à attendre ce que je veux et je commence à avoir l'impression que demain il sera trop tard.

— Trop tard pour quoi, Peter ? demanda Maggie qui avait fort bien compris.

Il lui prit la main.

— Pour nous, Maggie. Je vous aime, vous savez.

Ces mots la décontenancèrent. Elle s'était préparée à l'entendre dire qu'il la voulait, qu'il avait besoin d'elle, la désirait. Mais qu'il l'aimait·! Elle ne s'attendait pas à cela.

Aussi, quand il se serra contre elle et lui prit la figure entre les mains, fut-elle trop surprise pour résister. Et quand il la repoussa contre les coussins et l'embrassa, elle ne réagit pas. Elle se sentait curieusement détachée, comme si elle était un témoin invisible observant ce bel homme musclé qui enlaçait une inconnue et lui baisait les lèvres avant d'enfouir sa figure contre la peau satinée du cou et de l'épaule.

Soudain, elle retomba sur terre. La tentative de séduction de Peter n'avait rien éveillé en elle, ni passion ni répulsion; elle était simplement agacée qu'il pesât ainsi sur elle, gênant sa respiration.

Elle le repoussa. Il ouvrit les yeux et la regarda d'un air ahuri. Il s'était mépris, croyant qu'elle acquiesçait enfin, qu'elle allait s'abandonner à sa passion.

Elle réussit à se dégager et à se lever, en lissant sa jupe. Elle ne voulait pas le blesser ni l'humilier, alors elle sourit et s'efforça de traiter l'incident à la légère.

— Et si quelqu'un était entré et nous avait surpris en train de batifoler sur un canapé ? Cela aurait fait merveille pour notre réputation.

La plaisanterie ne fit pas du tout sourire Peter. Tout ce qu'il savait, c'était qu'il avait été bafoué, repoussé une fois de plus et que, cette fois, cela paraissait définitif. Elle s'était laissé enlacer et embrasser, elle l'avait amené à avouer son amour. Et maintenant, elle le repoussait avec une plaisanterie et le laissait assis là comme un amoureux transi !

Furieux, estimant qu'on s'était moqué de lui, il bondit et saisit Maggie par les poignets.

— De quelle réputation voulez-vous parler ?

Elle essaya de lui arracher ses mains mais il tint bon.

— Je me moque éperdument de la mienne, gronda-t-il d'une voix menaçante. Quant à la vôtre, je la connais bien ! Vous avez couché avec tout le monde, à Paris et à Londres, et maintenant vous revenez dans ce trou perdu et vous jouez à la grande dame ! Ça ne prend pas, Maggie. Je sais ce que vous étiez !

Elle parvint enfin à libérer une de ses mains et l'abattit sur la joue de Peter. La gifle claqua comme un coup de fouet.

— Immonde salaud !

Tournant les talons, elle se précipita vers la porte mais il la rattrapa, la devança et lui barra le passage.

— Maggie, non ! Attendez ! Je n'en pense pas un mot ! supplia-t-il. Je vous aime. Je vous aime vraiment. Épousez-moi, Maggie. Je vous donnerai tout ce que vous voulez, tout. Si vous n'aimez pas cette maison, je vous en construirai une autre. Si vous voulez voyager, nous irons n'importe où...

— Écartez-vous de cette porte, Peter, je veux rentrer chez moi.

Il comprit qu'il l'avait perdue, à jamais. C'était la première fois de sa vie qu'il ne pouvait avoir ce qu'il désirait. Il ne pouvait y croire, ce n'était pas possible, il était Peter Stark ! Il gouvernait dans cette partie du monde !

La figure de Maggie était dure, sa voix glaciale :

— J'ai dit écartez-vous.

Il fit un pas de côté mais la colère le reprit et comme elle sortait prestement, elle l'entendit marmonner :

— Tu n'es quand même qu'une putain, Maggie ! Et tu regretteras de m'avoir repoussé !

Elle traversa rapidement la maison, la tête haute et apparemment calme mais toute frémissante de fureur.

La dernière insulte et la menace résonnaient encore aux oreilles de Maggie quand elle remonta en voiture et démarra en trombe, suivie des yeux par Peter, de la fenêtre de son bureau.

Ruminant des pensées de colère et de vengeance, elle fonça sur la route à toute allure. En arrivant au portail du Lantana, elle fit un appel de phares et se rua dans l'avenue. De sa fenêtre de la tour. Dos la vit arriver à une vitesse démente. Il dévala l'escalier en colimaçon et fut dans le vestibule au moment où Maggie y faisait irruption. Avec ses cheveux décoiffés par le vent et ses joues enflammées, elle avait l'air de revenir de la prairie après un galop effréné sur un étalon nerveux.

— Qu'est-ce qui se passe ? demanda-t-il. A te voir filer entre les arbres, tu devais faire au moins du cent vingt.

Elle porta une main à sa poitrine et se força à respirer calmement. Puis elle glissa un bras autour de la taille de Dos.

— J'ai besoin d'un verre, Dos. Tu me tiens compagnie ?

Ils allèrent au salon. Dos remplit deux verres de whisky pur et s'accouda sur la cheminée pendant que Maggie marchait de long en large.

— Peter m'a demandé de l'épouser et quand je l'ai repoussé, il s'est mis en colère. C'est là qu'il m'a insultée. Et ensuite, il m'a menacée. Il a dit que je le regretterais.

— Sûrement pas.

— Non, bien sûr. Comme je le disais, je saurai me défendre. Et je ne vais pas laisser passer ça. Je m'en vais battre Peter Stark à son propre jeu ! Il est temps que quelqu'un lui montre qu'il n'est pas toujours le plus fort !

Elle porta son verre à ses lèvres et but une grande gorgée. L'alcool de contrebande lui brûla la gorge.

— Il faut que tu renvoies ce bootlegger, Dos. Ce truc-là tuerait un cheval.

Elle sourit soudain ironiquement, une lueur malicieuse dans les yeux.

— Je crois que je me suis trop pressée de repousser Peter. Il m'avait offert une caisse de scotch.

Dos sourit aussi en voyant que la tension de sa sœur se dissipait. Elle cessa de déambuler et s'arrêta près d'un guéridon. Soudain, d'un geste résolu, elle décrocha le téléphone. Le standard du sous-sol répondit immédiatement :

— Passez-moi le *Joëlsboro Journal*, dit-elle.

— Qu'est-ce que tu fais, Maggie ?

Elle cligna de l'œil à Dos pendant que le téléphone sonnait, et leva une main pour le faire patienter.

— Allô ?... Ici Maggie Cameron. Voulez-vous envoyer un reporter au Lantana demain matin ? Je veux annoncer ma candidature au Congrès.

15

Peter Stark prenait son café au lit quand Curtis Hankins fit irruption dans la chambre en brandissant le journal. Peter jeta un coup d'œil à la grosse manchette et le posa à côté de lui.

— Je l'ai déjà appris par la rumeur publique.

— Qu'est-ce que ça veut dire, à votre avis ? demanda anxieusement Hankins.

— Tout simplement que Maggie Cameron cherche à vous supplanter.

— Est-ce qu'elle a des chances ?

— Allons, calmez-vous, mon vieux, dit Peter en souriant. La cafetière est là-bas, servez-vous.

— Mais je croyais que ce serait sûr... qu'il n'y aurait pas d'adversaires. C'est ce que vous avez dit !

— Elle ne sera pas un adversaire. Ne vous mettez pas dans cet état. Qui diable va envoyer une femme au Congrès ?

— Il y a eu cette Jeannette Rankin du Montana...

— Ah ! c'était un hasard, et elle n'a pas été réélue.

— ... Et Alice Robertson de l'Oklahoma.

— Jamais pu comprendre ces Okies. D'ailleurs Maggie Cameron n'a aucun programme et les hommes du Sud Texas préféreraient élire un singe plutôt qu'une bonne femme. Ils ont bien trop de bon sens pour se faire représenter par un jupon.

Ces assurances apaisèrent quelque peu Hankins qui s'assit et se servit du café.

— Elle a tout l'argent du monde pour financer sa campagne.

— De quoi a-t-on tellement besoin ? Quelques centaines de dollars pour les affiches, quelques dollars pour louer une salle ici et là, payer l'essence... il n'en faut pas tant. Ne vous inquiétez pas, Curtis, nous nous sommes occupés de tout. Et la veille du scrutin, nous distribuerons des fac-similés de bulletins de vote avec un gros X à côté de votre nom pour que même les gens qui ne savent pas lire sachent pour qui voter.

Hankins hocha la tête avec soulagement, et sa mèche noire lui tomba dans les yeux.

— Je me demande pourquoi elle a fait ça... pourquoi elle a décidé de se présenter.

Peter se laissa retomber sur son oreiller et soupira.

— Allez savoir ce qui va passer par la tête d'une femme. Juste au moment où on croit les avoir comprises, elles se retournent contre vous. Si j'avais su que Maggie brûlait d'aller à Washington, j'aurais fait d'elle un sénateur.

Hankins releva ses cheveux sur son front.

— Vous plaisantez, n'est-ce pas ?

— Ouais, murmura Peter avec un sourire ironique. Je plaisante.

Dès que Trev apprit la candidature de Maggie, il abandonna ses études, jeta ses bagages dans sa voiture et rentra à la maison. Sa tête était pleine de visions d'une folle campagne avec des réunions bruyantes sur la plaza, une fanfare sur un camion à plate-forme, des débats passionnés entre Maggie et Curtis Hankins. Mais quand il arriva au Lantana, il découvrit que sa tante avait d'autres idées en tête.

— Je ne vais pas faire de discours électoraux, déclara-t-elle. Surtout pas sur la plaza. Je frémis encore quand je me rappelle le jour où j'ai pris la défense de Peter. Ça m'a fait une peur bleue. Après, j'étais si émue que je tenais à peine debout.

— Mais il te faut de la publicité, protesta Trev, incapable de dissimuler sa déception. Personne ne votera pour toi si les gens ne savent pas qui tu es !

Elle le regarda d'un air amusé.

— Trev chéri, les gens des deux continents savent qui je suis.

— Bon, mais au moins colle des affiches.

— D'accord. Je t'en charge.

— Chic ! s'écria-t-il en se levant d'un bond. Je vais tout de suite trouver un imprimeur.

— Pas si vite. Je veux que les affiches soient très simples, et pas trop nombreuses non plus. Je ne veux pas qu'on raconte que Maggie Cameron a acheté son siège à Washington.

Trev la considéra un moment en silence, puis il demanda gravement :

— Tu crois vraiment que tu vas gagner, tante Maggie ?

Elle haussa vaguement les épaules, mais son visage resta serein.

— Je crois que je ferai bien courir Peter Stark. Parce que c'est contre lui que je me présente, pas contre Hankins.

— J'aimerais bien avoir l'âge de voter !

Quand Trev fut parti en ville à la recherche d'un imprimeur, Maggie prit sa voiture et entama la campagne électorale la plus singulière que la région eût jamais vue. Elle se rendit d'abord au hameau de Rincón pour voir Maria, la femme du garde du corps de Peter.

Elle fut enchantée de la recevoir et lui servit du café à sa table de cuisine.

— Je me présente au Congrès, annonça Maggie.

— Je sais, Ricardo me l'a dit, mais il dit aussi qu'*el Patrón* raconte à tout le monde que vous n'avez aucune chance.

— C'est sans doute vrai mais ça ne m'empêche pas d'essayer.

Maria baissa les yeux et murmura :

— Si vous ne le dites à personne, je promets de voter pour vous.

Maggie allongea son bras sur la table et pressa la main de la brave femme.

— C'est courageux de votre part, Maria.

— Vous avez été bonne pour moi quand j'étais malade, *doña* Maggie.

— J'aidais simplement une voisine.

— Alors, je vous aiderai en échange.

— *Gracias*, Maria.

— Et, confia Maria en baissant encore la voix, je ferai voter Ricardo pour vous, lui aussi. Il dit qu'*el Patrón* peut donner des ordres mais qu'il ne peut pas nous voir dans l'isoloir.

Maggie rendit visite ensuite à toutes les femmes de Rincón, pour répandre la nouvelle, demander un soutien et dans les jours qui suivirent, on s'habitua à la voir sillonner les routes du canton au volant de sa Buick verte poussiéreuse. Elle s'arrêtait partout, bavardait en espagnol, berçait des bébés dans ses bras et buvait tant de café qu'elle n'arrivait plus à trouver le sommeil.

Sa campagne discrète — presque invisible — endormit la méfiance de Peter et il confia à Hankins :

— Elle a dû devenir raisonnable et comprendre qu'il serait inutile qu'elle perde son temps. Elle va se sentir rudement ridicule quand on affichera les résultats.

Sa confiance se communiqua à Hankins et aucun ne vit la nécessité d'intensifier leurs efforts, alors même que tous les poteaux télégraphiques de la région portaient à présent une affiche avec la photo de Maggie.

Trev fit tout pour persuader sa tante d'organiser une réunion mais elle refusa catégoriquement.

— Je veux faire ça à ma façon, déclara-t-elle en revenant d'une longue journée dans le canton voisin. Et ça me plaît.

— Mais tu t'épuises. Tu ne peux quand même pas visiter chaque maison de la circonscription !

— Je vais essayer.

Dos écoutait sans mot dire mais il finit par intervenir.

— Où t'en vas-tu demain ?

Maggie poussa un soupir de lassitude.

— A Carmelo.

— Une longue route.

— Et comment ! Il me faudra toute la journée.

Il hocha la tête et, au bout d'un moment, il s'excusa et sortit de la pièce. Le lendemain, à la table du petit déjeuner, Trev remarqua chez son père une drôle d'expression. Comme s'il avait fait en cachette quelque chose qui lui plaisait immensément et qu'il ne pouvait en garder le secret.

Maggie était trop préoccupée pour regarder son frère; elle s'agitait parce qu'elle avait déjà une demi-heure de retard sur son horaire et n'arriverait pas à Carmelo avant midi. Elle frémit quand la cuisinière voulut encore lui servir du café.

— Oh ! non, par pitié ! Je vais devoir en boire des litres avant ce soir !

Elle toucha à peine son déjeuner, grignota deux bouchées de bacon, un coin de toast et ignora complètement ses œufs brouillés. Jetant sa serviette sur la table, elle se leva.

— Allons, il est temps de prendre la route. Si je ne pars pas tout de suite, je ne serai pas rentrée avant minuit.

— Attends une minute, voyons. Finissons de déjeuner tous ensemble, protesta Dos.

— Je suis déjà en retard et tu sais bien que cette route est affreusement longue.

Trev observait son père et vit qu'il s'efforçait de réprimer un petit sourire.

— Mais j'ai une surprise pour toi, Maggie.

Sur le seuil, son sac à la main, elle regarda Dos ; elle attendait une explication mais il lui fit signe de se rasseoir.

— Ah, Dos ! Ça ne peut pas attendre ce soir ?

— Non. Ne t'énerve pas, Maggie. Et finis de déjeuner. Tu as tout le temps, crois-moi.

Médusée, elle reprit sa place à table. A vrai dire, elle avait faim et savait que la journée serait harassante. Elle fut la dernière à remarquer un bourdonnement filtrant par les fenêtres ouvertes.

— Qu'est-ce que c'est que ça ? demanda Trev.

— Ça doit être ma surprise, répondit Dos en souriant.

Maggie leva les yeux, entendit, et vit son frère se lever.

— Viens, Maggie. Sortons.

— Qu'est-ce que c'est que ce bruit ?

Le bourdonnement se précisait. Dos prit la main de Maggie et l'entraîna dans le vestibule. Trev les suivit précipitamment.

Ils sortirent sur le perron au moment où un biplan écarlate descendait du ciel et frôlait la tour, passant apparemment à quelques centimètres du toit mansardé. Le vrombissement du moteur était assourdissant. Maggie plaqua ses mains sur ses oreilles. L'avion passa si bas que Trev crut pouvoir le toucher, puis remonta et parut planer dans le ciel un instant avant de piquer et d'exécuter un looping.

— Mon Dieu ! s'exclama Maggie, certaine qu'il allait s'écraser, mais le pilote le redressa à quelques mètres du sol, survola encore une fois la grande maison et finit enfin par se poser dans le pâturage presque sans rebondir.

— Des ailes, Maggie ! cria Dos. Je t'ai acheté des ailes pour que tu puisses voler où tu voudras ! C'est ça, ma surprise.

— Ah ! Dos, s'écria-t-elle en se jetant à son cou, pensant à Pascal et à ses petites surprises. Mais... mon Dieu ! Je ne suis jamais montée dans un aéroplane !

— Si tu peux survoler Paris en ballon, tu peux faire n'importe quoi, assura Dos. Tu vas adorer ça, Maggie. C'est tout à fait ton style.

Elle en était beaucoup moins sûre. Méfiante, elle regarda l'appareil écarlate s'arrêter. Quand le pilote eut coupé le contact, il sauta du cockpit et vint vers eux en courant. Dos lui serra la main.

— Salut, monsieur Porter. Voici ma sœur Maggie et mon fils Trev.

Mais Trev était déjà parti examiner l'appareil.

Porter était l'image même du casse-cou, avec sa veste de cuir et sa longue écharpe de soie blanche, les grosses lunettes relevées sur le front, des cheveux blonds s'échappant de son casque.

— Ainsi, c'est vous ma passagère, dit-il à Maggie.

— J'en ai bien peur, répliqua-t-elle en regardant l'avion avec appréhension.

— Eh bien, si vous êtes prête, nous partons. Vous voulez aller à Carmelo, si j'ai bien compris ?

— Oui, d'abord Carmelo. Puis Ochoa. Et ensuite, si nous avons le temps, nous pourrions passer à Madison.

— Oh ! nous aurons tout le temps. Nous serons à Carmelo en moins d'une heure.

— Dos ! Tu entends ? Moins d'une heure pour aller à Carmelo !

Ils s'approchèrent tous trois de l'appareil. Porter plongea une main dans le cockpit et tendit à Maggie une paire de grosses lunettes.

— Je vous conseille de les mettre. Il y a pas mal de vent là-haut.

Elle obéit et il l'aida à se hisser à bord. Quand il fut installé aux commandes, il cria à Trev de donner un tour d'hélice.

— Fais attention, Trev ! hurla Maggie, mais il s'acquitta parfaitement de sa tâche.

Le moteur partit au premier tour. Trev courut rejoindre Dos et tandis que le biplan commençait à rouler, ils entendirent Maggie crier dans le rugissement du moteur :

— Je vous en prie, monsieur Porter, soyez prudent ! Pas d'acrobaties ! Pas de vol sur le dos ! Pas de loopings !

L'aéroplane traversa le champ en bondissant et s'éleva dans les airs comme une feuille soulevée par un vent d'automne. Porter vira sur l'aile et Maggie retint sa respiration jusqu'à ce qu'il eût redressé l'appareil. Alors seulement elle s'enhardit à regarder par-dessus bord et elle fut tout aussi enchantée par la vue que le matin où Bryan l'avait emmenée en ballon.

Ses mains crispées sur le bord du cockpit se détendirent. Ce n'était pas si effrayant, finalement; elle trouvait même cela fort plaisant et se disait qu'au fond elle ne protesterait pas si M. Porter oubliait ses ordres et retournait son biplan dans un looping vertigineux.

En un rien de temps, lui sembla-t-il, ils faisaient du rase-mottes au-dessus de Carmelo, attirant les femmes hors des maisons et affolant les ouvriers dans les champs. Ils se posèrent dans un pré et avant que l'hélice s'arrête de tourner, une foule entoura l'aéroplane.

Trev aurait été ravi car cette arrivée impromptue força Maggie à faire un discours. La foule l'exigeait et elle fut surprise de trouver cela facile, après tout. Peut-être l'exaltation du vol l'avait-elle guérie de son trac, ou bien l'accueil enthousiaste de cette population, toujours est-il qu'elle se retrouva debout sur l'aile, les deux bras levés, en train de crier :

— *Buenos días, señoras y señores ! Me llamo Maggie Cameron del rancho Lantana !*

Une ovation monta qui la décontenança un instant mais elle se ressaisit vite et se remit à parler de sa candidature; elle leur demanda à tous de la soutenir et quand elle eut fini elle entendit un jeune garçon crier :

— *Viva doña Aguila !*

La Dame Aigle ! Le surnom plut, vola de village en village plus vite que le biplan et dans les jours à venir, partout où Maggie atterrissait, elle était accueillie aux cris de : *Aguila ! Aguila ! Aguila !*

Soudain, Peter Stark s'inquiéta. Maggie et son aéroplane avaient enflammé l'imagination du peuple et partout où il allait il entendait parler de la Dame Aigle.

— Elle va nous battre avec un slogan, dit-il à son frère Davey. Hankins n'est pas mal, mais il est terne. La foule votera à coup sûr pour une personnalité exaltante. Je crois que j'ai commis une erreur.

Il rumina sa déconvenue pendant deux ou trois jours, puis il téléphona au Lantana et laissa un message pour Maggie au standard. Quand elle arriva dans la soirée et apprit qu'il essayait de la joindre, elle sourit mais ne le rappela pas.

Le lendemain, Peter appela Dos. Il lui parla d'une voix suave et condescendante, exagérément polie.

— Vous devriez essayer de la raisonner, Dos. Seule, elle ne peut pas gagner. Elle devrait s'allier avec moi. A nous deux, nous pourrions être une puissance avec laquelle il faudrait compter.

— Cela ne me concerne pas, répliqua Dos.

— Vous devez tout de même avoir de l'influence sur elle.

— Aucune que je veuille exercer.

— Nom de Dieu ! gronda Peter. Vous vous croyez forts, hein ? Il est grand temps que quelqu'un rabatte leur caquet aux Cameron ! Il est temps qu'on vous traîne dans la boue !

— Et vous allez essayer ?

— Et comment ! Dites à Maggie que si elle refuse de marcher avec moi, j'étalerai son passé à la une des journaux !

Dos lutta pour rester calme.

— Je le lui dirai, dit-il, et il raccrocha brutalement.

Il serra les poings, rêvant de pouvoir les écraser sur la figure de Peter Stark.

Quand Maggie atterrit dans la soirée, Dos lui répéta cette conversation. Ils étaient au salon et elle leva les yeux vers son portrait.

— Regarde cette fille, dit-elle comme si elle parlait de

quelqu'un d'autre. Il lui a fallu du cran pour poser pour ce tableau, même si elle était amoureuse de l'artiste. Et il lui a fallu du courage pour voler assez d'argent pour traverser l'océan à sa recherche. Elle se sentait faible, perdue, elle croyait avoir besoin de lui. Et plus tard, quand elle est tombée amoureuse de Bryan, elle ne savait pas quel courage il lui faudrait pour vivre ostensiblement avec lui. Mais elle l'a fait ! Elle était forte, sans le savoir. Et quand elle a dû affronter sa mère, pleine de remords et de honte après tant d'années, elle s'est aperçue qu'elle en était capable.

Elle se retourna et fit face à Dos. Sa figure était dure, sa mâchoire résolue.

— Je ne peux pas laisser tomber cette fille courageuse, n'est-ce pas ? Je ne peux pas tourner les talons et fuir, l'oreille basse. Il faut que je lutte comme elle, jusqu'au bout !

Le cœur de Dos se gonfla de fierté mais il l'avertit :

— Maggie, Peter va étaler ton histoire dans tous les journaux.

— Qu'il l'étale ! riposta-t-elle en souriant, totalement en paix avec elle-même.

16

Deux jours plus tard, de grosses manchettes révélèrent l'histoire. Pasteurs et prêtres firent leur devoir et se dressèrent en chaire pour dénoncer Maggie, en la traitant de Jézabel. Mais, chose curieuse, leurs ouailles s'en allaient en la comparant au contraire à Marie-Madeleine; quant aux Mexicains catholiques, cela ne leur faisait ni chaud ni froid. Le libéralisme de la vieille Europe coulait encore dans leurs veines, les peccadilles ne les choquaient pas et le péché ne jouait guère de rôle dans leur vie. Il était facilement confessé, absous et sagement oublié. Les révélations sur le passé de Maggie ne retournèrent pas les femmes contre elle et, à la grande fureur de Peter, elles la haussèrent dans l'estime des hommes.

Partout où elle allait, la foule criait plus fort que jamais : *Viva doña Aguila !* envahissait les pâturages où se posait le biplan écarlate et les discours devenaient superflus. Sa seule apparition suffisait.

Les élections eurent lieu le quatrième samedi de juillet. Maggie se leva de bonne heure, alla glisser son bulletin dans l'urne et revint attendre au ranch.

Peter ne sortit de chez lui qu'à midi pour se rendre sans se presser au bureau de vote de la mairie. Il avait fait un dernier effort pour vaincre Maggie en ordonnant à ses hommes de parcourir la circonscription en voiture. Ils sillonnèrent les campagnes, visitèrent villes et villages et prirent des gens à leur bord pour les conduire aux divers bureaux de vote. Et en chemin, ils leur rappelaient avec autorité qu'*el Patrón* espérait bien qu'ils voteraient pour Curtis Hankins.

En arrivant à la mairie, Peter fut satisfait de voir le sol jonché des fac-similés de bulletins qu'il avait distribués, chacun soigneusement marqué d'un gros X à côté du nom de Hankins. Il sourit à part lui et, quand il sortit de l'isoloir, quelqu'un lui cria avec bonne humeur :

— Comment avez-vous voté, monsieur Stark ?

Il forma un pistolet avec son pouce et son index et le braqua vers le plafond.

— Eh bien, on pourrait dire que je viens d'abattre cette Dame Aigle !

Puis, les pouces dans les entournures de son gilet, il souhaita le bonjour à la compagnie et alla se pavaner au soleil.

La première chose qu'il vit fut la photo de Maggie sur une affiche. En passant, il l'arracha du poteau télégraphique et la jeta par terre, parmi les bulletins-échantillons éparpillés.

Devant l'immeuble du *Joëlsboro Journal*, on avait érigé une plate-forme avec d'immenses tableaux noirs où les résultats seraient inscrits.

Maggie, Dos et Trev se garèrent de l'autre côté de la rue et attendirent dans la voiture. Il était encore tôt, mais la foule affluait déjà, déambulait sur la chaussée, s'installait sur des chaises pliantes ou des couvertures étalées sur les trottoirs. Quand le jour déclina, la lumière électrique s'alluma, éclairant les tableaux noirs et bientôt après les premiers résultats furent affichés.

Trev se tassa sur son siège. Les chiffres ne représentaient qu'un seul bureau de vote, mais ils révélaient que Maggie était battue par plus de cent voix.

— Mauvais départ, dit-elle sans se troubler.

— Ne renonce pas trop vite, lui dit Dos. Ce n'est qu'un village. Et regarde, c'est Menendez, un des fiefs des Stark.

A ce moment, la Packard noire de Peter arriva et s'arrêta à l'écart. Elle semblait tapie dans l'ombre comme un prédateur guettant sa proie, une panthère prête à bondir. Sa présence parut intimider la foule et la réduire au silence, mais sur l'estrade les hommes ne tardèrent pas à inscrire de nouveaux chiffres et tous les yeux se tournèrent vers les tableaux.

Trev gémit. Dans la course au Congrès, Curtis Hankins menait par près de quatre cents voix. Le moral de Maggie baissa mais Dos, comme s'il devinait ses pensées, lui prit la main.

— Il est encore trop tôt. Tout peut changer.

— Oh ! tu sais, je ne me suis présentée que pour faire enrager Peter. Maintenant, je suppose qu'il va me falloir avaler la couleuvre.

— Ne parle pas comme ça, tante Maggie, supplia Trev, mais il y avait du doute et du découragement dans sa voix.

— Ça ne me ferait rien de vivre à Washington, tu sais. J'ai adoré cette ville dès que je l'ai vue. Mais le Lantana me suffit. C'est mon foyer. Et j'en suis restée éloignée trop longtemps.

Trev n'écoutait plus. Il s'était redressé et regardait les hommes noter les derniers résultats.

— Regarde ! cria-t-il. Tante Maggie ! Tu as remporté Rincón !

C'était vrai, et par plus de deux contre un, rognant presque de moitié l'avance de Hankins.

— C'est grâce à Maria, murmura Maggie. J'en suis sûre. Si jamais Peter l'apprend, il aura la tête de Ricardo !

Puis les résultats d'Ochoa arrivèrent et avant que Maggie pût lire les chiffres elle entendit la foule glapir :

— *Doña Aguila !*

— Tante Maggie ! Tu es à égalité !

— Je parie que Peter transpire, maintenant, dit Dos en riant.

Cependant, quelques instants plus tard, leur joie se dissipa quand Hankins remporta un gros paquet de voix. Pendant une demi-heure il mena confortablement, et puis Maggie commença à le grignoter et faillit le rattraper avant qu'il obtienne une majorité écrasante dans une autre circonscription importante. Elle se couvrit les yeux.

— Dieu ! C'est pire que les courses de chevaux !

Soudain, elle entendit de nouveau la foule.

— *Aguila ! Aguila !*

Madison l'avait élue et la remettait en tête. Pendant une heure, tandis que les résultats arrivaient de villages lointains, Hankins et elle se battirent au coude à coude, échangeant plus de dix fois la première place.

Il se faisait tard mais la foule refusait de s'en aller, incapable de quitter les tableaux noirs des yeux, de partir avant de connaître les résultats définitifs. Maggie grignota la légère avance de Hankins puis le dépassa, mais par moins de vingt voix.

— Nous n'avons toujours pas de nouvelles de Carmelo, observa Dos.

— Attends, dit Trev, c'est peut-être ça, maintenant.

Un homme écrivait rapidement de nouveaux chiffres à la craie et ils se tordirent le cou pour voir derrière lui, mais avant qu'il s'écarte, Maggie sut qu'elle avait emporté la ville car les acclamations étaient assourdissantes.

— *Aguila ! Aguila ! Aguila !*

— Mon Dieu ! s'écria-t-elle en voyant le tableau.

Elle avait écrasé Hankins à Carmelo et fait un bond en avant de plus de mille voix.

— Ça y est ! hurla Dos. Jamais il ne pourra te rattraper maintenant !

Maggie toucha du bois, mais elle n'avait pas à s'inquiéter car son avance était trop importante.

Trev l'embrassa en pleurant de joie, Dos aussi.

— Maggie ! Tu l'as battu !

— Je ne peux pas le croire...

Riant et pleurant à la fois, elle examina encore une fois les résultats définitifs.

— Ma foi, ça montre ce qu'une mauvaise réputation peut faire !

Ils rirent de bon cœur et Trev déclara :

— Tante Maggie, monte sur l'estrade.

— Je ne pourrai jamais !

— Il le faut ! Ils ont voté pour toi. Ils veulent te voir !

— Trev a raison, Maggie.

— Ah ! mon dieu !

— Vas-y, tante Maggie ! J'irai avec toi.

Traînée par Trev elle se faufila vers l'estrade. Bien avant qu'elle l'atteigne, la foule la reconnut et se remit à l'acclamer en psalmodiant :

— *Aguila ! Aguila ! Aguila !*

Dans le fond de la place, la Packard noire démarra et s'éloigna lentement.

Maggie fut hissée sur l'estrade. Elle agita les bras et salua la foule jusqu'à ce qu'elle n'en puisse plus. Elle essayait de garder son calme, mais les larmes brouillaient sa vue et elle ne trouvait rien d'autre à dire que :

— Merci ! Merci ! *Gracias ! Muchas gracias !*

17

Maggie se réveilla le lendemain matin encore éblouie par sa victoire. Elle enfila un déshabillé et descendit rejoindre Trev et Dos à la table du petit déjeuner. Ils l'accueillirent avec des sourires mais au lieu de s'asseoir elle se cramponna au dossier de sa chaise et les regarda à tour de rôle.

— Il vient de me venir une pensée horrible... Je ne sais absolument rien du Congrès.

— Calme-toi, Maggie. Assieds-toi et mange. La prochaine session parlementaire ne se réunit qu'en décembre. Tu as tout le temps de te préparer.

Une heure plus tard, dans son lit, elle lisait la Constitution pour la première fois de sa vie. Après l'avoir lue et relue trois ou quatre fois, elle la mit de côté et se plongea dans une encyclopédie pour étudier l'histoire des États-Unis.

Au cours des semaines suivantes, elle fit le tour du Texas, rencontra d'autres parlementaires, les interrogea, apprit tout ce qu'elle put. Les hommes qu'elle voyait étaient réticents, au début ils se méfiaient de cette femme qui venait s'immiscer dans leur club exclusif et aucun ne pouvait oublier les histoires de son passé publiées au cours de la campagne. Mais son charme et sa vive intelligence renversèrent toutes les barrières et elle respira plus à l'aise en sachant qu'à part deux ou trois irréductibles misogynes, elle avait des confrères vers qui elle pourrait se tourner pour des conseils.

A la fin de l'été, Trev se prépara à repartir pour Austin faire sa dernière année d'université américaine avant son départ pour Cambridge. Maggie le serra dans ses bras et l'embrassa.

— Je suis rudement fier de toi, tante Maggie.

— Tu viendras me voir à Washington, dis ?

— Essaye de m'en empêcher ! En attendant, dis bonjour de ma part au président Harding !

En novembre, Maggie fit ses préparatifs. Il lui fallut une douzaine de malles pour contenir tous ses vêtements et autant de caisses pour les meubles qu'elle voulait emporter.

Au cours d'un bref voyage d'exploration à Washington, en septembre, elle avait loué une ravissante maison à Georgetown, petite mais élégante, avec de belles pièces de réception au rez-de-chaussée, un appartement douillet au premier et assez de chambres pour les trois bonnes et la cuisinière qu'elle emmenait.

Dos l'accompagna à la petite halte où l'attendait le train du Lantana avec ses deux voitures Pullman. Juste avant l'aube, une rafale de vent du nord avait déferlé, apportant des pluies qui avaient nettoyé le ciel et fait tomber la poussière, laissant un firmament aussi bleu que les yeux de Maggie et une brise légère annonçant à peine l'hiver.

En arrivant, Maggie aspira profondément l'air frais et pur, en regardant autour d'elle.

— Ah ! Dos ! Je suis complètement folle de quitter tout ça !

— Ce n'est pas pour toujours.

Elle l'espérait avec ferveur. Ses yeux regardèrent l'horizon et son esprit alla plus loin. Elle voyait tout comme elle l'avait contemplé des airs. Le Lantana ! Leur royaume à eux...

— Mon cœur est ici, murmura-t-elle. Il l'a toujours été. Nous avons le Lantana dans le sang, tout comme papa et maman.

— Comme grand-père et Sofia, ajouta Dos. Maggie, comme ils seraient fiers de toi aujourd'hui !

Une boule lui monta à la gorge et elle serra fortement la main de son frère.

— Je reviendrai, Dos.

— Bien sûr, voyons.

— Non ! Je veux dire bientôt ! Je ne peux pas rester éloignée longtemps.

— Nous t'attendrons.

— Et quand je reviendrai... ce sera pour toujours ! Je veux finir mes jours au Lantana. Je ne veux pas mourir comme maman, dans une ville lointaine. Je veux être ici avec Trev et toi... et les enfants de Trev. Ah Dos ! Je voudrais pouvoir emporter le Lantana avec moi !

Il se baissa, ramassa une poignée de sable et la versa dans le creux de la main de Maggie. Elle referma son poing et le tint contre son cœur.

Sans un mot, il l'aida à monter à bord, l'embrassa et recula pour faire signe au mécanicien.

La locomotive siffla et le train du Lantana, avec la couronne d'épines sur ses flancs, démarra. Maggie se pencha à la portière et regarda jusqu'à ce que Dos ne fût plus qu'un petit point à l'horizon

Puis elle rentra dans le wagon-salon, alla au bureau et vida le coffret à cigares en argent d'Anne. Elle y laissa couler le sable entre ses doigts et le referma. La terre du Lantana resterait avec elle jusqu'à ce qu'elle revienne.

Une de ses bonnes entra et lui demanda si elle avait besoin de quelque chose.

— Non, merci. Laissez-moi, j'ai envie d'être seule.

Maggie s'assit dans un fauteuil et regarda défiler le paysage. Il était plat, presque uniforme, d'un blanc éblouissant sous le soleil du matin. Elle se rappela une phrase d'une lettre d'Alex : « ... *cette partie du monde si étrangement belle. Est-ce que d'autres en voient la beauté comme moi ? La vois-tu ?* »

— Oui, papa ! s'écria-t-elle. Je la vois ! Je la vois !

Le train siffla encore et franchit la dernière clôture, la frontière du Lantana.

TABLE

PREMIÈRE PARTIE

(1860-1867)

DEUXIÈME PARTIE

(1868-1875)

TROISIÈME PARTIE

(1893-1895)

QUATRIÈME PARTIE

(1903-1922)

Cet ouvrage a été composé par Exacompo (Sèvres)
et imprimé par la SEPC (St Amand-Montrond / Cher)
pour le compte des Éditions Olivier Orban
14, rue Duphot, 75001 Paris

Achevé d'imprimer : le 27 mai 1983

Nº d'édition : 268 - Nº d'impression : 938.
Dépôt légal : juin 1983